CASSATIE

Van Scott Turow zijn eerder verschenen:

De aanklager (Presumed Innocent)*
De beschuldiging*
Het bewijs*
De wet van de macht*
Smartengeld

*In POEMA-POCKET verschenen

SCOTT TUROW

Cassatie

UITGEVERIJ LUITINGH ~ SIJTHOFF

Voor meer informatie: kijk op **www.boekenwereld.com**

Oorspronkelijke titel: Reversible Errors
Vertaling: J.J. de Wit
Omslagontwerp: Pete Teboskins
Omslagfotografie: Daniel Lee

ISBN 90 245 4197 2
NUR 332

Voor Jonathan Galassi

PERSONAGES

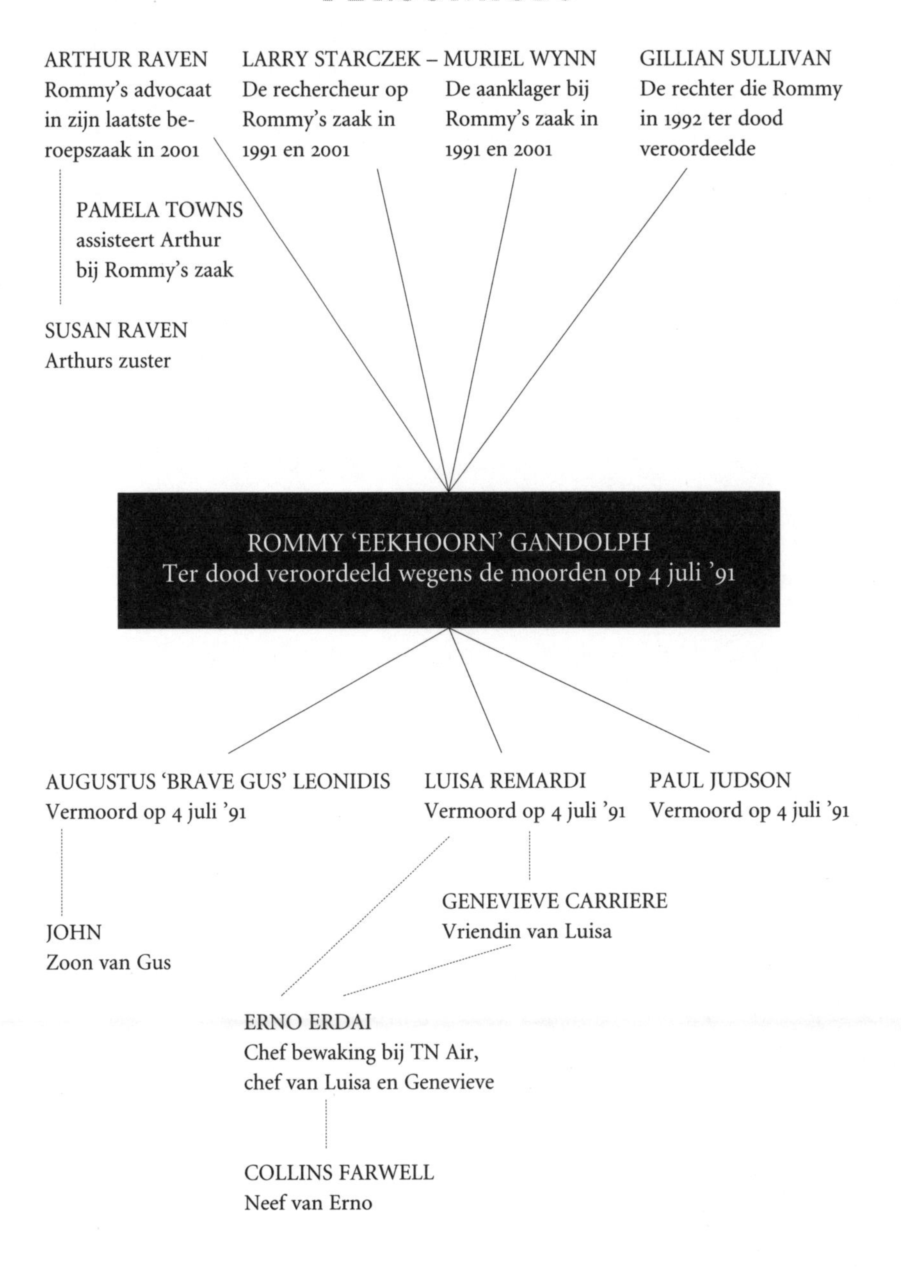
ARTHUR RAVEN
Rommy's advocaat in zijn laatste beroepszaak in 2001
LARRY STARCZEK – MURIEL WYNN
De rechercheur op Rommy's zaak in 1991 en 2001
De aanklager bij Rommy's zaak in 1991 en 2001
GILLIAN SULLIVAN
De rechter die Rommy in 1992 ter dood veroordeelde
PAMELA TOWNS
assisteert Arthur bij Rommy's zaak
SUSAN RAVEN
Arthurs zuster
ROMMY 'EEKHOORN' GANDOLPH
Ter dood veroordeeld wegens de moorden op 4 juli '91
AUGUSTUS 'BRAVE GUS' LEONIDIS
Vermoord op 4 juli '91
LUISA REMARDI
Vermoord op 4 juli '91
PAUL JUDSON
Vermoord op 4 juli '91
GENEVIEVE CARRIERE
Vriendin van Luisa
JOHN
Zoon van Gus
ERNO ERDAI
Chef bewaking bij TN Air, chef van Luisa en Genevieve
COLLINS FARWELL
Neef van Erno

DEEL EEN

Onderzoek

1

20 APRIL 2001

Advocaat en cliënt

De cliënt beweerde, zoals de meeste cliënten, dat hij onschuldig was. Volgens schema zou hij over drieëndertig dagen sterven.

Arthur Raven, zijn advocaat, had besloten zich geen zorgen te maken. Tenslotte, redeneerde Arthur, hield hij zich niet vrijwillig met de zaak bezig. Hij was aangezocht door het federale hof van beroep om na te gaan of er na tien jaar procesvoering nog gegronde redenen waren om Rommy Gandolph niet ter dood te brengen. Tobben stond niet in zijn taakomschrijving.

Toch maakte hij zich zorgen.

'Wat zei je?' vroeg Pamela Towns, zijn jonge collega op de voorbank naast hem. Een gesmoorde wanhoopskreet was Arthur over de lippen gekomen toen hij voor de zoveelste keer zijn situatie onder ogen zag.

'Niets,' zei Arthur. 'Ik vind het alleen ellendig om de aangewezen verliezer te zijn.'

'Dan moeten we niet verliezen.' Pamela, die met haar frisse gezicht zo het tv-journaal kon presenteren, liet een brede, opgewekte glimlach zien.

Ze hadden de stad ver achter zich gelaten en reden honderddertig op de cruise control in Arthurs nieuwe Duitse vierdeursauto. De weg was hier zo vlak en recht dat hij het stuur niet vast hoefde te houden. De prairie schoot voorbij, maïsstoppels en leem, stil en onvergankelijk in het ochtendlicht. Ze waren om zeven uur uit Center City weggereden om geen last te hebben van de spits. Arthur hoopte op een korte eerste bespreking met hun nieuwe cliënt, Rommy Gandolph, in de strafinrichting in Rudyard, zodat hij om twee uur weer achter zijn bureau kon zitten – of drie uur, als hij het waagde Pamela mee uit lunchen te vragen. Hij bleef zich intens bewust van de jonge vrouw naast hem, van het blonde zachte haar dat op haar schouders viel en de hand die om de zoveel kilometer naar haar dij gleed om aan de zoom van haar schotsgeruite rok te trekken.

Hoewel hij haar graag een genoegen zou doen, kon Arthur haar weinig hoop geven in deze zaak.

'In dit stadium,' zei hij, 'is het enige dat een feitelijke dwaling kan opleveren nieuw bewijsmateriaal waaruit zijn onschuld zou blijken. En dat zullen we niet vinden.'

'Hoe weet je dat?' vroeg Pamela.

'Hoe ik dat weet? Omdat de man tegenover iedereen heeft bekend, op Clark Kent van de *Daily Planet* na.' Tien jaar terug had Gandolph bekend tegenover de politie, waarna de aanklager in de zaak, Muriel Wynn, een handgeschreven bekentenis had ontvangen; vervolgens had hij zijn bekentenis herhaald op video. Bij elke gelegenheid had hij erkend dat hij degene was die twee mannen en een vrouw had doodgeschoten en achtergelaten in de koelcel van een restaurant: een zaak die, in de sleetse formulering van de pers, voortleefde als 'het bloedbad van de vierde juli'.

'Maar aan de telefoon blijft hij beweren dat hij onschuldig is,' zei Pamela. 'Het is mogelijk, of niet?'

Het leek Arthur, die plaatsvervangend aanklager was geweest voordat hij zeven jaar terug aan het werk ging bij O'Grady, Steinberg, Marconi en Horgan, godsonmogelijk. Maar Pamela, die vijf- of zesentwintig was, begon net. Het redden van een onschuldige cliënt was het soort avontuur dat ze zich als studente had voorgesteld: te paard als Jeanne d'Arc een glorierijke gerechtigheid tegemoet. In plaats daarvan had ze genoegen genomen met een aanstelling bij een groot advocatenkantoor en honderdtwintigduizend dollar per jaar. Maar waarom niet gewoon alles? Ach, je moest de mensen hun fantasieën gunnen. Arthur Raven was de eerste om dat te beseffen.

'Moet je horen wat ik in Rommy's reclasseringsdossier heb gevonden,' zei Pamela. 'Op 5 juli 1991 is hij veroordeeld wegens schending van de voorwaarden waarop hij was vrijgelaten. De moorden waren op 4 juli. Dus dat hij dat vonnis heeft uitgediend, bewijst toch dat hij in de cel zat?'

'Het geeft aan dat hij in een bepaald stadium in de gevangenis heeft gezeten. Niet noodzakelijk op 4 juli. Uit zijn strafblad blijkt toch niet dat hij op 4 juli in de cel zat?'

'Nee. Maar het is toch iets om na te trekken?'

Het zou tien jaar eerder iets zijn geweest om na te trekken, toen de archieven waaruit bleek dat het onzin was nog bestonden. Maar zelfs nu zou het federale hof van appèl waarschijnlijk wel bereid zijn Gandolph een kort uitstel van executie te verlenen, waarin Arthur en Pamela dan hardnekkig – en vergeefs – deze fantoomtheorie konden najagen.

Geprikkeld door het vooruitzicht van nog meer verspilde tijd zette Arthur het pookje van de cruise control een tandje hoger en voelde een vage voldoening over de reactie van de auto. Hij had de wagen pas twee maanden geleden gekocht als een soort trofee omdat hij in de maatschap was opgenomen. Het was een van de weinige luxes die hij zich ooit had gepermitteerd, maar hij had amper het sleuteltje omgedraaid of hij was overvallen door het gevoel dat hij de nagedachtenis van zijn pas overleden vader had onteerd. Een lieve man, maar extreme spaarzaamheid was een van zijn excentriciteiten geweest.

'En moet je dit horen,' zei Pamela intussen. Ze had het strafblad van Rommy Gandolph in de dikke map op haar schoot opgeslagen en las voor. Gandolph was een dief en hij heelde ook. Hij was een keer of vijf veroordeeld – inbraak, diefstal, een paar keer bezit van gestolen goederen. 'Maar niets met wapens,' zei Pamela. 'Geen geweld. Geen vrouwelijke slachtoffers. Hoe komt zo iemand er opeens toe om te gaan verkrachten en moorden?'

'Oefening baart kunst,' antwoordde Arthur.

Uit zijn ooghoek zag hij dat Pamela's mond verstrakte. Hij had de verkeerde toon getroffen. Zoals hij altijd deed. Arthur wist niet precies wat hij verkeerd had gedaan met vrouwen waardoor hij op zijn achtendertigste nog steeds vrijgezel was. Zijn uiterlijk speelde mee, besefte hij. Al voor zijn twintigste had hij de afhangende schouders en het vale gezicht van een man van middelbare leeftijd. Als rechtenstudent had hij een kort, pijnlijk huwelijk gehad met Marjya, een Roemeense immigrante. Daarna leek hij enige tijd de lust noch de moed meer te hebben om overnieuw te beginnen. Hij had zich zo aan het recht gewijd – zoveel woede en hartstocht in elke zaak gegooid, zoveel avonden en weekends waarin hij het zelfs prettig had gevonden zich in zijn eentje te kunnen concentreren. De verslechterende gezondheidstoestand van zijn vader, en de vraag hoe het met zijn zuster Susan verder moest, hadden jarenlang veel van zijn krachten gevergd. Maar nu hij viste naar een blijk van belangstelling aan Pamela's kant voelde hij zich vernederd door zijn onnozelheid. Zijn hoop om haar voor zich te winnen was even futiel als de hare op op vrijspraak voor Gandolph. Hij voelde zich geroepen hen beiden uit de droom te helpen.

'Hoor eens,' zei Arthur. 'Onze cliënt, die Rommy? Die heeft niet alleen vlot en vaak bekend, maar zich ook verweerd met een beroep op ontoerekeningsvatbaarheid. Dat kan alleen als de advocaat Rommy laat bekennen. In de tien jaar van appèlzaken en beroepen, met twee verschillende advocatenduo's, is er niet één ogenblik sprake van geweest dat Rommy niet de dader zou zijn. Laat staan dat Rommy daar zelf over is begonnen; die heeft zich pas bedacht toen de afstand tussen hem en de naald nog maar vijfenveertig dagen bedroeg. Even serieus, Pamela. Denk je dat hij tegen de advocaten vóór ons heeft gezegd dat hij onschuldig was? Elke boef kent dit spelletje: nieuwe advocaten, nieuw verhaal.'

Arthur glimlachte en probeerde wereldwijs te lijken, maar in feite had hij nooit echt kunnen wennen aan de bokkensprongen die criminele cliënten zich veroorloofden. Sinds hij aanklager-af was had Arthur nog maar een enkele keer als strafpleiter gefungeerd, eigenlijk alleen als een van hun cliënten uit het bedrijfsleven van financiële machinaties was beschuldigd. Zijn dagelijkse confrontatie met het civiele recht was gelukkiger en overzichtelijker: beide partijen foefelden wat en de punten die aan de orde kwamen waren kwesties van economisch beleid. Zijn jaren als aanklager leken achteraf een periode waarin hij elke dag tot taak had gehad een ondergelopen kelder leeg te pompen waar alles was aangetast door colibacteriën en rioolstank. Iemand had gezegd dat macht corrumpeerde. Maar die uitspraak was net zo goed van toepassing op het kwaad. Het kwaad corrumpeerde. Een enkele perverse daad, een zwaar pathologische uiting die alle perken te buiten ging van wat normale mensen zich konden indenken – een vader die zijn zuigeling op negenhoog uit het raam gooide, een oud-leerling die een leraar dwong loog te drinken, of iemand als Arthurs nieuwe cliënt die een van de slachtoffers niet alleen had gedood, maar na haar dood had misbruikt – bezoedelde iedereen die ermee in aanraking kwam. Politiemensen. Aanklagers. Strafpleiters. Rechters. Niemand reageerde op zulke gruwelen met de koele onpartijdigheid die de wet veronderstelde. Er was maar één les: dingen gaan mis. Arthur had er geen behoefte aan om terug te keren naar een wereld waar altijd chaos dreigde.

Een kwartier later waren ze er. Rudyard was een stadje zoals vele andere in het Midden-Westen: een kern van enkele donkere gebouwen, nog goor van het treinroet, en een paar metalen hangars met dakramen van golfplastic waarin allerlei agrarische dienstverlenende bedrijven waren gevestigd. Aan de rand van de stad was een kleine buitenwijk in ontwikkeling, met winkelcentra en eengezinswoninkjes, het resultaat van de economische stabiliteit geboden door een ongewone branche: de gevangenis.

Voorbij een hoek, achter de esdoorns en woninkjes die aan een Hollywooddecor deden denken, verhief zich opeens de penitentiaire inrichting, als een monster in een griezelfilm dat uit een kast te voorschijn sprong: achthonderd meter in willekeurig verband neergezette gebouwen met opvallend weinig en dan nog smalle ramen erin. Deze barakken omgaven een oud stenen gebouw dat aan een middeleeuwse burcht deed denken. Om het complex heen stond niet alleen een drie meter hoge gemetselde muur, maar er lag ook een diepe greppel met kiezelstenen erin en opstekende scherpe pieken, en daarachter een omheining van veiligheidsgaas met anderhalf meter hoge rollen scheermesjesdraad erop, glinsterend in de zon.

In het wachtgebouw tekenden ze het bezoekersregister en werden naar een sleetse bank gebracht waar ze lang moesten wachten tot Rommy werd gebracht. In de tussentijd bestudeerde Arthur Rommy's brief, die via diverse handen het hof van appèl had bereikt. Zijn handschrift was houterig, met verwijzingen in kleur en andere trekjes die te onregelmatig waren om zelfs maar kinderlijk te worden genoemd. Wie de brief zag, moest wel tot de conclusie komen dat Rommy Gandolph zowel wanhopig als krankzinnig was:

Beste rechter,
Ik heb de DOODSTRAF voor een MIsDaad die ik niet GePleegd heb. Ze Zeggen dat ik niet Verder in BurroeP mag en dat alles tegen mij is MAAR toch IK BEN ONSCHULDIG. De advekaten van mijn beroep bij de STaat zeggen dat hun niet verder met mijn kuNNen door de Federale weT. wat moet ik doen? de dag van mijn excutsi moet 23 mei zijn!!!!. ik krijg geen uitstel of niks als ik niet wat heb lopen, maar ik heb geen advekaat. Wat moet ik doen? Help me toch. Hun maken me dood en ik heb geen mens wat gedaan hier in deze zaak of wat ik me Kan herinnereN.
HELP ME. IK HEB NOOIT NIEMAND DOODGEMAAKT!!!!!

Het federale hof van appèl had bepaald dat de correspondentie van Rommy Gandolph moest worden beschouwd als successief verzoekschrift om opschorting in het kader van de federale wet voor herziening en had hem een advocaat toegewezen: Arthur. Rechters zwaaiden wel vaker in het wilde weg met hun toverstokje om een onwillige pad – een advocaat met een volle werkweek – te veranderen in een pro-Deoadvocaat met een veeleisende cliënt die hij noodgedwongen had te accepteren. Sommigen zouden de toevoeging als een compliment beschouwen: het hof dat een gerespecteerd voormalig aanklager vraagt het juridische equivalent van een stervensrite uit te spreken. Maar het was een zware belasting van een toch al zwaarbelast leven.

Uiteindelijk werd Rommy's naam afgeroepen. Pamela en Arthur werden gefouilleerd, de laatste van vele elektronische grendels werd opengeschoven en een deur met kogelvrij glas en een metalen kruisbalk sloeg onherroepelijk achter hen dicht terwijl ze achter de bewaarder aan liepen. Er waren vele jaren verstreken sinds Arthurs laatste bezoek aan de bajes, maar Rudyard was in feite tijdloos. Niet de procedures. De procedures werden, in zijn herinnering, om de paar dagen gewijzigd. De bevoegde instanties – de wetgevende staat, directie en personeel van de gevangenis – streefden onafgebroken naar betere discipline, trachtten te voorkomen dat er contrabande binnenkwam, probeerden de bendes in de hand te houden en de gedetineerden, ervaren misleiders, het misleiden te beletten. Er moest altijd weer een nieuw formulier worden ingevuld, want er was altijd een nieuwe plek om geld te verstoppen, of sleutels of mobiele telefoons – allemaal verboden in de inrichting. Dus was er altijd weer een poort bij, altijd weer een nieuwe procedure die moest worden gevolgd.

Maar de stemming, de sfeer, de bevolking: die waren tijdloos. De verflaag was recent, de vloeren glommen. Het was vergeefse moeite. Waar zoveel mensen in een beperkte ruimte waren samengebracht, met een open wc in elke cel, bleef een stank van menselijke en andere afvalproducten hangen die Arthur bij eerste inademing licht misselijk maakte, precies zoals jaren terug.

Aan het einde van een lage gemetselde gang naderden ze een deur met een groene metalen plaat. In malletters stond er één woord op: VEROORDEELDEN. Voorbij de deur werden ze naar de advocatenkamer gebracht, in feite twee kleine ruimten van anderhalve meter breed met een scheidingsmuur waarin een soort loketraam was gemonteerd: een glasplaat met een metalen schuif eronder om papieren te kunnen doorgeven. Hoewel het in strijd was met elke grondslag van vertrouwelijkheid tussen advocaat en cliënt had de detinerende instantie het recht verworven aan de kant van de gevangene een bewaarder aanwezig te laten zijn.

Achter het raam zat Rommy Gandolph, een schim met een bruine huid en wild haar die schuilging in de ruime plooien van een geel gevangenispak zoals alleen door terdoodveroordeelden werd gedragen. Zijn armen waren geboeid en dus moest hij met beide handen de telefoon vastpakken die hem in staat zou stellen met zijn advocaten te spreken. Aan hun kant pakte Arthur de enige hoorn en hield die tussen Pamela en hemzelf in terwijl ze zich voorstelden.

'Jullie zijn de eerste echte advocaten die ik heb,' zei Rommy. 'Die anderen waren pro Deo. Misschien heb ik een kansje nou ik echte advocaten heb.' Rommy boog zich naar de ruit om zijn moeilijke situatie toe te lichten. 'Ik ben de volgende Gele Man die aan de bak moet, weten jullie dat wel? Ze kijken allemaal al naar me. Of ik anders hoor te zijn omdat ik straks dood ben.'

Pamela boog zich direct naar de papierschuif om bemoedigende woorden te spreken. Ze beloofde dat ze vandaag nog voor uitstel van executie zouden zorgen.

'Ja,' zei Rommy, 'want ik ben onschuldig, man. Ik heb niemand vermoord. Ik wil zo'n DMA-test, man, om te kijken of er wat is.' Een DNA-test, de eerste gedachte tegenwoordig, had Rommy niets te bieden, omdat geen aanklager ooit had beweerd dat er op de plaats van het misdrijf genetische informatie was aangetroffen die tot een persoon kon worden herleid: bloed, sperma, haar, weefselsporen of zelfs speeksel.

Zonder waarschuwing wees Gandolph met een gestrekte vinger naar Pamela.

'Je bent een stuk, zo klink je ook aan de telefoon,' zei hij. 'Ik vind dat jij en ik maar moeten trouwen.'

Pamela's glimlach verstrakte ogenblikkelijk toen tot haar doordrong dat het Rommy volstrekt ernst was.

'Een man moet toch trouwen voor hij doodgaat?' vroeg Rommy. 'Dat is toch een prima idee?'

Hè ja, dacht Arthur. Concurrentie.

'Als jij en ik de grote stap zetten,' vervolgde Rommy, 'krijg ik huwelijksverlof.'

Aan haar verstarde houding te zien viel dit niet onder Pamela's taakopvatting. Arthur, die geen idee had gehad hoe hij het onderhoud moest beginnen, haakte snel aan bij de uitspraak van rechter Gillian Sullivan uit 1992, waarin Rommy ter dood was veroordeeld, en begon die hardop voor te lezen.

'Auga-wat? Wie nou weer?' vroeg Rommy Gandolph.

'Augustus Leonidis,' zei Arthur.

'Moet ik die kennen?' vroeg Rommy. Zijn oogleden trilden terwijl hij probeerde de naam thuis te brengen.

'Hij is een van de drie,' zei Arthur ingehouden.

'Welke drie?'

'De drie die je volgens de aanklager hebt vermoord.' Zoals je hebt bekend, dacht Arthur. Maar het was niet nodig daar nu de nadruk op te leggen.

'Mmm,' zei Rommy. 'Ken ik niet, geloof ik.' Rommy schudde zijn hoofd, alsof hij een ontmoeting was misgelopen. Gandolph liep tegen de veertig. Hij had gelig oogwit en zo te zien het bloed van beide Amerika's in zijn aderen. Informeel gesproken was hij 'zwart', maar hij leek ook blank en indiaans en latino. Zijn haar was krullerig en lang en hij miste een paar tanden, maar hij was niet lelijk. Krankzinnigheid leek zijn kern te hebben aangevreten. Terwijl Arthur Rommy's ogen als door licht verblinde insecten heen en weer zag schieten, werd hem duidelijk waarom Rommy's eerdere advocaten het op ontoerekeningsvatbaarheid hadden gegooid. Het woord 'gek' dat de mensen in de wandeling gebruikten was ongetwijfeld op Rommy Gandolph van toepassing. Maar hij was niet gek genoeg. Asociaal. Een psychopaat, gestoord en misschien zelfs een echte schizofreen. Maar niet zo de weg kwijt in het leven dat hij goed en kwaad niet meer kon onderscheiden, wat een van de criteria was die de wet aanlegde voor een verweer.

'Ik ben geen man die iemand vermoordt,' zei Rommy, alsof hij dat nu pas bedacht.

'In elk geval ben je veroordeeld wegens moord op drie mensen: Augustus Leonidis, Paul Judson en Luisa Remardi. Ze zeggen dat je die drie hebt doodgeschoten en achtergelaten in een koelcel.' De aanklager had ook gesteld dat hij Luisa na haar dood anaal had misbruikt, al had Rommy, waarschijnlijk uit schaamte, geweigerd dat te erkennen. Rechter Sullivan echter, die de zaak als alleensprekende rechter had behandeld, zonder jury, had hem ook op dat punt schuldig bevonden.

'Daar weet ik niks van,' zei Rommy. Hij keek opzij, alsof met die opmerking het onderwerp afgesloten was. Arthur, wiens zuster Susan nog gekker was dan Rommy, tikte op het glas om Rommy's blik weer op zich gericht te krijgen. Bij mensen als Rommy of Susan moest je soms hun blik vasthouden om tot hen te kunnen doordringen.

'Wiens handschrift is dit?' vroeg Arthur niet onvriendelijk en hij schoof Rommy's handgeschreven bekentenis onder de ruit door. De bewaker sprong overeind en eiste inzage. Hij bekeek voor- en achterkant van het document om te controleren of er niets in verstopt zat.

Rommy tuurde enige tijd naar het papier.

'Wat vinden jullie van aandelen?' vroeg hij toen. 'Hebben jullie ooit aandelen gehad? Hoe is dat trouwens?'

Na een geladen stilte begon Pamela uit te leggen hoe de beurzen functioneerden.

'Nee, ik bedoel zéggen dat je aandelen hebt. Hoe voelt dat nou? Man, als ik er ooit uit kom, wil ik aandelen. Dan snap ik ook wat ze allemaal op tv zeggen. "Kwartpunt in de plus." "Jones in de min." Dan weet ik waar dat allemaal op slaat.'

Pamela ging verder met haar poging de mechanismen van bedrijfseigendom uiteen te zetten, en Rommy knikte ijverig na elke zin, maar kon het al spoedig kennelijk niet meer volgen.

Arthur wees weer naar het papier dat Rommy in zijn handen had. 'Volgens de aanklager heb jij dat geschreven.'

Rommy's inktzwarte ogen keken even ontgoocheld. 'Dat dacht ik zelf ook al,' zei hij. 'Als ik er zo naar kijk, kan het wel van mij zijn.'

'En in die tekst staat dat jij die drie mensen hebt gedood.'

Rommy zocht moeizaam het begin op.

'Dit hier,' zei hij, 'dat snap ik niet.'

'Is het niet waar?'

'Man, het is zo lang geleden. Wanneer is het gebeurd?' Arthur liet het hem weten en Rommy leunde naar achteren. 'Ben ik hier al zo lang? Wat is het inmiddels voor jaar?'

'Heb je deze bekentenis voor de politie geschreven?' vroeg Arthur.

'Ik weet dat ik daar toen wat heb geschreven. Niemand heeft mij verteld dat het voor de zaak was.' Natuurlijk zat er een ondertekende waarschuwingstekst in het dossier waarin stond dat elke door Rommy afgelegde verklaring op die manier tegen hem kon worden gebruikt. 'En ik heb niets gehoord over de spuit krijgen,' zei hij. 'Dat weet ik verdomme zeker. D'r was er een van de politie die van alles tegen me zei en dat schreef ik op. Maar ik kan me niet herinneren dat ik dat allemaal heb geschreven. Ik heb niemand doodgemaakt.'

'En waarom heb je dan opgeschreven wat die man van de politie zei?' vroeg Arthur.

'Omdat ik het zeg maar in mijn broek had gedaan.' Een van de meer dubieuze kanten van de bewijsvoering in deze zaak was dat Rommy letterlijk in zijn broek had gescheten toen de rechercheur die de leiding had in de zaak, Larry Starczek, hem ondervroeg. Bij het proces had de aanklager Rommy's bevuilde ondergoed mogen aanvoeren als bewijs van een bestaand schuldbesef. Het was een van de belangrijke punten geworden in Rommy's vele bezwaarschriften, waarop geen enkele instantie zonder onderdrukt gegnuif had kunnen reageren.

Arthur vroeg of Larry, de rechercheur, Rommy had geslagen, eten of drinken had onthouden of juridische bijstand. Hoewel Rommy zelden direct reageerde, leek hij niets van dat alles te beweren – alleen dat hij een uitvoerige schuldbekentenis had geschreven die volledig onwaar was.

'Kun je je toevallig herinneren waar je op 3 juli 1991 was?' vroeg Pamela. Rommy's ogen werden groot van hopeloos onbegrip en ze lichtte toe dat ze zich afvroegen waarom hij in de gevangenis zat.

'Hiervoor had ik nog nooit lang gezeten,' antwoordde Rommy, die kennelijk meende dat het om zijn reputatie ging.

'Nee,' zei Arthur. 'Kan het zijn dat je in de cel zat toen deze moorden werden gepleegd?'

'Zeggen ze dat?' Rommy boog zich vertrouwelijk naar voren en wachtte op een aanwijzing. Terwijl het idee tot hem doordrong, schoot hij in de lach. 'Dat zou een goeie zijn.' Het was allemaal nieuw voor hem, hoewel hij beweerde dat hij in die tijd herhaaldelijk was lastig gevallen door de politie, een strohalm waaraan Pamela zich wilde vastklampen.

Rommy had zelf weinig te bieden, maar in de loop van hun gesprek ontkende hij alles wat de aanklager tegen hem had ingebracht. De rechercheurs die hem hadden aangehouden zeiden dat ze in Gandolphs zak een collier hadden gevonden van het vrouwelijke slachtoffer, Luisa Remardi. Dat was ook gelogen, volgens hem.

'Bij de politie hadden ze dat ding klaarliggen. Toen ik hiervoor werd gepakt, had ik het helemaal niet.'

Uiteindelijk gaf Arthur de telefoon aan Pamela om vragen te stellen. Rommy gaf zijn eigen excentrieke versie van de treurige levensgeschiedenis die uit zijn dossier naar voren kwam. Hij was een onwettig kind; zijn moeder, destijds veertien, was tijdens de zwangerschap blijven drinken. Ze kon niet voor het kind zorgen en stuurde hem naar zijn grootouders van vaderskant in Du Sable, fundamentalistische christenen die straf als het belangrijkste aspect van hun godsdienst beleefden. Rommy was niet echt dwars, maar vreemd. Volgens de beoordeling was hij verstandelijk beperkt en hij had een leerachterstand. En hij misdroeg zich. Als kind had hij al gestolen. Hij was drugs gaan gebruiken. Hij had vrienden die evenmin deugden. Er waren volop Rommy's in Rudyard, blank en zwart en bruin.

Na een onderhoud van ruim een uur stond Arthur op en beloofde dat hij en Pamela hun best zouden doen.

'Wanneer je weer komt, neem je je trouwjurk mee, afgesproken?'

zei Rommy tegen Pamela. 'Er is hier een dominee, die kan het heel goed.'

Terwijl Rommy opstond, kwam de bewaarder ook overeind en pakte de ketting die om Rommy's middel zat en verbonden was met zijn handboeien en de boeien om zijn enkels. Door de ruit heen hoorden ze Rommy druk praten. Dit waren echte advocaten. Het meisje ging met hem trouwen. Ze zouden hem hier uit krijgen omdat hij onschuldig was. De bewaarder, die sympathie voor Rommy leek te hebben, glimlachte vriendelijk en knikte toen Rommy toestemming vroeg om afscheid te nemen. Gandolph drukte zijn geboeide handen met de bleke binnenkant tegen het glas en zei zo luid dat het door de afscheiding heen te horen was: 'Bedankt voor jullie komst en bedankt voor alles wat jullie voor me doen. Ik meen het.'

Zwijgend werden Arthur en Pamela teruggevoerd. Eenmaal in de frisse lucht schudde Pamela haar slanke schouders terwijl ze naar Arthurs auto liepen. Haar gedachten waren natuurlijk nog bij Rommy's verdediging.

'Lijkt hij een moordenaar?' vroeg ze. 'Hij is bizar. Maar is dat hoe een moordenaar is?'

Ze is goed, dacht Arthur, een goede advocaat. Toen Pamela hem uit zichzelf had benaderd om samen met hem aan de zaak te werken, had hij aangenomen dat ze nog te groen was om veel aan te hebben. Hij had ja gezegd omdat hij niet graag iemand teleurstelde, al had het haar niet geschaad dat ze jong was en geen vriend had. Door de ontdekking dat ze begaafd was werd ze in zijn ogen nog aantrekkelijker.

'Ik zal je zeggen hoe ik hem niet zie,' zei Arthur. 'Als je man.'

'Dat was me wat, hè?' zei Pamela lachend. Ze was knap genoeg om het zich niet aan te trekken. De mannen om haar heen gedroegen zich vaak onnozel, besefte Arthur.

Ze grapten wat na en Pamela zei: 'Ik kom de laatste tijd amper geschikte mensen tegen, maar dit' – ze wees met haar hand naar de verre snelweg – 'is wel een hele reis om elke zaterdagavond te ondernemen.'

Ze stond bij het rechterportier. De wind liet haar blonde haar dansen terwijl ze weer lachte en Arthur voelde zijn hart bonzen. Al was hij achtendertig, toch had hij het gevoel dat in hem een schaduw-Arthur schuilging, die langer, gespierder en knapper was, iemand met een welluidende stem en zwierig optreden die Pamela's opmerking over tegenvallende mannen soepel zou hebben omgebogen tot een uitnodiging om samen te gaan lunchen of zelfs nog verder te gaan. Maar bij de griezelige afgrond waar zijn fantasieën aan de realiteit grensden besefte Arthur dat hij, zoals gewoonlijk, de stap niet zou wagen. Hij vreesde vernedering, natuurlijk, maar als hij het nonchalant genoeg aanpakte, kon ze de uitnodiging afwimpelen, zoals ze vrijwel zeker zou doen, zonder dat er een man overboord was. Wat hem weerhield was de kille gedachte dat elke toenaderingspoging oneerlijk zou zijn. Pamela was een ondergeschikte, iemand die zich onvermijdelijk zorgen maakte over haar vooruitzichten, en hij was maat in de maatschap. Er viel niets te veranderen aan hun ongelijke positie of zijn overwicht; Arthur Raven kon geen afstand doen van zijn rust en fatsoen, de enige leefsituatie waarin hij zich op zijn gemak voelde. Hij besefte, al stond hij achter zijn opvatting, dat er met vrouwen vroeg of laat altijd obstakels ontstonden, waardoor hij met de pijn van hopeloze verlangens achterbleef.

Hij gebruikte het apparaatje in zijn zak om Pamela's portier van het slot te doen. Terwijl zij zich op de zachte zitting liet zakken, bleef hij staan in het bittere stof dat op de parkeerplaats was opgedwarreld. Afscheid nemen van zijn hoop, hoe onrealistisch die ook was, deed altijd pijn. Maar de prairiewind stak weer op, blies de lucht schoon en voerde de geur van pas gekeerde aarde mee van de akkers buiten de stad, de geur van het voorjaar. Liefde – de verlokkelijke, verbazende mogelijkheid van liefde – trof in zijn borst een muzikaal volmaakt zuivere toon. Liefde! Om een of andere reden deed de kans die hij had laten glippen hem gloeien. *Liefde!* En op dat ogenblik stelde hij zich voor het eerst de vraag omtrent Rommy Gandolph. Stel dat hij inderdaad onschuldig was? Die gedachte was een haast even zoete inspiratie als de liefde. Stel dat Rommy *onschuldig* was?

En toen besefte hij opnieuw dat Rommy niet onschuldig was. Het gewicht van Arthurs leven drukte zwaar op zijn schouders en de paar categorieën die op hem van toepassing waren, vielen hem weer in. Hij was maat in de maatschap. En hij kende geen liefde. Zijn vader was dood. En Susan was er nog. Hij dacht over het lijstje na en kreeg weer het gevoel dat het veel minder was dan waarop hij ooit had gehoopt, of zelfs waarop hij recht had; toen deed hij het portier open om dat alles weer onder ogen te zien.

2

5 JULI 1991

De rechercheur

Toen Larry Starczek hoorde van de moord op Gus Leonidis, lag hij in bed met een aanklager die Muriel Wynn heette en hem net had verteld dat het serieus was geworden met een andere man.

'Dan Quayle,' antwoordde ze toen hij bars had gevraagd wie dan wel. 'Hij is verliefd op mijn spelling.'

Kribbig zocht Larry met zijn ene voet op de vloer van de hotelkamer naar zijn onderbroek. Toen een teen zijn pieper raakte, was die aan het trillen.

'Ellende,' zei hij tegen Muriel nadat hij had gebeld. 'Brave Gus heeft het zojuist afgelegd. Ze hebben hem en twee van zijn klanten met schotwonden in de koelcel gevonden.' Hij schudde zijn broek uit en zei dat hij weg moest. De chef wilde al zijn mensen paraat hebben.

'Is er al een aanklager aangewezen?' vroeg ze.

Larry had geen idee, maar hij wist hoe het ging. Als ze zich vertoonde, zou iedereen aannemen dat ze gestuurd was. Dat was nog zo'n pluspunt van Muriel, bedacht Larry. Ze was net zo gek op de straat als hij.

Hij vroeg haar opnieuw wie die vriend was.

'Ik wil gewoon verder,' zei Muriel. 'Volgens mij kan het iets worden. Misschien ga ik zelfs wel trouwen.'

'Trouwen?'

'Jezus, Larry, het is geen ziekte. Je bent zelf getrouwd.'

'Hm,' antwoordde hij. Vijf jaar eerder was hij voor de tweede keer getrouwd, omdat het verstandig leek. Nancy Marini, een goedhartige verpleegkundige, was aardig om te zien, vriendelijk en gesteld op zijn jongens. Maar zoals Nancy nog onlangs een paar keer had gezegd had hij nooit gekapt met datgene waardoor zijn eerste huwelijk kapot was gegaan: zijn ontrouw bijvoorbeeld, of het feit dat zijn voornaamste volwassen relatie die was met de lijken die hij van de straat schraapte. Zijn tweede huwelijk had de langste tijd gehad, maar zelfs tegenover Muriel verzweeg Larry zijn problemen liever. 'Je hebt altijd gezegd dat het huwelijk een ramp is,' merkte hij op.

'Mijn huwelijk met Rod was een ramp. Maar toen was ik negentien.' Op haar vierendertigste was Muriel al ruim vijf jaar weduwe.

Het was het weekend van de vierde juli en in hotel Gresham was het in het begin van de middag merkwaardig stil. Larry had een paar gunsten van de bedrijfsleider te goed voor situaties die hij had weggewerkt – gasten die niet wilden vertrekken, een hoer die in de lobby werkte. Larry kon altijd voor een paar uur een kamer krijgen. Terwijl Muriel langs hem heen naar de spiegel wilde lopen, greep hij haar van achteren beet en reed even tegen haar aan, met zijn lippen dicht bij de zwarte krulletjes achter haar oor.

'Is je nieuwe vlam net zo leuk als ik?'

'Larry, dit is niet de nationale neukfinale waarin je zojuist bent uitgeschakeld. We hebben het samen altijd goed gehad.'

Hun relatie werd getekend door strijdvaardigheid. Die had hij misschien nog meer gewaardeerd dan de seks. Ze hadden elkaar als avondstudent rechten leren kennen, zeven jaar eerder alweer. Muriel was de ster van de opleiding en was overgestapt naar de dagstudie. Larry had al besloten ermee te kappen nog voordat hij de voogdij over zijn zoons had gekregen, omdat hij niet de juiste redenen voor de studie had. Na zijn scheiding had hij zijn weerbaarheid willen opvoeren, uit de kroeg willen blijven en stijgen in de waardering van zijn ouders en broers die het politiewerk beschouwden als beneden zijn waardigheid. Uiteindelijk waren de contacten die hij soms met Muriel had waarschijnlijk het beste dat hij aan die periode had overgehouden. Er waren vrouwen in zijn leven, te veel, die je deden hunkeren, maar het had nooit echt goed gevoeld. Na afloop beweerde je allebei dat het geweldig was geweest, maar alles wat er was gebeurd was op een trieste manier berekenend geweest. Bij Muriel was dat nooit het geval geweest. Met dat spleetje tussen haar voortanden, haar korte neus en smalle lichaam zou Muriel niet veel maandbladcovers halen. Maar Larry, die twee keer met een schoonheid was getrouwd, voelde nu soms nog een strop om zijn keel als hij bij haar was, omdat hij zo weinig over zichzelf wist.

Terwijl Muriel haar zomersproeten afdekte met poeder, zette Larry de radio aan. De nieuwszenders hadden inmiddels allemaal het bericht van de moorden, maar onderzoeksleider Greer had alle bijzonderheden afgeschermd.

'Ik zou deze zaak dolgraag willen doen,' zei ze. Ze was nu drieëneenhalf jaar aanklager en kwam nog lang niet in aanmerking voor een zaak waarin de doodstraf kon worden opgelegd, ook niet als vervanger of assistent. Maar je schoot er nooit veel mee op als je tegen Muriel zei dat ze zich in moest houden. In de spiegel van de kaptafel zochten haar kleine donkere ogen de zijne. 'Ik ben dol op geschiedenis,' zei ze. 'Je weet wel. Grote gebeurtenissen. Zaken met gevolgen. Als meisje hield mijn moeder me dat altijd voor: zorg dat je een rol krijgt in de geschiedenis.'

Hij knikte. Het zou een grote zaak worden.

'Gus afmaken,' zei Larry. 'Dat moet iemand zijn kop kosten, vind je ook niet?'

Het poederdoosje klapte dicht en Muriel beaamde het met een droevig lachje.

'Iedereen was gek op Gus,' zei ze.

Augustus Leonidis was ruim dertig jaar lang eigenaar geweest van het restaurant Paradise. De wijk North End was kort na de opening om hem heen naar de bliksem gegaan toen de laatste verdediging tegen de economische neergang, het vliegveldje DuSable, in de vroege jaren zestig door de grote luchtvaartmaatschappijen als bestemming werd geschrapt omdat de banen te kort waren om met jets te landen. Maar Gus, een onverwoestbaar optimistische immigrant, had geweigerd elders zijn heil te zoeken. Hij was aan het land gehecht op een manier die zeldzaam was geworden. Een lokatie in Amerika kon geen slechte lokatie zijn.

Ondanks de omgeving had Gus' bedrijf gefloreerd, zowel dankzij de oostelijke afslag van de US 843 tegenover zijn voordeur als dankzij het legendarische ontbijt dat hij serveerde, met als opvallendste gerecht een omelet die als een ballon ter tafel kwam. Paradise was een bekend kruispunt in Kindle County, waar iedereen enthousiast door de spraakzame eigenaar werd begroet. Hij werd al zo lang Brave Gus genoemd dat niemand meer wist waarom – omdat hij pechvogels weleens iets toestopte of omdat hij voor iedereen een goed woordje overhad. Al jaren was hij een van de favoriete burgers in

Kindle County in de populariteitspoll van de *Tribune.*

Toen Larry aankwam hadden de agenten van de surveillance hun best gedaan om op te vallen door hun zwart-witte wagens achter elkaar te parkeren met knipperende lichtbalken op het dak. Enkele zwervers en oppassende burgers waren erop afgekomen. Het was juli en niemand had veel kleren aan, want in de oude flatgebouwen in de omgeving was de bedrading te slecht om airco op te kunnen aansluiten. De arme meisjes met hun arme-meisjeshaar – een stekelkop van ontkroesd haar, of met een beschermende pantserlaag van lak – stonden aan de overkant met hun baby's. Aan de stoeprand hadden journaalbusjes zich op de uitzending voorbereid door hun zendantennes uit te schuiven, die op uitvergroot keukengerei leken.

Muriel was zelf komen aanrijden en hield zich op bij de grote ramen van het restaurant in de hoop dat Larry haar in het onderzoek zou betrekken. Larry kwam naar haar toe gewandeld, wees vaag herkennend naar haar en zei: 'Ha.' Zelfs bij nonchalante kleding droeg Muriel haar Minnie Mouse-pumps. Ze wilde graag langer lijken en, vermoedde Larry, met haar mooie achterste pronken. Muriel gebruikte wat ze had. Terwijl haar blauwe short wapperde in de wind, voelde hij even een zekere opwinding bij de herinnering aan het lichaam dat nu voor anderen werd bedekt.

Hij liet de twee collega's in uniform bij de deur zijn insigne zien. Binnen zaten links drie burgers op een bankje naast elkaar – een zwarte man met een voorschoot, een aangeslagen vrouw in een beige huisjurk en een jonge man met ronde schouders en een van tien meter afstand zichtbare oorring. Het drietal leek in een eigen wereld te verkeren, afgezonderd van de politiedrukte om hen heen. Personeel of familie, nam Larry aan, in afwachting van verhoor of de gelegenheid zelf vragen te stellen. Hij wenkte Muriel en ze ging bij deze mensen zitten op een van de draaikrukken die als een rij paddestoelen voor de bar stonden.

Tientallen mensen onderzochten de plaats van het misdrijf – minstens zes technisch rechercheurs, in hun kaki shirts, verstoven poeder om vingerafdrukken zichtbaar te maken – maar de sfeer was opmerkelijk ingetogen. Met zoveel mensen erbij ontstond soms allerlei gedoe, met cynische grappen en geklets. Maar deze keer was iedereen midden in een vierdaags vrij weekend teruggeroepen, dus waren ze knorrig of slaperig. Bovendien was de chef er. Hij was de ernst zelve. En het misdrijf was zwaar.

De chef recherche, Harold Greer, had zich geïnstalleerd in Gus' kantoortje achter de keuken, en daar voegden de rechercheurs die hij had opgeroepen zich bij hem. Het kantoortje van Gus was vreemd genoeg niet rommelig. Boven het bureau hingen een Byzantijns kruis, een pinupkalender van een groothandel in voedingsmiddelen en foto's van Gus' gezin; Larry veronderstelde dat die op een vakantie in Griekenland waren gemaakt. De foto's, waarop een echtgenote, twee dochters en een zoon stonden, moesten vijftien jaar oud zijn, maar dat was de periode geweest waarin Gus, vermoedde Larry, naar zijn gevoel echt de kar had getrokken, zijn bedrijf opgebouwd, zijn kinderen grootgebracht. De echtgenote, lachend en knap in een strookjesbadpak, was dezelfde als de aangeslagen vrouw die nu bij de deur zat.

Greer had de telefoon in zijn hand en een vinger in zijn oor; hij legde de toestand uit aan iemand van het kabinet van de burgemeester, terwijl de rechercheurs die hem omringden naar hem keken. Larry liep naar Dan Lipranzer toe om te horen hoe het zat. Lip, met zijn vetkuif als een nozem uit de jaren vijftig, zat zoals gebruikelijk alleen in een hoek. Lipranzer leek het altijd koud te hebben, zelfs in juli, en trok zich in zichzelf terug als een vogel in de rui. Hij was als eerste rechercheur ter plekke gearriveerd en had Rafael ondervraagd, de bedrijfsleider die avonddienst had gehad.

Het Paradise ging maar twee keer per jaar dicht – voor de orthodoxe kerstviering en de vierde juli, de verjaardag van God en die van Amerika, de twee hoogtepunten die Gus altijd in ere hield. Op alle andere dagen stonden de mensen van vijf tot twaalf 's ochtends in de rij; de overige uren was het minder druk. Dan kwamen de politiemensen, taxichauffeurs en veel luchtreizigers onderweg naar of van het vliegveld DuSable, dat een opleving had meegemaakt toen Trans-National Air een paar jaar eerder een regionale dienstregeling was gaan verzorgen.

De bedrijfsleider had Lipranzer verteld dat Gus woensdag 3 juli kort voor middernacht was langsgekomen om de inhoud van de kassa op te halen en elk van de employés honderd dollar te geven. Terwijl ze het bordje 'Gesloten' al wilden ophangen, was Luisa Remardi binnengekomen, die als grondstewardess voor Trans-National aan de ticketbalie werkte. Ze was een vaste klant en Gus, die een zwak had voor vrouwelijke bezoekers, had Rafael, de kok, en de spoeljongen naar huis gestuurd en zelf de keuken overgenomen. Ergens tussen dat ogenblik en twee uur later waren Gus, Luisa en een derde persoon vermoord. Het laatste slachtoffer was een blanke man van tegen de veertig, voorlopig bekend als Paul Judson, op grond van zijn kentekenregistratie (zijn auto was een van de wagens die nog op Gus' parkeerterrein in de julizon stonden te bakken) en de aangifte van zijn vrouw, die hem als vermist had opgegeven. Volgens mevrouw Judson zou Paul op 4 juli om tien over twaalf op DuSable landen.

Rafael was vandaag om halfvijf teruggekomen om open te doen. Hij was niet echt verbaasd over de wanorde die hij had aangetroffen; hij had aangenomen dat Gus zijn laatste klanten de deur uit had gebonjourd en liever meteen was weggegaan dan nog nieuwe klanten binnen te laten. Omstreeks vijf uur in de ochtend had mevrouw Leonidis, Athena, bezorgd opgebeld omdat Gus niet in hun bungalow bij Skageon was verschenen. Rafael had om zich heen gekeken, gezien dat de Cadillac van Gus nog op het parkeerterrein stond en zich bezorgd afgevraagd of het bloedspoor bij de kassa soms niet van ontdooid vlees was geweest dat Gus omhoog had gesleept naar de keuken. Toen de kok binnenkwam, hadden ze de politie gebeld en na wat overleg ten slotte de vriesruimte in de kelder opengedaan om te kijken of er nog iemand leefde. Dat bleek niet het geval.

Het was bijna halfvier in de middag toen Greer de telefoonhoorn neerlegde en de twaalf rechercheurs die hij had opgetrommeld liet weten dat het tijd was om aan de slag te gaan. Ondanks de warmte, zo'n dertig graden, droeg Greer een wollen colbert met das in het besef dat hij op de tv zou moeten. Hij had een klembord en begon taken te verdelen. Harold wilde het task force-model hanteren, waarbij alle rapporten en meldingen in het onderzoek bij hem samen zouden komen. Dat klonk goed voor de pers, maar Larry wist dat het gevolg zou zijn dat zes recherchekoppels elkaar in de weg zouden lopen, dezelfde sporen zouden aantreffen en andere over het hoofd zouden zien. Over een week zou Greer, ondanks al zijn goede voornemens, iets moeten doen aan de andere zaken die zich op zijn bureau hadden opgestapeld en zouden de rechercheurs allengs andere wegen gaan.

Larry probeerde zijn gezicht in de plooi te houden toen Greer bekendmaakte dat hij een koppel zou vormen met Wilma Amos. Wilma was een product van de positieve discriminatie en voornamelijk van nut als kapstok. Die keus betekende dat Larry niet bepaald een prominente rol in het onderzoek was toebedeeld. Wilma en hij moesten zich met het vrouwelijke slachtoffer gaan bezighouden, Luisa Remardi.

'Rondleiding,' zei Harold en liep naar de keuken. De meeste mensen vonden Harold Greer een indrukwekkende figuur: een forsgebouwde welbespraakte zwarte man, rustig en formeel. Larry had weinig bezwaren tegen Harold; hij had minder de drang zich te profileren dan de meeste chefs bij het korps en hij was bekwaam, een van de weinige chefs die in Larry's ogen even pienter was als hijzelf.

De technische recherche had met tape een looppad uitgezet en Harold instrueerde zijn mensen achter elkaar aan te lopen, met hun handen in hun zakken. Iemand die criminologie had gestudeerd zou zeggen dat het waanzin was dat Harold twaalf mensen meenam naar een plaats delict. Het vervuilingsrisico was groot, zelfs als er slofjes werden gedragen, en een verdediger zou een vergelijking trekken met Hannibals mars met de olifanten over de Alpen. Maar Harold wist dat geen rechercheur zich bij een zaak betrokken zou voelen zolang hij niet de plaats met eigen ogen had gezien. Zelfs bloedhonden moesten ter plekke de geur krijgen.

'Werktheorieën,' zei Harold. Hij stond achter de kassa, die op een vitrine rustte met schuine laden vol oude sigaren, chocola en snoep. Aan de voorkant leek de toonbank versierd met paarse vingerafdrukken. 'Theorie nummer één, een vrij sterke: dit is een uit de hand gelopen gewapende roofoverval. De kassa is leeg, de cassette voor de bank is weg en de slachtoffers hebben geen van allen een horloge, portefeuille of sieraden.

Tweede theorie: in dit stadium zeg ik één dader. Dat is geen hard gegeven, maar ik ga er steeds meer in geloven. De kogels die we hebben gevonden zijn .38 patronen met op het oog dezelfde trekken en velden. Eén schutter, vrijwel zeker. Er kunnen medeplichtigen zijn, maar daar lijkt het niet echt op.

Gus is hier vermoord, achter de kassa, zo te zien toen hij de telefoon wilde pakken. Eén schot linksachter in de schedel. Na voorlopig onderzoek zegt Painless één tot anderhalve meter, wat wil zeggen dat de schutter niet ver van de kassa af stond. Uit de hand gelopen roofoverval,' herhaalde Greer. Uit zijn zak haalde Harold een zilverkleurige pen om het bloed aan te wijzen, een grote plas die op het vuile linoleum was opgedroogd en spatten op de groene wandtelefoon.

'Nadat de schutter Gus heeft uitgeschakeld,' vervolgde hij, 'heeft hij een serieus probleem omdat er nog twee klanten in het restaurant zijn. Daarmee stappen we over naar grof en gruwelijk.' Het waren woorden uit de wet: 'grof en gruwelijk geweld' kon in deze staat met de doodstraf worden bestraft. 'In plaats van naar de deur te rennen zoals de gemiddelde boef, besluit onze dader achter de getuigen aan te gaan. Mevrouw Remardi wordt hier gedood, met een enkel buikschot.'

Harold was een meter of zeven doorgelopen naar een zitje tegenover de voordeur in het oorspronkelijke gedeelte van het restaurant. Toen Gus het kocht, lang voordat hij de beide naastgelegen winkeltjes erbij had getrokken, moest de inrichting een middeleeuws thema hebben gehad. Er waren twee rijen zitjes, rug aan rug staande houten bankjes met een tafel ertussen van dikke donkere planken met bobbelige lagen formica erop. Aan het uiteinde van elk paar bankjes stond een hoekige kapstok, als een gevechtstoren.

'Het lijkt erop dat mevrouw Remardi heeft geprobeerd het vuurwapen te pakken te krijgen. Ze heeft kneuzingen aan armen en handen en een gebroken vinger. Maar het is haar niet gelukt. De stof van haar uniform rond de wond is verbrand en het weefsel vertoont stipjes, dus is ze van dichtbij doodgeschoten. Aan de uittredewond te oordelen zegt Painless onder voorbehoud dat de kogel door haar lever en aorta is gegaan, dus ze was in een paar minuten dood.'

Het patroon was door de technische recherche uit het middenpaneel verwijderd. Een onregelmatige ring van ingedroogd bloed was te zien waar het hout was beschadigd en het ruwe grenen blootlag. Dat betekende dat Luisa zittend was gestorven. Een koffiekopje met een felgekleurde halvemaan van lippenstift stond nog op de tafel, naast een asbak vol peuken.

'Als ze naar een medeplichtige kijkt, lijkt het niet logisch dat ze verzet biedt. Dus dat is nog een reden dat we aan een soloactie denken.' Onder de tafel wees Harold een etensbord aan, besmeurd met rode saus, dat aan scherven was gegaan. Tussen de scherven lagen een randje rundvet, een half pakje sigaretten en een wegwerpaansteker.

'Meneer Judson zat daar in de hoek te eten. Rafael heeft vanmorgen een bord, een glas en een blikje 7Up van die tafel afgeruimd. Rechts op het pak van meneer Judson is een rand stof aangetroffen die suggereert dat hij zich waarschijnlijk onder de tafel bevond, misschien om dekking te zoeken tegen kogels. Misschien had hij zich alleen verstopt. Maar de schutter vond hem toch.

Uit de schoenafdrukken in het bloed en het sleepspoor en de lijkverkleuring bij de stoffelijke overschotten van Gus en Luisa valt op te maken dat meneer Judson onder bedreiging met het vuurwapen is gedwongen beide lijken naar de vriesruimte in de kelder te verslepen.'

Harold voerde zijn rechercheurs als een schoolklasje langs de vitrine, waar Muriel nog zat, en door een smalle gang. De trap werd verlicht door een kaal peertje, waaronder de groep naar beneden stommelde. In de gemetselde kelder troffen ze een heel kampement aan. Drie brancards op wielen stonden langs de kant klaar voor de lijken, die nog niet waren weggehaald omdat ze bevroren waren. De politiepatholoog, Painless Kumagai, moest eerst bepaalde onderzoeken en metingen verrichten voordat hij de lijken kon laten ontdooien. Terwijl de groep dichterbij kwam, hoorde Larry dat Painless met zijn scherpe stem en zwaar accent instructies aan zijn assistenten gaf. Harold waarschuwde de rechercheurs achter hem voor de elektriciteitskabels op de vloer van de halogeenstralers die Painless' team in de koelcel had opgesteld om foto's te kunnen maken.

Met behulp van zijn pen zette Harold de deur van de koelcel verder open. Judsons lijk lag vooraan, met een been in de deuropening. Harold wees naar zijn schoenen; beide zolen zagen bruin van het bloed. Het profiel kwam overeen met de profielsporen boven. Met latex handschoenen aan waren Painless en zijn mensen achter in de koelcel aan het werk.

'Nadat meneer Judson de lijken in de cel had neergelegd, werd hij geboeid met een snoer, kreeg een theedoek in zijn mond en werd geëxecuteerd met een kogel in het achterhoofd.' Harolds zilveren pen beschreef de boog van het projectiel ter illustratie. Door de kracht van de inslag was Judson op zijn zij gevallen.

'En daarna heeft onze held, ik neem aan om het te vieren, het lijk van mevrouw Remardi anaal misbruikt.' Een van de pathologen ging opzij zodat het stoffelijk overschot van Luisa Remardi in zijn geheel zichtbaar werd. Na het eerste onderzoek hadden ze haar teruggelegd zoals ze was aangetroffen, voorover liggend op een stapel vijftigpondszakken diepvriespatat. Boven het middel droeg ze het roestkleurige uniform van Trans-National. De uittredewond in haar rug had een keurig scheurtje in de stof geboord, bijna alsof ze met het vest aan een spijker was blijven haken, en de kring van bloed die Larry boven vaag op de zijkant van het bankje had gezien was hier groter, een donkere tie-dyevlek in de stof. Haar bijpassende rok en rode slipje waren op haar enkels getrokken en onder het gesteven rugpand van haar witte blouse staken de meloenbollen van haar billen in de lucht, doorbroken door de donkere ellips van haar kringspier, die verwijd was geweest toen ze stierf. Daar had iemand haar bewerkt; de rode verkleuring wees erop, als Harold het wel had, dat dat direct na haar overlijden was gebeurd, toen een vitale reactie nog mogelijk was.

'Het verkrachtingsonderzoek is negatief, maar in haar slipje is het bovenste stukje van een condoomverpakking aangetroffen en bij de anus iets dat lijkt op een glijmiddelspoor.' Op aanwijzing van Greer richtte een jonge patholoog zijn zaklantaarn om dat laatste punt te illustreren. In de kou was het glijmiddel niet verdampt. Verkrachters maakten zich tegenwoordig zorgen over aids – en hadden van DNA gehoord. Er was geen medeplichtige bij, dacht Larry. Niet als dat het verhaal was. Necrofielen en rugtoeristen traden niet op voor publiek. Zelfs engerds kenden schaamte.

Harold overlegde nog even met het team en ging toen weer naar boven. Larry bleef in de koelcel en vroeg Painless of hij om zich heen mocht kijken.

'Nergens aankomen,' zei Painless. Hij werkte al twintig jaar bij de politie en wist volstrekt zeker dat elke nieuwe politieman dommer was dan de vorige.

Larry was de eerste om toe te geven dat het hele onderzoeksproces bovennatuurlijke trekjes had, maar hij had het gevoel dat hij niet alleen was. De helft van zijn collega's die moordonderzoeken hadden gedraaid, gaf na een paar borrels toe dat ze soms het gevoel hadden door geesten te worden geleid. Hij kon niet beweren dat hij het begreep, maar slechtheid van dit formaat leek een verstoring van het kosmische evenwicht. Voor wat het waard was begon hij vaak met een ogenblik plechtig contact zoeken met de slachtoffers.

Hij bleef een tijdje bij Gus staan. Afgezien van groepsverkrachters, die de ene dag dader waren en de volgende dag werden vermoord, kende Larry maar zelden een slachtoffer. Hij had Gus niet goed gekend, afgezien van zijn waardering voor diens wilde immigrantenact en de omeletten die altijd van het huis waren. Maar Gus had een gave, zoals een goede leraar of priester: hij kon contact leggen. Je voelde hem.

Ik ben bij je, compadre, dacht Larry.

Het schot was door de occiput aan de basis van Gus' schedel gedrongen en had weefsel en bot weggeslagen. Gus lag erbij zoals hij was gevonden, zijn gezicht op een doos hamburgers, met zijn mond open. Als een dode vis. Ze leken allemaal op dode vissen.

Zoals altijd was Larry zich op dit ogenblik intens bewust van zichzelf. Dit was zijn beroep. Moord. Net als iedereen dacht hij na over de aankoop van een tuinslang en de uitslag van de komende ijshockeywedstrijd, en hoe hij vrij kon krijgen voor de voetbalwedstrijden van de jongens. Maar elke dag waagde hij zich op een gegeven moment diep in de klamme grot van het fenomeen moord, in die vochtige, opwindende duisternis.

Hij hoefde zich er niet voor te verontschuldigen. Moord hoorde bij het menselijk tekort. En de maatschappij bestond om het fenomeen in te perken. Voor Larry was het enige werk dat belangrijker was dat van een moeder. Verdiep je in de antropologie, zei hij altijd tegen buitenstaanders die ernaar vroegen. Al die skeletten die met de bijl er nog in worden opgegraven? Dacht je dat het iets van de laatste tijd was? Iedereen had moord in zich. Larry had zelf gedood. In Vietnam. God mocht weten wie hij had gedood toen hij in het donker zijn M-16 afvuurde. De doden aan zijn eigen kant kende hij veel beter. Maar op een dag had hij, in de korte tijd dat hij patrouilles liep, een granaat in een tunnel gegooid en de grond zien instorten en de lijken omhoog zien vliegen in een fontein van bloed. De eerste man werd in stukken gelanceerd, een romp met een arm, de benen afzonderlijk door de lucht. Maar de andere twee mannen schoten intact omhoog. Larry herinnerde zich hoe ze door de lucht waren gevlogen, de een gillend, de ander waarschijnlijk buiten westen, met een gezichtsuitdrukking die je alleen diepzinnig kon noemen. Dus het is voorbij, dacht die man; hij had net zo goed een bord kunnen opsteken. Larry zag die blik nog voor zich. Hij zag hem nu op het gezicht van Gus, het grootste in het leven – de dood – en elke keer vervulde hij Larry met de aangrijpende, ademloze emotie van die perfecte realistische schilderijen in musea: Hopper of Wyeth. Dat dus: het is voorbij.

Het was voorbij voor de slachtoffers, het ogenblik van overgave. Maar weinigen gaven zich bereidwillig gewonnen. Als de onmiddellijke dood dreigde, bleef van de mens niet meer over dan doodsangst en verlangen: het verlangen door te leven en de onuitsprekelijke smart dat de betrokkene dat niet zou doen. Niemand, dacht Larry, kon onder deze omstandigheden waardig sterven. Paul Judson, die bij de deuropening lag, in elk geval niet. Hij leek een doorsneefiguur, een milde man met zijdezacht blond haar die een beetje kaal begon te worden. Waarschijnlijk een man die niet met zijn gevoelens te koop liep. Op zijn knieën gezeten zag Larry zoutsporen in zijn ooghoeken. Paul was gestorven, zoals Larry zou doen, terwijl hij huilde om zijn leven.

Ten slotte ging Larry naar Luisa Remardi toe, die als zijn verantwoordelijkheid zijn grootste aandacht opeiste. Haar bloed had de enorme zakken bevlekt waarop haar lijk was neergelegd, maar ze was boven gestorven. Verscheurd door de kogel als een gebouw door een ontploffende bom hadden de vernielde slagaders en organen het bloed doen wegspuiten dat het onnozele hart was blijven rondpompen. Luisa was eerst slaperig geworden; terwijl minder bloed haar hersenen bereikte, was ze gaan hallucineren, angstbeelden waarschijnlijk, tot haar dromen door een peilloos licht waren weggebleekt.

Nadat de pathologen toestemming hadden gegeven, klom hij over de dijk van zakken om haar gezicht te bekijken. Luisa was knap, zacht onder de kin maar met mooie hoge jukbeenderen. Ze had donker haar met een coupe soleil en hoewel ze late dienst had, waren haar grote bruine ogen zorgvuldig en zwaar opgemaakt. Bij haar keel kon je zien waar foundation en blusher ophielden en haar natuurlijke bleekheid verder ging. Ze was zo'n Italiaans grietje – Larry had er genoeg gekend – dat na haar dertigste zou uitdijen, maar zichzelf niettemin als een stuk zou blijven beschouwen.

Nu ben je van mij, Luisa. Ik zal voor je zorgen.

Boven zocht Larry Greer op om te kijken of hij Muriel in de zaak kon betrekken. Onderweg bleef hij staan bij een tafel waar een technisch rechercheur, een jongen die Brown heette, de inventaris opmaakte van Luisa's tas, die bij de deur op de vloer was leeggegooid.

'Is er iets bij?' vroeg hij.

'Adresboekje.' Met zijn handschoenen bladerde Brown de pagina's voor Larry door.

'Mooi handschrift,' merkte Larry op. De rest was de gebruikelijke rommel: sleutels, bonnetjes, pepermunt. Onder Luisa's chequeboek in hoesje wees Brown twee condooms met glijmiddel aan in dezelfde wijnrode verpakking als in haar slipje was aangetroffen. Wat betekende dat, vroeg Larry zich af, behalve dat Luisa actief was? Misschien had de dader de condooms gevonden toen hij in haar handtas haar portemonnee zocht en was opgewonden geraakt.

Maar ze zouden de gebeurtenissen nooit exact kunnen reconstrueren. Dat had Larry wel geleerd. Het verleden was het verleden en liet zich nooit helemaal grijpen door het geheugen of de beste forensische technieken. En dat was niet erg. De voornaamste informatie had het heden bereikt: drie mensen waren gestorven. Zonder waardigheid. In doodsangst. En een botte hufter had genoten van zijn macht, elke keer als hij de trekker overhaalde.

Larry stond bij de plek waar Luisa was vermoord en deed zijn ogen dicht om nog een keer uit te zenden. Hij was ervan overtuigd dat iemand, waarschijnlijk niet ver weg, even pijn aan zijn hart had gevoeld.

Ik kom je halen, schoft, liet Larry hem weten.

3

4 MEI 2001

De voormalige rechter

Gillian Sullivan, zevenenveertig, onlangs vrijgelaten uit het federale detentiekamp voor vrouwen in Alderson in West Virginia, zat met een sigaret in een kleine koffiebar in Center City, in afwachting van Arthur Raven. Raven, die ze al ruim tien jaar kende, had nadrukkelijk gezegd dat hij haar beroepshalve wilde spreken. Als zoveel anderen wilde hij kennelijk niet dat ze zou denken dat hij haar troost of steun kwam bieden. Niet voor het eerst vroeg ze zich af of ze er goed aan had gedaan om in te gaan op zijn verzoek toen ze Arthur door de glazen deuren zag binnenkomen met een aktetas onder zijn arm.

'Edelachtbare,' zei hij en strekte zijn hand uit. Hij trof meteen de verkeerde toon. Voordat ze in ongenade was gevallen, was het ook al niet waarschijnlijk geweest dat hij haar onder vier ogen zo zou aanspreken.

'Zeg maar Gillian, Arthur.'

'Het spijt me.'

'Het is lastig.' Ze maakte haar sigaret uit omdat ze pas nu bedacht dat hij hinder kon hebben van de rook. In de gevangenis klaagde niemand over rook. Het was er nog altijd een voorrecht.

In haar tijd was Gillian van aanklager rechter geworden en daarna veroordeelde met strafblad. Het was een extreem voorbeeld, maar haar curieuze loopbaan was toch een weerspiegeling van het strafrechtsysteem dat op een repertoiregezelschap leek, in die zin dat de meeste advocaten in een bepaald stadium elke rol te spelen kregen. De aanklager in de zaak waarin jij als verdediger optrad, kon de volgende keer dat je haar zag rechter zijn, en tien jaar later had ze een privépraktijk waarin ze je cliënten het vuur na aan de schenen legde. Rivaliteiten en vriendschappen werden versterkt of vergeten in de parade van de jaren, terwijl al je prestaties en fiasco's ergens in het geheugen van de gemeenschap behouden bleven.

Gillian begreep dat allemaal wel, maar vond het toch onverteerbaar dat het lot haar weer had samengebracht met die treurige, fanatieke kleine Arthur Raven. Dertien jaar eerder, twintig maanden na haar benoeming tot rechter, had Gillian haar eerste strafzaken behandeld: inbraken en straatroven en dergelijke. Arthur Raven was assistent-aanklager bij haar rechtbank. Ze waren allebei nieuw in hun functie en in dat stadium waren haar vooruitzichten heel wat gunstiger dan die van Arthur. Je kwam in het strafrecht allerlei mannen en vrouwen tegen die anderen konden inpalmen, mensen die heel goed de schijn van openhartigheid en nederigheid konden wekken, terwijl ze een vulkanische kern van egocentriciteit en ambitie wisten te verhullen. Arthur was geen man voor schijnbewegingen: hij nam zijn werk bloedserieus en zijn verlangen om te winnen grensde aan het wanhopige. Man, ga toch fietsen, had ze vaak genoeg tegen hem willen zeggen als hij weer eens voor haar verscheen. Waarschijnlijk had ze dat zelfs weleens tegen hem gezegd, want ook in haar eigen visie was ze als rechter niet heel vriendelijk of geduldig geweest. Maar wie kon het haar kwalijk nemen? Arthur leek zich vast te klampen aan de onwaarschijnlijke overtuiging dat elke overwinning op hemzelf zou afstralen.

Alsof het niet een belachelijk beladen vraag was zei Arthur: 'En, hoe is het gegaan?'

'Zozo,' antwoordde ze. In werkelijkheid was ze na verscheidene jaren van worstelen met zichzelf tot het besef gekomen dat ze zichzelf nog steeds niet meester was. Er waren perioden – tegenwoordig de meeste tijd en altijd gedurende heel wat jaren – dat ze gek was van schaamte om haar situatie, gek in die zin dat ze wist dat al haar gedachten erdoor werden verstoord, als een auto die over een weg vol gaten hobbelde.

'Je ziet er nog steeds geweldig uit,' merkte hij op.

In Gillians ervaring waren de motieven van een man om een vrouw een compliment te maken altijd verdacht: een opmaat tot seks of een banalere vorm van manipulatie. Bruusk vroeg ze waar het hem om ging.

'Tja,' zei hij. 'Als ik jouw woord mag gebruiken: het is lastig. Ik ben door het federale hof van appèl aangewezen om een zaak te behandelen. Een herziening. Rommy Gandolph. Kun je je die naam herinneren?'

Natuurlijk kon ze dat. In haar jaren als rechter had ze maar twee keer met een doodvonnis te maken gehad. In de andere zaak was het doodvonnis door de jury uitgesproken. De verantwoordelijkheid voor Rommy Gandolph had uitsluitend op haar schouders gerust. Zij had als rechter het vonnis uitgesproken. Ze was enkele maanden eerder aan de zaak herinnerd toen ze een brief uit Rudyard had ontvangen met de typerende onzinnige beweringen van een gedetineerde die, tien jaar na de moorden, opeens zei dat hij over cruciale kennis beschikte die hij met haar wilde delen. Waarschijnlijk iemand die ze de bak in had laten draaien en nu hoopte dat ze naar hem toe zou komen, zodat hij haar in haar gezicht kon spuwen. Van het proces tegen Gandolph herinnerde ze zich nog de foto's van de lijken in de koelcel. Op de zitting had een van de rechercheurs uitgelegd dat de koelcel zo groot was omdat het restaurant zo'n grote kaart had. Een merkwaardige ondergang.

'Ja,' zei Raven toen ze de zaak had beschreven. 'Brave Gus. Maar je weet hoe het is. Ik moet alles natrekken. Er zijn zelfs ogenblikken dat ik me verbeeld dat Gandolph onschuldig zou kunnen zijn. Mijn assistente,' zei hij, 'heeft haar tanden er echt in gezet. Ze komt met de gekste dingen aan. Moet je kijken.'

Uit zijn dikke tas haalde Raven een paar velletjes papier die hij aan haar gaf. Hij leek te werken aan een theorie dat Gandolph ten tijde van de moorden in de cel had gezeten omdat hij in strijd met de voorwaarden van zijn vrijlating had gehandeld. Er was niet veel archiefmateriaal over en Gandolphs strafblad bood geen bevestiging. Maar net een paar dagen eerder had Arthur een bevestiging van een overplaatsing gevonden waaruit bleek dat zijn cliënt op de ochtend van 5 juli 1991 van de penitentiaire inrichting naar de zitting was overgebracht.

'En wat zegt Muriel daarop?' vroeg Gillian. Muriel Wynn, tien jaar eerder assistent-aanklager bij het proces, had inmiddels de ene promotie na de andere gemaakt en stond op de nominatie om bij de verkiezingen over een jaar Ned Halsey als federaal hoofdaanklager op te volgen. Gillian had nooit veel sympathie voor Muriel gehad; ze was het moderne spijkerharde type. Maar Gillians sympathie voor aanklagers was door haar ervaringen van de laatste jaren vrijwel verdwenen, al was ze dan zelf ook ooit aanklager geweest.

'Die denkt dat Rommy's reclasseringsambtenaar hem die ochtend in zijn kraag moet hebben gepakt om te zorgen dat hij ter zitting zou verschijnen,' zei Arthur. 'Daar geloof ik niets van, op een vrijdag, net na een vrije dag, als niemand wil werken. Muriel zegt ook dat het belachelijk is dat het zowel de cliënt als de verdediger zou zijn ontgaan dat Rommy gedetineerd was toen de moorden werden gepleegd. Maar hij is pas vier maanden na het misdrijf opgepakt en Rommy heeft nauwelijks besef van tijd.'

Gillian neigde ertoe te denken dat Muriel gelijk had. Maar ze was niet bereid zich uit te spreken in de kwestie. Tegenover Arthur voelde ze zich geroepen een vorm van decorum in acht te nemen die ze meende achter zich te hebben gelaten: ze probeerde als rechter te oordelen. Ondanks haar poging neutraal te blijven, leek hij haar scepsis aan te voelen.

'Er was veel dat tegen hem pleitte,' zei hij. 'Dat weet ik. Ik bedoel: Rommy heeft zo'n keer of twintig bekend. En als Christus op aarde zou terugkeren om voor mijn cliënt te getuigen, verlies ik in dit stadium nog. Maar de man had geen verleden van gewapende roofovervallen of ander geweld. Wat Molto en Muriel ter zitting verklaarden door te beweren dat mijn cliënt PCP had gebruikt, en nu blijkt uit alle onderzoeken naar PCP dat er geen verband is met geweld. Dus we zitten niet met lege handen.'

'En hoe is het federale hof bij jou terechtgekomen, Arthur?'

'Geen idee. Ze denken altijd dat de grote kantoren wel iemand kunnen missen. Bovendien heeft iemand zich waarschijnlijk herinnerd dat ik ervaring heb met doodstrafzaken als aanklager in de zaak van Francesco Fortunato.'

'De man die zijn familie had vergiftigd?'

'Drie generaties, grootouders tot kinderen, en elke keer als we een van hun namen noemden, schaterde hij het uit. Toch viel ik bijna flauw toen de jury het doodvonnis uitsprak. Daarom ben ik indertijd overgestapt naar de financiële misdaad. Ik zou er waarschijnlijk zelf in blijven als ik de knop moest indrukken, al geloof ik in principe nog wel in de doodstraf.'

Merkwaardig genoeg gold dat niet voor Gillian; nu niet en in het verleden evenmin. Te veel bedenkelijke aspecten, kort gezegd. Tien jaar terug had Ed Murkowski na Rommy Gandolphs proces tegenover haar toegegeven dat hij voor een rechterlijk vonnis had gekozen omdat hij geruchten over haar opvattingen had gehoord. Maar ze zat hier niet als magistraat. Als één misdrijf met de doodstraf moest worden bestraft, was het dat van Gandolph.

'En wat wil je van me weten, Arthur? Of ik van gedachten ben veranderd?' Haar opvatting zou niemand iets kunnen schelen. Overigens twijfelde ze niet aan Gandolphs schuld; dat had ze maanden eerder voor zichzelf bepaald toen ze die brief van een gedetineerde uit Rudyard kreeg. Ze kon zich nog een andere opmerking van Murkowski, Gandolphs advocaat, herinneren die hij na het vonnis had gemaakt, toen ze allemaal, ook de aanklagers, in haar kamer bij elkaar waren gekomen nadat de vreselijke woorden waren uitgesproken. Gillian had droog commentaar op Gandolphs beroep op ontoerekeningsvatbaarheid en Ed had gezegd: 'Dat was beter dan het verhaal dat hij te vertellen had, edelachtbare. Dat was niets anders dan een langgerekte schuldbekentenis.'

Ze vroeg zich af of ze dat Arthur allemaal zou vertellen, maar zijn zwarte ogen staarden naar de grijze resten in de asbak alsof het theeblaadjes waren. Arthur, besefte ze, stond eindelijk op het punt ter zake te komen.

'Het hof van appèl is me wel erg ter wille,' zei hij, 'waarschijnlijk omdat zij me hebben aangewezen. Ik heb nederig gevraagd om de gelegenheid dingen uit te zoeken en zij hebben de zaak tot 30 juni verwezen naar het districtshof, voordat ze beslissen of ze Gandolph een nieuw beroep zullen toestaan. Ik laat dus geen mogelijkheid onbenut.' Hij gaf eindelijk zijn pogingen op haar niet aan te kijken. 'Hoor eens, ik moet deze vraag stellen. Toen we elkaar leerden kennen, deed je toen al datgene waardoor je later in problemen bent gekomen, bij het behandelen van letselschadezaken?'

Ze had al weinig genoegen aan het gesprek beleefd, maar nu ze wist welke kant het opging, voelde ze een vertrouwde kilte opkomen.

'Wordt dat gezegd?'

'Gillian, draai er alsjeblieft niet omheen. En voel je ook niet beledigd. Ik doe wat ik moet doen.'

'Nee, Arthur, ik nam geen geld aan toen ik strafzaken voorzat. Niemand heeft me in de zaak tegen Rommy Gandolph omgekocht – of in welke andere strafzaak in die tijd ook. Het is begonnen bij de civiele zaken, waar het aan de orde aan de dag leek.' Ze schudde eenmaal haar hoofd, zowel om het bizarre ervan als omdat haar reactie een beetje een uitvlucht leek.

'Goed,' zei hij, maar hij woog haar antwoord kennelijk als advocaat op het waarheidsgehalte. Terwijl ze hem zag delibereren, concludeerde ze dat Arthur er niet best uitzag. Hij was klein van stuk en was nooit echt opgevallen door zijn conditie, maar nu werd hij onder haar ogen oud. De donkere kringen om zijn diepliggende ogen leken te wijzen op overwerk en onregelmatig eten en zijn haar werd dun. Het ergste was nog dat hij de gretigheid van een speurhond had behouden, alsof hij zijn tong elk ogenblik uit zijn mondhoek kon laten hangen. Ze herinnerde zich dat hij problemen had met een familielid, iemand die chronisch ziek was. Misschien was dat wat hem sloopte.

'En de drank, edelachtbare?'

'De drank?'

'Had je een alcoholprobleem toen je de zaak tegen Rommy Gandolph behandelde?'

'Nee.'

'Toen dronk je nog niet?'

Hij was sceptisch – met reden, wist ze.

'Wat zeggen andere mensen, Arthur?'

'Wat andere mensen zeggen doet er weinig toe als je zult getuigen dat je in die tijd niet te veel dronk.'

'Ik dronk wel, Arthur. Maar niet te veel.'

'In die tijd niet?'

Ze bewoog haar tong in haar mond. Geleid door de algemene opinie zat Raven ernaast. Ze kon hem terechtwijzen, of 'Nooit' zeggen en kijken of Raven uiteindelijk op het juiste spoor terechtkwam, maar ze herinnerde zich de instructie van elke vakbekwame advocaat die een getuige voorbereidde: geef antwoord op de vraag die je wordt gesteld. Beknopt, als het kan. Vertel niets uit jezelf.

'Nee, toen niet.' Ze mikte haar sigaretten in haar suède schoudertas en knipte die beslist dicht. Ze wilde weg en vroeg of Raven klaar was. In plaats van antwoord te geven liet hij zijn vinger langs de rand van zijn koffiekopje glijden.

'Ik heb nog een persoonlijke vraag,' zei hij. 'Als je me toestaat.'

Waarschijnlijk wilde hij de vraag stellen waar iedereen mee zat. Waarom? Waarom had ze een veelbelovende carrière laten schieten en was afgegleden naar verslaving en misdaad? Raven was te horkerig om te aarzelen waar anderen zich uit wellevendheid zouden inhouden, en ze voelde de vertrouwde ijzeren greep van het ressentiment. Waarom begrepen de mensen niet dat ze het zelf niet kon peilen? Kon iemand die niet zelf, nog steeds, zo'n groot raadsel was voor zichzelf, ooit zo diep zijn gezonken? Maar Raven dacht aan iets banalers.

'Ik vraag me telkens af waarom je hier terug bent gekomen. Ik bedoel: je bent toch net zoals ik? Niet getrouwd? Geen kinderen?'

Als Raven niet in een kooi had gezeten, was hij kennelijk weggevlogen. Maar ze voelde een krachtige weerzin om zichzelf met Arthur te vergelijken. Haar alleen zijn was haar eigen keus geweest en ze had het altijd als iets tijdelijks beschouwd. Ze was negenendertig op de avond dat de FBI bij haar aan de deur kwam, maar een huwelijk, een gezin, waren vaste elementen gebleven in het beeld dat ze van haar toekomst had.

'Mijn moeder lag op sterven. En het bureau plaatsing gedetineerden was bereid mijn straf gedeeltelijk in dienstverlening om te zetten als ik voor haar ging zorgen. Eigenlijk heeft het bureau de keuze bepaald.' Net als andere antwoorden die ze Raven had gegeven, was ook dit onvolledig om pijn te vermijden. Ze was zonder een cent uit de gevangenis gekomen; de overheid en de advocaten hadden haar alles afgenomen. En Duffy Muldawer, haar 'sponsor' in het jargon van de twaalfstappenprogramma's, was bereid geweest haar onderdak te bieden. Niettemin had ze zich af en toe net zo verbaasd gevoeld als Raven dat ze was teruggekomen naar wat in alle betekenissen de plaats van haar delict was. 'Wanneer de dienstverleningstermijn voorbij is, zal ik waarschijnlijk overplaatsing aanvragen.'

'Is ze overleden? Je moeder?'

'Vier maanden geleden.'

'Het spijt me.'

Gillian haalde haar schouders op. Ze wist nog niet goed hoe ze over de dood van haar ouders dacht – hoewel ze lang had gedacht dat het een van haar weinige sterke kanten was dat ze niet over dit soort dingen piekerde. Haar jeugd en thuis waren moeilijker geweest dan die van velen, prettiger dan die van sommigen. Er waren zes kinderen geweest en twee alcoholistische ouders en een permanente onderlinge rivaliteit en animositeit. Voor Gillian was de voornaamste betekenis van haar herkomst dat die haar had geïnspireerd om door te zetten. Het was alsof je uit Pompeii kwam: smeulende puinhopen en vergiftigde lucht lieten geen andere mogelijkheid dan vluchten. Elders zou de beschaving opnieuw moeten worden uitgevonden. Ze had al haar vertrouwen op twee dingen gesteld: intelligentie en schoonheid. Ze was mooi en ze was intelligent en met zulke voordelen zag ze niet in dat ze omlaag moest worden getrokken tot wat ze de rug toekeerde. De Jill Sullivan die in dat huis was geboren kwam te voorschijn als de Gillian die ze zelf door wilskracht in het leven had geroepen. En die ze daarna kapot had gemaakt.

'Mijn vader is drie maanden geleden gestorven en ik ben nog steeds een wrak,' zei Arthur. Zijn lage voorhoofd was even vertrokken van pijn. 'Ik werd altijd gek van hem. Hij was waarschijnlijk de zenuwachtigste mens die ooit heeft geleefd. Hij had al jaren geleden aan al zijn angsten moeten bezwijken. Maar met al zijn bemoeizucht en zorgelijke vermaningen... besefte ik toch altijd hoeveel hij om me gaf.'

Ravens ogen, zacht bij de herinnering, richtten zich naar haar op en met zijn donkere, klaaglijke blik bekende hij haar hoe zeldzaam zulke mensen in zijn leven waren. Arthur leek wel een jong hondje dat altijd zijn natte neus tegen je hand duwde. Een ogenblik later leek hij beschaamd, door wat hij had laten merken of door haar kennelijke gêne. 'Waarom vertel ik je dit?' vroeg hij.

'Waarschijnlijk omdat je denkt dat iemand als ik niets beters te doen heeft,' antwoordde ze.

Ze zei het op een normale conversatietoon en dacht eerst dat de woorden iets anders moesten betekenen dan het leek. Maar dat was niet zo. Een ogenblik leek de cruheid van haar opmerking hun beiden het zwijgen op te leggen. Er trok een trilling over Ravens gezicht; toen richtte hij zich op en knoopte zijn jasje dicht.

'Het spijt me dat ik je heb lastig gevallen. Ik heb me vergist; ik dacht dat we iets gemeen hadden.'

In een poging haar zelfbeheersing te bewaren, haalde Gillian haar sigaretten weer uit haar tas en stak er weer een op. Maar haar hand trilde toen ze de lucifer afstreek. Het was zo gevaarlijk voor haar om aan schaamte toe te geven. Als ze zich dat eenmaal permitteerde, kon ze nooit meer uit de puinhopen omhoogkrabbelen. Ze keek naar het vlammetje dat de grijze lucifer in de as legde. Ze hoorde dat Raven aan de andere kant van de tafel zijn tas dichtritste.

'Het is mogelijk dat ik je als getuige moet oproepen,' zei hij.

Touché, dacht ze. En als hij de kans kreeg, zou hij geen spaan van haar heel laten. Ze had niet beter verdiend.

'Vind je het goed dat de oproep over de post komt?' Hij vroeg hoe hij haar kon bereiken buiten de officiële federale kanalen om en ze vertelde dat ze in Duffy Muldawers huis in het souterrain woonde. Duffy, die rooms-katholiek priester was geweest, was jaren terug op Gillians rechtbank de voornaamste pro-Deoadvocaat. In die functie was hij telkenmale Ravens opponent geweest. Toch informeerde Raven niet eens uit beleefdheid hoe het met Duffy was. In plaats daarvan noteerde Raven droog het adres van Duffy in een elektronische organizer, een van de talloze wonderen die voor Amerikanen onmisbaar waren geworden in de viereneenhalf jaar dat ze uit de roulatie was geweest. De blauwe rookslierten bleven tussen hen in hangen en een serveerster kwam langs om te vragen of ze nog koffie wilden. Gillian wachtte tot ze weg was.

'Ik had geen reden om onaardig tegen je te zijn, Arthur.'

'Het geeft niet, Gillian. Ik heb altijd geweten dat je me saai vond.'

Ze glimlachte bitter. Maar ze voelde iets van bewondering voor Arthur. Hij was volwassen geworden. Hij kon nu uitdelen. En hij bleef ter zake. Niettemin deed ze opnieuw een poging.

'Ik ben niet erg gelukkig, Arthur. En ik geloof dat ik er ongelukkiger van word om de mensen te zien die ik vroeger kende. Ze roepen pijnlijke herinneringen op.'

Dat was natuurlijk stom. Wie was er immers wel gelukkig? Niet Arthur Raven, de lomperik zonder charme, alleen op zijn familiezorgen na; ze herinnerde zich nu dat hij een zuster had met geestelijke problemen. En Gillians gevoelstoestand interesseerde natuurlijk geen mens. Ze wilden wel geloven dat ze het moeilijk had. Maar dat had ze verdiend, vonden ze.

Zonder erop in te gaan stond Raven op, zei dat hij nog contact met haar zou opnemen en liep naar de deur. Terwijl ze hem nakeek, merkte ze haar spiegelbeeld op in de goedkope spiegels aan de zuilen die het plafond van de koffiebar steunden. Ze schrok vaak een beetje als ze zichzelf zag, omdat ze er over het algemeen veel beter uitzag dan ze zich voelde. Het was veelbetekenend, besefte ze, dat ze als roestvrij staal onaangetast leek door haar beproeving. Maar ze was lang, met een zelfverzekerde houding, en de tijd was vriendelijk voor geprononceerde jukbeenderen. Haar kleur werd minder. Haar lichtblonde haar werd muizig en zou grijs worden; en zoals ze allang had gemerkt bij mensen met een lichte gelaatskleur begon ze een craquelé huid te krijgen. Maar de modieuze details – een maatpakje van keperstof, een parelsnoer, met gel bewerkt stekeltjeshaar – ondersteunden het beheerste aplomb dat ze leek uit te stralen. Het was een beeld waarvoor ze als twintiger had gekozen, een even onecht zelfportret als de meeste adolescenten projecteerden, maar ze had er nooit afstand van genomen, noch van de schijn van zelfbeheersing, noch van het gevoel van welbewust bedrog waarmee het gepaard ging.

In ieder geval had ze Arthur Raven misleid. Ze had misleidende antwoorden gegeven en daarna naar hem uitgehaald om te zorgen dat hij niet bleef aanhouden en achter de waarheid kwam. Raven had zich op een dwaalspoor laten brengen door geruchten, door de gemene roddels die jaren terug de ronde over haar hadden gedaan toen haar bestaan instortte. Ze hadden beweerd dat ze zoop – maar dat was niet zo. Ze hadden gezegd dat ze zich in de lunchpauze een stuk in de kraag dronk en 's middags aangeschoten de zitting leidde. Het was waar dat ze op de zitting in slaap was gevallen, en niet zomaar een beetje had geknikkebold. Ze had haar wang neergelegd en toen een parketwacht haar wakker maakte, had ze de ribbels van haar leren vloeibladhouder in haar wang zien staan toen ze in haar spiegeltje keek. De mensen hadden de spot gedreven met haar dronken gemompel en het gescheld dat aan haar mond was ontsnapt. Ze betreurden de teloorgang van de briljantie waardoor ze al op haar tweeëndertigste rechter was geworden, waarna ze haar talenten die haar een titel van de rechtenfaculteit van Harvard hadden opgeleverd in drank had gesmoord. Ze hadden het hoofd geschud omdat ze de waarschuwingen in de wind had geslagen en niet het pad naar de ontnuchtering had gezocht. En al die tijd had ze haar geheim bewaard. Gillian Sullivan was niet aan de drank, zoals werd beweerd, en niet aan de pillen, zoals werd verondersteld door medewerkers die volhielden dat ze nooit een kegel bij haar hadden geroken. Nee, Gillian Sullivan, voormalig plaatsvervangend aanklager en daarna rechter, was een junkie, een gebruiker, verslaafd aan heroïne.

Ze spoot niet – spuiten had ze nooit gedaan. Ze bleef zelfs in haar grootste wanhoop zo aan haar uiterlijk gehecht dat ze zichzelf niet wilde verminken. In plaats daarvan rookte ze heroïne – ze chineesde. Met een pijpje, een buisje van aluminiumfolie, zoog ze de dampen op terwijl het verhitte poeder eerst in een bruine smurrie veranderde en dan in een geurig delirium. Het ging langzamer, het duurde minuten in plaats van seconden voordat de verrukkelijke golf van genot haar in bezit nam, maar ze had alles in haar leven welbewust gedaan en dit, een soort directeursverslaving, paste in het beeld dat ze van zichzelf had: netter en minder opvallend, zonder ontsierende wondjes en littekens en zonder de verraderlijke bloedneuzen van lijntjes.

Het was begonnen met een man. Zo begon het toch altijd? Toby Elias was een galante, verknipte figuur, een assistent van de procureur-generaal met wie Gillian had overwogen te trouwen. Op een avond was hij thuisgekomen met een dosis heroïne van een in beslag genomen partij. Het was het 'voorproefje' dat een gebruiker een ander had aangeboden als inleiding op een deal, bewijsmateriaal in een proces en na de veroordeling niet teruggegeven. 'Waarom niet?' had hij gevraagd. Toby had altijd een elegante draai weten te geven aan perverse dingen. Zijn ironische onwil zich aan de voorschriften te houden die voor iedereen bedoeld waren had haar bekoord. Die eerste avond hadden ze samen gesnoven en elke avond daarna de hoeveelheid verminderd. Het gaf een bovenaardse vrede, maar was niet iets dat herhaald moest worden.

Een maand later was Toby voor een oplegger gelopen. Ze kwam er niet achter of het een ongeluk was geweest. Hij kwam niet om het leven. Maandenlang was hij een lichaam in een bed, daarna een lekkend wrak in een rolstoel. En ze had hem in de steek gelaten. Ze was niet met hem getrouwd. Ze kon hem niet haar leven schenken als hij haar niet het zijne had beloofd.

Toch was het een treurig keerpunt, besefte ze nu. Toby was nooit beter geworden en zij evenmin. Een maand of vier later had ze voor het eerst een snuifje voor eigen gebruik gestolen. Tijdens een zaak die ze behandelde liet ze toe dat de deskundige à decharge de verzegelde zak met bewijsmateriaal openmaakte om te wegen hoeveel heroïne in beslag was genomen. De roes leek nog aangenamer. Ze sjoemelde om gelegenheden te creëren, gaf zonder noodzaak opdracht tot onderzoeken, moedigde aanklagers aan om bewijsmateriaal 's avonds in haar kamer te laten liggen in plaats van het terug te brengen naar de kluis op de griffie. Uiteindelijk werden de machinaties ontdekt, maar de verdenking viel op een griffier die werd overgeplaatst. Daarna moest ze op straat scoren. En ze had geld nodig.

Inmiddels werd aangenomen dat ze aan de drank was. Bij wijze van waarschuwing werd ze van strafzaken ontheven en op civiele zaken gezet, met name letselschadeprocessen. Daar wist iemand ervan. Een van de dealers die ze had veroordeeld herkende haar, een knappe blanke vrouw die zich verdacht ophield in de sloopwijk niet ver van de rechtbank. Hij had het de politieman verteld wiens informant hij was. Zo was het anderen ter ore gekomen, ook de corrupte doyen van civiele zaken, rechter Brendan Tuohey en zijn handlanger Rollo Kosic. Kosic benaderde haar met een voorstel. Hij bood haar geld om af en toe zijn adviezen op te volgen inzake een uitspraak.

En ze had het gedaan, altijd met spijt, maar haar leven was nu de ellende tussen het scoren door. Op een avond stonden ze voor de deur, een scène uit *1984* of *Darkness at Noon.* De federale procureur-generaal stond met agenten van de FBI op de stoep. Ze was betrapt op corruptie, niet op drugsgebruik. Ze huilde en jankte en snoof zodra ze weg waren.

Na die avond had ze zich tot Duffy gewend, haar huidige hospes, een tot inkeer gekomen alcoholist met een ruime ervaring als adviseur uit zijn jaren als priester. Ze was nuchter toen ze werd veroordeeld en haar verslaving was het enige geheim dat een periode had overleefd waarin ze zich overigens uitgekleed en in het openbaar te schande gezet had gevoeld. Dat wilde ze niet allemaal opnieuw beleven, zeker niet voor Arthur Raven of voor een moordenaar die zo beestachtig was dat hij een dode had verkracht.

Maar het plotseling vileine dat haar tegenover Arthur was ontglipt had haar geschokt, alsof de grond voor haar voeten zich opeens had geopend. Terwijl ze zichzelf voor meer schaamte had willen behoeden, had ze die juist vergroot. Urenlang zou ze aan Raven moeten denken en de manier waarop zijn mond na haar terechtwijzing een kleine 'o' van ongeloof had gevormd. Ze zou Duffy vanavond nodig hebben, zijn kalme raad, om niet ten onder te gaan.

Nu dat haar duidelijk was, kwam ze overeind en haar blik viel op haar spiegelbeeld. Zo te zien stond daar een slanke, elegante vrouw met een verzorgd uiterlijk. Maar in haar binnenste verschool zich haar ergste vijand, een duivel die, zelfs na hechtenis en gezichtsverlies, onbevredigd en sterk was gebleven en, afgezien van zijn wil haar te laten lijden, onbekend.

4

5 JULI 1991

De aanklager

Een jammerkreet, zo onverhoeds dat Muriel heftig schrok, klonk van het zitje tegenover haar terwijl ze naast de vitrine zat. Een zwarte man met een schort tot op de enkels, waarschijnlijk de kok, was overeind gekomen en het vooruitzicht van zijn vertrek leek de smart van de vrouw naast hem te hebben aangescherpt. Ze was donker en mager en lag tegen hem aan. Achter hen stond een jongere man met een glimmend knopje in zijn oor hulpeloos toe te kijken.

'De weduwe,' fluisterde een van de technisch rechercheurs die de vitrine onder de kassa op vingerafdrukken onderzocht. 'Ze wil niet naar huis.'

De kok droeg haar over aan de jongeman, die met tegenzin zijn arm op haar schouder legde, terwijl mevrouw Leonidis bleef weeklagen. In zo'n koelbloedig helder ogenblik waarom Muriel al bekendheid genoot onder haar collega's, besefte ze opeens dat Gus' weduwe de vaste rouwstadia afwerkte zoals ze die kende. Het was haar plicht om te gillen en te jammeren. Een oprechtere uiting van verdriet om de dood van haar man, echte rouw of zelfs opluchting, zou zich lang na nu onder privéomstandigheden voordoen.

Sinds de dag dat ze als aanklager was begonnen had Muriel een instinct gehad voor de overlevenden van geweld. Ze wist niet goed hoe verbonden ze zich met haar ouders had gevoeld en of een man, zelfs haar overleden echtgenoot, haar ooit in haar diepste wezen had getroffen. Maar van deze slachtoffers hield ze met de stralende nietsontziende furie van de zon. Ze had snel begrepen dat hun lijden niet slechts voortkwam uit hun verlies, maar ook uit de onvoorspelbaarheid ervan. Hun pijn werd niet veroorzaakt door een natuurramp als een wervelstorm of een grillige, niet berekenende vijand als ziekte, maar door een menselijk tekort, de verknipte wil van een aanvaller en het verzuim van het regime van rede en regels om hem tegen te houden. De slachtoffers hadden het volste recht te denken dat dit nooit had mogen gebeuren – want de wet bepaalde dat het niet mocht.

Toen mevrouw Leonidis enigszins tot bedaren was gekomen, schoof ze langs Muriel naar de dames-wc. De jongeman die haar tot halverwege had begeleid wierp Muriel een schaapachtige blik toe toen de deur was dichtgegaan.

'Ik kan niet met haar praten,' legde hij uit. 'Mijn zusters zijn onderweg, maar die moeten van buiten de stad komen. Zij nemen haar wel mee naar huis. Naar mij luistert niemand.' De zachtmoedige, schuw ogende jongeman werd vroeg kaal en zijn haar was zo kort geknipt als dat van een rekruut. Van dichtbij kon Muriel zien dat zijn ogen en neus rood waren. Ze vroeg of hij ook familie was van Gus.

'De zoon,' zei hij met vreugdeloze nadruk. 'De Griekse zoon.' Hij vond het wrang grappig wat hij had gezegd. Hij vertelde dat hij John Leonidis heette en gaf haar een klamme hand.

Toen Muriel met haar naam en functie antwoordde, klaarde zijn gezicht op. 'Goddank,' zei hij. 'Dat wil ma graag, praten met de aanklager.' Hij voelde in zijn zakken tot hij merkte dat hij zijn pakje Kools al in zijn hand had. 'Mag ik iets vragen?' Hij ging naast naar zitten. 'Word ik verdacht?'

'Verdacht?'

'Ik weet het niet, er gaat van alles door mijn hoofd. De enige die ik kan bedenken die Gus zou willen vermoorden ben ik.'

'O ja?' vroeg Muriel op conversatietoon.

John Leonidis keek naar het gloeiende uiteinde van zijn sigaret. Zijn nagels waren kort en onregelmatig afgebeten.

'Ik zou het nooit hebben gedurfd,' zei hij. 'Maar weet je, al dat gedoe over "Brave Gus". Thuis gedroeg hij zich als een zwijn. Weet je dat mijn moeder zijn teennagels moest knippen? Niet te geloven, toch? In de zomer zat hij als een pasja op de achterveranda in de zon terwijl zij dat deed. Dat is toch om te kotsen.'

Verbitterd maakte John een hoofdbeweging en begon toen zonder waarschuwing te huilen. Muriel had zelf problemen gehad met haar vader, die twee jaar terug was gestorven, en kon onmiddellijk navoelen wat een tornado van verwarring John had getroffen. Tom Wynn was vakbondsleider geweest in de Fordfabriek bij Fort Hill en regiocoördinator, een man die buitenshuis solidariteit predikte en thuis zijn onvrede afreageerde. Na zijn dood was Muriels moeder na een te korte periode hertrouwd met het hoofd van de school waaraan ze lesgaf, maar ze was nu gelukkiger in de liefde dan Muriel ooit was geweest. Net als John had Muriel in het reine moeten komen met de gesmoorde gevoelens die samengingen met alles wat je niet kon afronden. Terwijl John zijn best deed om zich te vermannen en in zijn neus kneep, legde Muriel haar hand op de zijne op het gehavende formica tafelblad.

Toen Johns moeder van de wc terugkwam, had hij zichzelf weer in de hand. Zoals hij had voorspeld zette Athena Leonidis, toen hij Muriel voorstelde als 'de aanklager', zich in postuur om haar woordje te doen.

'Ze moeten dood, ik wil ze dood,' zei ze, 'dat tuig dat dit met mijn Gus heeft gedaan. Dood. Met mijn eigen ogen. Ik zal niet slapen tot ik het zie.' Ze ging weer door de knieën en viel op haar zoon die, over de schouder van zijn moeder, Muriel weer een ontredderde blik toewierp.

Maar ze begreep mevrouw Leonidis. Muriel geloofde ook in straf. Haar moeder, de lerares, was sentimenteel en geloofde in het toekeren van de andere wang, maar Muriel was het altijd met haar vader eens geweest die de harde aanpak bij de bond verdedigde door te zeggen dat de mensen niet uit zichzelf goed waren, dat ze ertoe aangezet moesten worden. In een ideale wereld zou je iedereen die fatsoenlijk leefde een medaille geven. Maar er was onvoldoende tijd of edel metaal om dat in dit leven te doen. Dus moest er een ander voorbeeld worden gesteld, opdat goede mensen iets terugkregen voor hun inspanningen. Slechte mensen moest pijn worden toegebracht. Niet omdat hun lijden vreugde schonk. Maar omdat goedheid pijn deed: de pijn van de onthouding, de blaren van discipline. Goede mensen hadden recht op een fatsoenlijke prijs. Op moord stond de dood. Dat maakte deel uit van de elementaire wederkerigheid van de wet.

De leider van het onderzoek, Harold Greer, kwam aanlopen. Hij drong erop aan dat mevrouw Leonidis naar huis zou gaan, maar het was Muriel die hij wilde spreken. Greer stelde zich voor in Gus' kantoortje.

'Ik wacht al uren op een aanklager. Tommy Molto is nergens te bereiken.' Molto, de chef Ernstige Delicten, had onlangs zijn baan in burger teruggekregen nadat hij was ontslagen omdat hij een verdachte ten onrechte zou hebben beschuldigd. Niemand wist nog precies wat hij van Tommy moest denken. 'Volgens Larry ben je niet dom.'

Muriel haalde haar schouders op. 'Kijk wie het zegt.'

Ondanks zijn serieuze karakter kon Greer daar hartelijk om lachen. Larry had waarschijnlijk nooit een chef gehad die hij niet bij gelegenheid tegen zich in het harnas had gejaagd.

'Als het je lukt om in het vrije weekend een bevel tot huiszoeking voor me te versieren, ben je volgens mij ook niet dom,' zei Greer.

Ze begon aantekeningen te maken op een blokje groene bestelbriefjes zoals het bedienende personeel gebruikte. Harold had toestemming van justitie nodig om de auto's op het parkeerterrein te kunnen doorzoeken en de woningen van Gus' personeel. Voordat ze afscheid namen, voelde Muriel zich verplicht te verhalen wat John Leonidis had gezegd over zijn wens om zijn vader te vermoorden.

'Hè verdomme,' zei Harold fronsend. Niemand viel graag nabestaanden lastig.

'Het komt gewoon door de schok,' zei Muriel. 'U weet hoe het is. Met families.'

'Natuurlijk,' zei Greer. Hij had ook familie. 'Zorg je dat ik toestemming krijg? En geef me je telefoonnummers voor het geval ik nog iets nodig heb.'

Ze had geen idee waar ze vrijdagmiddag om vier uur in een vrij weekend een rechter zou kunnen vinden om de benodigde handtekening te zetten. Toen Harold weg was, bleef ze achter in het kantoortje, treurig gestemd door de persoonlijke bezittingen die haar omringden, en begon rechters thuis te bellen. Gillian Sullivan, Muriels laatste keus, klonk zoals gewoonlijk aangeschoten en slaperig, maar ze was beschikbaar. Muriel vertrok naar de griffie waar ze zelf de formulieren zou moeten uittypen.

Ze was opgewonden. Het was een vaste regel: als je eenmaal met een zaak in aanraking was gekomen, maakte je die ook af. Deze ongeschreven wet voorkwam dat mensen zaken waar ze geen zin in hadden op anderen afwentelden en dat politieke zwaargewichten felbegeerde zaken in de wacht sleepten. Toch zou ze waarschijnlijk naar de derde positie worden terugverwezen, omdat de doodstraf kon worden geëist. Alleen als John en Athena er de mensen naar waren om te zeggen dat er niet nog meer doden mochten vallen, zou de aanklager aarzelen op een doodvonnis aan te sturen, maar de familie Leonidis had kennelijk andere opvattingen. Het zou een proces worden, een groot proces dat veel aandacht kreeg. Muriel zou haar naam op de voorpagina van de *Tribune* zien staan. Het vooruitzicht deed haar lichaam tintelen.

Als kind was ze lange tijd bang geweest om dood te gaan. Sidderend had ze in bed liggen bedenken dat de hele lange reis naar de volwassenheid haar alleen maar dichter bij dat afgrijselijk duistere eindpunt zou brengen. Maar na verloop van tijd had ze de goede raad van haar moeder aanvaard. Er was maar één uitweg: iets bereiken, een spoor achterlaten dat niet door de eeuwigheid zou worden uitgewist. Over honderd jaar wilde ze dat er iemand zou zijn die zou opkijken en zeggen: 'Muriel Wynn, die heeft goede dingen gedaan waardoor we nu allemaal beter af zijn.' Ze had nooit gedacht dat het gemakkelijk zou zijn. Hard werken en risico's nemen hoorden erbij. Maar recht verkrijgen voor Gus, voor al deze mensen, was belangrijk, een onderdeel van de eeuwigdurende taak haar schouders te zetten onder het verzet tegen de lugubere impulsen die anders in de wereld zouden overheersen.

Toen ze wegging trof ze Larry op de stoep voor het restaurant aan bij het afweren van Stanley Rosenberg, de onderzoeksverslaggever van Channel 5 met zijn knaagdierenkop. Stanley bleef aandringen, hoe vaak Larry ook zei dat hij zich tot Greer moest wenden; en ten slotte keerde Starczek, die weinig met persmensen ophad, hem eenvoudig de rug toe.

'Vuile bloedhond,' zei hij tegen Muriel die naast hem kwam lopen. Hun auto's stonden naast elkaar. Ze voelde de grimmigheid van wat ze hadden achtergelaten nog om zich heen hangen in de grauwe straten, als een geur die in je kleren was getrokken.

'Dus Harold heeft je ingeschakeld?'

'Je doet je werk goed,' zei ze. Ze kwamen bij haar Honda. Ze bedankte Larry omzichtig en zei tot kijk, maar hij pakte haar arm.

'Wie is het nou?' wilde hij weten.

Toen ze had bedacht wat hij bedoelde, zei ze dat hij het beter kon vergeten.

'Dacht je soms dat ik het niet te horen krijg?'

Ze vochten nog een paar robbertjes voordat ze toegaf.

'Talmadge,' zei ze ten slotte.

'Talmadge Lorman?'

'Larry toch. Hoeveel mensen kom je in je hele leven tegen die Talmadge heten?'

Talmadge, een voormalig congreslid, was nu een bekende advocaat en lobbyist; Larry en Muriel hadden zijn colleges verbintenissenrecht gevolgd. Drie jaar terug was de vrouw van Talmadge op haar eenenveertigste aan borstkanker overleden en het voortijdig verlies van een eega had Muriel en hem nader tot elkaar gebracht. De relatie was opgelaaid en uitgedoofd, zoals het altijd leek te gaan tussen Muriel en mannen. Sinds kort was hun relatie echter weer serieuzer geworden. Nu zijn beide dochters het huis uit waren om te studeren vond Talmadge het niet prettig om alleen te zijn. En zij had waardering voor het krachtenveld om hem heen – gewichtige gebeurtenissen leken altijd ophanden als je bij Talmadge in de buurt was.

'Ga je echt met Talmadge Lorman trouwen?'

'We gaan niet trouwen. Ik heb je al verteld dat ik het gevoel had dat dat misschien, heel misschien, waarschijnlijk niet tot iets kon leiden. Daar zijn we nog mijlenver van af. Ik wilde je alleen laten weten waarom je niet maar hoeft te fluiten om me te laten opdraven.'

'Opdraven?'

Misschien kwam het door het gesprek, dat van beide kanten bizar leek, maar ze kreeg een gevoel van onthechting, alsof ze buiten zichzelf stond en Muriel observeerde. De afgelopen jaren kreeg ze dat gevoel vaker; dan leek de echte, ware Muriel wel aanwezig maar niet waarneembaar, een kerntje van iets dat wel bestond maar geen zichtbare vorm had. Ze was de gebruikelijke lastige puber geweest, die overal bedrog in de wereld zag, en in sommige opzichten was ze daar nooit overheen gekomen. Ze wist dat iedereen werd gedreven door eigenbelang. Dat was wat haar in het recht had aangetrokken: ze wilde niets liever dan al die veinzerij doorprikken. Maar diezelfde opvattingen maakten het haar moeilijk om nader tot iemand anders te komen.

Dat was ook de reden dat Larry steeds weer een ritje in de draaimolen wilde maken – ze kende hem. Hij was slim, eerder slim dan aardig, en ze waardeerde zijn cynische grapjes en zijn vaste vertrouwen in haar. Hij was een stevige man met Poolse en Duitse voorouders; hij had onschuldige blauwe ogen, een groot, rond gezicht en donkerblond haar dat wat minder vol werd. Je zou hem eerder mannelijk dan knap noemen, maar hij was zeker een aantrekkelijke man. Haar zijsprong met hem was karakteristiek voor haar wilde jaren, toen ze het leuk had gevonden om stoute dingen te doen. Maar hij was getrouwd en voor de volle honderd procent politieman. Nu hield ze zichzelf voor wat ze ook tegen hem had gezegd: dat ze verder moest.

Ze keek de straat in om te zien of iemand naar hen keek en pakte toen een knoopje van zijn hemd, een wijd kunststof geval dat hij onder een popeline sportjasje droeg. Ze trok er even aan, een vertrouwd gebaar, een intiem verzoek om vergiffenis. Toen startte ze de auto. De motor sloeg aan en zodra ze weer aan de zaak dacht, kwam ze in een beter humeur.

5

3 OKTOBER 1991

Sporen natrekken

Op weg naar het vliegveld DuSable om navraag te doen naar Luisa Remardi stopte Larry bij de Point om naar een huis te kijken. Een jaar of tien eerder had hij onderzoek gedaan naar de moord op een makelaar en was geïnteresseerd geraakt in onroerend goed. Nu knapte Larry huizen op die hij na anderhalf jaar weer met een aardige winst van de hand deed. Toen hij jonger was, had hij het politiewerk als een fase in zijn leven beschouwd. Hij hield er wel van, maar tot hij zijn rechtenstudie eraan had gegeven en zich ermee had verzoend dat de politie zijn lot was, had hij zichzelf in een hogere machtspositie gezien. Tegenwoordig richtte hij zijn dromen op onroerend goed.

Op een zachte najaarsmiddag beoordeelde Larry het huis; de makelaar had hem getipt dat het later die week zou worden aangeboden. De Point, lang het toevluchtsoord voor de kleine Afrikaans-Amerikaanse middenklasse, trok nu alleenstaanden en jonge gezinnen van elke huidskleur die dicht bij Center City wilden wonen zonder er krom voor te hoeven liggen. Dit huis, een groot Victoriaans geval, was een yuppendroom. Het was opgedeeld in appartementen, maar veel oorspronkelijke elementen waren intact gebleven, zoals de vierkante uitkijkbalkons rond de torentjes aan weerskanten en het originele smeedijzeren tuinhek met speerpunten waarin nu zachte bergen vergeelde bladeren waren gewaaid.

Er was ook een mooie zonnige hoek aan de voorkant waar hij zinnia's kon planten, Oost-Indische kers, dahlia's, gladiolen en chrysanten, zodat er van mei tot oktober bloemen zouden zijn. In de loop van de tijd was hij erachter gekomen dat in de tuin geïnvesteerd geld flink wat extra belangstelling opleverde. Vreemd genoeg was het tuinieren langzamerhand misschien wel zijn favoriete kant van de onderneming geworden. Zijn grootvader was boer in Polen geweest, en nu bewerkte Larry op zijn beurt de grond. Wat hij er prettig aan vond, was dat zijn aandacht werd getrokken door dingen die hem eerder niet waren opgevallen. Midden in de winter dacht hij aan de vorst in de grond, aan de stervende microben en de voedende sneeuw. Hij lette op de hoek van de zon en veranderde elke dag van mening of hij regen wilde. De aarde lag onder de straat: zo dacht hij er altijd aan.

Het was ruim over vieren toen hij het vliegveld naderde. Het rechercheteam dat Harold Greer in het Paradise had samengesteld, had een week of vijf de Tri-Cities bestormd. Maar zoals Larry had voorzien, had Greer geen succes behaald met het leiden van een onderzoek vanuit het hoofdbureau in de steenkolos McGrath Hall. Het was niets anders dan een middeleeuws paleis vol geruchten over wie het met wie deed en welke flapdrol nu weer in de gunst was bij de hoofdcommissaris en de chefs. Er werd geen serieus politiewerk gedaan, alleen de eeuwige dienderhobby's werden er bedreven: lobbyen en kankeren. In augustus dacht de FBI de dader in Iowa te hebben gepakt. Het liep op niets uit, maar inmiddels waren de meeste rechercheurs op andere zaken overgestapt. Voor zover Larry wist, was hij nog de enige rechercheur van de task force die vaker dan eens in de paar weken een rapportje indiende.

Luisa bleek raadselachtig genoeg om zijn aandacht vast te houden. Zelfs bij de sectie waren vragen ontstaan over de exacte omstandigheden van haar overlijden. Rond haar anus had Painless een aantal oppervlakkige scheurtjes ontdekt met vage bloedveegjes. Dode mensen bloedden niet. Larry's huidige theorie was dat ze zich aan een eerste seksuele schending had onderworpen in de hoop haar leven te kunnen redden. Maar wat had Judson, het derde slachtoffer dat uiteindelijk haar lijk naar beneden had gesleept, gedaan terwijl Luisa werd aangerand? Had een medeplichtige hem onder schot gehouden?

Larry parkeerde voor het grote administratieve centrum dat TN Air onlangs had neergezet. Na de komst van verkeersvliegtuigen die op korte banen konden starten en landen had Trans-National DuSable opnieuw in de dienstregeling opgenomen en zich op een specifiek deel van de markt gericht: zakenlieden en gokkers. De maatschappij bood budgetreizen naar andere steden in het Midden-Westen, en naar Las

Vegas en Atlantic City waarop vierentwintig uur per dag werd gevlogen. Drie andere nationale maatschappijen hadden gates gekocht en het luchthavenbestuur had toestemming verleend voor een enorme uitbreiding in de hoop op verlichting voor de razend drukke gigantische Tri-Cities-mainport. De grote hotel- en restaurantketens konden niet achterblijven en onlangs had TN met veel bombarie dit nieuwe administratieve centrum in gebruik genomen, waar vijf jaar eerder een sloopwijk had gestaan. De betonnen constructie had een glazen atrium aan de voorzijde in de vorm van een deegroller. Het was een typisch modern gebouw: dunne muren en veel licht. Larry hield niet erg van modern.

Hij had de bewakingsdienst van TN gevraagd om een tweede onderhoud met Genevieve Carriere, een grondstewardess die volgens iedereen Luisa's beste vriendin was geweest. Nancy Diaz, die bij de politie in Kindle County had gewerkt, zoals veel van haar collega's, had Genevieve naar haar kantoor laten komen toen Larry binnenkwam, en Nancy liet Larry met haar alleen om elders iets nuttigs te gaan doen.

'Erno wil je spreken wanneer je klaar bent,' zei Nancy nog op de drempel. Erno Erdai was adjunct-beveiligingschef van de vliegtuigmaatschappij en had hier de leiding. Larry kende Erno al jaren – ze hadden samen op de opleiding gezeten – maar Erno had niet de moeite genomen hem te groeten bij eerdere gelegenheden dat Larry op het vliegveld was komen rechercheren. Erno had Larry altijd willen laten merken hoe hoog hij was opgeklommen.

In Nancy's kantoor stond een laminaatbureau met houtmotief en blikkerend neonlicht moest de afwezigheid van ramen compenseren. In haar paarsbruine uniform zat Genevieve te wachten met gekruiste benen, zo keurig als een lerares, wat ze ook was geweest. Ze werkte om haar man te onderhouden, die medicijnen studeerde, en vond het rustiger en lucratiever om hier nachtdiensten te draaien, zodat ze overdag thuis kon zijn bij haar kindje van één. Ze was een beetje mollig, met een zilveren kruisje om haar hals; ze had ronde wangen en haar bovenkaak stak iets uit voorbij haar onderkaak. Ze had geleerd haar kin naar voren te steken en de mensen aan te kijken als ze met hen sprak, en Larry had gedacht te bespeuren dat er iets onuitgesproken was gebleven toen hij haar tweeëneenhalve maand eerder ondervroeg.

Ze babbelden even over haar kind. De vorige keer had Larry haar ondervraagd op haar werkplek achter de balie, waar ze een leren etui met drie foto's voor zich had staan. Vandaag zei Larry dat hij over geld wilde praten.

'Geld?' vroeg Genevieve. 'Daar weten we niet veel van. Ik zou willen dat we er meer van wisten.'

'Nee,' zei Larry, 'Luisa's geld.'

Dat vond Genevieve nog verwarrender. Ze zei dat Carmine, Luisa's ex, de meeste maanden geen alimentatie betaalde en dat Luisa altijd krap zat. Luisa had met haar twee dochtertjes bij haar bejaarde moeder gewoond. Ongeveer vijf jaar terug was ze van de mainport naar DuSable overgeplaatst en in wisselende flexdiensten met Genevieve gaan werken: de ene dag van acht uur 's avonds tot zes uur 's morgens, de volgende dag van zes uur 's avonds tot middernacht, de enige die de passagiers van de vliegtuigen van en naar Las Vegas afhandelde. Het werkschema stelde Luisa in staat de meisjes 's morgens klaar te maken voor school en ze op te vangen wanneer ze thuiskwamen; af en toe was ze ook met het avondeten thuis. Overdag sliep ze.

Uit de antwoorden die Larry kreeg, kwam Luisa naar voren als een stadse meid met lef, geplaagd door vertrouwde problemen. Ze had twee kinderen van Carmine gekregen en was door hem gedumpt – misschien was ze wat dikker geworden, of misschien deed ze Carmine op een verkeerde manier aan haar moeder denken, of aan de zijne. Luisa was achtergebleven met een zware hypotheekschuld op hun vijfkamer-droomhuis op de West Bank, maar ze wilde haar dochters niet onder de stommiteit van hun vader laten lijden. Het gevolg was dat ze forse schulden had. Over het jaar voor haar dood becijferde Larry een overschrijding van dertigduizend dollar op haar creditcards. Daarna had ze haar hele salaris aan de bank overgemaakt. Dus hoe had ze dan betaald voor de boodschappen en schoolspullen? Contant, zo bleek. Luisa beschikte altijd over contant geld.

Larry kende geen collega die zo goed was in het uitpluizen van iemands financiën als hijzelf en hij voelde een zekere trots toen hij de documenten voor Genevieve neerlegde die hij in enkele maanden tijd van de bank had losgepeuterd. Luisa had de rol gespeeld van Genevieves wilde vriendin, die schunniger vloekte, vaker naar clubs ging, meer mannen in bed haalde dan Genevieve ooit had gedurfd. Hij vermoedde dat Genevieve heel veel had aangehoord, maar ze schudde verwonderd haar hoofd.

'Daar wist ik echt niets van, dat zweer ik.'

Wanneer je te veel contanten tegenkwam, ging je aan minder brave dingen denken en Larry had alle namen in Luisa's boekje in de NCIC ingevoerd, de nationale criminele databank van de FBI, maar zonder succes. Aan Genevieve vroeg hij een minder schandalige verklaring voor het geld. Was er misschien een wat oudere heer in Luisa's leven?

‘Als die er was,’ antwoordde Genevieve, ‘heb ik daar niets over gehoord. Luisa zag niet veel in mannen. Na Carmine in elk geval niet meer. Een relatie wilde ze niet. Wel uit op zaterdagavond, maar over een suikeroompje heeft ze nooit iets gezegd.’

‘En waren er andere activiteiten of kennissen die een verklaring voor het geld zouden kunnen zijn?’

‘Waar moet ik aan denken?’

‘Drugs?’ Larry was op alles voorbereid, maar Genevieve leek oprecht onthutst. ‘Er zit iets in haar personeelsdossier,’ legde Larry uit. Ten behoeve van de verkeersveiligheid moesten alle personeelsleden van TN Air elk kwartaal in een bekertje piesen. Twee maanden voor haar dood was Luisa positief geweest. Tijdens het onderzoek van de beveiligingsdienst van TN hadden ze een anonieme tip gekregen dat ze op het terrein had gedeald. De vakbondsvertegenwoordiger was erbij geroepen en de beveiligingsdienst had geëist dat Luisa zich zou laten fouilleren; Luisa had daar heftig tegen geprotesteerd. Het fouilleren had niets opgeleverd en bij een tweede onderzoek was gebleken dat het resultaat vals-positief was geweest. Maar toen Larry zich in haar financiën had verdiept, was hij zich gaan afvragen of er toch iets in had gezeten. Wie op een luchthaven werkte, bevond zich immers in een unieke situatie om te helpen drugs in te voeren.

Genevieve had een andere theorie.

‘Ze is er ingeluisd,’ zei ze. ‘Ik heb het hele verhaal gehoord. Lu was razend. Ze had in tien jaar bij de maatschappij nooit positief getest. En dan haar fouilleren? Waar slaat dat nou op?’

‘Wie had haar er dan ingeluisd?’

‘Luisa flapte er weleens wat uit. U kent dat wel. Waarschijnlijk was iemand beledigd.’

‘Enig idee wie?’

Larry kreeg de indruk dat Genevieve wel een paar namen in gedachten had, maar zij zou in tegenstelling tot Luisa er niet zomaar iets uitflappen. Hij probeerde op verschillende manieren haar de namen te ontlokken, maar ze bleef vriendelijk naar hem lachen en met haar ogen rollen. Hij moest nog naar Erno, dus nam hij afscheid van Genevieve en zei dat hij misschien nog contact met haar zou opnemen. Ze leek niet verrukt bij het vooruitzicht. Het was een vervelende kant van zijn beroep dat hij vaak mensen als Genevieve tegen zich innam die hij best aardig vond. Wist Genevieve waar Luisa haar geld vandaan had gehad? Vast wel. Maar ze was er kennelijk van overtuigd dat het niets met de moord op Luisa te maken had. Waarschijnlijk wilde Genevieve de nagedachtenis van haar vriendin beschermen en daar had Larry wel respect voor. Misschien had ze een maffiaoom die haar wat toestopte. Misschien had Luisa's moeder een illegale loterij in Kewahnee, haar oude buurtje, of – en dat was waarschijnlijker – geld in haar matras waarmee ze haar dochter ondersteunde.

Hij bracht een paar minuten zoet met om een plantenbak lopen bij Erno's deur voordat zijn secretaresse hem binnenliet. Het hoofd beveiliging van TN Air was op de mainport gestationeerd, zodat Erno als adjunct-hoofd hier de baas was, en hij had zo'n kantoor dat te groot was voor het meubilair dat ze hem hadden gegeven. Het licht door de grote ramen viel op zijn bureau waarop niets lag, zelfs geen stof.

'Mag ik vragen?' vroeg Erno toen ze tegenover elkaar zaten. 'De heren in Center City horen het altijd graag het eerst als ze te lezen krijgen dat iemand hier zich niet netjes heeft gedragen.'

Erno was in 1956 Hongarije uitgesmokkeld, nadat de Russen zijn vader aan de lantaarn voor zijn deur hadden opgeknoopt, en een spoor van een accent klonk nog door in zijn stem, als afwijkende achtergrondmuziek: hij verlengde bepaalde klinkers en bepaalde medeklinkers kwamen achter uit zijn keel. Het was essentieel voor Erno om zich te gedragen alsof niemand dat opmerkte. Hij wilde uitstralen dat voor hem weinig verborgen bleef en dus was het logisch dat hij wilde uitvissen wat Larry aan de weet was gekomen. Maar door zijn nieuwsgierigheid was Larry in het voordeel. In plaats van antwoord te geven trok Larry zijn spiraalboekje en zei dat hij onvoldoende gegevens had gekregen over het onderzoek naar narcotica in Luisa's personeelsdossier. Erno bewoog zijn tong in zijn mond terwijl hij over de tegenprestatie nadacht en bewoog toen snel zijn bovenlichaam naar voren, zodat hij zijn beide ellebogen op zijn bureau kon neerzetten.

'Ik zou niet willen dat je dit opschrijft,' zei hij, 'maar ik geloof dat mijn jongens wat overijverig zijn geworden. Die jongedame, die Luisa, was nogal een pittige tante, heb ik gehoord. Je hebt de beoordelingen in haar dossier gezien. "Gedraagd zich brutaal". Dat staat er een paar keer in, met spelfout en al. Ik denk dat ze flink van zich afbeet toen ze positief was en dat iemand die al wantrouwig was daar nog wantrouwiger van is geworden.'

Erno zei het met een wrang lachje. Hij suggereerde dat die 'iemand' anoniem had getipt als excuus om haar te fouilleren. Op straat gebeurde dat zo vaak. Genevieve had gelijk: Luisa had het aan haar grote mond te danken gehad.

'Dus daar zit niets in?'

'Zonde van je tijd,' zei Erno met gezag. Hij stak zijn hand in een la en stopte een tandenstoker in zijn mondhoek. Erno was nerveus en slank. Hij had een smal Slavisch gezicht, een lange smalle neus en wenkbrauwen die zo licht waren dat je ze nauwelijks kon zien. Larry had nooit veel sympathie voor hem kunnen opbrengen. Hij was stug en keek vaak misprijzend, alsof hij iets vies rook dat van jou afkomstig kon zijn. Waarschijnlijk had hij het redelijk goed gedaan als politieman, intelligent en serieus genoeg voor het werk, maar zover was hij nooit gekomen. Terwijl hij nog op de opleiding zat, was hij in een conflict betrokken geraakt waarbij hij zijn schoonmoeder had doodgeschoten. Bij het onderzoek was ook Erdais vrouw gehoord, die had bevestigd dat haar moeder met een mes op Erno af was gekomen, maar het kader van het korps wilde geen man opnemen die al met zijn dienstwapen had gedood nog voordat hij de eed had afgelegd.

Het kon vreemd lopen: in feite had Erno ervan geprofiteerd. Politiemensen van de opleiding hadden hem in contact gebracht met iemand van de bewakingsdienst van TN Air. Nu handhaafde hij de orde op de luchthaven, hielp de douane drugssmokkelaars aanhouden en probeerde te voorkomen dat iemand gratis meereisde in een vliegtuig. Hij ging jasje-dasje naar zijn werk. Tegenwoordig had hij een huis in een buitenwijk en een pensioenplan en luchtvaartaandelen, en hij zwaaide de scepter over een stoet ex-politiemensen. Hij had het een heel eind geschopt. Maar jarenlang was hij spijtoptant gebleven, stamgast bij de bekendste politiekroeg Ike. Hij hunkerde naar het dienstwapen en het insigne en het onomstreden imago als stoere bink. Hij zat heel lang op een biertje te luisteren naar de verhalen van de dienders en straalde ontgoocheling uit over wat hij had gemist, zoals veel mensen van middelbare leeftijd, misschien Larry ook wel.

'Wat wil je trouwens met die drugs?' vroeg Erno. 'Ik dacht dat ze volgens Greer de verkeerde onbekende tegen het lijf was gelopen.'

'Waarschijnlijk wel. Maar jouw Luisa had aardige inkomsten.'

Dat leek Erno te interesseren. Larry had eerder gemerkt dat Erno het type was met een grote belangstelling voor geld, vooral zijn eigen geld. Hij schepte niet echt op; als hij over zijn aandelen praatte, had hij meer weg van de man die je vertelde dat zijn cholesterol toch zo laag was. Bof ik even? Hij deed Larry denken aan zijn oudere Poolse familieleden, die je de geschiedenis konden vertellen van elke dollar die ze ooit hadden verdiend of uitgegeven. Het was iets Europees: geld was zekerheid. Werken bij Ernstige Delicten had hem daar twee dingen over geleerd. Ten eerste stierven er mensen door geld; alleen door de liefde vielen nog meer doden. En ten tweede was er nooit genoeg geld als het onheil aanklopte.

'Waar kreeg ze dan geld van?' vroeg Erno.

'Dat wilde ik jullie vragen. Drukte ze wat achterover?'

Erno keek opzij om over de vraag na te denken. Aan de overkant kwam een 737 op de noordzuidbaan neer als een eend op een vijver. Het toestel, een gillend mirakel van klinknagels en aluminium, landde een paar graden uit het lood op het asfalt, maar er gebeurde verder niets. Larry vermoedde dat Erno driedubbele ramen had, want er was nauwelijks iets te horen.

'Ze knoeide niet met tickets, als je dat bedoelt,' antwoordde Erdai.

'Ik vroeg me af of ze uit de kassa graaide.'

'Onmogelijk. De controle op contant geld is veel te streng.'

'En waarom geen tickets?'

'Tickets? Dat zijn de waardevolste dingen hier om te stelen. Een stukje papier kan op straat duizend dollar waard zijn. Maar de mensen lopen altijd tegen de lamp.' Erno legde de procedure uit. Grondpersoneel verstrekte tickets, meestal met de computer ingevuld en soms met de hand. Het ticket was alleen geldig als de verstrekker vermeld stond, in de vorm van een persoonlijke computercode of, bij met de hand ingevulde tickets, een metalen plaatje dat in een apparaatje paste zoals een creditcardlezer. 'Bij elke reis wordt de vluchtcoupon gecheckt met de betaling. Geen betaling, dan krijg ik een telefoontje. En de grondstewardess aan de balie is de eerste bij wie je aankomt.'

'En? Ben je gebeld?'

'Het is weleens voorgekomen. Maar niet dat iemand er duizenden mee heeft kunnen binnenslepen, als we het daarover hebben. Er is geen plaatje weg. Dat zou me wat zijn. De maatschappij is er heel link op, daarvoor word je eruit gemieterd, al heb je twee dollar gepikt. Zero tolerance. En het is ook effectief. Niemand durft iets te flikken. Hoe is je gesprek met Genevieve gelopen? Wist zij waar Luisa haar geldboompje had staan?'

'De drie aapjes,' bromde Larry.

'O.' Erno vertrok zijn gezicht.

'Ja. Zou zij hetzelfde kunnen hebben als Luisa?'

'Zeg nooit nooit – maar ik zeg het toch. Te netjes. Houdt zich braaf aan alle voorschriften. Waarom stuur je haar niet een dagvaarding? Iemand als zij zal je geen rad voor ogen draaien als ze eenmaal een eed voor God heeft moeten afleggen. Als je de duimschroeven aandraait, vertelt ze vast wel wat Luisa uitvrat.'

Het was een idee en Larry noteerde het in zijn boekje, maar hij dacht niet dat hij het er bij Muriel of Tommy Molto, zijn chef, door zou krijgen. Een dagvaarding betekende dat Genevieve voor een grand jury zou moeten verschijnen. En dat betekende advocaten die stennis zouden maken over nette blanke burgers voor het gerecht slepen zonder een betere reden dan het vermoeden van een rechercheur.

Erno vroeg waar Larry nog meer aan dacht.

'Nou ja, er blijft niet veel over,' zei Larry. 'Ik kan me niet voorstellen dat Luisa een illegale loterij op touw had gezet – zeker als de helft van haar passagiers op weg was naar Vegas.'

Erno zag daar de logica wel van in.

'Dus wat voor problemen heb jij?' vroeg Larry.

'Momenteel is het hier nog kleinsteeds. Onze grootste zorg is de winter. Je weet wel, al die zwervers op straat in het North End die een warm plekje zoeken. Die lui kruipen overal in: de plees, de bagagecarrousels. Ze stelen, ze schrikken mensen af, ze kotsen op de vloer.'

'En hoeren?'

Er waren veel eenzame reizigers die behoefte hadden aan gezelschap. Een jonge vrouw als Luisa, in haar stewardessenuniform, kon in iemands wensdroom passen: tussen de middag, koffiepauze, na het werk, in het holst van de nacht als er verder toch niets gebeurde. Maar zoals Erno opmerkte was hier nauwelijks hotelruimte waar een jongedame in die branche haar vak kon uitoefenen.

'Ik kan niet zeggen dat ik verdomd goed door je ben geholpen,' zei Larry.

Erno duwde zijn tong in zijn mondhoek, wat bij hem een glimlach moest voorstellen.

'Eigenlijk,' zei hij, gebarend met zijn tandenstoker, 'heb ik nog wel iets voor je. Ik weet niet of ik het moet zeggen. Er is een jongen – niet echt een jongen – een vent die ik ken. Nou ja, niet zomaar een gast. Als ik verdomd eerlijk ben, Larry, is het mijn neefje. Al zou je dat niet zeggen als je hem ziet.'

'Niet zo knap als jij?'

'Nee, hij is wel knap. Zijn vader was een grote knappe kerel en hij is ook een grote knappe kerel. Maar zijn kleurtje is een beetje anders dan van jou of van mij.'

'Aha,' zei Larry.

'Mijn zuster, moet je weten... Toen ik opgroeide in het South End zeiden de oude kerels altijd dat de Nubiërs moesten oprotten. We hadden ze aan drie kanten wonen, weet je wel, en wij moeten die bruine klootzakken niet, met hun drugs en hun gehoereer. *Fekete.* Donker. Dat is het woord in het Hongaars. Dat hoorde je vaak. *Fekete!* Als een vloek. Dus ja, er zijn meiden, die komen op een leeftijd dat papa en mama kunnen doodvallen met hun rooms-katholieke gezeik. Zo'n meid wil actie en wat doen ze: zich zo gauw mogelijk geven aan de eerste zwarte die haar ziet staan. Mijn zusje Ilona lustte er wel pap van, die was erg happig op zwart vlees.

Dus daar komt mijn neefje vandaan. Mijn ouders weten gewoon niet wie ze het eerst moeten vermoorden, mijn zusje of zichzelf, dus van begin af aan is het ondergetekende, de grote broer, die de troep mag opruimen. En dat wordt een soap in zeshonderd afleveringen. Heb je tijd voor de samenvatting? Dan begrijp je de rest beter.'

'Ik schrijf het wel op als overtijd,' zei Larry.

'Nou, die jongen, dat is dus zeg maar een bruinjoekel zonder vader die niet wil deugen. De oude buurt zegt hem niets en de buurt moet ook niets van hem hebben. Mijn zusje wil het goed doen en maakt het alleen maar erger. Ze stuurt hem naar de openbare school, in plaats van gewoon naar St. Jerome, om te zorgen dat hij niet de enige zwarte jongen is, en daar wordt hij net zo'n zwarte jongen als die andere en doet mee met de gangs en de drugs. En al die tijd zit ik met mijn poot in het vuur om hem eruit te trekken. Eerste keer gaat hij in de fout met T's en Blues.' Een alleen op recept verkrijgbare pijnstiller en hoestsiroop, de goedkope high in de jaren tachtig voor de opkomst van crack. 'Ik heb nog een gunst van iemand te goed en krijg gedaan dat het met een sisser afloopt.

Maar weet je, volgens mij zit het bij die mensen in de genen. Dat denk ik echt. Hij glijdt telkens weer af. Met drugs, natuurlijk. Hij heeft ze allemaal geprobeerd. Aan zijn verstand ligt het niet. Hij is intelligent genoeg. Maar ja, zijn huidskleur, hè. Hij haat zijn moeder, hij haat mij. We kunnen niet tegen hem zeggen wat hij moet doen omdat wij niet weten hoe het is om een zwarte man in het blanke Amerika te zijn. Al die lulverhalen heeft hij paraat. Ik heb hem hier laten werken toen we weer opengingen, maar hij wou als directeur beginnen, niet als huisneger bij de detector en bovendien wil hij reizen. Nou ja, dan maar het leger in, hè? Binnen acht maanden is hij er met oneervol ontslag weer uit – drugs, natuurlijk – dus sturen we hem naar het oude land. Dat zijn niet zijn roots, zegt hij, en peert 'm naar Afrika. Maar ja, daar is geen clubje om mee te basketballen en daar zit ook al niemand op hem te wachten. Dus hij komt terug, zegt dat hij volwassen is geworden en dat hij toch in onze tak van sport wil.'

'Onze tak van sport?'

'De luchtvaart. De wereld zien en ervoor betaald worden. Het is om je te bescheuren, want alle carriers controleren bloedfanatiek op drugs en zullen nog eerder een orang-oetan aannemen dan een jongen die voor drugs is veroordeeld. Maar ik zit al zo lang in het vak dat ik alle grote reisbureaus ken. Ik ga overal op mijn knieën liggen en hij wordt aangenomen bij Time to Travel, en God zal me krakepitten: hij doet het goed. Collins – zo heet hij, Collins – doet zijn cursussen en krijgt een vergunning als reisagent. Jasje-dasje vindt hij prettig. Hij praat graag met mensen. Hij is handig met computers. Hij promoveert tot echte reisagent in plaats van loopjongen. En wel vijf minuten denk ik bij mezelf: misschien wordt het wat, misschien heeft de jongen gevonden wat hij zocht. En natuurlijk gaat hij weer in de fout met drugs en wordt gepakt omdat hij dealt. Dat is twee slag. Zijn eerste veroordeling telt weer mee. Hij krijgt achttien maanden en in deze staat raakt hij ook zijn vergunning als reisagent kwijt.

Dat laatste ging hem meer aan zijn hart dan dat hij moest zitten. Ik zeg tegen hem dat hij het ergens anders opnieuw moet proberen, dat zijn omgeving funest voor hem is. Er zijn nog zesendertig staten waar hij wel als reisagent kan werken. Maar je weet al hoe het afloopt. Vorige week word ik gebeld. Vanuit County.'

'De bajes of het ziekenhuis?'

'De lik.'

'Voor?'

'Pseudo-koop.'

'Hoeveel?'

'Zes strippen, noemen ze dat.' Anderhalf ons. 'Drie slag.'

'Dat is niet best.'

'Dat is zeker niet best. Drie slag is uit.' Drie slag, een derde veroordeling wegens drugs, betekende levenslang, zonder voorwaardelijke vrijlating, tenzij Collins de aanklagers iets te bieden had. Larry wist nog niet hoe het afliep. Erno kende mensen zat bij Verdovende Middelen aan wie hij een gunst kon vragen.

'Hij zal moeten babbelen, dunkt me,' zei Larry.

'Ja, nou, die onfrisse types waar hij zaken mee deed – die schieten hem lek, denkt hij, als hij ze verlinkt. Maar misschien heeft hij iets anders in de aanbieding. Weet je, hij belt me altijd op als hij weer in de stront zit. Ik hou mezelf voor dat ik de telefoon niet meer moet opnemen, maar dat is niet vol te houden. Gisteren was hij aan het janken en doen en opeens zegt hij dat hij iets heeft gehoord of gezien in verband met die zaak van jou.'

'Deze zaak?'

'Dat zegt hij. Hij zegt dat hij een gast met een sieraad heeft gezien. En hij denkt dat het een sieraad van een van je slachtoffers was.'

'Wie?'

'Niet gevraagd. Ik hoorde dat je zou komen, ik heb beloofd dat ik het door zou geven. Kijk, ik ken Collins en ik weet dat het waarschijnlijk gelul van een bajesklant is, driedubbel overgehaald van horen zeggen. Maar als het echt iets is, Larry – als je het van hem hoort, dan moet je hem eruit halen.'

'Dat vind ik geen probleem,' zei Larry, 'maar dan moet het wel achttienkaraats zijn.'

'Dat zou voor het eerst wezen,' zei Erno.

Larry noteerde de naam – Collins Farwell. Het licht werd al minder toen hij naar buiten liep en aan de overkant hees een vliegtuig met het zigzaglogo van TN Air zich sidderend in de lucht. Zonder meteen te weten waarom voelde Larry zich gelukkig. Toen viel het hem in: hij zou Muriel Wynn moeten bellen.

6

15 MEI 2001

Gillians brief

Toen ze uit de regen binnenkwam, zag Gillian Sullivan eruit zoals ze er in de ogen van Arthur Raven altijd uitzag: een beheerste, serene schoonheid. Ze schudde haar paraplu uit in de grote lobby van O'Grady, Steinberg, Marconi & Horgan en gaf hem haar glimmende plastic regenjas. Haar korte stekeltjeshaar was een beetje slap geworden in de van vocht verzadigde lucht, maar ze was chic gekleed in een donker, getailleerd pakje.

Arthur nam haar mee naar een vergaderkamer met een tafel van groen graniet, doorschoten met witte aderen. Door de in staal gevatte ramen van het IBM-gebouw was de rivier de Kindle te zien, die vijfendertig etages lager glinsterde in het schemerlicht. Gillian had de vorige dag gebeld en plompverloren gezegd dat er een kwestie was die besproken moest worden; ze had het gesprek afgerond met een verontschuldiging voor haar sneer bij de vorige gelegenheid. Arthur zei dat hij die opmerking al had vergeten. Het was zijn gewoonte pijnlijke voorvallen in zijn omgang met vrouwen te verdringen en in dit geval was het, als zo vaak, mogelijk dat hij haar reactie zelf had uitgelokt. Je kon niet verwachten dat iemand beleefd bleef wanneer je had gesuggereerd dat iemand te dronken of inhalig was geweest om zich over het leven van een ander te bekreunen.

Hij pakte de telefoon om Pamela te ontbieden. Intussen vroeg hij Gillian of ze werkte.

'Ik verkoop cosmetica bij Morton.'

'Hoe dat zo?'

'Ik breng de dag door met complimentjes uitdelen die niet noodzakelijk gemeend zijn. Elke veertien dagen komt er een cheque die ik, eerlijk gezegd, voornamelijk aan mijn garderobe spendeer. Maar ik heb het gevoel dat ik het aankan. Make-up en kleding waren waarschijnlijk de enige dingen waar ik iets van af wist, afgezien van de wet.'

'Je bent altijd al een glamourvrouw geweest,' zei Arthur.

'Zo heb ik me nooit gevoeld.'

'Je zat als een koningin op je troon. Echt waar. Ik was smoor op je,' zei Arthur. Hij voelde zich als een schooljongen naast de tafel van de juf, maar zijn gêne ontlokte haar een lachje. 'Smoor' was natuurlijk niet echt het goede woord. Zo onschuldig waren Arthurs gevoelens zelden. Zijn fantasieën waren levendig en hartstochtelijk en namen hem volkomen in beslag. Sinds zijn twaalfde of dertiende werd hij ongeveer om het halfjaar verliefd op een schitterende, onbereikbare vrouw, die als een luchtspiegeling door zijn gedachten zweefde. Gillian Sullivan, de glamourvrouw van de rechtbank, lichamelijk imposant, intellectueel formidabel, was lang een vanzelfsprekende kandidaat voor deze rol geweest, en hij was snel na zijn benoeming bij de rechtbank voor de bijl gegaan. Bij overleg met de rechter tijdens een zitting of instructief overleg, als hij dicht bij de rechter kwam, altijd zorgvuldig gekleed en krachtig geurend, had hij vaak zijn notitieblok moeten gebruiken om een beginnende erectie te camoufleren. Hij was echt niet de enige assistent-aanklager die zich intens bewust was van Gillians lichamelijke aantrekkingskracht. In aangeschoten toestand had Mick Goya in een kroeg bij het gerechtsgebouw gezien dat Gillian, zo koel en elegant als een palm, voorbijkwam. 'Ik zou een muur kunnen neuken,' zei hij, 'als ik dacht dat zij erachter stond.'

Zelfs na Gillians lange val van haar voetstuk had ze nog een bepaald effect op Arthur. Door haar zorgen was ze zo smal geworden dat ze mager kon worden genoemd, maar ze zag er beter uit dan de laatste keer dat hij haar had gezien, bleek en beneveld. Omdat hij was die hij was, had het vooruitzicht van haar bezoek hem opgewonden.

Pamela kwam binnen en gaf beleefd een hand, zonder een glimlach voor de gast. Dat ze Rommy ter dood had veroordeeld zou voldoende zijn geweest om Gillian een plaatsje op Pamela's lijst van vijanden te bezorgen, maar de jonge vrouw had met afschuw gereageerd toen Arthur Gillians omstandigheden had uitgelegd. Een rechter die zich liet omkopen! Arthur observeerde Pamela's ijzige bejegening en besefte dat Gillian vaker een dergelijke reactie moest uitlokken, zeker wanneer ze zich in de heiligdommen van het recht vertoonde. Het was dapper van haar om te komen.

Het drietal ging aan het uiteinde van de granieten tafel zitten waar het koperachtige licht viel. Tegenover Pamela had Arthur gespeculeerd dat hun ontmoeting tien dagen eerder waarschijnlijk een herinnering bij rechter Sullivan had opgeroepen. In plaats daarvan maakte Gillian haar handtas open.

'Ik heb iets dat ik jullie wil laten zien.' Ze toonde een witte correspondentie-envelop. Nog voordat ze hem Arthur toeschoof, herkende hij de herkomst. In de linkerbovenhoek stond het adres van de gevangenis in Rudyard gedrukt, met het nummer van de gedetineerde eronder geschreven.

Er zat een brief in, gedateerd in maart van dit jaar, keurig met de hand geschreven op twee gele velletjes. Terwijl Arthur hem las, keek Pamela over zijn schouder mee.

Geachte rechter,
Ik heet Erno Erdai. Ik word gedetineerd in de extra beveiligde inrichting in Rudyard, tien jaar wegens zware mishandeling omdat ik uit zelfverdediging een man heb neergeschoten. April 2002 kom ik vrij, maar ik denk niet dat ik dat nog beleef, want ik heb kanker gehad en mijn gezondheid is niet goed. U weet het waarschijnlijk niet meer, maar vroeger was ik adjunct-beveiligingschef bij TN Air op de luchthaven DuSable en ik ben een paar keer voor u verschenen als we klachten hadden ingediend over dingen op het vliegveld, meestal passagiers die zich hadden misdragen. Nou ja, het is me niet te doen om een sentimental journey, hoewel ik daar alle tijd voor heb, als u er ooit zin in mocht hebben. (Dat is een grapje.)
De reden dat ik schrijf is dat ik informatie heb met betrekking tot een zaak waarbij u een man ter dood veroordeeld hebt. Hij zit hier in de dodencel en is de eerstvolgende op de nominatie om te gaan, dus er is wel wat haast bij omdat het, verwacht ik, een groot verschil zal maken voor wat er gebeurt.
Dit is niet iets waar ik met iedereen over wil praten en eerlijk gezegd kost het me verdomd veel moeite om de aandacht van de juiste mensen te krijgen. Een paar jaar geleden heb ik de rechercheur op de zaak geschreven, Larry Starczek, maar die heeft geen interesse voor mij nu ik niets meer voor hem kan betekenen. Ik heb ook aan de pro-Deodienst geschreven, maar die mensen

geven geen antwoord op brieven van hun cliënten, laat staan een gedetineerde van wie ze nooit hebben gehoord. Misschien komt het omdat ik al die jaren een halve diender ben geweest, maar ik heb nooit een strafpleiter ontmoet die ik aardig vond of echt vertrouwde. Misschien hebt u betere ervaringen opgedaan. Maar dat is een ander onderwerp.
Als u niet uw probleem had gehad, had ik waarschijnlijk al eerder contact met u opgenomen. Ik hoorde dat u weer vrij was en zoals ik het zie, praat ik nu waarschijnlijk liever met u. Gedetineerden veroordelen niet. Ik hoop dat u bereid bent moeite te doen om iets recht te zetten waarover u niet alle juiste informatie had. De post die ik hiervandaan verstuur wordt gecontroleerd – dat weet u waarschijnlijk zelf – dus meer zet ik liever niet op schrift. Je weet nooit hoe de mensen hier op dingen zullen reageren. Het is wel een heel eind, maar u zou hierheen moeten komen om het te horen. Als u me aankijkt, zult u weten dat ik het serieus meen.
Met de meeste hoogachting,
Erno Erdai

Pamela had Arthurs schouder gepakt – waarschijnlijk bij de passage over de informatie die deze gevangene had die een groot verschil zou maken bij de vraag of de volgende executie zou plaatsvinden – maar hij voelde zich genoodzaakt haar opnieuw te waarschuwen. Rommy's naam werd niet eens genoemd in de brief. En wat gedetineerden, letterlijk de slechtste mensen die er waren, allemaal uithaalden om de aandacht te trekken, was onbegrensd.

Gillian wachtte op hun reacties. Arthur vroeg haar of ze zich die Erno Erdai kon herinneren, maar ze schudde haar hoofd.

'En hoe weet je dat hij het over mijn cliënt heeft?' voegde hij eraan toe.

'Ik heb maar twee keer een doodvonnis opgelegd, Arthur, en McKesson Wingo, de andere man, is al heel lang geleden in Texas geëxecuteerd. Bovendien was Starczek niet bij die zaak betrokken.'

Hij keek naar Pamela in de verwachting dat ze verrukt zou zijn, maar zij bekeek de enveloppe waarin Erdais brief was bezorgd. Haar aandacht leek op het stempel gericht.

'Dus die brief hebt u in maart gekregen?' Ze keek Gillian aan. 'U hebt hem twee maanden laten liggen?' Arthur verbaasde zich over haar scherpe toon. Pamela nam meestal de houding aan van haar hele generatie, een vage beminnelijkheid die suggereerde dat niets in het leven een conflict waard was.

'We zitten hier nu toch,' zei Arthur mild. Maar Pamela had natuurlijk gelijk. Gillian had alle tijd genomen om erover na te denken, om te bepalen of ze er iets mee wilde doen.

'Na ons gesprek moest ik er weer aan denken,' zei Gillian tegen Arthur.

Pamela was misnoegd.

'Maar u bent nog steeds niet met die man gaan praten?'

Gillian fronste. 'Dat is niet mijn taak.'

'En is aanzien dat iemand ter dood wordt gebracht die niet ter dood gebracht zou moeten worden – dat soms wel?'

'God nog aan toe!' Arthurs hand schoot uit om Pamela als een verkeersagent tegen te houden. Ze zweeg, maar keek bestraffend naar Gillian. Arthur vroeg Gillian of Pamela de brief mocht kopiëren en Gillian, die haar sproetige hand voor haar gezicht hield, knikte. Terwijl Pamela de velletjes weggriste, stond voor Arthur vast dat Gillian Sullivan zich afvroeg waarom ze de moeite had gedaan om te komen.

In de tijd dat Gillian in het recht werkzaam was geweest, als aanklager en als rechter, had ze er een eer in gesteld nooit haar zelfbeheersing te verliezen. Hoe uitzinnig een verdachte of advocaat zich ook gedroeg, ze gunde niemand het genoegen van een emotionele reactie van haar kant. Terwijl Arthurs jonge assistente, met haar enkellaarsjes en leren rok met sierstiksels, stampvoetend de kamer verliet, wilde Gillian haar eigenlijk een goede raad geven. Houd je in, wilde Gillian haar adviseren. Maar Pamela zou dan, misschien terecht, hebben gezegd dat ze beslist niet op haar wilde lijken.

'Wat doe je in haar koffie, Arthur?' vroeg Gillian toen de deur weer was dichtgeslagen. 'Adrenaline?'

'Ze wordt een dijk van een advocaat,' zei hij. Uit zijn toon bleek dat hij het niet echt als compliment bedoelde.

'Ik krijg nog steeds allerlei brieven van gedetineerden doorgestuurd, Arthur. Ik weet niet eens hoe ze me vinden. En het is allemaal apekool.' Er waren de voorspelbare pornografische fantasieën die de herinnering aan een knappe vrouw met macht opriep bij slechte mannen die opgesloten waren, en verschillende andere berichten, niet zo heel anders dan dat van Erdai, verstuurd in de ijdele hoop dat ze bepaalde situaties zou herzien en herstellen nu ze wist hoe het was om gevangen te zitten. 'Ik kan het allemaal niet serieus nemen,' zei Gillian. 'Je weet wat dit is, Arthur, deze brief. Dat weet ik toch. De boeven hebben altijd een bijbedoeling.'

'Die naam, Erno Erdai? Klinkt blank. Rommy is zwart. En te geschift om door een bende te worden geaccepteerd. Er staat niets over bendes in zijn dossier.'

'Er worden allerlei bondgenootschappen gesloten in de gevangenis. Het is een soort Rozenoorlog.'

Arthur haalde zijn schouders op en zei dat ze er alleen achter kon komen door naar Erdai toe te gaan.

'Ik vind dat jij dat zou moeten doen,' zei ze. 'Daarom heb ik je de brief laten zien.'

'In de brief staat dat hij jou wil spreken.'

'Spaar me,' zei Gillian. Ze zocht in haar tas. 'Mag ik hier roken?'

Rookvrije omgeving, zei Raven. Er was wel ergens een rookruimte, maar daar stonk het zo dat ze net zo goed as kon inademen. Gillian deed haar tas weer dicht en besloot als altijd haar behoeften te bedwingen.

'Het is niet eens gepast dat ik erheen ga,' zei ze.

Arthur vertrok zijn gezicht, misschien om een glimlach te verbergen. En ze begreep het direct. Er was geen gezag meer dat haar kon straffen voor een inbreuk op de ethiek, niemand die haar kon berispen of haar uit haar macht ontzetten. Dat hadden ze allemaal al gedaan. Ze mocht nu alles waarop geen gevangenisstraf stond.

'Gillian, niemand zal mij bekritiseren – of jou – om wat we moeten doen om dit verhaal te horen. Hij maakt heel duidelijk hoe hij over strafpleiters denkt.'

'Best mogelijk dat hij ook met jou wil praten.'

'Of dat hij direct een hekel aan me heeft en daarna noch met jou, noch met mij wil praten. Gillian, ik heb nog zes weken voordat het hof van appèl bepaalt of deze man voor de bijl gaat. In dit stadium heb ik geen tijd meer te verliezen en ik kan me ook geen risico permitteren.'

'Ik kan niet naar Rudyard gaan, Arthur.' Bij de gedachte trok haar maag samen. Ze wilde niet weer die bedompte lucht voelen of met de verwrongen realiteit van gedetineerden te maken krijgen. Ze had de meeste tijd in afzondering doorgebracht, omdat het voor de directie te lastig was om na te gaan wie de zuster of dochter was van iemand die ze had veroordeeld en die haar daarom zou willen vermoorden. Ze vond het best zo. Ze voelde zich zelden op haar gemak bij de andere gevangenen bij wie ze was ondergebracht, vrouwen die zwanger de inrichting binnen waren gekomen, of die voor een of ander vergrijp uit de bevolking waren verwijderd. Het waren allemaal slachtoffers, zeker in hun eigen ogen en vaak in die van anderen. De meesten waren met niets begonnen en bergaf gegaan. Sommigen waren intelligent. Enkelen waren uitstekend gezelschap. Maar wanneer je ze leerde kennen, kwam je vroeg of laat kanjers van slechte eigenschappen tegen: leugenachtigheid, een temperament als een vulkaan, een onjuiste perceptie van de wereld die op kleurenblindheid leek in die zin dat er een aspect van normaliteit was dat ze eenvoudig niet waarnamen. Ze bleef op zichzelf, hielp met juridische problemen en werd, ondanks haar pogingen het te ontmoedigen, 'rechter' genoemd. Iedereen daar leek het prettig te vinden dat een van de machtigen van haar voetstuk was gevallen.

Raven gaf het echter nog niet op.

'Hoor eens, ik wil niet preken,' zei hij, 'maar die Erdai heeft toch een punt? Jij hebt de besluiten genomen. Jij hebt die man schuldig bevonden, jij hebt hem hem ter dood veroordeeld. Heb je niet een zekere verantwoordelijkheid, als mijn man dat niet verdient?'

'Arthur, botweg gezegd heb ik al meer gedaan dan ik had hoeven doen.' Ze had er dagenlang mee geworsteld voordat ze had besloten hem de brief te geven. Het was onverstandig, besefte ze, het risico van verder contact op te nemen met Raven, die gerichtere vragen over haar verleden zou kunnen stellen. En ze voelde geen verplichting ten opzichte van het recht, dat haar ooit met zijn vraagstukken en puzzels had verrukt maar dat haar als een vorst uit zijn rijk had verbannen. Maar ze voelde pijn bij de herinnering aan die wrede opmerking tegen Arthur. Het kwam niet door het recht maar door de regels die ze voor zichzelf had opgesteld, met vaderlijke hulp van Duffy, haar sponsor en hospes, dat ze was gekomen. Geen troebele toestanden meer, geen achteloze vernietiging van anderen of haarzelf. Als het nodig was misstanden herstellen.

Nog hunkerend naar nicotine stond ze op en liep naar een hoek van de ruimte. Sinds ze uit de gevangenis was ontslagen was ze niet meer op een advocatenkantoor geweest en de chique sfeer kwam haar komisch voor. Iedereen was zoveel rijker geworden in haar afwezigheid. Het was onvoorstelbaar dat normale mensen zo luxueus leefden: kostbare houtsoorten, graniet, een zilveren koffiestel naar Zweeds ontwerp en rollende leunstoelen met een bekleding van zacht kalfsleer. Daar had ze allemaal nooit naar getaald. Maar ze vond het moeilijk Arthur Raven hier te zien, capabel en ijverig, misschien niet begaafd, getroost door luxe.

Terwijl Raven naar haar keek, streek hij onbewust over zijn weinige overgebleven plukken rechtopstaand haar. Zoals altijd leek Arthur hard te hebben gewerkt: zijn das was losgetrokken, hij had inktvlekken aan zijn hand en zijn manchet. Intuïtief zocht ze naar een manier om hem af te leiden.

'Hoe is het met je zuster, Arthur? Heb ik het goed onthouden? Is dat degene die ziek is?'

'Ze is schizofreen. Ik heb haar ondergebracht in een beschermdwonenvorm. Ik kom er vaak. De laatste woorden van mijn vader tegen mij waren: "Zorg voor Susan." Wat niet zo vreemd was. Dat heeft hij me van mijn twaalfde af voorgehouden.'

'Nog meer broers en zussen?'

'Alleen Susan en ik.'

'En wanneer is je moeder gestorven?'

'Mijn moeder is nog levend en wel. Zij heeft alleen dertig jaar geleden haar handen van ons afgetrokken toen Susan ziek werd. Ze heeft een tijd in Mexico gewoond en daarna weer hier. Ze was een vrije geest, zeg maar. En zij en mijn vader waren een merkwaardige combinatie. Ze heeft een huisje hier in Center City en voorziet in haar onderhoud door model te staan voor tekencursisten aan de Museum Art School.'

'Náákt?'

'Zeker. "Het menselijk lichaam is op elke leeftijd mooi, Arthur." Het zal juist wel een uitdaging zijn om rimpels te tekenen. Ik zou het echt niet weten.' Raven glimlachte een beetje aarzelend, een beetje verbaasd over zijn bekentenis.

'Heb je contact met haar?'

'Af en toe. Maar het is of je bij een verre tante op bezoek gaat. Op de middelbare school had ik een paar vrienden, zwarte jongens, die door hun oma waren opgevoed. Zij kenden hun moeder zoals ik: als een soort oudere vriendin. Zo ben ik opgegroeid. Wat wil je nog meer weten?'

Hij glimlachte op dezelfde manier. Mevrouw Raven was kennelijk de absolute tegenpool van May Sullivan, die in het leven van alle gezinsleden een prominente plaats had opgeëist. Ze was briljant en vinnig geestig, maar de fles Triple Sec stond open op het aanrecht als Gillian 's middags uit haar katholieke meisjesschool kwam. De avond leverde altijd dezelfde ziekmakende spanning op. Tegen wie zou ma tekeergaan? Zou ze gillen of, zoals vaak bij haar ruzies met Gillians vader, geweld gebruiken? Haar woede-uitbarstingen konden een huis met tien bewoners urenlang een angstige stilte opleggen.

Arthur, die Gillians belangstelling voor hem op prijs leek te stellen, hernieuwde niettemin zijn pogingen haar over te halen bij Erdai op bezoek te gaan. Discipline was altijd een van zijn sterke punten als jurist, herinnerde ze zich.

'Ik weet niet hoe ik je kan overhalen,' zei hij. 'Ik vraag je niet veel.

Alleen dat je de plooien gladstrijkt met die man.' Arthur beloofde dat ze niet eens naar Erdais verhaal zou hoeven luisteren, als ze niet wilde, en dat hij haar zelf met de auto zou brengen om te zorgen dat ze in een dag op en neer zou zijn. 'Hoor eens, Gillian. Ik zat echt niet op deze zaak te wachten. Ik ben er door het hof mee opgezadeld. En ik heb in vier weken al geen vrije dag meer gehad. Maar ik doe mijn plicht. En ik moet je om hulp vragen.'

Openlijk klagend en ontwapenend nederig strekte Arthur zijn korte armen naar haar uit. Hij glimlachte zoals hij had gedaan toen hij over zijn moeder sprak: meer wist hij niet en er zat niets anders op dan akkoord gaan. Hij was een aardige man, besefte Gillian. Hij had zich ontwikkeld tot een aardige man, iemand die zichzelf beter had leren kennen dan ze zou hebben voorspeld. Hij wist dat hij een uitslover was, een braverik die bang was om iets verkeerd te doen, en hij wist, zoals hij de vorige keer had gezegd, dat er mensen waren zoals zij die hem saai vonden. Toch had ze zich daarin vergist, besefte ze opeens. Het was niet haar enige vergissing. Maar wel een ervan. Ze had voor Arthur en mensen zoals hij veel meer respect moeten opbrengen. Dat besef was een stap in haar rehabilitatie. Want ze had nu het gevoel dat dat was wat ze nastreefde. In het diepste geheim was ze steeds voornemens geweest om, als ze weer op krachten was, zichzelf opnieuw te vormen en de peilloze krater die ze in haar leven had laten ontstaan met kracht te vullen.

'Ik ga,' zei ze. Zodra de woorden waren uitgesproken, leken ze als kostbaar porselein dat van een plank was gezwiept. Ze keek het na in zijn val – zag het licht dat zich over Ravens gezicht verspreidde – en vermoedde direct dat ze een afschuwelijke vergissing had begaan. Het enige dat ze wilde was een veilig verdoofd leven. Ze had volgens een vaste dagindeling geleefd, haar Paxil geslikt en het contact met vroeger zoveel mogelijk beperkt. Ze voelde de begrijpelijke paniek van een voormalige verslaafde die vreesde zwak te zijn geworden.

Terwijl hij haar naar de fraaie lobby bracht, uitte Raven op zijn stuntelige manier zijn dankbaarheid, pakte haar natte paraplu en haar jas. Een reusachtig wandkleed, een kleurrijk ontwerp van een moderne meester die van schilderijen op textiel was overgestapt, bedekte het glanzende hardhout en Gillian, nog beduusd door haar besluit, staarde naar de abstracte motieven. Twee keer in twee weken had in het gezelschap van Arthur Raven een geest, als een boself die in een boom woonde, voor haar gesproken.

Ze nam bruusk afscheid en stapte in de ultrasnelle lift, verbijsterd over zichzelf en vooral door het kortstondige onrustgevoel in haar borst, dat op een vlammetje in een hoek van een kooi leek. Het zou niet lang duren en dus hoefde ze niet te bepalen of het hoop zou kunnen zijn.

7

4 OKTOBER 1991

Detentie

In het huis van bewaring hadden de meeste gedetineerden meer dan één naam. Als de kit erachter kwam dat je een strafblad had, maakte je minder kans je eruit te praten of op borg vrij te komen. Dus wanneer verdachten werden aangehouden, vergaten ze nogal eens hoe ze door mama waren genoemd. Meestal duurde het weken voordat de afdeling identificatie in McGrath Hall de kaarten met tien vingerafdrukken die na de aanhouding waren gemaakt had vergeleken met die in het archief en erachter was wie wie was.

Collins Farwell had de pech dat hij vlot was gevonden. Hoewel hij was binnengekomen als Congo Fanon had de inrichting, toen Muriel door Larry werd opgebeld, al uitgezocht dat Collins een alias had gebruikt. Ze was bezig met een proces over een bankoverval, maar sprak na de zitting met Larry af, en toen ze kwam aanlopen, zat hij op haar te wachten op een van de granietblokken die in de hal dienst deden als bank. Zijn grote blauwe ogen bekeken haar uitvoerig terwijl ze dichterbij kwam.

'Fraai,' zei Larry.

Voor de zitting droeg ze een rood pakje en wat meer make-up dan wanneer ze zich op kantoor in haar papieren verdiepte. Larry, altijd iets te vertrouwelijk, raakte een van haar grote oorringen aan.

'Afrikaans?'

'Geraden.'

'Mooi,' zei hij.

Ze vroeg wat er was en Larry gaf haar een uitvoeriger versie dan aan de telefoon van wat Erno hem de vorige dag had verteld. Het was vijf uur in de middag en de gevangenen waren ingesloten voor het avondappèl, wat betekende dat Larry en zij moesten wachten voor ze Collins konden spreken.

'Wil je vast naar hem gaan kijken?' vroeg Larry.

Hij liet zijn pasje zien en ze klommen naar de loopbruggen, de roostergangen voor de kooien. Muriel bleef wat achter. Ze had geen tijd gehad om andere schoenen aan te trekken en wilde niet met een hak in een opening blijven haken. Struikelen zou meer dan gênant zijn. Burgers, zowel vrouwen als mannen, leerden afstand houden van de cellen. Mannen waren half gewurgd met hun stropdas en vrouwen hadden natuurlijk ergere dingen ervaren. De mensen van de regiopolitie die als bewaarders fungeerden, leefden op voet van gewapende vrede met de gedetineerden en waren niet altijd vlot met ingrijpen.

Hun wandeling bood de gebruikelijke gevangenistaferelen: donkere gezichten, stank, beledigingen en seksueel getinte scheldpartijen achter hun rug. In sommige cellen hadden de mannen waslijnen opgehangen die de minimale ruimte nog verder verdeelden. Vaak waren er foto's aan de tralies gehangen: gezinnen of plaatjes uit tijdschriften. De uren van insluiting brachten de mannen door met rusten of slapen, naar de radio luisteren of naar elkaar roepen, vaak in de code van een bende. Een bewaarder in uniform, een forse zwarte man, had zich bij de laatste deur naar de loopbrug bij hen gevoegd en leek geïrriteerd. Hij tikte twee keer met zijn knuppel op de tralies om aan te geven dat ze Collins' cel hadden bereikt en liet bij het doorlopen zijn knuppel over de tralies glijden om de jongens te laten weten dat hij er was.

'Wie van jullie is Collins?' vroeg Larry de twee mannen. De ene zat op de pot en de ander zat door de tralies heen te kaarten met zijn buurman.

'Yo man, heb ik dan helemaal geen privacy meer.' Op de stalen pot zittend wees Collins naar Muriel, maar ging niettemin door met waar hij mee bezig was.

Ze liepen maar even door. Toen ze terugkwamen, trok Collins net de rits van zijn oranje overal op.

'Kom je voor drugs?' vroeg Collins toen Larry hem zijn insigne liet zien. Collins Farwell was middelbruin, met lichte ogen en zorgvuldig gekapte krulletjes. Zoals beweerd was hij groot en knap. Zijn ogen waren bijna oranje en zo lichtgevend als die van een kat, en hij was zich kennelijk bewust van zijn knappe uiterlijk. Hij keek naar Muriel en trok zijn overal strak om zijn schouders.

'Moord,' zei Larry.

'Ik heb godverdomme niemand vermoord. Dat is niks voor mij, man. Je moet een andere nikker hebben. "I'm a lover".' Collins zong een paar maten van Otis Redding, tot vermaak van verschillende andere gedetineerden in de kooien boven en onder hem. Daarna draaide Collins zich om, trok de rits van zijn overal naar beneden en wandelde terug naar de pot. Hij keek om naar Muriel in de verwachting dat ze zou vluchten, maar ze bleef nog even staan.

'Wat denk je?' vroeg Larry op de terugweg naar beneden.

'Verdomd knappe kerel,' antwoordde Muriel. Hij deed denken aan een idool van haar moeder: Harry Belafonte.

'Ik zal kijken of ik zijn politiefoto voor je kan laten inlijsten. Is dit zinvol?'

Ze vroeg Larry hoe hij er zelf over dacht.

'Volgens mij is hij gewoon een crimineel die maar wat lult,' zei Larry. 'Maar als jij een uur overhebt, dan ik ook.'

Na etenstijd, als Collins recreatie had, konden ze hem onopvallend naar een spreekkamer overbrengen. Op de administratie vroeg Larry de dienstdoende ambtenaar dat te regelen; hij zei alleen dat ze Farwell moesten ondervragen over een moord. De helft van het personeel hier had banden met een bende en het nieuws zou snel de ronde doen als ze dachten dat Collins medewerking verleende aan de politie. De man nam Larry en Muriel mee naar een klein vertrek, een trapezium van goedkope gipsplaat met schopsporen erin. Ze gingen op plastic draaistoelen zitten, die net als de kleine tafel met zware bouten aan de vloer geschroefd waren.

'En hoe is het met Talmadge?' Larry wendde meteen zijn blik af en had spijt van zijn vraag zodra hij hem had gesteld. Allerlei mensen begonnen nu tegen haar over Talmadge. Een week geleden had er een foto in de krant gestaan die op een liefdadigheidsdiner was genomen. Maar het was geen onderwerp waarover ze met Larry wilde praten.

'Weet je, Larry, ik had nooit het idee dat je jaloers was.'

'Het is een vraag om informatie,' protesteerde hij. 'Je weet wel. Zoals het weerbericht. Of hoe is het met je gezondheid en je gezin?'

'Hm.'

'Nou?'

'Kom nou, Larry. Ik ga met hem om. We waarderen elkaar.'

'En mij niet.'

'Larry, ik kan me niet herinneren dat we ooit veel met elkaar zijn opgetrokken. Bij mijn weten heb je nooit aan me gedacht als je niet geil was.'

'Wat is daar mis mee?' vroeg Larry. Ze hapte bijna. 'Dan stuur ik je toch elke dag bloemen en billets-doux.'

Billets-doux. Larry kon je altijd verbazen. Ze keek alleen maar naar hem.

'Ik gun je de ruimte,' zei Larry. 'Ik dacht dat je de ruimte wilde.'

'Ja, Larry, ik wil de ruimte.' Toen ze haar ogen dichtdeed, leken haar wimpers aan haar make-up te kleven. Larry, die het van zijn instinct moest hebben, rook dat er iets in de lucht hing. Twee avonden eerder had Talmadge, voordat hij haar deur achter zich dichtdeed, haar hoofd tegen zijn borst gedrukt en gezegd: 'Laten we overwegen dit om te zetten in iets permanents.' Ze had steeds beseft dat het deze kant op ging, maar ze had er toch de beverd van gekregen. Op haar eigen manier had ze geprobeerd de gedachte zoveel mogelijk te verdringen, wat betekende dat ze nauwelijks aan iets anders dacht.

Het voelde of ze in de Grand Canyon keek. Haar eerste huwelijk, waar ze zelden aan terugdacht, leek in de gevaarlijke diepte te liggen. Ze was op haar negentiende getrouwd, een leeftijd waarop mensen wel meer stommiteiten uithaalden, in de overtuiging dat ze een lot uit de loterij had getrokken. Rod was haar leraar Engels op de middelbare school, cynisch en slim en op zijn tweeënveertigste nog ongetrouwd; het was niet eens bij haar opgekomen zich af te vragen waarom. De zomer na haar eindexamen was ze hem op straat tegengekomen en had uitbundig met hem geflirt; in die jaren had ze ontdekt dat seksuele vrijmoedigheid wonderen deed voor een meisje dat niet echt de aandacht trok door haar uiterlijk. Ze had achter hem aan gezeten, hem gevraagd met haar te gaan lunchen, of naar de bioscoop te gaan, altijd stiekem. Haar ouders waren ontzet toen ze vertelde dat ze gingen trouwen. Maar ze had gewerkt en in vijf jaar haar studie afgemaakt, overdag lesgegeven op openbare scholen en in de avonduren rechten gestudeerd.

Mettertijd was Rods charme natuurlijk verbleekt. Nou ja, dat was niet echt waar. Hij bleef een van de geestigste mannen die ze ooit had gekend – de gevatte zatlap in de hoek van de bar die de beste teksten kreeg in Engelse komedies. Maar hij was iemand die nooit tot volle wasdom was gekomen. Hij was een briljante jongen, aan handen en voeten gebonden door zijn eigen ongeluk, en dat besefte hij heel goed; hij beweerde vaak dat zijn fundamentele probleem in het leven was dat je niet een Stoli, een sigaret en de afstandsbediening met maar twee handen kon vasthouden. Hij was waarschijnlijk homoseksueel, maar te laf om dat onder ogen te zien. Zijn belangstelling voor seks met haar had in elk geval nauwelijks langer geduurd dan hun verloving. In het derde jaar van hun huwelijk had zijn seksuele desinteresse haar nader tot andere mannen gebracht. Rod wist ervan en het leek hem weinig te doen. Hij reageerde heel heftig als ze over scheiden begon. Daar kon hij niet mee aankomen bij zijn moeder. Zij was een strenge, bloedeloze, bekakte vrouw van wie hij zich al jaren eerder had moeten losmaken. In plaats daarvan stond hij haar toe te oordelen. Tot de dag dat hij stierf. De oorzaak was een hartaanval, die door het vroege sterven van zijn vader en grootvader was voorspeld. Ondanks alle waarschuwingen had Rod nooit iets aan zijn conditie gedaan en was alleen bij de dokter geweest om de spot met hem te drijven, maar voor Muriel was het een onverwacht zwaar verlies geweest, niet alleen van Rod zelf maar ook van alles wat hij voor haar had betekend toen ze negentien was.

Wanneer je met een man bent getrouwd die je vader had kunnen zijn, kijk je om en zegt: ik had mijn redenen. Maar achteraf was haar kernreden herkenbaar en vertrouwd: ze had iets willen doen met haar leven. Rod, bandeloos en aan de drank, en Talmadge, nu al een historische figuur, hadden minder gemeen dan een steen en een plant. En de vijftien jaar die waren verstreken nadat ze voor de eerste keer was getrouwd, waren letterlijk een heel leven. Maar het onaangename besef hoe zwaar ze zich kon vergissen, hoe vertroebeld haar blik kon zijn, maakte haar kopschuw. Tegenover Larry wilde ze dat echter niet laten merken.

'Ik kan niet geloven dat je Talmadge zo belangrijk vindt,' zei ze.

'Ik weet het niet,' zei hij. 'Het ziet ernaar uit dat ik alleen kom te staan.' Hij wilde scheiden, zei hij, en deze keer leek hij het te menen. Nancy en hij waren samen bij een advocaat geweest, een vrouw die eerst had geprobeerd hen te verzoenen. Er waren geen problemen met bezit. Het enige probleem waren de jongens. Nancy was te zeer aan de kinderen gehecht om ze los te kunnen laten en had voorgesteld dat zij de voogdij zou krijgen, maar daar had Larry bezwaar tegen aangetekend. Voorlopig was er een patstelling bereikt, maar ze dachten dat ze er wel uit zouden komen. Ze wilden er allebei van af.

'Het is treurig,' zei Larry. Dat leek hij ook te menen. Hij keek haar niet aan. Het sierde Larry dat hij geen behoefte had aan vrijblijvend medeleven.

Op de gang hoorden ze de bajesmuziek van rinkelende kettingen. Een bewaarder klopte een keer aan en duwde Collins Farwell naar binnen; hij was om het middel geboeid, met kettingen naar zijn handen en voeten. De bewaarder zette Collins aan een tafel neer en maakte zijn enkelketting met een hangslot vast aan een zwart oog dat aan de vloer was vastgeschroefd.

'Ik wil eerder vrij,' zei Collins zodra de bewaarder de deur uit was.

'Ho,' zei Larry. 'Zover zijn we nog lang niet. Misschien moesten we eerst maar eens gedag zeggen.'

'Ik wil eerder vrij, zeg ik,' herhaalde Collins. Hij richtte zich tot Muriel; kennelijk besefte hij dat de aanklager degene was die hierover besliste.

'Met hoeveel drugs ben je aangehouden?' vroeg ze.

Collins wreef over zijn gezicht; zijn enkele dagen oude baardstoppels waren waarschijnlijk modieus bedoeld. In bewaring kon Collins niet worden ondervraagd zonder voorafgaande cautie, de Mirandawaarschuwing, die hij nog niet had gekregen. Door de grillige logica van de wet kon niets van wat hij hier zei daarom tegen hem worden gebruikt. Muriel legde het hem uit, maar Collins was ervaren genoeg om het al te weten. Hij nam alleen even de tijd om over zijn tactiek na te denken.

'Ik had een half pond, man,' zei hij ten slotte, 'tot de kit er wat afhaalde. Zes strippen geworden. Net genoeg voor één slag.' Collins lachte om de verdorvenheid van de politie. Die zou vijftig gram op straat verkopen of zelf gebruiken. Hij keek aan tegen levenslang zonder voorwaardelijke vrijlating.

'Als je ons eens vertelde wat je hebt?'

'Vertellen jullie eerst maar hoeveel korting ik krijg, in plaats van me te behandelen als een domme bajesnikker die alles doet voor de politie.'

Larry stond op. Hij rekte zich even uit, maar dat bleek een list om achter Collins te komen. Hij greep de ketting die aan de vloer was vastgemaakt en rukte eraan tot de schakels in de liezen van de jongeman strak stonden, zodat hij naar achteren werd getrokken. Muriel keek waarschuwend naar Larry, maar die wist hoe ver hij kon gaan. Van achteren legde hij zijn hand op Collins' schouder.

'Je hebt veel te veel praatjes, vriend,' zei Larry. 'Je hoeft ons niets te vertellen. Echt niet. We kunnen ook weggaan en dan kun jij levenslang gaan uitzitten. Maar als je daaronderuit wilt, moest je je maar liever gedragen. Want ik zie geen rij aanklagers voor de deur staan die je een betere deal willen aanbieden.'

Toen Larry de ketting losliet, keek Collins brutaal naar hem om en staarde vervolgens weer naar Muriel. Bijna tegen zijn wil deed hij een beroep op haar. Zelfs Collins wist niet zeker hoe hard hij was. Ze gebaarde naar Larry en ze liepen de kamer uit. Pas toen de bewaarder weer bij zijn gevangene was, praatten ze.

'Ik heb toch zo'n hekel aan sjacheren met dealers,' zei Larry. 'Ze zijn er altijd veel beter in dan ik.'

Muriel schaterde. Larry maakte grapjes ten koste van zichzelf. Dat was iets dat Talmadge nooit zou leren. Larry had zijn halflange leren jack aan en terwijl ze met hem op de gevangenisgang stond te fluisteren, voelde ze de warmte die zijn forse lichaam uitstraalde.

'Ik weet niet of die oetlul iets voor niets wil binnenhalen,' zei hij, 'of dat hij de sleutel van het koninkrijk in handen heeft.'

'Er is maar één manier om erachter te komen,' zei ze. 'We zijn hier niet voor de flauwekul. Hij moet zijn kaarten op tafel leggen. Wanneer hij babbelt, kunnen we beoordelen of het wat is. Als hij ons een dader aanbiedt en een verklaring aflegt, dan maakt de narcotica-afdeling er misschien anderhalf ons van zodat hij er met tien of twaalf jaar afkomt. Maar ik kan hem niet in mijn eentje iets beloven.'

Larry knikte. Het was een plan. Muriel greep zijn zware arm voordat hij terug kon gaan.

'Maar misschien kun je mij beter het woord laten doen. Je hebt de rol van harde diender wel voldoende neergezet.'

Toen ze weer binnen waren, lichtte Muriel het voorstel toe. In hun afwezigheid was Collins een fractie bereidwilliger geworden, maar hij schudde zijn hoofd.

'Ik heb nooit gezegd dat ik zou getuigen, man. Ik zal een hele tijd moeten zitten. Wat ik ook zeg, ik moet zitten, zo is het toch?'

Muriel knikte.

'Dat wordt moeilijk als ik ga getuigen. De GO's' – hij bedoelde leden van een bende, de Gangster Outlaws – 'willen niet hebben dat je praat.'

'Hoor eens,' zei Muriel, 'jij bent ook geen droomkandidaat voor ons. Een drie-slag die onder levenslang probeert uit te komen maakt minder indruk op een jury dan een non. Maar als je niet achter je verhaal gaat staan, hebben we er niets aan.'

'Getuigen kan ik niet,' zei Collins. 'De leugenmachine, dat wil ik wel, maar getuigen kan niet. Ik blijf GI.' Geheime informant.

Ze gingen er nog een paar minuten over door, maar Muriel was bereid ervan af te zien dat hij zou getuigen. Ze had nog steeds het gevoel dat Collins over de brug zou komen, maar een zaak die een drieslag als getuige nodig had, was geen sterke zaak. Uiteindelijk bood ze aan te proberen een lichtere straf voor hem te krijgen, maar alleen als Collins' verklaring tot een veroordeling leidde. En ze zouden nu meteen moeten horen wat hij in de aanbieding had.

'En als jullie me nou belazeren? Die gast aanhouden en mij vergeten? Wat heb ik er dan aan?' Collins' ogen, licht amber van kleur, keken naar Larry bij zijn vraag naar zwendel.

'Ik dacht dat je oom je had verteld dat je me kunt vertrouwen,' zei Larry.

'Mijn oom, man,' zei Collins en lachte bij de gedachte aan Erno. 'Wat weet die nou? Doe een varken lippenstift op, is het nog steeds een varken.'

Muriel glimlachte, ondanks zichzelf, maar Larry reageerde geërgerd. Ook tegenwoordig nog stoorden de meeste politiemensen zich aan het woord 'varken' en Muriel raakte Larry's arm aan, terwijl ze tegen Collins zei dat ze het niet mooier kon maken, de keus was aan hem.

Collins rekte zijn hals en draaide zijn hoofd alsof hij ergens hinder van had.

'Ik was in een kroeg,' zei hij toen. 'Lamplight.'

'Wanneer?' vroeg ze.

'Vorige week. Net voor ik gepakt werd. Dinsdag. Er is een gast die daar komt. Mannetje van niks, van de straat.'

'En die heet?'

'Ze noemen hem Eekhoorn. Ik weet niet waarom. Waarschijnlijk omdat het een eikel is.' Collins nam even de tijd om daarvan te genieten. 'Maar ik was daar dus met wat mensen en die Eekhoorn kwam langs, beetje sneaky, om shit te verkopen.'

'Wat voor shit?' vroeg Larry.

'Vorige week had hij goud. Kettingen. En hij haalt ze uit zijn zak en hij heeft wat... hoe noemen ze zo'n vrouwenketting met een gezicht eraan?'

'Een camee?' vroeg Muriel.

Hij knipte met zijn lange vingers. 'Een van de brothers aan de bar wilde dat ding zien en Eekhoorn laat het hem zien maar hij zegt: "Nee, man, die is niet te koop." Laat zien dat hij open kan, onder het gezicht, en er zitten foto's in, van twee kindjes. "Daar geeft de familie goed geld voor," zegt hij. De familie, denk ik. Verdomme, waar slaat dat nou op? Dus later was ik op de plee en daar spreek ik hem weer en ik zeg tegen hem: "Hoe bedoel je, de familie?" En hij zegt: "Jezus, dat mens waar ik dat van heb, die ligt in d'r kist. Met een kogel in haar donder." En die brother, die zag er niet naar uit of hij iemand koud zou maken. Dus ik zeg: "Man, wat kakel je nou?" "Ik meen het," zegt hij, "ik heb haar gepakt en nog twee stuks op de vierde juli. Dat heb je toch ook gezien, man, het was op tv en alles. Ik was beroemd en noem maar op. Ik heb allerlei shit van al die lui meegenomen, maar dat ben ik al kwijt, alleen dat ene ding niet, want niemand geeft ervoor wat de familie ervoor over heeft. Ga ik doen als losgeld of zo, over een tijdje, als ik geld nodig heb voor onderdak." ' Collins haalde zijn schouders op. Hij wist zelf niet goed wat hij ervan moest denken.

Larry vroeg om een beschrijving van het medaillon. Veel bezittingen die van de slachtoffers waren geroofd hadden in de krant gestaan, en het was Larry te doen om bijzonderheden die niet bekend waren gemaakt.

'Verder nog iets?' vroeg Muriel aan Collins, nadat hij Larry antwoord had gegeven.

'Nee,' zei Collins.

'Weet je niet eens hoe die man in werkelijkheid heet?' vroeg Larry.

'Geen idee, man. Misschien dat iemand hem Ronny noemde, zoiets.'

'Denk je dat hij opschepte over het vermoorden van die drie mensen?'

Collins keek hen allebei aan. Hij was eindelijk vrij van pose.

'Misschien,' zei hij. 'Op dit ogenblik hoop ik natuurlijk van niet, maar als iemand wat heeft genomen, weet je niet wat hij doet. Hij was apetrots, dat wel.'

Collins pakte het goed aan, bedacht Muriel, zonder smoesjes. Als die Eekhoorn niet de gezochte bleek te zijn, kon ze misschien toch een goed woordje voor hem doen.

Larry stelde nog een paar vragen waarop Collins geen antwoord wist en stuurde hem toen terug naar zijn cel. Ze zeiden niets meer tot ze weer op straat stonden, voor het enorme fort dat als huis van bewaring in gebruik was.

'Geloof je hem?' vroeg ze toen.

'Ik denk het wel. Als hij het had willen inkleden, had hij het beter gedaan.'

Muriel was het met hem eens. 'Is er een kans dat Collins heeft meegedaan?'

'Als dat zo is, en Eekhoorn verlinkt hem, dan kan Collins het vergeten. Zo kan Collins ook redeneren. Dus ik denk van niet.'

Ook op dat punt was Muriel het met hem eens. Ze vroeg hoeveel van wat Collins over de camee had verteld in de krant had gestaan.

'We hebben niet verteld dat het een medaillon was,' zei Larry. 'De doopfotootjes van Luisa's kinderen zitten erin. En ik zal je zeggen wat me een dreun gaf: het is inderdaad belangrijk voor de familie. Het schijnt een oud erfstuk uit Italië te zijn. De moeder heeft het van haar moeder gekregen, die het van haar moeder had gekregen. Die etterbak, die Eekhoorn, die moet iets weten.'

'Ga je Harold bellen?'

'Ik wil eerst die Eekhoorn zien.' Dat betekende dat Larry bang was dat zijn chef andere rechercheurs opdracht zou geven Eekhoorn op te sporen. Politiemensen hielden hun arrestatiegegevens bij, alsof er in McGrath Hall een competitie aan de gang was. Larry wilde de grote jongens pakken, zoals iedereen.

'Ik zal niets tegen Molto zeggen,' bood Muriel aan.

Ze stonden in de optrekkende kou bij elkaar, als zo vaak verbonden door de vaart in hun zaak. Hun adem vormde wolken die wegdreven en de lucht had de ernstige geur van de herfst. Aan de ene kant van het gebouw vormde zich een rij van bezoekers, voornamelijk jonge vrouwen, de meesten met een of twee kinderen. Diverse kinderen huilden.

Larry keek naar haar in het schemerlicht.

'Tijd voor een glaasje fris?' vroeg hij.

Ze keek hem met één oog dichtgeknepen aan. 'Dat klinkt een beetje gevaarlijk.'

'Je bent gek op gevaar,' zei hij.

Dat was waar. Ze was altijd gek op gevaar geweest. En Larry hoorde daarbij. Maar ze had zich heel beslist voorgenomen om volwassen te worden.

'De verdachte in mijn zaak moet morgen opdraven. Ik moet aan mijn kruisverhoor werken.' Ze toonde een strak grijnsje dat bedoeld was om iets spijtigs uit te drukken en stak toen over naar haar kantoor.

'Muriel,' zei Larry. Toen ze zich omdraaide, had hij zijn handen in zijn zakken van zijn jack en hij liet de panden dansen. Hij bewoog zijn mond, maar wist kennelijk niet wat hij moest zeggen. In plaats daarvan bleven ze tegenover elkaar staan kijken, en haar naam, een beetje bedroefd uitgesproken, bleef het laatste woord.

8

8 OKTOBER 1991

Eekhoorn

'Eekhoorn?' vroeg Carney Lenahan. 'Een domme jongen, maar wel een lastpak.'

'Wat doet hij?' vroeg Larry. 'Is het een junk?'

Lenahans maat, Christine Woznicki, gaf antwoord. 'Hij is hier vaste klant.' Ze gaf Larry de werkelijke naam van Eekhoorn en hij schreef hem op. Ze waren in het recherchelokaal in bureau 6; het was ochtend, net acht uur geweest. De wachtcommandant had net de dagploeg toegesproken en de beide agenten stonden op het punt om te gaan surveilleren. Woznicki was een mooie vrouw, maar met zware kaken en een droge souplesse die Larry aan leer deed denken. Ze was waarschijnlijk lesbisch, niet dat hem dat iets deed. Haar vader werkte hier al toen Larry vijftien jaar terug op bureau 6 begon. Stan Woznicki was ook Carneys maat geweest. Hoe langer je leeft, dacht Larry, des te beter zie je dat het gewoon een grote kringloop is.

'Hij is een dief,' zei Lenahan. 'En hij heelt. Stelen en helen, liefst allebei. Erger dan een zigeuner. Elke maand hebben we hem hier wel een keer in het hok zitten. Ed Norris had hem gisteren nog in de kraag.'

'Waarvoor?'

'OH.' Op herhaling. 'Lady Carroll heeft een pruikenwinkel aan 61st Street. Zo noemt ze zich. Lady Carroll. Dus Lady Carroll had wat te veel op en vergat de achterdeur af te sluiten. Die eikel, die Eekhoorn, die is gespecialiseerd in achterdeuren, die laat zich insluiten. Wacht in een kast tot sluitingstijd. Gisterochtend was haar halve handel weg. En de meeste hoeren op 61st hebben iets nieuws op hun kop. Dus Ed liet Eekhoorn hier een avondje gaarsmoren, maar er kwam niets uit. Hij was de dader, neem dat van mij aan. Die heeft die pruiken verpatst.'

Carney liep tegen zijn pensioen; hij was zeker zestig. Alles aan de man was grijs, zelfs zijn gezicht in het onflatteuze licht in het lokaal. Larry was gek op zulke dienders. Zij hadden alles meegemaakt en alles gedaan zonder dat ze eraan onderdoor waren gegaan. Toen Larry in 1975 bij het korps kwam, klaagde Carney nog dat de politie surveillancewagens met airco had gekocht. Dat was vragen om problemen, had hij gezegd, want dat moedigde degenen aan die toch al liever in de wagen bleven zitten.

'Had hij wat bij zich?' vroeg Larry. 'Toen Norris hem pakte?'

Lenahan keek even naar Woznicki, die haar schouders ophaalde.

'Wat hij in handen krijgt, loost hij vlot,' zei ze.

Larry zei dat hij graag Norris' rapport wilde zien. Toen hij vroeg of er een verband was tussen Eekhoorn en Gus, begon Carney voldaan te lachen.

'Gus kon zijn bloed wel drinken,' zei hij. 'Gus dacht dat Eekhoorn het op zijn kassa voorzien had. Ik geloof dat hij daar ooit zijn vuile poten naar had uitgestoken. Als Gus Eekhoorn aan de bar zag zitten met een kop koffie, joeg hij hem weg.' In het Paradise werd iedereen gelijk behandeld. Gangsters zaten naast politici en hoeren van twintig dollar. Als er problemen waren – buurtjeugd die lawaai maakte, zwervers die hun intrek namen, of idioten zoals Eekhoorn – regelde Gus het liever zelf, ook als er een politieman bij hem in de zaak zat. 'Een keer heb ik gezien dat Gus met een slagersmes achter hem aan zat,' zei Lenahan. 'Het waren geen dikke vrienden.'

Een golf van opwinding sloeg door Larry heen. Hij was de dader. Eekhoorn.

'En drugs?' vroeg hij. 'Was hij een gebruiker?'

Woznicki gaf antwoord. 'Hij heeft geen poen. Hij wordt wel high, natuurlijk, dat doen ze allemaal. Hij heeft een hele tijd verf gesnoven.' Tolueen, bedoelde ze. 'En misschien komt daar zijn probleem vandaan. De Eekhoorn heeft ze namelijk niet allemaal op een rij. Eekhoorn doet maar wat. Hij wil genoeg jatten om 's avonds zo ver heen te kunnen zijn dat hij er geen weet meer van heeft hoe geschift hij is. Je hoeft niet naar een helderziende om te begrijpen hoe hij in elkaar zit.'

'En wapens?' vroeg Larry.

'Ik zie hem niet schieten. Daar lijkt hij me te slap voor,' zei Christine. 'Hij roept wel veel, maar ik weet niet of hij echt wat doet. Denk je dat hij de man is die Gus heeft lekgeschoten?'

'Ik begin ervoor te voelen.'

'Dat had ik nooit gedacht van die eikel.' Woznicki schudde verbaasd haar hoofd. Het was een van de treurige lessen van het politieleven. De mensen waren eerder slechter dan je verwachtte dan beter.

Lenahan en Woznicki gingen naar buiten. Larry vroeg documenten op bij de archiefklerk. Rommy's criminele geschiedenis kwam na een halfuur over de fax binnen, maar de klerk zei dat Norris' rapport van de arrestatie nog in de molen zat. Terwijl de klerk ernaar ging zoeken, belde Larry Harold Greer.

Harold zat in een vergadering, wat niet erg was. Larry sprak met Aparicio, Harolds rechterhand, die te aardig was om veel vragen te stellen. Larry moest nog iemand bellen.

'Heb je een last nodig?' vroeg Muriel. Ze zat in haar kantoor op haar jury te wachten.

'Nog niet. Maar blijf in de buurt.'

'Altijd,' zei ze.

Altijd, dacht hij. Verdomme, wat bedoelt ze daar nou mee? Die avond voor de gevangenis, toen hij Muriel in haar pakje-voor-de-zitting had gezien, met de rode pumps die haar geringe lengte compenseerden, had hij opeens het gevoel gekregen dat de wereld niets meer was dan een lege ruimte. Het gevoel dat hem met haar verbond was het zekerste element daarin. Dat besef, niet alleen een opkomende begeerte maar een groter verlangen, had hem na het uitspreken van haar naam sprakeloos gemaakt. 'Altijd,' mompelde hij en legde de hoorn op het toestel.

Een uur later vroeg hij de centrale Lenahan en Woznicki te lokaliseren. Ze waren maar een paar straten verderop en hij sprak met hen achter het bureau. Het was twaalf uur geweest en het parkeerterrein was zo vol als bij een winkelcentrum.

'Tizzer?' vroeg Woznicki door het raampje, zittend aan het stuur. 'Zoek je dat rapportje nog steeds?'

'Inderdaad.'

'Ik heb Norris een tijdje geleden gebeld.'

'Mooi, maar nu kan ik wel wat hulp gebruiken bij het opvissen van Eekhoorn. Waar kan ik hem vinden?'

'Meestal op straat,' zei Lenahan. 'Het is nog niet zo koud dat hij naar het vliegveld gaat. Wanneer hij een karweitje heeft opgeknapt, vinden we hem meestal bij de pizzeria aan Duhaney.'

'Wat doet hij daar dan?'

'Eten. Ik weet niet of hij daar high van wordt of gewoon honger heeft.'

'Waarschijnlijk honger,' zei Woznicki. 'Stap maar in, dan gaan we kijken.'

Vandaag had Eekhoorn niet voor pizza gekozen. Een paar uur later kwamen ze uit bij de tent waar Collins had gezegd dat hij Gandolph had gesproken. Lamplight was een rare naam voor een donkere tapperij. Je wist wat je kon verwachten in een tent waar onder openingstijd de luiken dicht waren. Bij de deur was een kleine toonbank waar drank werd verkocht en daarachter een schemerige bar. Larry had talloze keren in zo'n kroeg rondgekeken: er waren maar een paar lampen die het deden, waaronder de bierreclames, en wat die beschenen was oud, smerig en kapot. De lambrisering was zo oud dat hij afbladderde, als versleten stof, en het toilet in de enige wc was vlekkerig, met een barst in de zitting en een lekkend reservoir dat voortdurend een beetje doorliep. Al bij de voordeur rook het er naar verrotting en een vaag gaslek. Achterin zaten permanent klanten, groepjes jonge mannen stonden bij elkaar en hielden verhalen die niemand geloofde; in hoekjes werd gedeald. Het was die activiteit waar Collins waarschijnlijk op af was gekomen.

Buiten, op de stoep bij de deur, was meer van hetzelfde te zien: heroïnehoeren die een klant of dope wilden scoren, mannen met een invaliditeitsuitkering of een eigen verslaving. Mannen met een fles in een bruine papieren zak. Toen de drie politiemensen kwamen aanlopen, verspreidden ze zich haastig. Carney en Christine namen de ingang en Larry liep achterom, voor het geval Eekhoorn de artiestenuitgang zou nemen.

Even later hoorde hij Lenahans fluitje.

'Rechercheur Starczek, mag ik u Romeo Gandolph voorstellen.'

De man die Carney voor zich uit duwde was een schriel kereltje met wilde ogen; zijn blik schoot alle kanten op. Je hoefde geen jury op te trommelen om erachter te komen waar hij zijn bijnaam aan te danken had. Larry duwde hem tegen de surveillancewagen aan om hem te fouilleren. Rommy vroeg een paar keer op klaaglijke toon wat hij had misdaan.

'Shit,' zei Larry. 'Waar is het medaillon, Romeo?'

Zoals te verwachten viel zei Romeo dat hij daar niets van wist.

'Shit,' zei Larry weer. Gandolph kon het medaillon toch niet maandenlang hebben vastgehouden en dan nu net hebben verkocht? Larry beschreef de ketting, maar Eekhoorn hield vol dat hij zoiets nooit had gezien.

Larry dacht aan Erno's waarschuwingen met betrekking tot Collins. Het zou niet voor het eerst zijn dat Larry door een informant was misleid. Hij was bereid Eekhoorn te laten gaan, maar Lenahan greep Gandolph onderwachts bij zijn wilde haar en duwde hem op de achterbank van de surveillancewagen. Eekhoorn kreunde dat zijn arm nog pijn deed van de vorige avond, toen hij urenlang met een handboei aan een ijzeren ring boven zijn hoofd had vastgezeten.

Op het bureau wees Lenahan Rommy een bank – hij kende de weg – en pakte Larry bij zijn biceps. Hij besefte dat er een probleem was omdat Carney telkens de gang in keek.

'Je zult geen rapportje van gisteravond vinden.'

'Want?'

'Want je zult dat medaillon niet in de opslag vinden.'

Larry kreunde. Hier was hij te oud voor.

'Carney, ik kijk jou er niet op aan, maar die koekenbakker daar gaat mij vertellen dat hij gisteravond dat medaillon had toen hij werd aangehouden. Dat weet je. Dus wat moet ik nou tegen Harold zeggen?'

'Ik begrijp het,' zei Carney. 'Ik doe wat ik kan. We zoeken Norris al de hele dag. Hij is onderweg. Zijn vriendin zweert dat hij onderweg is.'

Ze werden gestoord door iemand van de centrale. Er was telefoon voor Larry. Hij dacht aan Muriel, maar het bleek Greer te zijn. Larry probeerde een montere toon aan te slaan.

'Ik geloof dat we deze zaak gaan klaren, chef.' Hij vertelde Harold er wat meer over.

'Wie heb je bij je, Larry?'

Hij wist dat Harold collega's van het team bedoelde, maar Larry deed onnozel. 'Lenahan en Woznicki.'

'Dus je speelt weer voor eenzame cowboy,' zei Greer voor zich heen. Hij zei tegen Larry dat hij met spoed een collega van de recherche zou sturen.

Toen Larry de hoorn neerlegde, stond er een forse zwarte man op hem te wachten. Hij had een kort, getailleerd zwartleren jack aan en een tricot hemd dat zijn bolle buik niet helemaal bedekte. Hij lachte alsof hij iets wilde verkopen. Wat in zekere zin ook zo was. Dit was Norris.

'Ik hoor dat je dit nodig hebt,' zei hij. Hij haalde het medaillon uit zijn jaszak. Hij had het niet eens in een bewijszakje gedaan.

Larry had het lang bij het korps uitgehouden met leven en laten leven als motto. Bij zijn weten was de paus niet bezig hem voor te dragen voor zaligverklaring. Maar hij deed zijn werk. Misschien was dat zijn voornaamste bron van trots. Hij kwam elke dag binnen om zijn werk te doen – niet om uit te slapen of junks op te jagen of zich schuil te houden op het bureau terwijl hij plannen maakte om zich arbeidsongeschikt te laten verklaren. Hij deed het werk, zoals alle goede dienders die hij kende. Dit ging te ver. Hij griste het medaillon uit Norris' hand. De doopfotootjes zaten erin, twee baby's nog bol van hun moeizame reis naar de buitenwereld.

'Godverdomme, denk je dat je Dick Tracy bent?' zei Larry tegen Norris. 'Je pakt iemand op die een sieraad in zijn zak heeft dat een week lang elke dag op tv is geweest omdat het van iemand is die is vermoord. En er blijkt een link te zijn tussen jouw arrestant en een van de andere slachtoffers. En waar denk jij aan? Wat het je oplevert als je het bewijsmateriaal verkoopt. Ik hoop dat er bij jou thuis niet nog meer zijn zoals jij.'

'Wind je niet op. Dit is niet de man die je moet hebben. Dit is gewoon een doorgeflipte kleine knoeier. Hij wou het niet toegeven van die pruiken en daarom wou ik hem een lesje leren. Daar steekt toch geen kwaad in?'

'Dacht je dat? En mijn bewijsvoering dan? Arrestatierapport, administratie van bewijsmateriaal? Hoe moeten we tegenover mr. Leepmans aantonen dat jij dit ding van zijn cliënt hebt ingenomen?'

'Stel je niet aan, man. Iedereen hier weet hoe hij moet getuigen.'

Larry wendde zich af, maar Norris riep hem na.

'Hoor eens, als hij het wel is van de moorden, moet ik delen in de eer.'

Larry zei niets terug. Met zo'n man viel niet te praten.

9

22 MEI 2001

Achter de deur

Voor de extra beveiligde strafinrichting voor mannen in Rudyard rookte Gillian een laatste sigaret. Ze stond met haar rug naar de gevangenis en keek naar de vriendelijke laan met kleine houten huizen, sinds kort weer groene gazons en fris in het blad staande ahornbomen. Arthur zat nog in zijn dure auto en praatte over de autotelefoon met zijn kantoor. 'Mijn roofridder tegen jouw roofridder' had hij onderweg over zijn cliënten gezegd, maar zoals alle advocaten *in medias res* leek hij helemaal op te gaan in zijn civiele zaak: het sussen van cliënten en het uitzetten van zijn strategie in een felle woordenstrijd.

Ter wille van Gillian had Arthur zijn bloeddorstige jonge assistente op kantoor gelaten. Scheurend over de snelweg, tussen de maïsplanten door die uit de aarde priemden en hun groene bladeren als groetende handen lieten afhangen, hadden Arthur en zij een aangenaam gesprek gevoerd. Hij had haar verteld wat hij over Erno Erdai had gehoord, de gevangene die ze zouden bezoeken, en ze hadden ook uitvoerig gepraat over Duffy Muldawer, haar hospes, met wie Arthur die ochtend de kennismaking had hernieuwd; ze hadden in vriendelijke sfeer herinneringen opgehaald aan conflicten die ze heel vroeger in de rechtszaal hadden uitgevochten, toen Arthur assistent-aanklager was bij Gillians rechtbank.

Als advocaat had Duffy nooit veel voorgesteld; hij was rechten gaan studeren naast zijn priesterlijke plichten en was pro-Deoadvocaat geworden toen hij uit liefde, die jammer genoeg niet duurzaam was gebleken, zijn priestergelofte had gebroken. Zijn werkelijke talent was zijn oorspronkelijke roeping. Dat had Gillian ontdekt in 1993, toen ze met een van de befaamde twaalfstappenprogramma's was begonnen. Nu haar een veroordeling boven het hoofd hing, moest ze clean zien te worden, maar ze had een hekel gekregen aan de gezwollen woorden, de vaste formules, de kringen van verdoolde zielen die hun problemen blootlegden, maar verdoold bleven. In haar wanhoop had ze Duffy opgebeld, die had aangeboden haar te helpen toen de eerste artikelen over haar in de krant verschenen. Hij was haar enige echte biechtvader. Zonder hem was ze misschien altijd aan de grond gebleven.

Terwijl Arthurs telefoontje maar duurde en duurde wreef Gillian met haar schoen haar sigaret uit en bekeek haar spiegelbeeld in het getinte glas van de auto. Ze droeg een zwart David Dart-broekpak, met een kraagloos jasje, parels en gouden knopjes in haar oren. De bedoeling was een ingetogen effect, zo min mogelijk aandacht trekken in de gevangenis. Maar Arthur, die kennelijk door de voorruit naar haar had zitten kijken terwijl hij zijn gesprek afrondde, leek dat niet te hebben begrepen.

'Je ziet er geweldig uit, zoals gewoonlijk,' zei hij zodra hij was uitgestapt. Hij zei het met hetzelfde enthousiasme als op zijn kantoor. Ze bespeurde in Raven, zoals bij zoveel mannen, een onstilbaar seksueel verlangen. Maar ze was vrijwel ongevoelig voor mannen. Naar haar werk droeg ze zelfs een plastic trouwring. Verkoopsters hadden kennelijk dezelfde reputatie als verpleegkundigen en de vrouwen die tegen sluitingstijd nog in de horeca te vinden waren. Mannen leken winkels op de versiertoer te bezoeken. Sommigen herkenden haar uit haar vorige bestaan en in die groep waren enkele mannen die, om welke krankzinnige reden ook, haar leken te beschouwen als een gemakkelijke prooi of iemand met een onvervulde hunkering. Ze wees iedereen af. Seks was voor haar toch al nooit gemakkelijk geweest. De invloed van een katholieke scholing, misschien. Ze had het heerlijk gevonden om aantrekkelijk te zijn, genoten van haar macht. Maar het lichamelijke aspect van de liefde was net als de liefde zelf voor Gillian nooit erg bevredigend geweest.

Ze bedankte Raven voor zijn compliment, draaide zich om naar de instelling en verzamelde haar krachten. Al tientallen jaren dacht Gillian op ogenblikken als deze aan een ronde kogel, glanzend, glad en ondoordringbaar, en dat was wat ze zich voorstelde toen ze naar de ingang van Rudyard liepen.

In het portiersgebouw voerde Arthur het woord. De bedoeling was dat ze in haar eentje met Erdai zou spreken, die haar verwachtte, in de hoop dat hij daarna Raven te woord zou willen staan. Ze wist niet precies wat haar te wachten stond, maar uit politierapporten en andere documenten die Arthur haar had laten lezen, had ze opgemaakt dat Erdais verhaal onaangenaam veel leek op het hare. Hij had zich opgewerkt van aspirant-politieman tot een belangrijke managementfunctie bij TN Air en toen in één onbegrijpelijk ogenblik alles vergooid. In februari 1997 had Erdai bij Ike, een kroeg waar veel politiemensen kwamen, ruzie gekregen met ene Faro Cole. Erdai had naderhand verklaard dat hij ooit een onderzoek tegen Cole had geleid in verband met ticketfraude. Cole, een zwarte man van een jaar of dertig, was zwaaiend met een vuurwapen binnengekomen en had geschreeuwd dat het Erdais schuld was dat hij aan de grond zat. Verscheidene politiemensen waren met getrokken wapens op Cole afgekomen en de man had zijn armen in de lucht gestoken, waarbij hij de revolver aan de loop vasthield. Na kort onderhandelen had hij het wapen aan Erdai gegeven en erin toegestemd met hem naar buiten te gaan om te praten. Hoogstens vijf minuten later stormde Cole de bar weer binnen. Volgens alle ooggetuigen had Erdai, anderhalve meter achter hem, de jongeman met een enkel schot in de rug neergelegd.

Erdai beweerde, onwaarschijnlijk genoeg, dat hij uit noodweer had geschoten, maar hij vond weinig steun, vooral in het licht van de ballistische gegevens en de bevindingen van medische aard. Erno werd van poging tot moord beschuldigd. Cole, die het overleefde, erkende via een advocaat dat hij stoned was geweest en Erdai had uitgedaagd en maakte zelfs geen bezwaar tegen het pleidooi van Erno's advocaat voor strafverlichting. Maar omdat Erdai enkele decennia eerder zijn schoonmoeder had doodgeschoten, bleef de aanklager op het standpunt staan dat hij al een tweede kans had gekregen. Erdai werd veroordeeld wegens zware mishandeling met gebruik van een vuurwapen en kreeg tien jaar. Hij zou na vijf jaar vrij zijn gekomen als hij niet longkanker in een vergevorderd stadium had gehad. De directeur had tegenover Arthur bevestigd dat Erdai er slecht aan toe was. Niettemin was zijn verzoek om strafomzetting of ziekenverlof afgewezen door de commissie voor strafherziening, die zulke verzoeken vrijwel nooit honoreerde. Erdai zou hier sterven, een gedachte die Gillian gruwelijk voorkwam terwijl ze naast Arthur op een bank zat te wachten.

'Is hij nog helder?' vroeg ze aan Raven.

'Volgens de medische staf wel.' Haar naam werd afgeroepen. 'Je zult het zelf kunnen zien.'

'Ja,' zei ze en stond op. Voor zover Gillian wist was Erdai voor Rommy Gandolph zijn laatste hoop, en Arthur was merkbaar nerveus geworden nu het ogenblik van de waarheid naderde. Hij kwam overeind om haar sterkte te wensen en gaf haar een klamme hand. Gillian liep mee met een vrouwelijke bewaarder. Toen de deur naar het cellenblok achter hen dichtsloeg, voelde Gillian haar hart krimpen. Ze moest een geluid hebben gemaakt, want haar begeleidster vroeg of het wel ging.

'Ja hoor,' zei Gillian, maar ze voelde dat haar gezicht strak stond.

De bewaarder, die werkte in de ziekenboeg waarnaar ze onderweg waren, had zich voorgesteld als Ruthie; ze was een corpulente kletskous met ontkroesd haar. Zelfs in de gevangenis bleef ze opgewekt en haar onvermoeibare commentaar op allerlei onderwerpen, ook Erdai, recente bouwactiviteiten en het weer, vormde een welkome afleiding.

De ziekenboeg bleek een apart gebouwtje te zijn met een bovenverdieping, door een donkere gang verbonden met het hoofdgebouw. Gillian liep achter Ruthie aan naar een volgende dubbele traliedeur. Een bewaarder hield in een kleine controlekamer door kogelvrij glas het komen en gaan in het oog. Ruthie tilde de bezoekerspas op die Gillian om haar hals had hangen en de zoemer klonk.

In de ziekenboeg ging het curieus vrij toe. Het leek op een psychiatrische inrichting. De zwaarste misdadigers werden met kettingen aan hun bed vastgelegd, maar alleen als ze overlast veroorzaakten. Net als bij het luchten liepen zelfs de moordenaars vrij rond. Op het zaaltje waar Ruthie Gillian naartoe bracht, zaten twee ongewapende bewaarders op klapstoelen in de hoeken. Af en toe stonden ze op om de benen te strekken, maar verder leken ze doelloos. Halverwege het zaaltje schoof Ruthie een gordijn opzij en daar lag Erno Erdai in bed.

Hij was herstellende van een tweede operatie waarbij een longkwab was verwijderd. Hij had een boek zitten lezen, waartoe zijn bed rechtop was gezet; hij droeg een verwassen ziekenhuishemd en had een infuus in zijn linkerarm. Erdai was mager en bleek, met een lange Slavische neus. Zijn lichte ogen keken op naar Gillian en hij hoestte luid. Vervolgens stak hij zijn hand uit.

'Ik laat jullie in gesprek,' zei Ruthie. Ze ging niet weg. Ze vond een plastic kuipstoeltje voor Gillian en liep naar de overkant van het zaaltje, waar ze demonstratief de andere kant opkeek.

'Ik heb uw vader gekend,' zei Erdai. Hij sprak met een buitenlandse melodie, alsof hij was opgegroeid in een huis waar Engels de tweede taal was. 'Op de opleiding. Hij was mijn instructeur. Hij gaf Straattechniek. Hij was er ook goed in. Ze zeggen dat hij iedereen aankon op straat.' Erno lachte. Hij had een spatel in zijn mond waar hij af en toe op kauwde. Gillian had dat van haar vader wel vaker gehoord, maar vond het moeilijk in overeenstemming te brengen met haar beeld van de man die ze regelmatig door haar moeder zag aftuigen. Gillian wilde altijd dolgraag dat hij zich zou verzetten. Hij was een boom van een kerel en had zijn vrouw met een hand op zijn rug kunnen neerslaan. Maar hij was bang voor May, zoals iedereen. Gillian had hem erom gehaat.

'U kunt u mij zeker niet herinneren uit de rechtszaal,' vroeg Erdai, 'nu u me ziet?' Het leek belangrijk voor hem te denken dat hij indruk had gemaakt, maar ze vond het niet nodig om galant te doen.

'Nee, het spijt me.'

'Nou, ik kan me u wel herinneren. En u ziet er een stuk beter uit. Mag ik dat zeggen? Zo te zien drinkt u niet meer.'

'Nee.'

'Ik bedoel er niets mee,' zei Erdai. 'Ik dronk ook te veel. Alleen ben ik anders dan u. Ik zou het meteen weer doen. Wat de mensen hier stoken... je zet je leven op het spel en zo smaakt het ook. Toch drink ik het als ik de kans krijg.' Erno schudde even zijn hoofd en keek toen naar het boek in zijn handen, een geschiedenis van de Tweede Wereldoorlog. Ze vroeg hoe hij het vond.

'Gaat wel. Tijdverdrijf. Las u veel in de gevangenis?'

'Soms,' zei ze. 'Minder dan ik had gedacht. Ik probeer me af en toe te herinneren wat ik heb gedaan, maar ik weet er niet veel meer van. Ik denk dat ik vaak maar wat voor me uit keek.'

Er waren hele reeksen associaties waarvan ze afstand had moeten nemen. Haar kijk op zichzelf als rechter. Als respectabel burger. Het recht, dat in veel opzichten haar leven was geweest, bestond nauwelijks meer. Voor zover ze wist had ze haar arrestatie, haar schuldbekentenis en het eerste jaar in de gevangenis beleefd als het equivalent van sneeuw op de televisie in haar hersenen. Het toestel stond aan; er werd geen signaal ontvangen. Heel zelden huilde ze, 's avonds laat, meestal als ze door een droom van haar stuk was gebracht en dat vreselijke ogenblik had beleefd waarin ze besefte dat ze niet thuis in bed lag, in afwachting van een nieuwe zittingsdag, maar hier was: in de gevangenis, een veroordeelde, een verslaafde. Ze was steeds verder de diepte in gegaan, als iets dat in een tunnel naar het middelpunt van de aarde was gegooid. Het gevoel in die ogenblikken, die ze graag voorgoed achter zich had gelaten, kwam een moment terug en ze ging rechtop zitten om het te verdrijven.

'Wilt u mijn verhaal horen?' vroeg Erdai.

Gillian vertelde over Arthur. Ze was gekomen omdat het belangrijk leek voor Erno, maar het was de advocaat die geschikter was om aan te horen wat hij te zeggen had.

'Dus daar is die advocaat voor,' zei Erno. 'Ik dacht dat hij u kwam adviseren. Nou ja, hij zal het wel verdraaien zoals het hem uitkomt. Zo doen ze het toch? Als ze hun naam maar in de krant krijgen?'

'Hij is er in elk geval niet voor u. Dat weet u. Als u daar bang voor bent...'

'Ik ben nergens bang voor,' zei hij. 'Wat kan hij doen? Zorgen dat ik de doodstraf krijg?' Erdai keek naar zijn voeten, onder het dek, alsof die het symbool van zijn sterfelijkheid waren die hij in enkele stille ogenblikken zou kunnen begrijpen. 'Het heeft me altijd dwarsgezeten dat hij hier is: Gandolph. We krijgen de Gele Mannen nooit te zien, maar ik wist dat hij aan de andere kant zat. Het drukte op mijn geweten. Maar ik dacht dat ik vrij zou komen, dus dat ik het beter kon laten rusten. Nu gaat het andersom. Hij heeft gezeten voor alles waarop ze hem niet hebben kunnen pakken.' Hij gebruikte zijn tong om het spateltje naar zijn andere mondhoek te verplaatsen en glimlachte om zijn idee. Gillian, in verwarring gebracht door zijn betoog, overwoog een vraag te stellen, maar deed het toch maar niet.

'Zo zagen we het toch?' vroeg Erno. 'Ze hadden allemaal wel wat gedaan.'

Ze betwijfelde of ze zo kil was geweest. Ze geloofde niet dat veel verdachten onschuldig waren, maar ze kon niet accepteren dat ze werden opgesloten omdat ze waarschijnlijk wel schuldig waren aan iets anders. Ze wilde echter geen conflict met Erdai. De man was bot. Ongetwijfeld was hij dat altijd geweest, maar Gillian had het gevoel dat zijn rancune was gestold. Die rustte diep in hem, die beheerste hij of ze beheerste hem, dat wist ze niet.

'Ik moet toegeven,' zei hij, 'dat ik nooit had gedacht u te zien te krijgen. Ik wou alleen weten of iemand anders het lef zou hebben om het te doen – u weet wel, het initiatief nemen om dit recht te zetten. Ik heb het altijd vreselijk gevonden om de enige idioot te zijn. Ik bewonder het dat u bent gekomen.'

Ze zei dat ze niet wist of ze veel te verliezen had, afgezien van een vrije dag.

'O, vast wel,' zei Erno. 'Als ze eenmaal doorkrijgen wat er in die zaak mis is gegaan, rakelen de kranten alles weer op. Over u. U weet dat dat zal gebeuren.'

Daar had ze niet aan gedacht, geen moment, voornamelijk omdat ze geen duidelijk idee had wat Erdai zou zeggen. Maar zijn waarschuwing bezorgde haar koude rillingen. De luwte was nu haar enige toevluchtsoord. Maar haar bezorgdheid verdween snel. Als ze op een of andere manier een *cause célèbre* werd, zou ze weggaan. Ze was teruggegaan naar de TriCities in het besef dat ze, als ze alles niet opnieuw met een nuchtere blik bezag, nooit in het reine zou kunnen komen met wat er was gebeurd. En ze wilde nog niet weg. Er zou een dag komen dat ze vertrok. Dat vertrek had ze zich voorgenomen.

Erdai zat haar onbeschaamd te bestuderen.

'Vindt u dat ik met die advocaat moet praten?'

'Het is een aardige man. Ik denk dat hij fair zal zijn.'

Erno vroeg hoe Arthur heette in de hoop dat hij hem zou kennen. Hij herinnerde zich dat hij de naam wel eens had gehoord, maar hij had nooit contact met hem gehad.

'Het spreekt vanzelf,' zei Gillian, 'dat als je informatie hebt die erop zou wijzen dat Gandolph niet moet worden geëxecuteerd, dat Arthur die dan moet horen.'

'Ja, ik heb informatie.' Erno lachte. 'Hij heeft het niet gedaan.'

'Gandolph?'

'Hij is onschuldig,' zei Erno vlak, terwijl hij haar bleef aankijken. 'U gelooft het niet, hè?'

Het was, besefte ze, de belangrijkste vraag die hij haar had gesteld, maar ze wachtte niet lang met haar reactie.

'Nee,' zei Gillian. In de gevangenis had minstens de helft van de gedetineerden beweerd onschuldig te zijn en mettertijd was ze enkelen gaan geloven. In een federale instelling als deze, waar gedetineerden terecht waren gekomen door een soms wat routineuze rechtspleging, lag het aantal waarschijnlijk hoger. Maar toen Rommy Gandolph al die jaren geleden bij haar ter zitting was verschenen, had ze scherp opgelet. Heroïne was toen nog vrijetijdsbesteding en ze had terdege beseft hoe gewichtig een zaak was waarin de doodstraf kon worden geëist. Zelfs in Erno's aanwezigheid kon ze niet aanvaarden dat zij, dat zij allemaal – Molto en Muriel en de rechercheur Starczek, en zelfs Ed Murkowski de strafpleiter, die had erkend dat hij in zijn hart Gandolph schuldig achtte – zo volkomen misleid waren geweest.

'Nee,' zei Erno en zijn lichte ogen, gevangen in de craquelé kassen, bleven weer enige tijd naar haar kijken. 'Dat zou ik ook niet doen.' Hij kreeg weer een hoestbui. Gillian zag hem wiegen en wachtte met haar vraag wat hij bedoelde. Maar toen hij klaar was met hoesten, haalde hij een paar keer diep adem en sprak haar toen kortaf toe. 'Goed,' zei hij, 'gaat u maar tegen die advocaat zeggen dat ik hem wil spreken. Ze komen me zo meteen halen voor onderzoek. Komt u over een uur maar met hem terug.' En Erno keek weer in zijn boek. Het gesprek was voorbij. Hij keek niet eens meer naar haar op toen ze hem gedag zei.

10

8 OKTOBER 1991

De bekentenis

Op tv waren moordenaars meestal geniale booswichten met een wellustige hunkering naar de dood. Een paar keer in zijn carrière was Larry een advocaat of manager tegengekomen die een intelligent plan had uitgedacht om zijn vrouw of zakenpartner uit de weg te ruimen. Maar afgezien van bendeleden kwam Larry voornamelijk twee categorieën tegen: verknipte types die op hun zesde al katten martelden en, vaker, sukkels die net zo lang waren getrapt tot ze hadden geleerd een ander te trappen, het type dat alleen maar de trekker overhaalde om aan te tonen dat ze zich door een ander niet lieten piepelen. Zo iemand was Eekhoorn.

In een kleine kleedkamer op bureau 6, die ook als verhoorkamer werd gebruikt, zaten ze schuin tegenover elkaar aan een vierkante tafel, bijna alsof Gandolph een dinergast was. Larry was te ervaren om zonder getuige met Eekhoorn te praten, maar Woznicki en Lenahan waren weggeroepen naar een inbraak, een heterdaadje. Larry wilde met zijn man de inleidende schermutselingen afwerken en er een getuige bij halen zodra hij iets zinnigs ging vertellen.

'Heb je dit ooit gezien?' vroeg Larry. Het medaillon lag op de grijze tafel tussen de twee mannen in. Het profiel van een vrouw met een kanten kraag was verfijnd bewerkt tegen een bruin fond. Hoe mooi het ook was, Eekhoorn was te verstandig om het te pakken. Het geluid van een of twee antwoorden smoorde in zijn keel.

'Ik kan het me niet direct herinneren, man,' zei hij ten slotte. 'Mooi ding. Weet ik niet of ik dat ding eerder heb gezien.'

'Belazer je me, Eekhoorn?'

'Ik belazer niemand, man. Ik ga de politie toch niet belazeren.'

'Nou, je belazert me wel. Ik heb dat ding net gekregen van de politieman die het je heeft afgenomen. Wou je zeggen dat hij een leugenaar is?'

'Dat zeg ik niet. U zegt leugenaar, ik niet.'

'Nou, is hij een leugenaar?'

'Weet ik niet.' Eekhoorn liet zijn bruine duimen glijden over de kerven van een bendenaam die in de tafel waren gemaakt door een jongeman die niet onder de indruk van zijn omgeving was geweest. 'Eerder een boef,' zei Eekhoorn. 'Sommige boeven zijn ook leugenaars. Zo is het toch?'

'Zijn we met een college filosofie bezig, Eekhoorn? Dat heb ik niet op de deur zien staan. Is dit van jou?'

'Nee, nee, ik mocht dat niet hebben.'

Larry glimlachte. De man was zo simpel dat je hem wel aardig moest vinden.

'Ik weet dat je het niet mocht hebben. Maar je had het toch wel in je bezit?'

Onzekerheid lichtte even op achter Eekhoorns ogen. Deze jongen was veel te dicht bij een hoogspanningsleiding opgegroeid.

'Hé weet je,' zei hij. 'Kan het even? Ik moet nodig.'

'Wat?'

'Naar de wc.' Gandolph glimlachte alsof hij iets slims had gezegd. Links miste hij een paar kiezen. Larry merkte ook op dat Eekhoorn zijn voet liet wippen.

'Blijf me hier nog even gezelschap houden. Ik wil wat meer horen over die camee.'

'Heb de politie van mij gestolen.'

'Welnee. Ik ben van de politie. Hier. Ik geef hem terug. Hebben? Hier.'

Eekhoorn weerstond de verleiding zijn hand ernaar uit te steken.

'Hoe ben je er eigenlijk aan gekomen?' vroeg Larry.

'Hmmm,' zei Rommy en wreef langdurig over zijn mond.

'Je kunt beter iets zeggen, Eekhoorn. Dat ding gaat je een hoop narigheid bezorgen. Het is gestolen, Eekhoorn. Heb je dat eerder bij de hand gehad? Bezit van gestolen eigendom? En ik denk dat jij degene bent die het heeft gestolen.'

'N-neu,' zei Eekhoorn.

‘Ken je een vrouw die Luisa Remardi heet?’

‘Wie?’ Hij boog zich naar voren, maar speelde het slecht. Bij het horen van Luisa’s naam had hij zijn ogen bijna dichtgeknepen.

‘Help me eens even, Eekhoorn. Die camee is van Luisa. En als je Luisa niet kent, waar komt die camee dan vandaan?’

Aan de bewegingen in Gandolphs smalle gezicht was te zien hoe hij met het probleem worstelde.

‘Van een andere vrouw gekregen,’ zei hij ten slotte.

‘Echt waar?’

‘Ja, gekregen om te bewaren, weet je wel, omdat ik nog wat van haar te goed had.’

‘En wat mag dat wel wezen? Wat had je van haar te goed?’

‘Gewoon voor iets wat ik haar had gegeven. Ik kan me niet zo goed herinneren wat.’

‘En hoe heet de dame in kwestie?’

‘Man, ik wist dat je dat zou vragen. Hoe heet ze,’ zei Eekhoorn.

‘O, natuurlijk. Ze heette Hoe.’ Larry grijnsde, maar het had geen zin om Eekhoorn te pesten. Hij begreep je toch niet. ‘Wat denk je hiervan, Eekhoorn? Ik ga bellen en dan kunnen we naar de overkant en dan hangen we je aan de leugenkist en dan vertel jij de ondervrager alles over mevrouw Hoe. Denk je dat dat gaat lukken, Eekhoorn? Ik denk het niet. Maar we kunnen het proberen.’

‘Leugenkist, dat weet ik niet,’ zei Eekhoorn. Hij grijnsde in de hoop dat hij grappig zou worden gevonden. ‘Hé man, laat me nou even. Als ik nog langer moet wachten, plof ik uit elkaar.’

‘Weet je hoe die camee is gestolen, Eekhoorn?’

‘Toe nou, man. Laat me gaan. Anders schijt ik in mijn broek.’

Larry greep Eekhoorns pols en keek hem recht in de ogen.

‘Als jij in je broek schijt, Eekhoorn, laat ik het je opeten.’ Hij gunde Gandolph een ogenblik om dat te verwerken. ‘Vertel nu op, Eekhoorn. Ken je Gus Leonidis? Brave Gus? Heb je die ooit ontmoet?’

Gandolphs ogen schoten weer alle kanten op.

‘Ik geloof niet dat ik iemand ken die zo heet. Leo en wat nog meer?’

Larry noemde de naam van Paul Judson. Eekhoorn ontkende ook dat hij hem kende.

‘Wat ik heb gehoord, Eekhoorn, is dit: als ik je broek uittrek, kan ik de deuk nog zien die Gus in je achterste heeft geschopt, zo vaak heb je zijn schoen gevoeld.’

Eekhoorn moest lachen. ‘Ja, dat is een goeie. Ik heb een deuk.’ Maar hij lachte niet lang en begon weer te klagen. ‘Man, als ik nog een keer moet lachen, poep ik hier op de vloer.’

'Weet je nu weer wie Brave Gus is?'

'Ja, goed, dat weet ik wel.'

'En deze camee is gestolen van een vrouw in het restaurant van Gus.'

Eekhoorn wachtte veel te lang.

'Nee maar,' zei Eekhoorn. 'Gestolen bij Gus. Nee maar.'

Larry kneep weer in zijn pols, nu wat harder.

'Ik zeg toch dat ik me niet laat piepelen, Eekhoorn.' Eekhoorn wendde zijn gewicht af en wipte verwoed met zijn voet. 'Eekhoorn, hoe kom je aan die camee?'

'Een vrouw,' zei Eekhoorn.

Larry trok zijn handboeien van zijn koppel en mikte de ene boei om de pols van Eekhoorn die hij nog vasthield.

'O man, je gaat me toch niet arresteren? Man, die gasten in de bak, die doen me wat. Echt waar, man. Ik ben een neutron, man. Die doen me wat.' Hij bedoelde dat hij neutraal was, niet opgenomen in een bende, en daarom doelwit voor iedereen. 'Toe nou, man. Laat me in elk geval eerst even gaan. Goed?'

Larry maakte de andere handboei vast aan het oog aan een van de kledingkastjes achter Gandolph.

'Ik moet naar de plee,' zei Larry.

Hij nam er alle tijd voor en kwam na een minuut of twintig terug. Eekhoorn zat te krimpen en te wiegen op de stoel.

'Van wie is die camee?'

'Je zegt het maar, man.'

'En hoe kom jij aan het sieraad van een dode vrouw, Eekhoorn?'

'Laat me los, man. Laat me alsjeblieft los. Dit is niet hoe het hoort, man.'

'Heb jij Gus vermoord, Eekhoorn?'

Eekhoorn begon te janken en te kreunen, zoals hij in de surveillancewagen had gedaan, en deed alsof hij elk ogenblik kon gaan huilen.

'Goed, ik heb hem vermoord. Laat me los. Ik smeek het je, man.'

'Wie nog meer?'

'Hè?'

'Wie heb je nog meer vermoord?'

'Ik heb niemand vermoord. Toe nou, man.'

Larry liet hem nog eens alleen, nu een uur lang. Toen hij terugkwam, stonk het fenomenaal.

'Godallemachtig,' zei hij. 'Jezus.' Hij mikte een raam open. Het weer was de laatste dagen omgeslagen en de winter was nu meer dan een idee. De lucht was droog en koel, een graad of zeven. Eekhoorn was gaan huilen zodra Larry was binnengekomen.

Larry kwam terug met een vuilniszak en een krant. Hij liet Gandolph, die geen ondergoed droeg, zijn broek uittrekken en in de zak doen.

'Krijg ik geen advocaat of zo?'

'Je krijgt wie je maar wilt, Eekhoorn. Maar waar heb je een advocaat voor nodig? Welke indruk maakt dat?'

'Die doet je een proces aan, man. Door jou heb ik het in mijn broek gedaan. Dat hoort niet. Dat is tegen de wet.'

'Wat krijgen we nou? Elke eikel kan zichzelf onderschijten en de politie voor boeven uitmaken? Zo werkt het niet, volgens mij.'

Eekhoorn huilde nog harder. 'Man, zo was het helemaal niet.'

Hij had een veeg poep aan een van zijn schoenen en Larry droeg hem op die ook in de zak te doen. Snikkend liet Eekhoorn de schoen in de zak vallen.

'Wat ben jij koud, man. Koudste politie die ik ooit ben tegengekomen. Hoe moet ik aan schoenen komen, man? Deze schoenen zijn de enigste schoenen die ik heb.'

Larry antwoordde dat het wel een tijdje kon duren voor Eekhoorn weg mocht. Hij legde de krant op Gandolphs stoel en gelastte de man, naakt onder het middel, weer te gaan zitten. Voor zich uit mompelend leek Eekhoorn te ontdaan om te luisteren. Larry sloeg met zijn hand op de tafel om hem stil te krijgen.

'Eekhoorn, wat is er met Gus gebeurd? Brave Gus? Wat is er met hem gebeurd?'

'Weet ik niet, man.' Hij loog als een kind, met gebogen hoofd.

'Dat weet je niet? Hij is dood, Eekhoorn.'

'O ja,' zei hij. 'Ik geloof dat ik dat heb gehoord.'

'Ik wed dat je dat verschrikkelijk vond. Gus die je altijd op je donder gaf.'

Zo dom als hij was besefte Eekhoorn hoe dat bedoeld was. Hij gebruikte zijn vingers om zijn neus af te vegen.

'Ik weet het niet, man. Ik krijg zo vaak op mijn donder. Ook van de politie.'

'Ik heb je niet op je donder gegeven, Eekhoorn. Nog niet.'

'Man, waarom doe je me dit aan? Dat ik in mijn broek moet schijten en hier zitten als een klein kind. Naakt uitgekleed.'

'Luister, Eekhoorn. Je loopt rond met het sieraad van een dode vrouw. Die vrouw is vermoord bij dezelfde gelegenheid als een man die je te grazen nam zodra hij je puistenkop zag. Wil je me nou vertellen dat dat godverdomme toeval is? Wil je dat zeggen?'

'Man, het is hier koud. Ik heb geen kleren aan. Moet je kijken. Ik heb kippenvel en alles.'

Larry sloeg weer op de tafel. 'Je hebt ze vermoord, Eekhoorn! Jij hebt Gus doodgeschoten. Je hebt hem doodgeschoten en je hebt Luisa doodgeschoten en je hebt Paul doodgeschoten. Je hebt die kassa leeggehaald waar je niet af kon blijven. Dat is wat er is gebeurd. Daarna heb je die arme mensen naar de koelcel versleept en Luisa Remardi van achteren gepakt. Dat is wat er is gebeurd.'

Eekhoorn schudde ontkennend zijn hoofd. Larry vond het tijd voor iets anders.

'We hebben je vingerafdrukken, Eekhoorn. Ter plekke. Wist je dat? Overal op de kassa.'

Gandolph werd stil. Als hij niet binnen was geweest, of de kassa niet had aangeraakt, had hij geweten dat Larry loog. Maar Eekhoorn wilde hem niet helpen.

'Ik heb niet gezegd dat ik daar nooit ben geweest. Ik ben er wel geweest. Dat zullen allerlei mensen bevestigen. Ik haalde graag een geintje met Gus uit.'

'Een geintje? Hem vermoorden, noem je dat zo?'

'Man, daar binnen zijn, effe een praatje maken, dat is niet hetzelfde als vermoorden.'

'Blijf ontkennen, Eekhoorn. We hebben alle tijd. Ik heb niets beters te doen dan je leugens aanhoren.'

Larry draaide de radiator dicht voordat hij de kamer uit ging. Veertig minuten later kwam hij weer binnen met Wilma Amos, een collega in het team, die eindelijk was binnengekomen. Eekhoorn hurkte bij de kledingkastjes, misschien in de hoop de handboei van zijn pols te kunnen krijgen, of gewoon tegen de kou, en hij schreeuwde het uit.

'Er mag hier geen vrouw binnen als ik geen broek aanheb.'

Larry stelde Wilma voor, die haar corpulente lichaam strekte om een schattende blik in Eekhoorns richting te werpen. Eekhoorn had zich zo ver mogelijk van haar afgekeerd en bedekte zichzelf met zijn vrije hand.

'Ik wil je alleen in de aanwezigheid van rechercheur Amos wat vragen, Eekhoorn. Wil je iets eten? Wil je iets drinken?'

Hij zei tegen Larry dat hij een gemene politie was.

'Het antwoord zal wel nee zijn,' zei Larry tegen Wilma. Ze hadden vooraf afgesproken dat ze zou weggaan, maar voor de deur zou blijven staan om aantekeningen te maken.

'Ik moet een broek, man. Dat wil ik. Ik ga dood van de kou.'

'Je hebt een broek, Eekhoorn. Die kan je weer aantrekken wanneer je maar wil.'

Eekhoorn begon weer te huilen. Met grote uithalen. Hij was verslagen.

'Man, wat heb ik gedaan dat je me zo behandelt?'

'Je hebt drie mensen vermoord. Je hebt Gus doodgeschoten en Luisa en Paul. Je hebt ze allemaal beroofd. En je hebt die vrouw in haar poepgaatje geneukt.'

'Dat zeg je telkens, man.'

'Omdat het waar is.'

'O ja?' vroeg Eekhoorn.

Larry knikte.

'Als ik zoiets had gedaan, drie mensen vermoorden en alles, hoe kan het dan dat ik me daar niets van kan herinneren?'

'Nou, ik help je toch je geheugen op te frissen. Ik wil dat je nadenkt, Eekhoorn.'

Ze zeiden altijd dat ze het zich niet konden herinneren. Als een echtgenoot die dronken thuiskwam. Larry zei regelmatig dat hij het niet meer wist. En dat was ook zo. Als hij niet wilde. Maar vroeg of laat kwam het in het gesprek met de daders altijd terug. Er was altijd iets kritieks, details waar de politiemensen zelf niet op hadden gelet, dat naar buiten kwam.

'Wanneer is dat allemaal gebeurd?' vroeg Gandolph lusteloos.

'Het weekend van de vierde juli.'

'Vier juli,' zei Eekhoorn. 'Ik geloof dat ik er geeneens was op de vierde.'

'Wat bedoel je, je was er niet? Was je een cruise aan het maken?'

Eekhoorn veegde met zijn hand zijn neus af. Larry pakte opnieuw zijn pols.

'Rommy, kijk me aan. Kijk me aan.' Ontdaan en onder de indruk sloeg Gandolph zijn waterige bruine ogen op. En Larry voelde opwinding: hij kon de verleiding niet weerstaan. Hij had Eekhoorn in de tang. Hij kon met hem doen wat hij wilde. 'Jij hebt die mensen vermoord. Ik weet dat je die mensen hebt vermoord. Vertel op. Vertel me of ik het verkeerd heb. Ik zeg dat je het hebt gedaan. Ik zeg dat je ze hebt vermoord en dat je je daarna met die vrouw hebt geamuseerd.'

'Dat heb ik nooit met een vrouw gedaan.'

'Nou, als jij het niet hebt gedaan, wie dan wel? Had je er iemand bij?'

'N-nee,' zei Rommy. Hij leek zich te herstellen. 'Shit man, ik kan me dit geeneens herinneren. Hoe moet ik weten of ik iemand bij me had? Ik zeg alleen dat ik dat nooit met een vrouw zou doen, al haat ik haar nog zo erg.'

Larry krabde aan zijn oor, een bestudeerd nonchalant gebaar. Maar hij had iets nieuws gehoord.

'Haatte je Luisa?' vroeg hij.

'Nou haten, man, je weet hoe het is. Niemand haten. Dat heeft Jezus toch gezegd?'

'Tja,' zei Larry, weer met zijn hand aan zijn oor, 'wat had je tegen Luisa?'

Eekhoorn bewoog stuntelig zijn handen. 'Ze was gewoon een bitch, weet je wel. Zo'n type dat je iets belooft en het dan niet doet. Dat ken je wel.'

'Zeker,' zei Larry. 'En ik weet het niet meer. Waar kende je haar van?'

Voor het eerst leek Gandolph met zijn geheugen te worstelen.

'Gewoon, een leuk grietje waar ik op het vliegveld mee kletste.'

Het vliegveld, dacht Larry. Allemachtig, was hij nou rechercheur? Misschien moest iemand hem een paar keer met een baksteen op zijn kop slaan. Dus Eekhoorn kende Luisa van het vliegveld. Het paste in de puzzel.

'Was ze je vriendinnetje?'

'Nee.' Rommy lachte verlegen, zowel beschaamd als gevleid bij die gedachte. 'Dat niet. Ik vraag niet vaak een vrouw mee uit.'

'Waarom zeg je dan dat ze een bitch was? Hield ze je aan het lijntje? Heeft ze je ergens ingeluisd?'

'Man, wat kan jij een rare dingen bedenken.'

'O ja? Ik vind van niet. Ik zal je vertellen wat er raar is, Eekhoorn. Je zegt dat je die mensen allemaal niet kent. Maar je kende ze wel. Je kende Gus. Je kent Luisa.'

'Welnee, man. Dat heb ik helemaal niet gezegd. Ik zeg alleen dat ik ze allemaal niet heb vermoord.'

Liegen over het een is liegen over het ander in de logica van de wet. Dat begreep Eekhoorn, te oordelen naar zijn plotselinge roerloosheid.

'Hoor eens, Rommy. Eerlijk waar, ik probeer je te helpen. Ik wil begrijpen hoe het er voor jou uitzag. Ik bedoel: je komt langs het raam van Gus en je ziet dat grietje zitten dat je lekker heeft gemaakt. Je gaat naar binnen. Je hebt zin in haar. En Gus probeert je eruit te gooien. Ik kan me voorstellen dat het uit de hand is gelopen. Ik bedoel: je lijkt me geen ijskouwe moordenaar. Dat ben je toch niet?'

Uiteindelijk kreeg je ze zo allemaal ertoe dat ze gingen praten, door te zeggen dat je het begreep, door te knikken als ze zeiden: ik kon toch niet anders?

'Dat heb ik nooit gedacht,' antwoordde Gandolph.

'Dus hoe is het nou gebeurd?'
Eekhoorn zei niets.
'Rommy, wat gebruik je? Angel dust? Neem je angel dust?'
'Man, je weet hoe het is. Ik pak niet veel. Ik snuif weleens verf, meer niet. Alleen de laatste keer dat ik in Manteko was, toen zei de dokter daar dat het niet zo goed voor me was, dat ik geen cellen over had.'
'Maar af en toe ben je er toch flink tegenaan gegaan?'
Dat gaf Eekhoorn toe.
'Was dat misschien ook zo op de vierde juli? Mensen herinneren zich dat niet goed. En ze worden er nogal hyper van, Eekhoorn. Aardige gasten doen heel verkeerde dingen onder invloed van PCP.'
'Ja,' zei Eekhoorn. Dat kon hij beamen.
'Vooruit, Eekhoorn. Vertel het me nou.'
Eekhoorn waagde het even hem recht in het gezicht te kijken.
'Geen vrouwen hier meer binnen.'
'Nee,' zei Larry.
'En kan dat verdomde raam dicht?'
'Laten we eerst wat praten,' zei Larry.
Na een kwartier deed hij het raam dicht. Inmiddels had Wilma een legerdeken gebracht. Eekhoorn had zich erin gewikkeld terwijl Wilma in de hoek druk zat te schrijven en Gandolph het verhaal in grote trekken bevestigde: hij had Luisa door het glas heen gezien toen hij langs het Paradise kwam. Bij nader inzien kon hij best PCP hebben genomen.
'Goed, dus om één uur 's nachts ga je daar naar binnen. Wat gebeurde er toen?' vroeg Larry.
'Man, ik kan me er haast niks van herinneren. Omdat ik had gebruikt en zo.'
'Kom op, Eekhoorn. Wat gebeurde er?'
'Man, die oude Brave Gus. Die deed wat hij altijd doet, zeggen dat ik weg moet.'
'En ben je toen weggegaan?'
'Maar als ik ze allemaal heb vermoord, dan kan dat toch niet?'
'En waar kwam het vuurwapen vandaan?'
Rommy schudde zijn hoofd, oprecht in verwarring gebracht door de vraag.
'Man, ik heb nooit een wapen gehad. Ik schiet net zo makkelijk op mezelf als op een ander, dacht ik altijd.'
Daar had hij waarschijnlijk gelijk in.
'Die avond had je toch een vuurwapen?'
Gandolph staarde naar de grijze lak op de stalen tafelpoot.

'Ik geloof dat Gus een wapen had.'

Larry keek even naar Wilma. Dat had niemand gezegd. Maar het leek plausibel. In die buurt wachtte je de komst van de cavalerie niet af.

'Ja,' zei Rommy. 'Gus had een revolver. Heeft hij me een keer mee bedreigd toen hij me eruit gooide. Het was winter, man, het sneeuwde en er was allemaal ijs en ik sta daar te blauwbekken en hij zegt dat ik weg moet.'

'Dus je wist waar hij dat wapen had?'

'Onder de kassa. Onder de sigaretten en de chocola in dat glazen ding.'

'En daar had je het vandaan?'

Eekhoorn keek om zich heen. 'Man, kan je hier niet de kachel aandoen of zo?'

Larry stond bij de radiator. 'Heb je het daar weggepakt?'

Eekhoorn knikte. Larry draaide de knop open en bracht Eekhoorn naar de radiator toe. Geklungel van het team, dacht Larry. Typerend. Niemand had eraan gedacht de familie te vragen of Gus een vuurwapen had, omdat alle rechercheurs dachten dat een ander dat wel zou hebben gedaan.

Hij liet Wilma bij Eekhoorn achter terwijl hij de zoon van Gus, John, ging bellen. Met enige tegenzin gaf John toe dat zijn vader onder de kassa een revolver bewaarde. Hij kon er zich niet veel van herinneren, alleen dat Athena erop had aangedrongen, maar hij liet Larry wachten en kwam even later terug om te zeggen dat hij de verkoopbon in de papieren van zijn vader had gevonden. Vier jaar eerder had Gus een .38 Smith & Wesson Chief's Special gekocht, een vijfschots revolver – het moordwapen waarvan bij het ballistisch onderzoek de trekken en velden waren herkend aan de gebruikte kogels. De technische recherche had ondanks ijverig zoeken geen patronen gevonden. Bij een revolver bleven de hulzen in de kamers.

Ze weten het altijd, dacht Larry. De dader weet altijd iets voor de hand liggends dat alle anderen is ontgaan. Hij zei tegen Wilma dat ze Greer moest bellen en ging zelf Muriel bellen.

11

22 MEI 2001

Goed

Voor Arthur was de gedachte aan een paar uur alleen met Gillian Sullivan zo opwindend dat hij die ochtend al om vier uur wakker was geworden, en onderweg had hij een hulpeloos zoeken naar woorden afgewisseld met perioden van babbelzucht. Hij voelde een intense vreugde toen hij haar door het gaas van de veiligheidssluis tussen de traliedeuren achter het poortgebouw zag verschijnen. Maar die reactie kwam niet voort uit persoonlijke verlangens. Het was de consequentie voor zijn cliënt die zijn hele lichaam deed tintelen. Arthur stond al bij de binnendeur nog voor ze was doorgelaten.

'Hij wil met je praten,' zei ze.

'Fantastisch!' Arthur haastte zich terug om zijn aktetas te pakken en greep de pagina's van een verzoekschrift in een andere zaak waaraan hij had zitten werken. Toen hij bij haar terugkwam, zag hij dat ze glimlachte om zijn gretigheid.

'Nog niet, Arthur. Over een uur.' Gillian legde Erdais omstandigheden uit.

Teleurgesteld ging Arthur naar de portier om zijn bezoek te regelen. Toen hij de directie belde om de afspraak voor Gillian te maken, had hij problemen verwacht omdat zij een ex-gedetineerde was, een categorie die niet altijd welkom was als gevangenisbezoeker. In plaats daarvan waren de vragen gericht geweest op Arthur zelf, omdat Erdai zijn naam niet had herkend. Tegenover de directie had Erno zich cryptisch uitgelaten over wat hij met Gillian wilde bespreken – ze schenen te denken dat het over zijn nalatenschap ging – en uiteindelijk had Arthur toestemming gekregen Gillian te begeleiden omdat verondersteld werd dat hij haar advocaat was, wat hij niet tegensprak. Het gevolg was dat de portier aan de balie Arthur nu liet weten dat hij Erdai alleen mocht spreken als Gillian erbij was. Ze fronste toen Arthur het uitlegde. Kennelijk had ze erop gerekend dat ze niet in het cellenblok terug zou hoeven.

'Mag ik je dan tenminste een lunch aanbieden?' vroeg Arthur. Hij was uitgehongerd. Gillian stemde zonder merkbaar enthousiasme toe en stak een sigaret op zodra ze weer buiten stonden.

'Heeft hij je verteld wat hij had? Erdai?' vroeg Arthur.

'Hij zei dat je cliënt onschuldig was.'

'On-schuldig?' Arthur verstarde. Hij merkte dat zijn mond openhing. 'Heeft hij dat toegelicht?'

Gillian schudde haar hoofd en blies rook in de wind.

'Alleen denkt hij dat je man vrij zal komen en lang genoeg heeft gezeten. Ik neem aan dat hij je zal vertellen dat iemand anders die mensen heeft vermoord. Maar hij heeft niet gezegd wie. Of hoe hij dat weet.'

'En geloofde je hem?'

'Dat vroeg hij ook, Arthur, en ik heb nee gezegd. Niet dat hij een zwakke indruk maakt. Hij is pienter. Dat is zeker. Daar kun je straks zelf over oordelen. Ik ben vooringenomen, denk ik.'

Omdat Arthur was zoals hij was bleef hij doorvragen, ook nadat duidelijk was geworden dat Gillian hem niet meer kon vertellen, maar bij zijn auto werd hij stil. *Onschuldig.* Hij wist niet goed wat hij had verwacht van Erdai te zullen horen. Nadat hij de brief aan Gillian tien keer had gelezen, had Arthur bedacht dat Erdai, die op het vliegveld DuSable werkte, niet ver van het Paradise, misschien getuige van de misdaad was geweest of iemand had gesproken die erbij was geweest, en nieuwe informatie had. Maar zoals altijd had Arthur niet willen luisteren toen Pamela hem wilde uithoren in de hoop dat Rommy niet schuldig zou zijn. Onschuldig. Zijn hart bonsde en hij probeerde tot bedaren te komen door zich op zijn omgeving te concentreren. Hij was in Rudyard, waar mensen naartoe werden gebracht omdat ze zich niet konden gedragen – het waren boeven en leugenaars en misdadigers. Ondanks zijn hoop gaf Arthurs verstand hem in dat hij waarschijnlijk tot dezelfde conclusie over het waarheidsgehalte zou komen als Gillian.

Zoeken naar een restaurant leverde niet veel op in het stadje. Gevangenisbezoekers waren in meerderheid arm, namen eten van huis mee of bezochten hoogstens een snackbar. Het restaurant dat ze uiteindelijk kozen was donker en heel groot, een familiebedrijf met linoleumtafels in houtmotief. Zo te zien is het ooit een kegelbaan geweest, dacht Arthur.

Gillian bestelde een salade en Arthur nam de dagschotel: gehaktbrood.

'Het zal wel niet veel zijn,' zei Arthur toen de serveerster weg was. 'In een tent als deze? Opgewarmd en nog eens opgewarmd. Of je een kanonskogel eet.'

Toen Arthurs lunch voor hem werd neergezet, nam hij zijn mes, zoals hij altijd deed, en scheidde alles op het bord, zodat de doperwten apart kwamen te liggen van de aardappelen en de bruine jus een afgetekend plasje vormde om het gehakt. Gillian, die haar tweede sigaret uitmaakte toen het eten werd gebracht, keek er met kennelijke belangstelling naar.

'Macht der gewoonte,' zei hij.

'Dat wil ik geloven. Hoe is je gehaktbrood? Zoals je vreesde?'

Hij kauwde een ogenblik. 'Erger.'

'Mag ik je vragen waarom je het hebt besteld?'

'Van mijn vader moesten we altijd de dagschotel nemen. Hij dacht dat dat de beste keus was. Hij werd woest als we iets anders wilden. Ik bedoel: je vroeg laatst toch naar mijn moeder? Altijd de dagschotel nemen, ik denk dat het door zulke dingen kwam dat ze is weggelopen.' Hij slikte moeizaam; het gehakt was plakkerig. 'Ik kan het wel begrijpen.'

Gillian lachte breed. Het was zijn bedoeling haar te amuseren, maar hij wist dat hij een van de langdurige problemen had aangeroerd die hij had gehad als kind van zo slecht bij elkaar passende mensen: hij kon zich in beide standpunten verplaatsen. Hij deelde de verbittering van zijn vader omdat zijn moeder hen in de steek had gelaten, maar hij begreep ook haar wrevel omdat ze gebonden was aan iemand die vaak zijn zorgen op zijn omgeving afreageerde. Zijn moeder was echter zelden zo genereus tegenover Arthur. Ze vond dat haar zoon te veel op zijn vader leek: akelig braaf en wars van avontuur. Door zichzelf voor te houden dat zijn moeder een excentriek type was, slaagde hij erin haar oordeel te negeren, dat meestal toch onuitgesproken bleef. Maar nu hij de veertig naderde, had hij steeds vaker haar beeld voor ogen: iemand die zich van alle traditionele beperkingen had losgemaakt om te kunnen leven zoals zij dat wilde. Wat wilde hij zelf? Dat mysterie leek soms zo groot dat het hem kon verzwelgen.

'Ik kreeg de indruk dat je juist wel gesteld was op je vader, Arthur. Toen ik je als student op Duke leerde kennen?' Ze voegde de laatste woorden welbewust toe.

'Gesteld op mijn vader? In mijn leven was mijn vader zoiets als de zwaartekracht. Zonder hem was de wereld uit elkaar gevallen.' Tegenwoordig was Arthurs vader het onderwerp waar hij het liefst over sprak. Door over hem te praten kon Arthur hem in leven houden en de beelden stonden hem helder voor de geest. Hij begreep wat hij deed en besefte hoe futiel het was. Maar hij kon het niet laten. Bij dat eerste gesprek met Gillian was het daardoor misgegaan. Maar nu wilde ze het kennelijk goedmaken: ze leunde tegen de skai rugleuning van haar bankje en schonk hem, met een sigaret tussen haar gemanicuurde vingers, haar onverdeelde aandacht.

Harvey Raven had zijn hele werkzame leven op de sloperij van een familielid gewerkt en auto-onderdelen gedemonteerd. Het was een noodzakelijk element van al zijn vaders angsten en zorgen geweest dat hij ervan overtuigd was dat zijn leven, als er maar een paar dingen anders waren geweest, beter of in elk geval rustig zou zijn verlopen. Had hij maar kunnen doorleren. Had hij maar geld. Was hij maar de eigenaar van de sloperij in plaats van te werken voor een baas. Had hij maar, was hij maar: dat was zijn levensmotto. En wie kon zeggen dat hij het bij het verkeerde eind had? Bij al zijn contacten met welgestelde, gecultiveerde en prominente cliënten had Arthur beseft dat die geen flauw idee hadden wat mensen zoals hemzelf bezielde. Ze begrepen niet die woestijndorst naar geld of de zekerheid die ermee kon worden gekocht. Ze hadden geen idee wat het betekende om uitgeleverd te zijn aan de willekeur van de wereld. Arthur kon nog genieten van de herinnering aan het verrukte gezicht van zijn vader bij zijn promotie of, zeven jaar daarna, het nieuws dat Arthur aanklager-af was en een aanstelling als advocaat had gekregen die hem het verbijsterende jaarsalaris van honderdduizend dollar zou opleveren.

'De mensen denken weinig na over de moed van gewone mensen,' zei Arthur tegen Gillian, 'je weet wel, van mensen die worden geacht normaal te zijn. Maar hoe ouder hij en ik werden, des te scherper zag ik hoe heroïsch mijn vader was. Ik bedoel: eigenlijk was het een wonder dat een man die zelf zo bang was erin was geslaagd voor andere mensen te zorgen en van ze te houden.' Arthur had nu het punt bereikt waarop hij een dikke keel kreeg en tranen voelde prikken, maar zoals altijd lukte het hem niet zijn eerbetoon af te breken.

'En mijn vader is ook dapper gestorven. Hij had leverkanker. Hij teerde weg. Hij ging naar de dokter en kreeg de grimmige prognose:

nog een halfjaar te leven, de meeste tijd met vreselijke pijn. Hij nam het filosofisch op. En dat bleef zo tot het einde. Ik had hem wel door elkaar kunnen rammelen in zijn ziekenhuishemd. Jezus christus, wilde ik zeggen, je hele leven ben je voor alles bang geweest, je hebt je zorgen gemaakt over niets, je liet je er gek door maken, en nu? Nu ben je een en al berusting. En eigenlijk hadden we het daardoor juist fijn samen. In zijn goede ogenblikken konden we lachen. Het bleek dat we samen een heerlijk leven hadden gehad, al met al. Ik hield van hem. Hij hield van mij. Hij was bij ons gebleven, wat niet elke man zou hebben gedaan. Hij wist dat ik voor Susan zou zorgen. Ik bedoel: we waren allebei zo dankbaar.'

Arthur had inmiddels de strijd verloren. Hij wendde zijn gezicht af om Gillian te sparen, maar de tranen stroomden over zijn wangen. Op de tast zocht hij zijn zakdoek. Toen hij zich had hersteld, zag hij dat Gillian er als verstard bij zat, waarschijnlijk van ontzetting.

'O god,' zei hij, 'wat stel ik me aan. Ik moet telkens huilen sinds de dood van mijn vader. Ik huil om tv-programma's. Ik huil om het nieuws. Ik probeer de logica erachter te begrijpen. Het is zo verschrikkelijk nodig dat we van andere mensen houden en het maakt het leven ondraaglijk wanneer ze zijn gestorven. Dat slaat toch nergens op?'

'Nee,' zei ze zacht en schor. Ze bloosde. De sproetjes in haar hals tekenden zich af en haar ogen, met de scherpe mascaralijn en het blauw op de oogleden, waren gesloten. 'Nee,' zei ze weer en haalde diep adem. 'Je hebt een vreemd effect op me, Arthur.'

'Een goed effect?'

'Dat kan ik niet zeggen.'

'Ach ja,' zei hij, geneigd zich bij de feiten neer te leggen.

'Nee, nee. Het heeft niets met jou te maken. Het ligt aan mij, Arthur.' Kijkend naar haar lange handen worstelde ze met wat ze zou zeggen. Haar blos liep nog door tot aan haar kraag. 'De dankbaarheid die je beschreef, de bewondering – die heb ik nooit gehad. Nooit.' Ze slaagde erin een lachje te laten zien, maar vond niet de moed hem aan te kijken. Een ogenblik later vroeg ze of ze weg mochten.

Op de terugweg zei Arthur geen woord. Na een paar uur in haar gezelschap begreep hij iets van de omvang van Gillian Sullivans gecompliceerdheid. De hemel wist dat die overduidelijk had moeten zijn, gezien de puinhoop die ze van haar leven had gemaakt. Maar haar optreden leek ook nu zo sereen en gezaghebbend dat de ontdekking van een onvoorspelbaar element in haar persoonlijkheid hem verbaasde. Haar reactie op hem was nu eens warm, dan weer kil. Gewend aan zijn pogingen vrouwen te behagen voelde hij zich een beetje als een bal aan een touwtje. Maar al met al leek ze hem meer te mogen dan hij had verwacht. Hoewel hij zichzelf tot behoedzaamheid maande, vond hij dat besef opwindend.

Toen ze terug waren bij de gevangenis, leek Gillian nog uit haar doen. Deze keer leek het vooruitzicht naar binnen te moeten haar af te schrikken. Ze boog zich naar voren op de bank, keek naar het enorme complex en schudde haar hoofd. Arthur bood haar zijn excuses aan omdat hij haar een tweede keer dwong dit mee te maken.

'Jij kunt er niets aan doen, Arthur. Ik wist wat ik deed toen ik meeging. Maar het grijpt me nogal aan. De herinneringen.'

'Een absoluut dieptepunt?' vroeg hij.

Gillian, die al in haar tas zocht naar een laatste sigaret, nam even de tijd om over die vraag na te denken.

'De mensen hebben een clichévoorstelling van het leven in de gevangenis, toch? Wij allemaal. Iedereen stelt zich voor wat het ergst zal zijn.'

'Wat dan, bijvoorbeeld? Seks?'

'Zeker. Seks. Dat is standaard. De angst zonder seks te moeten leven. Angst voor benadering door homoseksuelen. De meeste lesbische activiteiten toen ik gedetineerd was vonden plaats onder het personeel. Echt waar. Seks wordt gewoon een van de vele dingen waarover je niet kunt beschikken. Dat is de voornaamste straf: het isolement. Geen toegang tot mensen, gewoonten die je zijn afgenomen. Ander eten. Niet het leven zoals je dat kent. Het is precies waar de gevangenis voor bedoeld is. Dat is natuurlijk het ironische. Al met al is na de angst voor gruwelen, voor aanranding door agressieve potten, de werkelijke straf precies wat de bedoeling is. Je voelt je geamputeerd. Je wilt niet meer. Je sluit je gewoon af. Dat heb ik ook gedaan. Verlangen maakt plaats voor verveling. Je verveelt je daar dood. Je denkt: ik kan me in alles verdiepen, ik ben slim. Maar omdat iedereen niets anders doet dan wachten tot het later wordt, lijkt niets belangrijk. Je weet dat je bent veroordeeld om de last te voelen van de verstrijkende tijd, en dat doe je dan ook. Ik heb ogenblikken gekend dat ik letterlijk het horloge aan mijn pols hoorde tikken. Elke seconde die verloren ging.'

Terwijl hij zag hoe gekweld ze naar de gevangenis staarde, merkte Arthur dat hij zonder het te willen opnieuw huilde, zonder geluid, een stroompje over elke wang. Hij veegde eerst zijn kaak af met zijn hand en bood opnieuw zijn excuses aan, hoewel zijn gebrek aan zelfbeheersing haar niet meer leek te deren.

'Als ik eenmaal begin,' zei hij.

'Helemaal niet. Je bent een goed mens, Arthur.' Ze leek getroffen door wat ze had gezegd en draaide zich naar hem toe. 'Een goed mens,' herhaalde ze, keek naar haar niet opgestoken sigaret en stapte uit.

12

9 OKTOBER 1991

Verklaring voor de pers

Ik heet Romeo Gandalph. Ik ben 27. Ik kan Engels lezen en schrijven. Ik leg deze verklaring zonder dwang en vrijwillig af. Ik heb begrepen dat deze verklaring op video wordt opgenomen terwijl ik hem voorlees.

Na middernacht op 4 juli 1991 ging ik het Paradise binnen, een restaurant. De eigenaar Gus stond op het punt om te sluiten. Gus en ik kenden elkaar al heel lang. Ik had een keer geprobeerd geld uit zijn kassa te stelen. Hij achtervolgde me op straat en kreeg me te pakken en tuigde me af. Daarna stuurt hij me altijd weg als ik zijn restaurant binnenkom. Soms met een grapje, soms heel ernstig. Een keer toen ik binnenkwam haalde hij een vuurwapen onder de kassa vandaan en zei dat ik weg moest.

Op 4 juli 1991 zag ik toevallig een vrouw die ik ken door het raam en ging naar binnen. Ze heette Luisa Remardi en ik maakte vaak een praatje met haar als ik op het vliegveld was.

Toen ik op 4 juli binnenkwam zei Gus dat ik me zeker wou laten insluiten om na sluitingstijd iets te stelen. Ik had PCP gebruikt en ik werd kwaad op Gus. We begonnen tegen elkaar te schreeuwen. Gus wilde de revolver onder de kassa pakken, maar ik kreeg hem het eerst te pakken. Gus bleef tegen me schreeuwen en wilde de politie bellen en toen heb ik hem neergeschoten. Ik dacht er niet bij na.

Luisa gilde dat ik gek was en ging maar door. Toen ik naar haar toe liep om te zeggen dat ze moest ophouden, probeerde ze het wapen te pakken en toen schoot ik haar ook neer. Er was nog iemand in het restaurant, een blanke man. Hij zat onder de tafel verstopt, maar ik had hem gezien. Ik nam hem onder schot en zei dat hij Gus en Luisa naar de koelcel in de kelder moest brengen. Toen hij dat had gedaan, heb ik hem ook neergeschoten. Ik heb van allemaal gestolen wat ik kon en toen ben ik weggegaan. Het wapen heb ik geloosd. Ik weet niet precies waar.

Ik had veel PCP genomen en ik kan het me allemaal niet zo goed herinneren. Meer dan dit weet ik niet meer. Het spijt me heel erg wat ik heb gedaan.

Muriel zat tegenover Eekhoorn in de verhoorkamer. Naast haar bediende een technicus een videocamera op een statief en een filmzon wierp een krachtige lichtbundel op Eekhoorn, die nu een fel oranje gevangenisoveral droeg. Knipperend met zijn ogen tegen het harde licht had Eekhoorn een paar keer gestunteld bij het voorlezen en Muriel gevraagd hem bij bepaalde woorden te helpen. De eerste keer, ongeveer halverwege, waren ze opnieuw begonnen. Zijn handen trilden bij het vasthouden van het papier, maar verder leek hij in orde.

'Is dat uw volledige verklaring, meneer Gandolph?'

'Ja, mevrouw.'

'En is die verklaring in uw woorden?'

'De rechercheur daar heeft me geholpen.'

'Maar weerspiegelt deze verklaring wat u zich kunt herinneren van wat er op 4 juli 1991 is gebeurd?'

'Ja, mevrouw.'

'Hebt u zo de rechercheur beschreven wat er is gebeurd?'

'Ja, nadat we erover hadden gepraat.'

'En heeft iemand u geslagen of bedreigd met geweld om u zover te krijgen dat u deze verklaring aflegde?'

'Nee, geloof ik niet.'

'Zou u het zich herinneren als iemand u had geslagen?'

'Niemand heb mij geslagen.'

'Hebt u eten en water gekregen?'

'Nu wel. Daarvoor had ik geen trek.'

'En hebt u klachten over uw behandeling?'

'Nou ja, ik heb mijn broek bevuild. Dat was niet prettig. Ik leek wel een klein kind toen ik erin zat.' Eekhoorn schudde zijn wilde haar.

'Kan ik beter niet over praten.' Toen voegde hij eraan toe: 'En ik heb het ook stervenskoud gehad.'

Muriel keek naar Larry.

'Ik moest een raam openzetten tegen de stank.'

Het had nog gestonken toen ze binnenkwam. 'Stank voor dank,' had Larry gezegd. Ze had gereageerd met wat haar vader altijd had gezegd als hij de enige wc betrad die het gezin tot zijn beschikking had: 'Ruikt of hier iemand is doodgegaan.' Later had ze tegen Larry gezegd dat hij Gandolphs broek als bewijsmiddel moest aanmerken: over tastbaar bewijs van schuldbesef gesproken.

Ze vroeg Rommy of hij nog iets wilde toevoegen.

'Al met al,' zei hij, 'kan ik gewoon niet geloven dat ik zoiets heb gedaan. Ik doe geen vlieg kwaad. Ik heb nog nooit zoiets gedaan.' Hij bedekte zijn gezicht met zijn handen.

'We sluiten de opname nu af. Het is twee minuten over halfeen 's nachts op 9 oktober.' Toen Muriel knikte, deed de technicus de filmzon uit.

Een agent uit het wachtlokaal kwam Rommy terugbrengen naar de politiecel; om zes uur in de ochtend zou hij worden overgebracht naar het huis van bewaring. Met zijn handen geboeid op zijn rug bleef Rommy verdwaasd en gedwee.

'Tot kijk, Rommy,' zei Larry.

Rommy keek even om en knikte.

'Wat heb je met hem gedaan?' vroeg Muriel toen hij weg was.

'Niets. Ik heb mijn werk gedaan.'

'Petje af,' zei ze.

Larry lachte jongensachtig.

Greer was tijdens de opname op de gang verschenen. Om één uur 's nachts was Harold Greer gladgeschoren en hij had geen enkel vouwtje in zijn gesteven overhemd. Greer was een kennis van Talmadge en Muriel had nog maar één week eerder naast hem gezeten aan een sponsorendiner, waar ze de indruk had gekregen dat hij een van die zwarte mannen was die altijd had geaccepteerd dat hij beter moest zijn, iemand die zich nooit liet gaan, zeker niet zolang er nog een blanke in de buurt was. Hij deed dat al zo lang dat hij het niet eens meer besefte. Met zijn handen op zijn heupen richtte hij zich tot Larry; de chef leek niet echt tevreden over zijn rechercheur. Hij vroeg eerst hoe Larry Gandolph had gevonden.

'Ik had een tip gekregen. Dealer in de gevangenis zei dat hij hem met die camee had gezien.'

'En Gandolph had die bij zich toen je hem aanhield?'

'Ja.' Larry knikte een paar keer. 'Ik zal zorgen dat dat ook op schrift staat namens Lenahan en Woznicki.'

'En de seks?' vroeg Greer. 'Dat geeft hij niet toe?'

'Nog niet.'

'Welke theorie hebben we?' vroeg Greer aan beiden.

'Mijn theorie,' zei Larry, 'is dat hij geilde op Luisa, dat hij haar onder bedreiging met het vuurwapen heeft aangerand en het nog eens heeft gedaan toen ze dood was. Maar volgens mij kan het punt op de zitting beter niet worden doorgedrukt. We hebben niet alles in handen en het is nog gissen.'

Toen Greer zich tot Muriel richtte, legde ze uit dat Larry het verkeerd zag; ze probeerde hem door haar onnadrukkelijke toon niet te laten afgaan. Maar de aanranding moest ten laste worden gelegd.

'Anders krijg je het bewijsmateriaal niet toegelaten,' zei ze. 'En omdat het een halszaak is, wil je dat de jury die dingen hoort. Het bewijsmateriaal is dun op dat punt, maar ik denk dat het wel tot een veroordeling komt. Het was niet de kerstman die dat met haar heeft gedaan. Rommy is of de dader of medeplichtig. In beide gevallen is hij wettig aansprakelijk.'

Greers ogen bewogen niet terwijl hij luisterde; hij was kennelijk onder de indruk. Toen Muriel die ochtend uit bed was gerold, was er een eindeloze lijst van dingen die ze van zichzelf niet zeker wist: of ze alleen wilde blijven of wilde trouwen, wat haar lievelingskleur was, of ze ooit voor een Republikeinse kandidaat zou kunnen stemmen of zelfs of ze er verkeerd aan had gedaan om nooit een avontuurtje met een vrouw te beleven. Maar met een dossier in haar hand was haar oordeel zonneklaar. Problemen waren als knoppen die zich in haar mentale warme kas ontvouwden tot oplossingen. In kringen van juristen begon ze al meer naam te krijgen; ze liet condensstrepen achter, werd er gezegd.

'Is er een medeplichtige?' vroeg Greer.

'Hij zegt van niet,' zei Larry. 'Wanneer hij beseft dat het om de naald gaat, zullen we het wel horen. Hij zal niet de doodstraf aanvaarden als hij nog een naam heeft.'

Greer dacht na en gaf Larry ten slotte een hand. Muriel kreeg ook een hand.

'Uitstekend werk,' zei hij. De pers wachtte. Hij vroeg Larry en Muriel met hem mee te gaan terwijl hij voor de camera's een korte verklaring aflegde. De lampen gloeiden aan zodra ze zich in de oude bakstenen hal van bureau 6 vertoonden, de enige plaats waar de verslaggevers werden toegelaten. Zelfs om deze tijd hadden de zenders een ploeg paraat en er waren ook twee journalisten. De media verdrongen zich om hen heen terwijl Greer de arrestatie bekendmaakte, waarbij hij Gandolphs naam, leeftijd en strafblad vermeldde. Ze wisten het al van Luisa's camee; op een politiebureau bleef weinig geheim. Greer bevestigde dat Eekhoorn de camee de avond daarvoor in zijn zak had gehad. Daarmee sloot Harold af. De camera's hadden voldoende voor de journaaluitzendingen.

Greer wees naar Muriel bij het afscheid. 'Doe Talmadge de groeten,' zei hij. Het klonk neutraal, maar ze voelde een reactie bij Larry. Ze liep met hem mee naar het parkeerterrein. Larry leek op het punt om weer iets onnozels te zeggen, maar Stew Dubinsky, de mollige reporter van de *Trib*, kwam haastig naar hen toe. Hij wilde een portret van Larry maken: onverschrokken onderzoeker boekt weer succes. Larry wilde niet, maar was voor zijn doen ongebruikelijk beleefd tegen de journalist. Hij scheen te weten dat Stew, een rechtbankverslaggever, belangrijk was voor Muriel.

Nadat Dubinsky het had opgegeven, bleven Larry en zij tussen hun auto's in staan. Het parkeerterrein was zo hel verlicht als voor een avondwedstrijd. Niemand wilde lezen over straatroof achter het politiebureau.

'Heeft je jury gedaan wat hij moest doen?' vroeg Larry.

'Vanmiddag teruggekomen. Schuldig op alle punten.'

Hij glimlachte. Larry was moe en begon er in zijn vermoeidheid oud uit te zien. Zijn dunner geworden haar woei op en hij had zo'n kwetsbare Noord-Europese huid, dezelfde als Scandinavische blonde mensen, die al rood en droog werd. Ze zag Larry nog als een onveranderlijke ijkfiguur uit haar jeugd en het was bijna onbegrijpelijk dat de tijd vat op hem kreeg.

Toen ze elkaar leerden kennen, zou zij hem helpen met strafvordering en was in plaats daarvan in zijn bed terechtgekomen, de eerste keer toen haar man in het ziekenhuis lag met de hartklachten waaraan hij uiteindelijk twee jaar later zou bezwijken. Het was natuurlijk stom, maar het was de stommiteit van een jonge volwassene: ze had alleen haar grenzen verkend en iets schandelijks gedaan terwijl ze verzonk in de brave wereld van het recht en volwassen verantwoordelijkheden. Maar de relatie had stand gehouden. Met horten en stoten. Nadat Larry was hertrouwd. Na de dood van Rod. Ze zeiden dat het voorbij was en dan zag ze Larry weer in het gerechtsgebouw en dan leidde het een tot het ander. Het zoeken ging door, vol van het verlangen en de bereidheid die hoorden bij de tijd dat je niets zeker wist over wie je wilde. Voor haar liep dat stadium ten einde. Op een vreemde manier had ze met hen allebei te doen.

'Ik ben uitgehongerd,' zei Larry. 'Wil je wat eten?'

Ze wilde hem liever nog niet alleen laten. Die avond bij de gevangenis had hij gekeken alsof ze hem had gestoken. Ze bedacht iets toepasselijks.

'Zullen we naar het Paradise gaan?'

'Graag.' Larry had aan de telefoon nog nauwelijks met John kunnen praten en beloofd tijd voor hem vrij te maken. John zou de hele nacht in het restaurant zijn.

Toen ze binnenkwamen, was John nergens te bekennen. Hij bleek aan het werk in de keuken. Door de smalle roestvrij stalen opening waar de serveersters de briefjes met bestellingen ophingen en de koks het eten doorgaven, merkte John hen op en kwam met een spatel en in een wikkelschort naar hen toe. Aan de maat was te zien dat het schort van Gus moest zijn geweest.

'Is het waar?' Hij wees naar een radio naast de kassa. Toen ze ja zeiden, ging hij op een van de krukken zitten. Hij staarde een ogenblik naar een donkere plek in de lambrisering, sloeg toen zijn handen voor zijn ogen en begon hartverscheurend te huilen. Glinsterend van de tranen begon John hen beiden uitvoerig te bedanken.

'Het is ons werk, John,' zei Muriel een paar keer terwijl ze hem op de schouder klopte, maar ze was zelf bijna in tranen. Haar lichaam tintelde van emotie, een gevoel van een vitale verbondenheid met wat goed was.

'Jullie weten niet hoe moeilijk het is,' zei John, 'het idee dat de dader nog vrij rondloopt. Ik had voortdurend het gevoel dat ik iets moest doen, dat ik anders mijn vader liet zakken.'

Muriel had na juli vaak met John gepraat en in die maanden was duidelijk geworden dat Gus na zijn dood John veel dierbaarder was geworden dan toen hij nog leefde. Muriel had dat fenomeen eerder meegemaakt, maar ze begreep die omslag niet echt. Noodgedwongen had John het restaurant overgenomen en nu de zoon een paar maanden in zijn vaders schoenen had gestaan, had hij ongetwijfeld meer begrip gekregen voor diens opvattingen en diens moeizame bestaan. Maar ze schrok vaak een beetje van de heftigheid waarmee John in zijn telefoontjes over de moordenaar van zijn vader sprak. Ze vermoedde weleens dat hij de dader haatte om dat beschamende ogenblik waarin John de dood van zijn vader had begroet. Hoe het ook was gebeurd, ze voelde aan dat de pijn en de schok van de moord – en het feit dat daardoor onmogelijk was geworden dat er ooit een betere verstandhouding tussen vader en zoon zou ontstaan – verbonden was geraakt met de eerdere ellende tussen vader en zoon Leonidis, zodat John niet meer in staat was het onderscheid te maken.

John stortte zich in nog meer abjecte dankbetuigingen en Larry redde de situatie uiteindelijk door John een vriendelijke stomp te geven en te zeggen dat hij eigenlijk voor een gratis maaltijd kwam. In zijn dankbaarheid haastte John zich gretig naar de keuken.

Ze liepen naar de tafels. Muriel en Larry, als een soort survivalervaring waarin het taboe de wildernis was, aarzelden beiden bij het zitje waar Luisa Remardi was vermoord. Ze wisselden een telepathische blik en gingen tegelijkertijd zitten. Ze moest even naar de grond kijken om niet te lachen. Ze rookte alleen als ze een proces had en had nu een pakje in haar tas. Larry hield haar zijn vingers voor en nam een trekje voordat hij de sigaret teruggaf.

'Ik hoop dat je hebt gemerkt dat ik niets over Talmadge heb gezegd.'

'Tot nu toe.'

Larry trok zijn kin op zijn borst waardoor hij eruitzag als een ondervrager.

'Je gaat met hem trouwen, hè?'

Het was twee uur in de ochtend. En Larry verdiende niet minder dan de waarheid. Negentien jaar lang was ze met mannen omgegaan, had hen gepast alsof het jurken waren, in de hoop dat er een dag zou komen waarop ze in de spiegel zou kijken en zichzelf zou herkennen. Ze had er schoon genoeg van. Nu wilde ze de andere kant van het bestaan – kinderen, vastigheid, het gevoel dat ze goed genoeg was om belangrijk te zijn voor iemand van kaliber. Ze vond Talmadge een opwindende man. Ze hunkerde ernaar zijn leven te kunnen delen. Ze had net als hij de behoefte om indruk te maken, om iemand van gewicht te worden. Talmadge was grappig. Hij was rijk. Hij was knap. En hij had een belangrijke positie in de wereld.

Ze keek naar de man tegenover haar. Het was altijd een schok voor haar om te merken dat ze zoveel om Larry gaf, dat er niet alleen een sensuele aantrekkingskracht was, maar ook sympathie en verbondenheid. En kennis. Bovenal hadden ze dezelfde intuïtie, alsof ze met identieke instincten waren uitgerust. Na jaren, besefte ze, zou ze nog weten dat dit het ogenblik was waarop ze de knoop had doorgehakt.

'Ik denk echt van wel.'

Larry ging rechtop zitten tegen de bijna zwarte planken van het zitje. Hij had haar net verteld wat ze zou doen, maar hij keek verwonderd.

'Tja, nou,' zei Larry, 'de rijke jongens krijgen altijd de meisjes.'

'Denk je dat dat de attractie is, Larry?'

'Ik denk dat het alles eromheen is – rijkdom, beroemdheid, macht. Talmadge kan veel voor je doen.'

Dit gesprek nam meteen een verkeerde wending. Muriel gaf geen antwoord, maar wendde haar blik af.

'Zeg niet dat het niet zo is.'

'Nee,' zei ze.

Aan Larry's brede gezicht was goed te zien dat hij allerlei dingen binnenhield. Ondanks zijn inspanningen wilde hij iets anders zeggen, maar John kwam aanlopen met een bord biefstuk met ei voor elk van hen. Nadat hij had gevraagd of het mocht pikte John een sigaret uit Muriels pakje en rookte terwijl ze aten. Hij bleef onrustig, trok aan zijn oorring, beet op zijn nagels en ging maar door met vragen stellen en wennen aan het idee dat de dader eindelijk was gepakt. Hij leek het meest getroffen door het feit dat het geen monster was dat uit een riool te voorschijn was gekropen, maar iemand die John dikwijls had gezien.

'Ik bedoel, waar ik met mijn verstand niet bij kan is dat Gus, ik bedoel: die nam hem totaal niet serieus. Hij was lastig. Maar mijn pa had er wel lol in om hem weg te jagen. Als ik me goed herinner is mijn pa een keer met een slagersmes en een broodje achter hem aan gegaan. Hij gaf hem een hamburger en zei dat hij hem zou vermoorden als hij ooit terugkwam. Het was een wedstrijd. Voor allebei. Die kerel, die Gandolph, keek door het raam of hij mijn vader zag en kwam binnenwandelen of hij de eigenaar was, en als Gus dan van achteren kwam, holde hij naar deur. Dat gebeurde hier elke week wel een keer.'

John bleef maar doorgaan en Muriel en Larry probeerden langzaam uit te leggen dat de calamiteiten eigenlijk per ongeluk waren gebeurd.

'Hoor eens, het maakt het niet beter,' zei Larry, 'maar weet je, je vader mocht die kerel waarschijnlijk wel. En als Eekhoorn niet aan de PCP was gegaan en niet die juffrouw hier had zien zitten op wie hij zijn zinnen had gezet, dan zouden ze gewoon die riedel hebben afgedraaid. Maar die avond was het anders. Die avond was er alles wat Eekhoorn wilde hebben en niet kon krijgen, zijn hele leven al, en daardoor is hij over de rooie gegaan. Het is hetzelfde of er een gasleiding onder het restaurant de lucht in was gegaan. Ik bedoel: het is stom, maar het is waar, John: zo gaat het in het leven. Het loopt niet altijd goed af.' Ze merkte dat Larry even naar haar keek terwijl hij dat zei.

Het was bijna vier uur toen ze weggingen. Larry was zo verdomd moe dat hij het gevoel had dat de sluipende demonen en ongeziene droomdecors die net buiten zijn ooghoeken op de loer lagen hem zouden overvallen. Aan de overkant raasde het verkeer op de snelweg. Wie om vier uur 's nachts op de weg zat, had er een goede reden voor: beroepschauffeurs die snel de stad door wilden zijn, handelaars in futures die zich met buitenlandse markten bezighielden, minnaars die midden in de nacht een bed verlieten om voor de ochtend thuis te zijn. Dat universum van bijzondere behoeften raasde voorbij.

In het restaurant had Larry geprobeerd de zoon van Gus te troosten om zelf troost te vinden. Het was niet gelukt. John praatte nog steeds over alle geduchte figuren die zijn vader had verjaagd: maffiabazen die hem keukenlinnen wilden opdringen, criminelen die hem hadden willen overvallen – en terwijl hij naast Muriel stond, had Larry het gevoel of zijn hart was ontploft.

'Muriel,' zei hij op dezelfde klaaglijke toon die hij bij de gevangenis van zichzelf had gehoord, 'ik moet met je praten.'

'Waarover?'

'Over Talmadge...' Hij maakte een machteloos gebaar. 'Over alles.'

'Ik wil niet over Talmadge praten.'

'Nee, luister naar me.'

Hij was zo moe dat hij duizelig was en een beetje misselijk – maar hij was voornamelijk ziek van zichzelf. Al een paar dagen had hij geweten waarom hij zijn energie in deze zaak had gestoken als een broeder die probeerde een gestorvene te reanimeren, tot hem dat ten slotte was gelukt. Voor Muriel, jezus nog aan toe. Toch was dat besef nog onvolledig. Hij wilde niet alleen maar met haar optrekken en lekker met haar kletsen. Of met haar naar bed. Nee, in zijn sentimentele puberbrein had tot voor kort een cowboyfilm gedraaid. Hij moest de boef vangen met zijn lasso en dan zouden Muriel de schellen van de ogen vallen: ze zou inzien dat hij de beste kerel was die er was. Ze zou Talmadge de bons geven en afzien van de weg naar de roem. Nu hij, te laat en zo duidelijk, inzag wat hem had bezield, voelde hij zich doodongelukkig. Speurneus van niks, dacht hij.

'Ik wil dat je luistert,' zei hij weer.

Hun auto's stonden op het parkeerterrein, bij de plek waar de Cadillac van Gus en de wagens van Luisa en Paul in de julizon een dag hadden staan bakken terwijl hun lijken bevroren. Muriels Honda Civic stond dichterbij en ze gingen samen op de voorbank zitten. Muriel was een sloddervos. Ze gebruikte haar auto als afvalbak: snackbarverpakkingen, plastic folie van dingen die ze had opengemaakt en persoonlijke brieven van kantoor lagen overal.

'Je weet hoe de mensen wanneer je jong bent altijd tegen je zeggen dat je toch eens volwassen moet worden?' vroeg Larry. 'En dat je dan denkt dat dat wel een goed idee lijkt, maar jezus... Jezus, wat moet je dan doen? De mensen zeggen dat je serieus moet worden, terwijl je zelf niet kunt verzinnen wat je wilt.'

Onder het praten staarde Larry naar de kale muur voor hem. Jaren terug was er een limonadereclame op geschilderd en de ijle resten van een welgeschapen jonge vrouw met een glas in haar hand waren nog zichtbaar in de koplampen.

'Ik vroeg me altijd af hoe ik daar verdomme achter moest komen. Ik bedoel: er zijn mensen zoals jij. Volgens mij heb jij altijd geweten wat je wilt en sinds ik je ken stuur je daarop af. Beroemd worden, weet je wel. Maar ik ben niet zo. Ik weet niet eens wat ik wil tot ik het misschien niet heb. Zoals wanneer Nancy zegt: "Zal ik de jongens nemen?" Ik bedoel: jezus christus, dat meen je toch niet.'

Hij voelde zich overmand door een grote golf van emotie terwijl het beeld van zijn jongens hem voor ogen kwam. Hij zag ze als hondjes om hem heen scharrelen terwijl hij een stapelmuur maakte, tegels legde, kluste in die huizen. Ze vonden het leuk om erbij te zijn. Darrell had een zaag die hij over de stoffige vloeren liet gaan en Michael, die met beide handjes een hamer vasthield, probeerde spijkers in te slaan die altijd krom werden. Larry moest ze voortdurend in de gaten houden en toch werd hij midden in de nacht wakker, door angst getroffen als een boom door de bliksem, ervan overtuigd dat hij niet voorzichtig genoeg was geweest en dat een van de twee iets ergs kon overkomen.

Hij kneep in zijn neus en concentreerde zich op de pijn in de hoop dat hij zich daardoor goed zou kunnen houden. Hij had een groot wantrouwen tegen een bepaald type dat je tegenwoordig veel tegenkwam bij het korps: mannen, en ook wel vrouwen, die hun sentiment de vrije loop lieten omdat ze op straat zo hard waren, die emmers vol huilden als hun parkiet de pootjes omhoogstak, maar uren tevoren alleen het hoofd hadden geschud bij een kind van zeven dat was overreden door iemand die was doorgereden. Hij probeerde een houding te vinden, hij wilde kunnen zeggen, zoals hij tegen John had geprobeerd te zeggen: het doet verdomd veel pijn, maar zo is het leven nu eenmaal.

'Dus zo ben ik, zo stom dat ik pas weet wat iets waard is als het weg is. Zulke mensen zijn er,' zei Larry. 'Ik ben de enige niet.'

In het donker kon hij Muriels gezicht niet echt zien, alleen het licht op haar ogen en haar profiel in silhouet. Ze leunde tegen het portier en de houding van haar hoofd met de korte, stugge krullen suggereerde dat ze geschrokken was.

'Waar wil je naartoe?' Ze bleef Muriel: ze wilde al bij de bocht zijn als alle anderen nog aan het begin stonden. Voor zover hij wist kwam Muriel uit een normaal gezin. Maar ze moest al in de baarmoeder berekenend zijn geweest. Zoals koeien die altijd het kortste pad naar hun bestemming wisten, had Muriel een eigen GPS die altijd de route naar haar belang aangaf. Zelfs als ze vriendelijk was, wat ze vaak was, leek het een beetje afstandelijk, alsof ze eerst even had nagegaan of het voor haar het juiste was.

Terwijl hij een antwoord probeerde te bedenken, keek hij omlaag en zag tot zijn verbazing dat hij rouwranden had. De vorige dag was hij naar een ander huisje in de Point geweest, zijn huidige project, waar hij coniferen had geplant nu het nog kon. Zijn moeder had altijd aangedrongen op schone handen en het verbaasde hem dat hij nu pas die aarde opmerkte. Daaruit bleek wel hoezeer hij zich op Eekhoorn had geconcentreerd sinds hij bijna vierentwintig uur eerder wakker was geworden.

'Als ik je nou eens vertel dat ik strontgenoeg heb van mijn eigen dingen,' zei hij tegen haar. 'Van zoeken naar een beter bestaan. Als ik je nou vertel dat ik eindelijk dingen te weten ben gekomen.' Hij liet haar zijn nagels zien. 'Ik tuinier.'

'Je tuiniert?'

'Ik heb er plezier in, bedoel ik. Dingen laten groeien. Zegt dat je iets?'

'Larry,' zei ze.

'Ik denk dat ik nu weet wat ik in mijn leven nodig heb. En wat we samen hebben... daar zijn we geen van beiden echt eerlijk over geweest. Er is een heleboel...'

'Ja,' zei ze. Ze pakte zijn arm. 'Maar Larry.' Nu was zij degene die het moeilijk had. Hij zag haar wimpers trillen. 'Ik geloof niet dat ik dit nog langer kan verdragen. Echt niet. Ik wil het niet horen.'

Het trof hem opnieuw diep, misschien wel erger dan in het restaurant, en hij voelde zijn adem branden in zijn longen. Jezus, dacht hij. Wat ben ik een idioot. Proberen een vrouw te versieren die je net heeft verteld dat ze met een ander gaat trouwen.

'Ik zal me zo stom voelen,' zei hij, 'als ik echt ga huilen.'

Ze raakte even zijn hals aan.

'Kom op, Larry. Jezus. Dit is altijd iets tijdelijks geweest. Kom op.'

'Dat bedoel ik,' zei hij. 'Dat had het moeten zijn.'

'Het is fijn geweest, Larry. In allerlei opzichten. Maar het ging ons om de kick, Lar. Daarom wilden we het. Stiekem doen. Neuken tot we niet meer konden. Je kunt niet doen of het een regelmatig bestaan was. Ik bedoel: ik waardeer het om wat het was. Dat was geweldig.' Ze lachte, een ontspannen geluid in de donkere auto, vol gemeende waardering voor de herinnering. Ze legde even haar arm om zijn schouders en bracht haar gezicht dicht bij het zijne. 'We hebben het geweldig gehad samen,' zei ze en legde haar andere hand op zijn dij om hem eraan te herinneren. Hij duwde de hand weg en ze legde hem terug. Dat herhaalden ze een paar keer, lachend, allebei genietend van het stoeien en de ontspanning waartoe dat leidde. Uiteindelijk greep hij haar hand vast en ze tilde haar andere hand van zijn schouder en gebruikte hem om zijn rits omlaag te trekken voordat hij haar wegduwde.

'Ik hoef geen laatste kick, Muriel.'

'Ik wel,' zei ze, onbevreesd als altijd, en legde haar hand terug. Hij dacht dat hij niet gestimuleerd zou kunnen worden, maar hij vergiste zich. Ze boog zich over hem heen en hij liet het zich een ogenblik welgevallen voordat hij haar wegduwde.

'We zijn op een parkeerterrein, christus nog aan toe,' zei hij.

Ze stak het sleuteltje in het slot en sloeg de hoek om, terwijl ze met haar vrije hand zijn erectie bewerkte onder het rijden. Toen ze weer stopte, concentreerde ze zich helemaal op hem. Larry keek de steeg in en besefte dat ze in de juiste omgeving waren voor dit soort handelingen: aan de achterkant van gebouwen, onder telefoonlijnen, tussen zwerfvuil en roestige containers was genot vaak voor weinig geld gekocht en overhaast ervaren. Muriel nam er alle tijd voor, liefkoosde zijn eikel met haar lippen, liet haar tong over de ribbel gaan en schoof haar mond weer over zijn eikel, met alle aandacht voor zijn reactie op elke beweging. Zo was Muriel ook. Doortastend. Genietend van de macht die een vrouw ontleende aan bereidwillig zijn. Hij bleef maar denken: god, dit is idioot, ik ben idioot. Toen hij klaarkwam, voelde het of hij maar bleef schreeuwen.

13

22 MEI 2001

Normaal

'Dus je miste me nou al,' zei Ruthie, de bewaarder die Gillian bij haar eerste bezoek had begeleid. Met haar forse lichaam hield ze de zware deur naar het poortgebouw open en wenkte Gillian alsof ze een oude vriend was; ze knikte ook naar Arthur. 'Ik dacht dat je zei dat Ernie en jij uitgepraat waren,' zei Ruthie terwijl ze achter haar aan door de schemerige stenen gang liepen.

Arthur legde uit dat de directie had geëist dat Gillian erbij zou zijn, en Ruthie lachte.

'Dat is hier toch wat,' zei Ruthie, 'al die regels die we hier hebben en ze maken er alleen nog meer bij.' Die ervaring had Gillian ook. Gevangenisdirecties waren een aparte categorie als het om starheid ging. En onvermijdelijk waren er een paar echte sadisten bij, die het prettig vonden om mensen in kooien te zien. Maar in Alderson had Gillian ook veel bewaarders ontmoet zoals Ruthie, vriendelijke types die alleen hier werkten omdat het de best betaalde baan was die ze konden vinden, of omdat ze zich het prettigst voelden tussen mensen die niet het recht hadden op hen neer te kijken.

In de ziekenboeg bood Ruthie aan Gillian terug te brengen zodra Arthur zich bij Erdai had geïnstalleerd; ze verzekerde hun dat de directie er echt niets van zou merken. Gillian was wel nieuwsgierig naar wat Erdai te zeggen had, maar de dagen waarin zij getuigen beoordeelde en hun verhalen vergeleek met haar herinneringen aan ander bewijsmateriaal waren voorbij. Voor haar was het het veiligst om weg te gaan.

Arthur was weer geagiteerd geraakt door wat hem wachtte en verdween met een gemompelde groet in het zaaltje. Ruthie kwam even later weer naar buiten om Gillian door het labyrint van gangen terug te voeren naar het poortgebouw.

In het hoofdgebouw draaide een gevangene met een roestvrij stalen karretje zich om toen Gillian langs hem heen liep. Ze voelde zijn blik op haar gericht, maar nam aan dat hij verlekkerd naar haar keek. In plaats daarvan hoorde ze haar naam.

'U bent toch rechter Sullivan?'

Ruthie reageerde alert naast haar, maar Gillian antwoordde: 'Vroeger wel.'

'Dit is Jones,' zei Ruthie. 'Hij gaat wel. Meestal.'

Ruthie plaagde en Jones lachte, maar zijn aandacht bleef op Gillian gericht.

'Zestig maanden van u gekregen,' zei hij. 'Zwaar lichamelijk geweld.' Ze had bedacht dat hier nog heel wat gedetineerden moesten zitten die ze had veroordeeld, maar ze was zo op haar eigen reacties gericht geweest dat ze goeddeels het risico had vergeten dat ze zo iemand zou tegenkomen. En ze had nu ook niet het gevoel dat het gevaarlijk was. Jones was lang en had een baard, maar hij was de leeftijd gepasseerd waarop het waarschijnlijk was dat iemand problemen met hem zou krijgen.

'Iemand neergeschoten?' vroeg ze.

'Man die ik bij me had. We waren in een drankzaak bezig. Winkelier trok een pistool en ik raakte mijn maat. Dat is toch botte pech? En de aanklager pakte me daarop en op de overval. Voor die overval wil ik wel zitten, maar waarom moet ik zitten omdat ik op iemand heb geschoten wat niet de bedoeling was?'

'Omdat je op de winkelier wilde schieten,' zei Gillian.

'Welnee. Het waren de zenuwen.'

'Je had iemand kunnen doodschieten.'

'Ja, maar dat is niet gebeurd. Dat snap ik nou niet.'

Hij begreep het wel. Hij wilde er alleen over praten. Hij lag er 's nachts wakker van dat over zo'n groot deel van zijn leven in een oogwenk was beslist.

'Allemaal ouwe koek, Jones,' zei Ruthie.

'Ja,' zei Jones, 'ik ben oud geworden van zo lang zitten.' Maar hij lachte erbij.

'Hoe is het met je maat afgelopen?' vroeg Gillian.

'Goed hoor. Alleen zijn maag is niet zo best meer. Hij kreeg maar dertig van jou. In nul-drie komt hij vrij.'

'Hij had geen vuurwapen.'

Afgetroefd keerde Jones terug naar zijn karretje. Hij leek verzoend, maar over een paar dagen zou hij er opnieuw van overtuigd zijn dat hij onrechtvaardig was behandeld.

Ruthie bleef over hem praten tot ze terug waren in het poortgebouw. Ze vertelde Gillian dat Jones problemen had met zijn familie. Ruthie geloofde kennelijk niet erg in geheimhouding. Maar ze was lief. Ze hielp Gillian haar tas uit het kastje te halen waarin ze hem had moeten opbergen, liep met haar mee naar de buitenste deur en zwaaide naar een andere portier om Gillian uit te laten.

Gillian trok de zware traliedeur open, liet de schemerige gevangenis achter zich en stapte naar buiten in spectaculair voorjaarsweer. Het was luchttijd en op de drempel hoorde ze de mannen op enige afstand juichen, schreeuwen en kletsen. Alderson lag aan een spoorlijn. De meeste treinen waren wel honderd wagons lang en vervoerden een glimmende vracht steenkolen, maar ook de personentrein van Amtrak die van Washington naar Chicago reed kwam langsdenderen, zo dichtbij dat alle passagiers duidelijk te zien waren. Gillian kon haar blik nooit afwenden. In plaats daarvan bestudeerde ze ondraaglijk jaloers de reizigers die vrij waren om naar de door hen gewenste bestemming te gaan. De Normalen, noemde ze hen in haar gedachten.

Ze draaide zich om naar Ruthie.

'Ik heb iets vergeten. Ik heb vergeten de tijd te noteren in het register.'

'Dat doen wij wel,' zei Ruthie.

'Ik wil het zelf doen.' Dat was het niet. Ze wilde alleen opnieuw naar binnen en zwaaien en nog een keer de deur zien opengaan. Toen de grendel deze keer terugschoof, voelde het alsof het mechanisme met haar hart verbonden was. Een Normale.

Op een bank onder een boom, halverwege het parkeerterrein, rustte Gillian uit. Ze keek naar de passanten, allemaal Normalen. Net als zij. Na een tijdje haalde ze uit haar tas het boek waarin ze las. Het was Thucydides. Duffy, die dol was op de klassieken, had het haar aangeraden en tot haar verbazing had ze veel troost gevonden in de geschiedenis, in het herleren van de lessen uit het verre verleden en het verhaal van vergeten menselijke dwaasheid. Ze vermoedde dat die troost voortkwam uit het besef dat zij eens ook vergeten zou zijn, dat haar zonden zouden worden weggespoeld in de grote golfbeweging van de tijd waarin iedereen op een paar van haar tijdgenoten na – een wetenschapper, een kunstenaar – met haar zou worden verpulverd tot niets memorabelers dan zand. Het is voorbij, hield ze zichzelf op dat ogenblik voor. Als ze het kon laten rusten, was het voorbij.

Het duurde ruim anderhalf uur voordat Arthur terugkwam. Gillian had al overwogen een eindje te gaan lopen om ergens iets koels te drinken, toen hij eindelijk naar buiten kwam.

'Sorry dat het zo lang heeft geduurd. Ik wilde Rommy nog spreken voor ik wegging.'

Ze zei dat ze het niet erg vond. De dag was veel beter verlopen dan ze had verwacht. 'Hoe is het met Erdai gegaan?'

'Prima. Kon niet beter.' Maar er was iets dat Arthur dwarszat. Hij leek er met zijn gedachten niet bij. Hij keek even voor zich uit, bijna als een dier dat in de lucht een spoor probeerde te ruiken. Hij zweeg en ze vroeg hem uiteindelijk hoe hij dacht over wat Erdai hem had verteld.

'O, ik geloofde hem wel. Absoluut. Daarom moest ik Rommy spreken. Ik wilde het hem zelf vertellen. Ik moest erom soebatten, maar toen brachten ze hem voor een kort onderhoud naar beneden.' Arthur glimlachte opeens. 'Eigenlijk kon hij niet begrijpen dat ik verbaasd was. Alsof het volkomen normaal was. "Ik zei toch dat ik er niets mee te maken had." Hij is opgewonden over de vrijlating die hem te wachten staat. Maar voor hem was het geen nieuws dat hij onschuldig is. Degene die me hier eindeloos over zal doorzagen is Pamela. Rommy is onschuldig,' zei Arthur en staarde naar het grind aan de voet van de boom. Hij herhaalde: 'Rommy is onschuldig.'

'Mag ik vragen? Heeft Erno Gandolph een alibi bezorgd? Of weet hij wie dan wel de dader was?'

'Dat weet hij,' zei Arthur. 'Hij was het. Erdai. Het is een verbijsterend verhaal. Maar het klopt helemaal. En het moet waar zijn. Waarom zou een stervende man liegen? Ik bedoel: hij heeft al die mensen zelf vermoord. Erdai.' Zuchtend onder het gewicht van wat hij had gezegd liet Arthur zich naast haar op de bank vallen.

Gillian wachtte af. Ze wist niet goed of ze meer wilde horen. Hoezeer ze haar verleden ook had afgesloten, hoe ze haar vermogen tot oordelen ook buiten werking had gesteld, het verhaal trof haar onmiddellijk als ongeloofwaardig. Het was een te groot toeval, die stervende gedetineerde in dezelfde inrichting als Gandolph die het misdrijf opeiste.

Door zijn merkwaardige gedrag dacht ze eerst dat Arthur, ondanks zijn verklaring van het tegendeel, haar scepsis deelde. Maar nu vermoedde ze dat zijn reactie het tegenovergestelde van scepsis was. Jaren terug had haar eerste baas, de aanklager Raymond Horgan die nu een kantoorgenoot van Arthur was, haar verteld dat hij voor zijn verkiezing, toen Ray zelfstandig advocaat was, een stukje papier in zijn bureaula had bewaard. Er stond het gebed van de strafpleiter op gekalligrafeerd: 'God behoede me voor een onschuldige cliënt.'

Overtuigd door Erdai stond Arthur, begreep ze, nu opeens op de hoogste klip in zijn carrière. Het leven van Rommy Gandolph, zijn onschuldige leven, lag in Arthurs handen. Gerechtigheid, ja, het hele uitgangspunt van de wet – dat het de weinige elementen in het menselijk bestaan die de mens in de hand had rechtvaardiger zou maken – was nu van hem afhankelijk. Hij was de voornaamste variabele: zijn werk, zijn verstand, zijn vermogen om de zwaarste strijd in de samenleving aan te binden en te winnen. De verloren blik in Arthurs koffiekleurige ogen was angst.

DEEL TWEE

Rechtsgang

14

12 JUNI 2001

De aanklager

Muriel Wynn, een van de aanklagers van Kindle County, zat aan haar bureau papier te verschuiven. In deze baan had ze bij zichzelf een zin voor orde ontdekt die haar in haar jonge jaren niet had gekenmerkt. Haar slaapkamerkast en haar boodschappenlijstjes waren nog altijd chaotisch, maar in haar werk was ze steeds op haar best geweest. Haar bureau, bijna tweeëneenhalve meter lang, was ingericht met de precisie van een militaire basis. De borstwering van papieren – dossiers, interne memo's, juridische post – was strak gerangschikt. Correspondentie met betrekking tot haar campagne voor hoofdaanklager, over een jaar, lag veilig apart in de verste hoek, klaar om aan het eind van de dag mee naar huis te worden genomen voor bestudering in haar vrije tijd.

Met een piepje verscheen een mededeling op Muriels computerscherm: '12:02nm: Starczek van de recherche voor hoorzitting'. Ze begroette Larry in de grote open ruimte voor haar kantoor, waar zes assistenten tussen bureaus heen en weer draafden, en bezoekers achter een oude mahoniehouten afscheiding wachtten. Aan de overkant was het kantoor van de hoofdaanklager, dat haar baas van de afgelopen tien jaar, Ned Halsey, voor haar zou vrijmaken zodra de kiezers ja hadden gezegd.

Voor de zitting had Larry een linnen sportjasje met das gedragen, een zwierig ensemble. Hij had altijd van kleren gehouden, maar ze pasten hem minder goed dan voorheen. Hij was groot en zacht geworden en zijn resterende haar, zijdezacht en naar wit verkleurend, was met zorg in model geborsteld. Maar hij had nog altijd de imposante houding van iemand die wist wie hij was. Zodra hij haar zag, lachte hij breed en ze voelde dat hij geamuseerd was – het vermaakte hem dat het leven zo onpeilbaar zijn loop nam, dat je verder gaat en overleeft.

'Hai,' zei ze.

'Hai,' zei Larry.

Ze vroeg of hij tijd had om te lunchen. 'Ik dacht dat we ergens een hapje konden eten op weg naar het federale gerechtsgebouw om over die stomme hoorzitting te praten.'

'Vet,' zei Larry.

Ze grijnsde omdat hij zich door het woordgebruik van zijn zoons had laten beïnvloeden en vroeg hoe het met de jongens was.

'Zijn ze van mij? Volgens mij is het satansgebroed.' Hij had foto's in zijn portefeuille. Michael was twintig en derdejaars op Michigan. De jongste, Darrell, was net als zijn vader en broer een held op de middelbare school, hoewel hij voetbalde in plaats van aan American football te doen. Hij zou ongetwijfeld een sportbeurs voor de universiteit in de wacht slepen, zei Larry. 'Als ik hem voor die tijd niet heb vermoord. Hondsbrutaal. Mijn ouders, die nog leven, lachen zich rot om mij en hem. Beter dan de televisie.'

Muriel nam hem even mee naar haar kamer om hem de foto's van Theo te laten zien, Talmadges eerste kleinzoon. Al was hij pas drie, toch kon je al de gelijkenis met Talmadge zien, groot en breed. Het was zo'n lief mannetje, dat jochie, het zonnetje in haar leven.

'Zelf geen kinderen, jij en Talmadge?' vroeg Larry. Er was waarschijnlijk geen vraag waar ze zo'n grote hekel aan had, maar Larry bedoelde er niet meer mee dan dat hij het zich zo herinnerde.

'Nooit gelukt,' zei ze en wees naar de deur.

In de lift naar beneden vroeg Larry haar om een toelichting op de hoorzitting.

'Raven wil ene Erno Erdai laten getuigen, iemand die jij zou hebben gekend,' zei ze.

'Dat klopt.'

'Arthur wil het ten overstaan van een rechter doen, zodat de rechter over de geloofwaardigheid kan oordelen, omdat Erno er later niet bij zal zijn, als de zaak doorgaat. Hij heeft kanker in het eindstadium.'

'Hij ligt op sterven? Jezus, het is de laatste jaren wel beroerd gegaan voor Erno. Ken je het verhaal?'

Als hoofd ernstige delicten had ze Erdais zaak doorgenomen ten tijde van de schietpartij, vier jaar terug. Van de politieacademie gestuurd, managementfunctie bij TN Air, brave burger flipt in dienderscafé. Mel Tooley had Erno's verdediging gevoerd en zijn uiterste best gedaan voor een voorwaardelijke straf; hij had zelfs de advocaat van het slachtoffer, Jackson Aires, zover gekregen dat hij verklaarde daar geen bezwaar tegen te hebben. Maar ze kon een man niet buiten de cel houden omdat hij in een buitenwijk woonde. Elke week sloten ze in deze stad twintig zwarte mannen op wegens vuurwapengebruik. Erno moest de bak in.

'Hoe is het trouwens met die ouwe Arthur?' vroeg Larry.

'Klaagt nog alsof zijn leven ervan afhangt. Goed, dus.'

'Ik mocht altijd graag zaken bij Arthur aanbrengen. Weet je, hij was een boerenpaard, geen herenpaard, maar een noeste werker.'

'Dat is wat hij nog steeds doet. Noest werken. Hij was er bepaald niet blij mee toen het hof hem met deze zaak opzadelde, maar dat belet hem niet de onderste steen boven te halen. Inmiddels noemt hij Erdai een kritische getuige.'

'Kritisch,' zei Larry. 'Hoezo kritisch?'

'Zeg dat wel.' Ze glimlachte. 'Je hebt wat uit te leggen, Larry. Er wordt aangevoerd dat Erdai heeft geprobeerd je op ontlastende bewijzen te attenderen die je hebt weggemoffeld.'

'Heel verwerpelijk,' zei Larry, en deed de beschuldiging vervolgens af als gelul. 'Erno heeft vanuit de bak een aantal brieven geschreven, aan mij en het halve korps, om hulp om eruit te komen. Wat had ik verdomme moeten doen, een beterschapskaartje sturen? Ik vermoed dat Erno in de bak is overgelopen. Daar zal hij wel zijn redenen voor hebben.'

'Dat moet haast wel. Ik heb een week geleden een gesprek met hem aangevraagd en dat heeft hij geweigerd. De directie van Rudyard heeft geen idee wat hij in zijn schild voert.'

Niet ver van het gerechtsgebouw bleef Muriel staan bij Bao Din.

'Eet je nog Chinees?' vroeg ze.

'Natuurlijk. Als het maar niet te heet is.'

Het restaurant was ouderwets ingericht met een bamboegordijn bij de ingang, formica tafeltjes en een vettige lucht van frituurolie en exotische specerijen. Muriel koesterde een permanent wantrouwen tegen wat in de keuken voor vlees doorging en bestelde iets vegetarisch. Als vaste gast en figuur van aanzien werd ze hartelijk begroet door Lloyd Wu, de eigenaar, aan wie ze Larry voorstelde.

Gezien de belastende beweringen had ze Larry wel moeten vragen naar de hoorzitting te komen, hoewel ze in de achterliggende tien jaar nooit langer dan tien minuten in elkaars gezelschap hadden doorgebracht. Als hij voor een zaak langskwam, deed hij soms even haar kamer aan. Dan babbelden ze wat, over zijn jongens, over het korps en over haar werk. Altijd lachen. Zodra hij weg was, had ze meestal het gevoel dat ze er verkeerd aan had gedaan om met hem uit de band te springen. Niet vanwege Larry zelf – de oudere Larry was schappelijker dan de man die ze zeventien jaar eerder op de collegebanken had ontmoet. Maar hij hoorde bij een verleden waarvan ze bewust afstand had genomen, een jeugdige bevlieging van de weifelende Muriel, een vrouw die minder genereus, degelijk en gelukkig was geweest dan het huidige model.

Maar vandaag kon ze niet zonder Larry. Rechercheurs vergaten nooit de bewijsvoering in een zaak. Carol Keeney, die de afgelopen paar jaar de zaak in verband met eventuele herziening onder haar hoede had gehad terwijl hij zich voortsleepte naar de executie, had Erdai in het dossier niet aangetroffen, maar Larry kon Muriel vlot vertellen waar die vandaan was gekomen. Erno leidde naar Collins, Collins leidde naar Eekhoorn. Ze had zich niet gerealiseerd dat Erdai de oorspronkelijke bron was. Met gesloten ogen wachtte ze tot haar iets te binnen zou schieten, maar er gebeurde niets. Ze boog zich over de tafel.

'Vanwege de oude vriendschap, Larry. Wij onder elkaar. Is er iets waarover we ons zorgen zouden moeten maken? Een ideetje waar ze op aansturen?'

'Je bedoelt wat Erno weet?'

'In tegenstelling tot wat?'

'Je bent geen maagd meer, Muriel,' zei Larry, zinspelend op een onderwerp dat zelden ter sprake kwam. De waarheid op straat was iets anders dan de waarheid ter zitting en een goede politieman zoals Larry wist hoe hij de ene met de andere in overeenstemming kon brengen zonder het te gek te maken. Ze ging niet op zijn opmerking in. 'Wat zou ik voor belastend bewijs onder de tafel hebben gehouden?' vroeg Larry.

'Dat heeft Arthur niet gezegd en dat zijn we ook niet te weten gekomen. Ik heb Carol naar de behandeling van het verzoek gestuurd en op een of andere manier heeft zij de rechter tegen de haren in gestreken, waardoor het werd ingewilligd.'

Larry kreunde.

'Je weet hoe het gaat, Larry. Harlow is het type dat iemand die met een zaak is opgezadeld ter wille is, zeker als de verdachte de doodstraf dreigt te krijgen. En waarschijnlijk heeft hij sympathie voor Arthur. Zijn advocatenkantoor doet veel federale zaken.'

'Geweldig,' zei Larry. 'Wat ben ik toch dol op het federale hof. Ouwe-jongens-krentenbrood. Allemaal keurige, beschaafde mensen met beleefde lachjes, die erg goed weten dat ze niet van de straat zijn.'

Muriel lachte om Larry's karikatuur. Als aanklager en kandidaat voor de hoogste post werd ze tegenwoordig met egards behandeld in de federale rechtszalen. De rechters van het hooggerechtshof werden bij verkiezingen benoemd, wat betekende dat ze vroeg of laat met haar op één lijst zouden staan. Maar het federale gerechtshof was een ander universum: daarin werden de rechters voor het leven benoemd. Muriel had die wereld in haar carrière een paar keer betreden en dacht in grote trekken net zo over het federale systeem als Larry.

'Ik denk dat Harlow Raven gewoon een goede kans wil geven, Lar. Het komt vast wel in orde.'

Larry knikte en leek gerustgesteld. In hun studententijd was hij de eerste mens geweest die vertrouwen in haar juridische bekwaamheid had getoond. Als het om het recht ging, geloofde hij haar onvoorwaardelijk.

'Bedoel je dat ik Erno niet als celgenoot krijg?' vroeg hij. 'Ik had gehoopt mijn hondenbaan vaarwel te kunnen zeggen.'

'Dat meen je niet.'

'Dat meen ik verdomme wel. Ik heb ontslag aangevraagd, Muriel. In november word ik vijfenvijftig en op 1 januari tweeenultwee hou ik het voor gezien. De mensen zullen elkaar wel altijd blijven vermoorden. En daar weet ik alles van wat ik ervan wil weten. Bovendien komt er volgend jaar een nieuwe recherchechef: of ik, wat belachelijk is, of iemand anders, wat nog belachelijker is. Ik ben er klaar mee. En je weet toch dat ik huizen opknapte? Er werken nu zes mensen voor me. Vierenvijftig is oud voor een baan en een bedrijf.'

'Zes mensen?'

'Vorig jaar hebben we acht huizen doorverkocht.'

'Allemachtig, Larry. Dan ben je rijk.'

'Niet zoals jij en Talmadge, maar ik heb niet slecht geboerd. Ik heb veel meer te makken dan wie ook in mijn familie ooit had verwacht. Ook in aandelen. Het netto bedrag is een groot getal maar het ligt allemaal vast. Niettemin...' Hij glimlachte, alsof het hem verbaasde dat hij zo kon praten. Hij vroeg hoe haar leven ervoor stond.

'Goed,' zei ze en liet het daarbij. Ze voerde de strijd die alleen vrouwen voerden en die bij het aanbreken van de dag begon met de hardnekkige vrees dat er geen tijd zou zijn om aan alles aandacht te schenken, een zorg die in tegenstelling tot vele andere stevig in de realiteit geworteld was. Niets leek ooit perfect voor elkaar: niet op haar werk of in haar huwelijk of zelfs in haar stiefmoederschap. Maar haar leven was rijk genoeg: interessant werk, geld, dat enige jongetje. Ze concentreerde zich daarop en had de ontgoochelingen achter zich gelaten.

'En je huwelijk?' vroeg hij.

Ze lachte. 'Volwassen mensen vragen elkaar niet naar hun huwelijk, Larry.'

'Waarom niet?'

'Goed dan, hoe is het met jouw huwelijk? Je hebt de knoop toch maar niet doorgehakt, hè? Hebben jij en Nancy een vredesverdrag ondertekend?'

'Je weet hoe het gaat,' zei Larry. 'Jij wou me niet hebben en ieder ander zou tweede keus zijn.' Het klonk niet goed, maar hij lachte erbij. 'Nee, ik bedoel: het gaat best. Nancy is een goed mens. Echt goed. Wat kun je zeggen van de vrouw die je kinderen adopteert? Niets ongunstigs. Het leven is nu eenmaal niet volmaakt.'

'Kennelijk niet.'

'Weet je dat ik steeds vaker moet denken aan mijn grootouders, de ouders van mijn moeder? De ouders van opa deden hem op zijn zestiende in de leer bij een wagenmaker – over een vak met toekomst gesproken – en regelden een vrouw voor hem. Twee jaar later zag hij mijn grootmoeder voor het eerst, drie dagen voordat hij met haar trouwde. Vijfenzestig jaar verder stiefelden ze nog kalmpjes door. En nooit ruzie. Dus ga maar na.'

Onder het praten speelde hij met de knop van het goedkope aluminium theepotje. Muriel voelde zich verrassend goed op haar gemak. Er bleken banden in het leven te zijn die onverbrekelijk waren. En dat je met iemand had geslapen was zo'n band. Althans voor haar. En waarschijnlijk voor de meeste mensen. Ze zou Larry op een bepaalde manier haar hele leven met zich mee blijven dragen.

'Jij bent aan de beurt,' zei hij. 'Is het moeilijk? Ik kijk soms naar Talmadge als hij op tv is en eerlijk gezegd lijkt het me niet gemakkelijk om met zo'n ego samen te leven.'

'Getrouwd zijn met Talmadge vergt weinig meer dan gevoel voor humor en een zwart jurkje.' Ze lachte om zichzelf, maar er was een onderstroom die haar hinderde. Ze had al die jaren gedacht dat ze nooit voor mindere dingen zou bezwijken zoals iedereen deed. Normaal. Gemiddeld. Middelmatig. Het waren woorden die aan haar knaagden. 'Talmadge is Talmadge, Larry. Het is of je op de zonnewagen meerijdt met de zonnegod. Die straling, die warmte voel je voortdurend.'

Haar man leidde het leven van de millennium-Amerikaan, drie of vier keer per week in een vliegtuig ergens heen. Thuis was voor Talmadge meestal niet meer dan een omgeving waar hij zich veilig kon terugtrekken en de glans van zijn openbare verschijning kon verruilen voor een verrassend duistere kern. Tot heel laat zat hij met een glaasje whisky in somber gepeins verzonken de wonden te likken die hij overdag op het slagveld door de adrenaline niet had gevoeld. Hoewel hij vaker duizelend keek naar zijn formidabele succes leek hij in zijn sombere stemmingen te geloven dat de wereld hem had opgetild om hem des te dieper te kunnen laten vallen, om te bewijzen dat hij het niet werkelijk waard is. Ze moest hem uitvoerig troosten.

'Ik geniet zijn respect,' zei ze, 'en dat betekent veel voor me. We luisteren naar elkaar. Adviseren elkaar vaak. Praten veel. Dat is prettig.'

'Een titanenhuwelijk,' zei hij. 'Twee supermagistraten.'

Het bleef Muriel ergeren dat een ambitieuze vrouw zoveel acceptabeler werd als ze getrouwd was met een ambitieuze man. In feite had ze dat waarschijnlijk al bedacht toen ze met Talmadge trouwde.

'Ik ben nog niet gekozen, Larry.'

'Dat kan niet missen. Wie zou het tegen jou durven opnemen? Alle juristen staan achter je, je bent een vrouw wat een voordeel is, om nog maar te zwijgen van Talmadges makkers met hun bereidheid tot donaties. Volgens de kranten ben je senator voor je het weet.'

Senator. Of burgemeester. Ze had het zelf in de krant gelezen. Omdat ze besefte hoeveel gelukkig toeval nodig was om zulke topfuncties te bereiken, weigerde ze de speculaties als iets anders te beschouwen dan als een bron van amusement.

'Dit is de baan die ik wil, Larry. Eerlijk gezegd heb ik me kandidaat gesteld omdat het zo makkelijk is. Ned hecht er zijn zegen aan. Talmadge zal per telefoon vanuit het vliegtuig de campagne organiseren. Al vraag ik me nog steeds af waar ik aan begonnen ben.'

'Gelul. Dit is altijd je grote droom geweest.'

'Ik weet het niet, Larry.' Ze aarzelde, probeerde te bepalen welke kant het opging en gaf het op, wat altijd het geval leek bij Larry. 'Een jaar geleden hoopte ik nog dat ik me wel twee keer zou moeten bedenken voordat ik me kandidaat stelde. Maar ik heb onder ogen gezien dat ik nooit in verwachting zal raken. Dat was eigenlijk het voornaamste. Ik weet zoveel over vruchtbaarheid...' Ze zweeg. Ze had nog nooit medelijden met zichzelf gehad, maar na al die jaren van onderzoek, medicamenten, spoelingen, klokkijken, dagen tellen, tempen en hopen – leek ze soms te bezwijken onder de herinnering. Toen ze jonger was, had ze zich nooit afgevraagd waartoe haar behoefte om iets in de wereld te betekenen zou leiden. Maar die vurige wens om een spoor van haarzelf in de eeuwigheid achter te laten had geleid tot een vurig verlangen zichzelf te herhalen, groot te brengen, te voeden, te onderwijzen, lief te hebben. Geen enkel verlangen dat bij Muriel was ontstaan, niet haar libido, honger of ambitie, kon de kracht evenaren van het gevoel dat zich na haar trouwen bij haar had gemanifesteerd. Het was alsof haar hart werd voortgedreven door een groot draaiend rad – waaronder het na verloop van tijd werd vermorzeld. Ze leefde met het ontbreken, een vorm van rouw, die tot haar laatste dag zou voortduren.

Larry luisterde betrokken; zijn blauwe ogen bleven stil. Ten slotte zei hij: 'Nou, je krijgt mijn stem, Muriel. Ik wil dat je hoofdaanklager wordt. Het is namelijk belangrijk voor me dat je krijgt wat je wilt.' Hij keek haar vastberaden aan. Het was een prettige ontdekking dat hij zo van ganser harte haar vriend bleef.

Ze kibbelden over de rekening, maar Larry stond erop om te betalen. Hij herinnerde haar eraan dat ze zelf had gezegd dat hij rijk was. Daarna wandelden ze tussen de lunchpauzegangers naar het federale gerechtshof. Kenton Harlow, de president van het districtshof, had zichzelf de zaak toebedeeld in plaats van die af te schuiven op een van de andere rechters in het hof. De procedurele gang van zaken was trouwens toch bizar, een indirect gevolg van de recente pogingen van het Congres om de eindeloze opmars van beroepszaken en chicanes voorafgaand aan een executie te bekorten. Het hof van appèl, dat nooit getuigen in persoon hoorde, had zich niettemin het recht voorbehouden bewijsmateriaal te toetsen dat in de beperkte periode voor herziening was vergaard en zelf te beslissen of de zaak moest doorgaan, een functie die traditioneel aan de rechters van het districtshof was voorbehouden. Niemand die Muriel had gesproken, had ooit zoiets meegemaakt als de gang van zaken in deze zaak.

De president behandelde de zaak in de zogenaamde ceremoniële rechtszaal. Gezien de hoeveelheid bruin marmer achter zijn verhoging leek de grote zaal eerder een kapel. Maar Muriels aandacht werd al snel door iets anders opgeëist. Op de voorste rij notenhouten banken zaten diverse vertegenwoordigers van de media op de felrode kussens, en niet alleen de overwerkte vaste rechtbankverslaggevers, maar ook mensen van de televisie. Stanley Rosenberg van Channel 5, Jill Jones, een paar anderen – en twee tekenaars. Er kon maar één reden voor de aanwezigheid van dit gezelschap zijn: Arthur had ze getipt dat er sensatie te verwachten was.

Ze greep Larry's arm zodra ze dat besefte en fluisterde hem een term uit zijn tijd in Vietnam toe om hem de ernst van de situatie duidelijk te maken.

'Inkomend vuur,' zei ze.

15

12 JUNI 2001

Erno's getuigenverklaring

'Wilt u uw naam zeggen en uw achternaam spellen voor het verslag?'

'Erno Erdai,' zei hij en noemde de letters op.

Vanuit zijn stoel boven de zitplaats van de getuige herhaalde rechter Harlow Erno's achternaam om te controleren of hij het goed had. 'Ur-dai?' Echt iets voor Harlow, dacht Arthur. Hij bracht bij iedereen de beleefdheid op zijn naam goed uit te spreken, niettegenstaande het feit dat hij had vernomen dat Erno vijf mensen had neergeschoten, van wie er vier het niet hadden overleefd.

Rechter Kenton Harlow werd vaak beschreven als 'een Lincolnachtige verschijning'. Hij was mager en een meter negentig, met een smalle baard en forse, imposante trekken. Hij had een directe stijl en was de constitutionele idealen uit volle overtuiging toegedaan. Maar de vergelijkingen met Lincoln kwamen niet uit de lucht vallen. Hij was het evenbeeld waarnaar de volwassen Harlow wilde leven. De kamer van de rechter was versierd met een keur aan Lincoln-memorabilia, van eerste drukken tot de biografie van Carl Sandburg en talrijke bustes en maskers van Eerlijke Abe, van jong tot oud. Als jurist, docent, befaamd deskundige op het gebied van de grondwet en als ondersecretaris van Justitie in de regering-Carter had Harlow het credo vervuld dat hij aan Lincoln toeschreef: vertrouwen in de wet als bloem van het humanisme.

Arthur begon Erno inleidend te verhoren. Erdai was al magerder dan toen Arthur hem drie maanden eerder in de gevangenis had bezocht en zijn longfunctie was verder afgenomen. Aan Erno's voeten had het rechtbankpersoneel een zuurstoftank neergelegd en hij had een doorzichtig slangetje in zijn neus geklemd. Niettemin maakte Erno een opgewekte indruk. Hoewel Arthur hem had verzekerd dat het niet nodig was, had Erno erop gestaan een pak te dragen.

'Pro forma, edelachtbare.' Aan de aanklagerstafel was Muriel opgestaan om haar bezwaren tegen de gang van zaken te herhalen. Arthur had Muriel een keer of tien over Rommy's zaak gebeld, maar hij had haar al een paar jaar niet meer in persoon gezien. Ze droeg haar jaren elegant. Dat lijkt altijd zo bij slanke mensen, dacht Arthur. Ze had wat grijs in haar strak weggestoken zwarte haar, maar ze gebruikte nu make-up, niet zozeer om haar leeftijd te maskeren, veronderstelde hij, maar omdat ze als prominente figuur zo vaak werd gefotografeerd.

Als collega-aanklagers waren Muriel en hij elkaars gelijke geweest en Arthur stelde zijn connectie met haar op prijs, zoals met zijn meeste oud-collega's. Het stemde hem bedroefd dat ze hem na vandaag zou zien zoals aanklagers de meeste strafpleiters zagen: de zoveelste nette vent wiens ziel was geroofd door de vampieren wier belangen hij behartigde. Maar zijn plicht tegenover Rommy had Arthur weinig keus gelaten. Hij had Muriel niet kunnen vertellen wat er in de lucht hing zonder het risico te lopen dat ze uitstel zou hebben geëist om de beweringen van Erno te kunnen toetsen, in de hoop dat Erno te ziek zou worden om te kunnen getuigen, of zelfs dat hij onder druk zijn verklaring zou intrekken.

Met een opgewektheid die naar Arthurs gevoel deels voortkwam uit haar postuur voerde Muriel aan dat Gandolph de mogelijkheden had uitgeput die de wet hem bood om te voorkomen dat hij ter dood zou worden gebracht.

'Dus u denkt, mevrouw Wynn,' zei rechter Harlow, 'dat zelfs als de politie op de hoogte was van feiten die de onschuld van de heer Gandolph onderbouwen, dat dan de grondwet – onze grondwet, de federale grondwet,' zei Harlow, ironisch implicerend dat de nationale constitutie iets heel anders was dan de wet van de jungle in de afzonderlijke staten, 'mij niet meer de tijd laat die te overwegen?'

'Zo is volgens mij de wet,' zei Muriel.

'Tja, als u gelijk hebt,' zei de rechter, 'dan hebt u heel weinig te verliezen door te luisteren naar wat de heer Erdai te zeggen heeft.' Harlow, altijd de beste jurist in de rechtszaal, glimlachte welwillend. Hij vroeg Muriel weer te gaan zitten en droeg Arthur op zijn volgende vraag te stellen.

Hij vroeg waar Erno nu verbleef.

'Op de verpleegafdeling van de penitentiaire inrichting Rudyard,' antwoordde Erno.

'En wat is de reden dat u daar bent ondergebracht?'

'Ik heb een longcarcinoom in het vierde stadium,' zei Erno tegen de rechter. 'Ik heb nog een maand of drie.'

'Het spijt me dat te horen, meneer Erdai,' zei Harlow. Uit gewoonte keek de rechter zelden op van zijn aantekeningen en zelfs op dit ogenblik van medeleven week hij niet van zijn gewoonte af. Arthur had in diverse andere grote zaken voor Harlow gestaan en de rechter had vaak zijn waardering laten merken voor Arthurs bescheiden stijl en zijn ijver. Arthur had enorme bewondering en waardering voor Harlow, in wiens werk hij zich als student had verdiept. De rechter was een groot man. Hij was ook vaak weerbarstig. Hij kon kortaangebonden zijn en schoot soms uit zijn slof. Hij was een ouderwetse liberaal, opgegroeid in de crisistijd, en hij beschouwde iedereen die zijn democratische gemeenschapszin niet deelde als een ondankbare hond of een graaier. Al jaren voerde Harlow strijd met de veel behoudender hoven van appèl, betreurde hun terugdraaien van zijn uitspraken en probeerde vaak hun te slim af te zijn. Arthur had van dat permanente conflict geprofiteerd ten behoeve van Gandolph. Harlow maakte geen geheim van zijn wrevel over de nieuwe verordeningen die het hof van appèl, in plaats van rechters op Harlows niveau, het recht gaven in doodstrafzaken elkaar opeenvolgende bezwaarprocedures af te kappen. Als gevolg daarvan was Harlow direct te vinden geweest voor Arthurs voorstel dat Harlow Erno's geloofwaardigheid zou toetsen, omdat traditioneel bezien het hof van appèl Arthurs bevindingen niet kon negeren. Hierdoor kreeg Harlow goeddeels de macht terug om te beslissen over de vraag of de zaak opnieuw in behandeling moest worden genomen.

'Bent u ooit veroordeeld in verband met een misdrijf?' vroeg Arthur aan Erdai.

'Jawel. Vier jaar geleden heb ik in een horecagelegenheid ruzie gekregen met een man naar wie ik ooit onderzoek had gedaan en dat eindigde ermee dat ik hem in de rug schoot. Hij was met een vuurwapen naar me toe gekomen, maar ik had hem niet moeten neerschieten. Gelukkig was het schot niet fataal, maar ik heb schuld bekend en tien jaar gekregen.' Erno had de microfoon, die een zwart geworden onkruidpeul op een steel leek, tegen zijn lippen aan getrokken. Zijn stem klonk hees en hij vergat soms adem te halen, zodat hij regelmatig moest pauzeren. Maar hij leek kalm. Nu hij langzaam en vormelijk sprak, was Erno's lichte keelaccent, dat in de verte aan Dracula herinnerde, iets geprononceerder dan wanneer hij praatte zoals hij liever deed: als de stoere bink uit Kewahnee.

Arthur ging door met het verkennen van Erno's achtergrond, van zijn geboorte in Hongarije tot zijn werkzaamheden voor TN Air. Harlow maakte geconcentreerd aantekeningen. Toen hij klaar was om met de zwaarwegende punten te komen, keek Arthur naar Pamela aan de strafpleiterstafel om te zien of hij niets had overgeslagen. Zich verheugend op wat zou komen schudde Pamela nauwelijks zichtbaar van nee. Eigenlijk had Arthur met haar te doen. In haar eerste jaar in het vak zou Pamela een overwinning meemaken die ze misschien nooit zou kunnen evenaren. Hierna was het mogelijk dat Pamela nooit tevreden zou zijn met wat andere advocaten bevredigde. Maar datzelfde zou ook voor Arthur kunnen gelden. Hij merkte dat hij er genoegen aan beleefde dat zijn volgende vraag een keerpunt in zijn leven kon betekenen. En dus stelde hij hem.

'Als u uw aandacht richt op 4 juli 1991, meneer Erdai, kunt u ons dan vertellen wat u in de nachtelijke uren hebt gedaan?'

Erno verschoof iets aan het slangetje in zijn neus. 'Luisa Remardi, Augustus Leonidis en Paul Judson doodschieten,' zei hij.

Arthur had gedacht dat er rumoer zou ontstaan, maar het bleef stil in de zaal. Harlow, die een computerscherm voor zich had waarop het rechtbankverslag verscheen, keek zowaar op nadat hij de woorden voorbij had zien vliegen. Hij legde zijn pen neer en trok aan zijn kaak. Van onder zijn borstelige wenkbrauwen, als slordig gebouwde vogelnestjes, bleef zijn blik op Arthur rusten. De rechter veroorloofde zich niet meer dan een neutrale blik, maar de intensiteit leek bewondering uit te drukken. Een dergelijke getuigenis uiten aan de vooravond van een executie: dat was, in Harlows opvatting, het toppunt van waar het juridische beroep voor stond.

'U mag nog een vraag stellen,' zei de rechter tegen Arthur.

Er was er maar één mogelijk.

'Heeft Romeo Gandolph bij die moorden een rol gespeeld?'

'Nee,' zei Erdai effen.

'Was hij aanwezig?'

'Nee.'

'Heeft hij aan de voorbereiding deelgenomen of bij de moorden geholpen?'

'Nee.'

'Heeft hij u na afloop geholpen het misdrijf op enige wijze te verbergen?'

'Nee.'

Arthur laste een pauze in voor het effect. Eindelijk was er beroering achter in de zaal: twee verslaggevers vluchtten de gang op waar ze hun mobieltjes mochten gebruiken. Arthur overwoog te kijken hoe Muriel reageerde, besloot dat het als leedvermaak kon worden opgevat en vermeed in haar richting te kijken.

'Meneer Erdai,' zei Arthur, 'Ik wil graag dat u in uw eigen woorden vertelt wat er op de vierde juli 1991 is gebeurd, wat eraan vooraf is gegaan en wat zich afspeelde in restaurant Paradise. U kunt er alle tijd voor nemen. Vertelt u de rechter hoe u zich de gebeurtenissen herinnert.'

Krachteloos legde Erno zijn hand op het hekje om naar Harlow op te kijken. Zijn grijze pak, te dik voor de weersomstandigheden, was hem te wijd.

'Er was een meisje,' zei hij, 'dat op het vliegveld werkte. Luisa Remardi. Grondstewardess bij de boeking. Niet om kwaad te spreken van een dode, maar ze was eigenlijk een hoer. En ik was zo onverstandig om met haar aan te pappen. Weet u, het ging me om de kick, edelachtbare, maar ik tippelde erin. Zodra dat was gebeurd, merkte ik dat ze het niet nauw nam. En daar raakte ik bloedlink van, dat geef ik toe.' Erno pakte de knoop in zijn das vast om hem iets losser te maken, terwijl Harlow, in zijn hoge leren stoel, zijn bril op zijn vloeiblad liet vallen om Erdai ongehinderd te kunnen bekijken. Erno haalde diep adem en ging verder.

'Dus ik begon haar in het oog te houden. En natuurlijk zag ik op een avond wat ik al had gedacht. Het moet op 3 juli zijn geweest. Luisa ging naar een kerel toe op het parkeerterrein, een ver donker hoekje, en ze, nou ja, ze bediende hem zo in zijn wagen. Daar kunt u aan merken dat ik bloedlink was. Ik heb van begin tot eind staan kijken. Elke deining van de wagen. Wel veertig minuten.'

Erno was nu op dreef en Arthur onderbrak hem niet graag, maar de bewijsregels lieten hem geen keus.

'Kunt u vertellen wie de man bij mevrouw Remardi was?'

'Geen idee. Het kon me niet veel schelen wie het was. Alleen dat ze op de springstok van een ander wipte.' Er werd gegrinnikt en Erno keek snel op naar boven. 'Sorry, edelachtbare.'

Harlow, die in privéomstandigheden graag een schuine bak vertelde, maakte een wegwerpend gebaar.

'Dus eindelijk had ze er genoeg van en toen reed ze weg en ik er achteraan. Ze rijdt naar Gus. Zijn restaurant. Paradise. En ik ga achter haar aan naar binnen. Het werd natuurlijk bonje. Ik maak haar voor slet uit en zij schreeuwt terug dat ze niet van mij is, dat ik goddorie getrouwd ben, dat voor haar niet iets anders geldt dan voor mij. U kunt het zich indenken.' Erno schudde zijn bleke gezicht en keek naar het notenhouten hekje terwijl hij aan de treurige gebeurtenis terugdacht.

'Natuurlijk kwam Gus erbij. Hij had zijn personeel vrij gegeven voor de vierde juli, dus hij was alleen. Hij komt naar me toe en zegt dat ik moet opdonderen en ik zeg dat hij de tering kan krijgen. Op dat punt grijp ik Luisa om haar mee te trekken. Ze zet een keel op en haalt naar me uit en opeens is Gus er weer bij, nu met een vuurwapen. U moet weten dat ik me in die tijd niet gauw liet intimideren. En ik kende Gus. Die gaat echt niet op iemand schieten. Dat zeg ik ook tegen hem. Op dat punt graait Luisa naar het wapen. "Nee, maar ik wel," zegt ze.

En dat zou ze ook hebben gedaan. Dus ik probeer de revolver te pakken te krijgen. Ik probeer hem weg te trekken en ka-boem. Precies als in de film. Toen Gus het ding in zijn handen had, was hij vergrendeld, maar bij die worsteling... Nou ja, ze heeft een gat, precies in het midden. Er komt ook rook uit. Ze kijkt ernaar, heel verbaasd, terwijl de rook eraf slaat. Dan begint het te bloeden.

Gus begint een ambulance te bellen en ik roep: "Wacht."

"Wacht? Wat nou wacht? Tot ze dood is?" Maar ik had even tijd nodig om na te denken, edelachtbare. Om het te verwerken. Want ik zie meteen wat er gaat gebeuren. Twintig jaar heb ik voor die luchtvaartmaatschappij gewerkt en zodra hij die telefoon pakt, zie ik de koppen al voor me. Manager pakt stewardess. Hoofd beveiliging betrokken bij schietpartij. Dat kost me mijn baan. Dan kan ik met mijn vrouw elke avond gezellig thuis zitten. En dat is nog niet het ergste. Ik heb al eens eerder gedonder gehad door een ongelukje met een vuurwapen. Als ik de verkeerde aanklager tref, draai ik de bak in.

Dus wou ik een minuut, een minuutje wachten om tot mezelf te komen, want ik was zo idioot bang, eigenlijk. Als hij me nog dertig seconden gunde. Maar Gus was link. Een schietpartij in zijn restaurant. Met zijn wapen. Ik zeg nog een keer: "Wacht" en hij draait zich om en loopt naar de telefoon. En ik heb het niet meer, gewoon. Ik wil alleen even op adem komen. Ik zeg dat hij moet blijven staan. Ik zeg dat ik schiet, anders. Hij loopt door. Hij loopt gewoon door. En ik schiet hem neer. Goed schot. Goed schot,' herhaalde Erno op klaaglijke toon. 'Recht door het hoofd.

Dus ik ga terug naar de tafel. Luisa is er niet best aan toe. Die gaat doodbloeden. Maar er valt weinig aan te doen. Nu kan ik in elk geval even nadenken. En de enige keus die ik heb, is proberen eronderuit te komen. Ik kan er niets aan veranderen. Het ergste dat kan gebeuren is dat ik word gepakt. Ik moet het proberen.

Dus ik denk: ik doe of het een overval is. Ik ga terug en haal de kassa leeg. Ik neem Gus zijn horloge af, zijn ringen. Ik veeg Luisa's tafeltje af zodat er geen vingerafdrukken meer zijn. En ik weet het niet, ik geloof in een spiegel zie ik iemand aan de andere kant van het restaurant. Ik weet het niet helemaal zeker, maar het kan zijn dat er nog iemand in het restaurant was toen ik naar binnen stormde. Ik besef dat ik moet gaan kijken en ja hoor, in de verste hoek zie ik een kerel onder de tafel verstopt zitten. Gewoon een kerel. Net zo iemand als ik. Pak en das. Hij kon niet wegkomen, want ik stond tussen hem en de deur en dus was hij zo slim om zich te verstoppen, maar het is niet gelukt. Ik heb hem toch gevonden.

Ik haal hem eronderuit. Hij was toen al aan het janken en jammeren en zei hetzelfde als ik zou doen: "Maak me niet dood, ik hou mijn mond wel." Hij liet me foto's zien van zijn gezin die hij in zijn portefeuille had. Dat moet hij op tv hebben gezien. En ik zei de waarheid tegen hem. "Ik wil je niet doodmaken. Helemaal niet." Ik liet hem Gus naar beneden brengen, naar die koelcel. Luisa was inmiddels weg, dus ik liet hem met haar hetzelfde doen. Toen bond ik hem vast, die Paul, ik geloof dat ik heb gelezen dat hij zo heette. De hele tijd vroeg ik me af hoe ik hem kon laten leven. Ik dacht: misschien als hij alleen maar blind wordt, weet je, maar jezus, een vork in zijn ogen of zo, dat is moeilijker dan gewoon de trekker overhalen.

Ik wist echt niet of ik iemand op die manier kon doden. Ik bedoel: ik kan driftig zijn. Dat weet ik. Zoals met Gus. Maar iemand totaal koel doodschieten, omdat het hij of ik is?

Toen ik klein was, in Hongarije, hebben ze mijn vader vermoord toen de buren hem bij de geheime politie hadden aangegeven, en daar heb ik altijd mijn les uit getrokken. Ik heb nooit veel verwacht van anderen dan mijn familie. Je doet wat je moet doen, vond ik. Maar ik wist niet of ik dat echt geloofde. Voordien niet. Want ik schoot hem dood. Ik schoot hem recht door zijn achterhoofd en je kon zien dat het leven er bij hem gelijk uit was omdat hij languit tegen de vloer sloeg. Daarna nam ik Luisa's sieraden af en deed haar kleren anders vanwege haar bezoek aan die gast op het parkeerterrein. Ik wist niet wat er bij de sectie zou blijken.'

Hij moest weer op adem komen. Het enige geluid in de grote rechtszaal was het sissen van zijn zuurstoftank. Arthur was de enige die stond en het leek hem toe dat niemand anders had kunnen staan. Op de gezichten van de luisteraars was ontzag te lezen – misschien voor de enorme omvang van het kwaad, of het bizarre van Erno die hier zat en dezelfde woorden gebruikte als wij allemaal om handelingen te beschrijven waartoe wij nooit in staat zouden zijn. Of was dat wel zo? In die onzekerheid wachtte iedereen wat Erno nog meer zou zeggen.

'Toen ik in die koelcel was, toen het allemaal gebeurde, was ik een soort zombie. Maar later wist ik niet wat ik moest denken. Soms zag ik mensen op straat – zwervers en boeven, gasten die half geschift waren, iedereen waar je op neerkijkt – en dan bedacht ik dat niemand van die mensen zoiets had gedaan als wat ik had gedaan. Die hadden allemaal iets op me voor. Ik wachtte erop dat ik gepakt zou worden. Ik bereidde me mentaal voor op de dag dat de politie bij me zou aankloppen. Maar ik had het goed gedaan. De politie zocht overal en ze liepen elkaar voor de voeten.'

Terwijl Erno zich weer een pauze veroorloofde, keek Arthur de zaal rond hoe het hem afging. Pamela had haar lippen naar binnen gezogen en leek geen adem te durven halen om het volmaakte ritme niet te verstoren. Hij gaf haar een knipoogje en waagde het naar de aanklagerstafel te kijken, eerst naar Larry Starczek die hij in jaren niet had gezien. Arthur had overwogen een poging te doen Larry de toegang tot de rechtszaal te laten ontzeggen omdat Erno over hem zou getuigen, maar Arthur had uiteindelijk besloten dat Erdai een betere indruk zou maken als hij de confrontatie met Larry niet uit de weg ging. En die beoordeling was juist. Larry gedroeg zich niet op een manier die indruk zou maken op Kenton Harlow. Hij leek moeite te hebben zijn lachen in te houden. Hij vond de hele zaak kennelijk zo belachelijk dat hij aan humor grensde.

Naast Larry was Muriel peinzender gestemd. Ze had een briefje geschreven en haar blik kruiste die van Arthur. Hij verwachtte dat ze woedend zou zijn. Ze zou ogenblikkelijk beseffen dat Arthur haar kwetsbaarheid als toekomstige kandidaat uitbuitte. Een onschuldige veroordelen en ter dood brengen was niet het soort werkervaring dat een gunstige indruk maakte op het electoraat als er een nieuwe hoofdaanklager moest worden gekozen, en het was Arthurs bedoeling zoveel rumoer uit te lokken dat Muriel de zaak zo snel mogelijk zou willen beëindigen vanwege de publiciteit. Maar ze had altijd van het spel gehouden en Muriel boog even haar hoofd naar hem. Niet kwaad, zei ze daarmee. Niet dat ze erin geloofde. Geen ogenblik. Maar van jurist tot jurist vond ze het een knap staaltje van Arthur. Arthur hoopte dat ze respect zou zien in zijn knikje naar haar en keek weer naar Erno.

'Meneer Erdai, ik heb u dit niet eerder gevraagd. Kende u Romeo Gandolph in die tijd, in juli 1991?'

'Of ik hem kende? Ik wist wie het was, zeg maar.'
'Wat was hij dan?'
'Een strontvervelende kerel.'
Onverwacht luid gelach schalde door de rechtszaal. Iedereen was kennelijk toe aan het doorbreken van de spanning. Zelfs Harlow op zijn hoge post moest erom grinniken.
'Eekhoorn, of Rommy, was een soort zwerver. In de winter hing hij rond op DuSable als het koud was en waar hij was verdwenen er dingen. Dus mijn mensen en ik moedigden hem regelmatig aan om te vertrekken. Daar kende ik hem van.'
'Is u bekend hoe het komt dat Romeo Gandolph van dit misdrijf is beschuldigd?'
'Zeker.'
'Wilt u het hof in uw eigen woorden vertellen wat er is gebeurd?'
'Wat er is gebeurd?' vroeg Erno. Hij inhaleerde zuurstof. 'Nou ja, het is zoals de priester in Rudyard zegt. Ik heb natuurlijk een geweten. En ik heb een neef. Die heet Collins. Collins Farwell. Ik heb geprobeerd hem te helpen. Altijd al. Zijn hele leven. Ik héb me wat zorgen over hem gemaakt. En er was altijd wat met hem, dat kan ik u wel vertellen.
Nou ja, hij is dus een paar maanden nadat ik die mensen had omgelegd gepakt. Drugs. Drie-slag. Levenslang de bak in. En daar maakte ik me nogal druk over. Want aan de ene kant heb ik goddorie drie mensen omgelegd en geen centje pijn, terwijl Collins, die alleen maar de mensen heeft verkocht wat ze willen hebben, voor de rest van zijn leven achter de tralies moet. Ik weet het niet, maar dat zat me niet lekker.
En eigenlijk heb ik toch het gevoel dat ik nooit rust zou hebben als er niet iemand anders voor gestraft werd. Achteraf bezien was dat stom. Het zou altijd aan me blijven knagen. Maar indertijd dacht ik: als ik dit op iemand anders kan afschuiven, ben ik beter af, en dan is Collins ook beter af, want die moest de aanklagers iets in handen geven om onder levenslang uit te komen.'
Arthur stelde de voor de hand liggende vraag: waarom Rommy?
'Nou, meneer Raven, eigenlijk omdat ik wist dat het me met hem zou lukken. Want het draaide allemaal om die camee, dat medaillon dat bij hem was gevonden. Dat ding was van Luisa. En ik wist dat Eekhoorn het had.'
'Eekhoorn is Rommy?'
'Zo werd hij genoemd.'
'Kunt u toelichten hoe u wist dat hij die camee in zijn bezit had?'
'Dat kan ik wel, maar het is een lang verhaal. Een week of twee voor

de dood van Luisa' – Erno hees zichzelf op – 'voordat ik haar doodschoot, hield ik haar permanent in het oog, ik bespioneerde haar eigenlijk. Maar op een ochtend heel vroeg kom ik binnen terwijl zij net weg wil gaan en ik krijg de volle laag van haar over alle dieven op de luchthaven. Het komt erop neer dat ze het medaillon heeft afgedaan omdat het aan het snoer van de telefoon is blijven haken en ze heeft het op de balie neergelegd. Ze is een seconde van haar plaats en als ze terugkomt, sluipt Eekhoorn als een schaduw weg en de camee is verdwenen. Ze staat tegen mij te tieren en te huilen omdat dat ding al een eeuwtje of wat in de familie is.

Ja, wat moet je dan? Dus ik ga op zoek naar Eekhoorn. Kostte me een dag, maar toen had ik hem gevonden in een sneuvelkroeg in het North End. Natuurlijk zei hij dat hij van niets weet, maar ik zeg: "Luister, eikel, dat ding is die dame heel wat meer waard dan jij d'rvoor kan krijgen. Zorg dat het terugkomt, dan stoppen we je wat toe en doen er verder niet moeilijk over."

Natuurlijk dacht ik daar niet meer aan nadat ik haar had doodgeschoten, alleen stond er in de krant dat de dader die camee heeft meegenomen, wat natuurlijk gelul was. Ik maakte eruit op dat Luisa niet aan haar mama mia had opgebiecht dat ze het erfstuk was kwijtgeraakt. Weet u, er zijn altijd veel dingen waarvan de politie denkt dat ze waar zijn, terwijl het niet zo is.' Erno keek heel even naar Larry en morrelde weer aan zijn zuurstoftoevoer. Hij begon er moe uit te zien.

'Het zal eind september zijn geweest dat ik Eekhoorn op het vliegveld tegenkwam. Ik denk niet dat hij wist hoe ik heette, maar hij wist wel dat ik hem geld had beloofd. "Ik heb dit hier nog," zegt hij en haalt de camee uit zijn zak. Open en bloot in de terminal. Ik dacht dat mijn hart uit mijn lijf zou vallen en door mijn broekspijp gaan, van de schok gewoon, want dat ding was in de media geweest en ik wou er niets mee te maken hebben. Ik zei tegen hem dat ik zou kijken voor het geld en smeerde hem of hij de tyfus had.

Naderhand ging ik denken: misschien had ik me wel verraden door er zo vandoor te gaan. Misschien had ik hem moeten laten aanhouden en afvoeren alsof hij een boef was. Dat idee beviel me wel en ik begon de weg te bereiden, zeg maar, door met vrienden bij de politie te praten en te doen alsof ik interesse in Eekhoorn had omdat hij overlast gaf op het vliegveld. Toen ik eenmaal te weten was gekomen dat hij ook gedonder met Gus had ging ik er serieus over denken om, zeg maar, hem ervoor te laten opdraaien. Misschien had ik het niet gedaan als Collins niet in de stront was gezakt en Rommy leek toen de oplossing voor alles.

Collins wist niet beter of Rommy was de dader. Ik vertelde hem dat ik navraag had gedaan naar Rommy, en ik liet het Collins een beetje aankleden en doorgeven om uit de klem te komen. Ik zei tegen Collins dat ik de politie langs zou sturen en dat hij er zo goed mogelijk uit moest zien te komen – volhouden dat hij geen getuige wilde zijn, want ik wist niet zeker hoe goed Collins het als getuige zou doen. Daarna loerde ik op een kans om de hele zaak voor te leggen aan een rechercheur, wat Larry Starczek bleek te zijn die een dag of twee later op de luchthaven bij me langskwam.'

Erno tilde zijn hand op om Larry in de rechtszaal aan te wijzen. Na deze uiteenzetting over hoe hij was misleid leek Larry zich eindelijk af te vragen of het mogelijk was.

'De rest is bekend,' zei Erno.

Het bleef weer stil terwijl Arthur zijn aantekeningen raadpleegde. Hij zou doorgaan met Erno's brieven aan Larry en Gillian, maar Erno stak zijn hand op die – door zijn ziekte of de spanning – licht trilde.

'Mag ik iets zeggen, edelachtbare?' Hij hoestte weer, een schurend geluid in de stille rechtszaal. 'Het zal wel niet zo belangrijk zijn, maar ik wil graag dat u dit weet, omdat het iets is waar ik altijd rekening mee houd. Mijn neef? Hij is na vijf jaar vrijgekomen. Omdat hij Eekhoorn heeft verlinkt. Maar hij is nu echt serieus geworden. Hij is helemaal in Jezus, wat wel ver gaat, maar hij heeft een vrouw, hij heeft twee kinderen, hij heeft een bedrijfje. Ik heb hem een kans gegeven – meer dan één kans – maar die heeft hij eindelijk met beide handen aangepakt. Dus bij alle ellende die ik heb veroorzaakt is dat er ook. Daar moet ik vaak aan denken. Daar denk ik heel veel aan.'

Harlow verwerkte deze verklaring net als de andere neutraal, in een stemming van ernstige overweging. Arthur wist dat het uren zou duren voordat de rechter alle bijzonderheden kon hebben verwerkt. Maar hij had nog een vraag. Harlow richtte zich eerst tot Muriel om te vragen of ze een vraag van het hof wilde toestaan. Ze antwoordde dat ze zelf diverse vragen te stellen had, maar de rechter graag voor zou laten gaan. Dat was het soort vormelijkheid dat de rechter als kunstvorm beschouwde. Hij gunde haar een lachje voordat hij zich tot Erno richtte.

'Voordat u vertrekt, meneer Raven, wil ik mij ervan vergewissen dat ik de getuigenverklaring van meneer Erdai goed heb begrepen. Meneer: voor zover ik het begrijp dacht u meneer Gandolph de daderschap in de schoenen te schuiven?'

'Zo moet je het helaas wel noemen,' zei Erno. 'Ik bedoel: het was een noodgreep, edelachtbare. Ik heb gedaan wat ik kon voor die jongen, maar er was geen garantie. Ik weet genoeg van hoe het hier toegaat om te weten dat Collins er alleen door zou rollen als Rommy zou doorslaan.'

'Ja, dat is wat ik me afvraag. U had berekend dat u dat zou kunnen bereiken door de politie de tip te geven over de camee die Gandolph in zijn zak had. Zo is het toch? Dat is toch niet sterk? Stel dat Gandolph een alibi heeft. Of kan uitleggen hoe hij aan de camee is gekomen.'

'Dat had misschien wel gekund. Ik had natuurlijk nooit zijn verklaring voor de camee bevestigd. En u vergeet dat hij ook slaande ruzie met Gus had. Maar ik wist toch wel vrij goed hoe het zou lopen.'

'Wat wilt u daarmee zeggen?'

'Wat ik daarmee wil zeggen? Dat ik dacht dat ik vroeg of laat zou horen dat Rommy had bekend.'

'Dat hij een misdrijf had bekend dat hij niet had gepleegd?'

'Ja maar, moet u horen.' Erno stokte weer; zijn borst en schouders schokten heftig. Er lag een vaag lachje op zijn gezicht. 'Edelachtbare, ik ken de wereld. Een zaak is in de publiciteit en er is een schooier met het sieraad van een van de slachtoffers in zijn zak en een motief om een ander slachtoffer uit te schakelen. Ik bedoel maar,' zei Erno en hief zijn bleke gezicht naar de rechter, 'we leven toch niet in Shangrila?'

16

12 JUNI 2001

Terug naar het hof

Het oude federale gerechtsgebouw, driehoekig met een zuilengang van gecanneleerde Corinthische pilaren, was onderdeel geweest van het oorspronkelijke bouwplan voor Center City in DuSable, de blikvanger op een breed plein dat Federal Plaza heette. Terwijl Gillian zich over de granieten looppaden spoedde, namen duiven met hun glanzende koppen nauwelijks de moeite op te vliegen en de luchtstroom uit een rooster van de metro deed de zoom van haar rok opwaaien. Het openbaar vervoer in Kindle County had zijn reputatie weer eens waargemaakt: ze had veel te lang op haar bus moeten wachten.

Twee dagen eerder had Arthur Raven opgebeld om zich te verontschuldigen, zoals hij zo vaak deed. Hij en zijn jonge assistente waren tot de conclusie gekomen dat Gillian ter zitting zou moeten verschijnen, als het enigszins mogelijk was. Ze wilden dat ze aanwezig zou zijn voor het geval het noodzakelijk was de echtheid aan te tonen van de brief die Erno Erdai haar had gestuurd, of om te bevestigen dat ze die eind maart had ontvangen, voordat het nieuws van Arthurs opdracht bekend werd, een gebeurtenis die Erdai ertoe kon hebben aangezet om met een verzinsel aan te komen. Het was een beetje overijverig van Arthur, maar ze had minder onwillig op zijn oproep gereageerd dan ze had kunnen verwachten.

Ze haastte zich naar boven over de prachtige centrale trap in het gerechtsgebouw, een wijde spiraal van albast, en probeerde vergeefs niet te denken aan de laatste keer dat ze hier was geweest. Dat was op 6 maart 1995 geweest. Alle processen tegen andere corrupte advocaten en rechters tegen wie Gillian eventueel zou kunnen getuigen waren zonder haar afgedaan. Haar dienst aan de overheid was voorbij. Verscheidene jonge federale aanklagers hadden in het proces tegen haar verklaringen afgelegd over Gillians nuchterheid en bereidheid tot samenwerking en haar advocaat had om een mild vonnis gevraagd. Moira Winchell, die hier president was geweest voordat zij door Kenton Harlow was opgevolgd, was een ijzig toonbeeld van deugdzaamheid vergeleken bij Gillian en had haar tot zeventig maanden veroordeeld. Het was zeker een jaar, misschien wel twee jaar meer dan ze had verwacht gezien de federale richtlijnen, zeker in het licht van haar samenwerking met de aanklagers. Toch had Gillian zelf duizenden vonnissen gewezen, zelden met de absolute zekerheid dat ze alle factoren perfect had afgewogen; en tot haar eigen blijvende verbazing had ze de behoefte gevoeld zich na de uitspraak tot rechter Winchell te richten met de woorden: 'Ik begrijp het.'

Op de bovenverdieping keek ze even door de raampjes in de met leer beklede klapdeuren voor de grote rechtszaal van de president. Binnen omklemde Erno Erdai, die een zuurstofslangetje in zijn neus had, het houten hekje. Op een verhoging die tussen de marmeren zuilen wel een doopvont leek, bestudeerde Kenton Harlow de getuige met een vinger naast zijn lange neus. Ze voelde een behoefte, die ze snel onderdrukte, om naar binnen te gaan en op de publieke tribune te gaan zitten. Een eventuele getuige hoorde niet in de rechtszaal. Zelf hoorde ze daar evenmin. Maar haar tocht naar Rudyard met Arthur had haar tot in haar wilde dromen achtervolgd. Onder invloed daarvan had ze Duffy die ochtend voor ze wegging verteld dat ze erg benieuwd was wat Erno zou zeggen, welke indruk zijn verklaring op de Tri-Cities zou maken en dus ook op haar.

Bijna een uur lang had ze aan de andere kant van de marmeren gang in het kamertje voor getuigen zitten wachten, lezend over de Peloponnesische oorlog, toen door het plotselinge rumoer op de gang duidelijk werd dat de zitting was geschorst. Uit gewoonte stond ze op om in het spiegeltje aan de muur te kijken, trok de schouders van haar donkere pakje recht en hing de grootste parel in haar collier precies in het midden. Tien minuten later kwam Arthur Raven binnen. Hij keek even ernstig als altijd, maar hij had iets lichts waarom Gillian hem benijdde. Arthur genoot van zijn triomf.

Hij begon met excuses. Muriel had rechter Harlow zojuist omstandig verteld dat ze zo overrompeld was dat ze vierentwintig uur uitstel wilde om zich te kunnen voorbereiden op haar kruisverhoor van Erdai.

'Wou je zeggen dat ik morgen terug moet komen?' vroeg Gillian.

'Helaas. Ik kan Muriel wel vragen of ze je wil laten getuigen, maar eerlijk gezegd denk ik niet dat ze me op dit ogenblik in haar plannen wil inwijden. Rancune.'

De eeuwige strijd en de littekens. Gillian wist het nog.

'Ik kan je een tweede oproep geven als je die nodig hebt voor je werk,' bood Arthur aan.

'Nee, mijn chef begrijpt het wel.' Ralph Podolsky, de man die haar had aangenomen, was de jongere broer van Lowell Podolsky, een voormalige letselschadeadvocaat die bij hetzelfde schandaal als van Gillian in ongenade was gevallen. Ralph had niets over zijn broer gezegd tot haar eerste werkdag en was daarna nooit op het onderwerp teruggekomen.

Gillian pakte haar tas. Arthur bood aan haar ongemerkt naar buiten te loodsen, buiten het zicht van de verslaggevers die Muriel in de tang hadden genomen. In de lift vroeg ze hoe het met Erno Erdai was gegaan.

'Verbazend,' zei Arthur.

'Heeft Erno het goed gedaan?'

'Ik vond van wel.'

'Je ziet er stralend uit.'

'Ik?' Het leek hem te choqueren. 'Ik heb alleen de last gevoeld. Het is niet gewoon verliezen als de cliënt door jouw fouten ter dood wordt gebracht. Ik word elke nacht drie keer wakker. Deze zaak is het enige waar ik aan denk. Weet je, ik ploeter al jaren voor dollars – commerciële zaken, grote bedrijven die elkaar de schuld gaven van mislukte transacties. De meesten van mijn cliënten vind ik aardig, ik wil graag dat ze winnen, maar meer is het ook niet. Als er nu iets misgaat, zal ik het gevoel krijgen dat iemand het licht uit het universum heeft opgeslokt.'

De liftdeur schoof open. Arthur wees haar een gang die ze in haar eentje nooit zou hebben gevonden en liep achter haar aan de straat op, beducht voor krantenmensen. Hij vertelde dat hij zijn eerste interviews op zijn kantoor aan de twee voornaamste tv-zenders had beloofd. Morton was drie straten verderop, op weg naar Arthurs kantoor in het IBM-gebouw, en hij liep naast haar.

'Wat vond de rechter van Erno?' vroeg ze. 'Enig idee?'

'Ik denk dat hij hem geloofde. Het voelde bijna of hij niet anders kon.'

'Of hij niet anders kon?'

'Door de stemming in de zaal.' Arthur dacht eraan terug. 'Het verdriet,' zei hij. 'Erno vroeg niet om medelijden omdat hij vreselijke dingen had gedaan. Maar in elk woord klonk bedroefdheid door.'

'Ja, verdriet,' zei Gillian. Misschien had ze Erno daarom willen horen. Er waren weinig voetgangers; de avondspits was nog niet begonnen. Het was zacht weer, opvallend zonnig, en ze liepen afwisselend in het licht en in de diepe schaduwen van de hoge gebouwen aan Grand Avenue. Gillian pakte haar zonnebril uit haar tas en merkte dat Arthur schattend naar haar keek.

'Jij hebt niet gedaan wat hij deed, hoor,' zei hij. 'Het was geen moord.'

'Nou, daar kan ik me dan op beroemen.'

'En je hebt ervoor geboet.'

'Ik zal je de verschrikkelijke waarheid vertellen,' zei ze. Ze was zich ervan bewust dat ze met Arthur opnieuw een pad bewandelde dat ze met andere mensen niet wilde betreden, maar Arthur Raven kon je niet met subtiliteit of vaagheid afschepen. Hij huilde als hij verdriet had en kon in een andere stemming lachen als een kind. Hij was duidelijk, zijn goedheid was duidelijk en het contact met hem vroeg om dezelfde directe reacties. Dat was voor Gillian nooit gemakkelijk en in Rudyard had het haar verbaasd hoe dicht bepaalde emoties – een peilloos diep gevoel van verlies, met name – in zijn gezelschap onder de oppervlakte hadden gelegen. Maar inmiddels had hij bewezen betrouwbaar te zijn.

'Het is niet wat ik heb gedaan wat ik het ergst vind, Arthur. Je zult dit verkeerd opvatten en dat neem ik je niet kwalijk, maar ik geloof niet dat het geld van invloed is geweest op de uitspraken in die zaken. Niemand kan het met zekerheid zeggen, vooral ik niet, en daardoor is wat ik deed zo geniepig. Maar het was een systeem, Arthur, bijna zoals de belastingen. De advocaten werden rijk, dus de rechters hadden recht op een deel. Ik heb nooit welbewust een zaak de verkeerde kant op gestuurd, niet uit fatsoen maar omdat niemand me dat vroeg. Niemand van ons wilde argwaan wekken. Ik schaam me voor de toestand waarin ik in die jaren verkeerde. En voor het gigantische beschamen van vertrouwen. Maar je hebt gelijk, de jaren achter de deur lijken daarvoor een redelijke boetedoening. Wat aan me vreet is dat het zo zonde is.'

'Wat is zonde?'

'Dat ik de kansen die ik in mijn leven heb gekregen niet goed heb gebruikt.'

'Hoor eens, je hebt nog alle tijd om een nieuw leven te beginnen. Als je jezelf dat toestaat. Je hebt toch altijd al je eigen tempo aangehouden.'

Ze lachte hardop, omdat het zo'n rake opmerking was. Ze leefde in een universum parallel aan, maar niet samenvallend met dat van anderen. Gillian-tijd liep wat sneller dan gewone tijd. Ze was al op haar negentiende van *college* gekomen, had een jaar gewerkt om voor haar rechtenstudie te sparen, was op haar drieëntwintigste afgestudeerd aan Harvard en naar Kindle County teruggekomen. Eigenlijk was ze nooit weggegaan, omdat ze drie jaar bij een nicht van haar vader in Cambridge had gewoond. Ze had naar Wall Street kunnen gaan, naar Washington D.C. of zelfs naar Hollywood. Maar als dochter van een politieman vond ze aanklager voor Kindle County worden de vervulling van haar hoogste ambitie.

Bij dat alles was de bepalende factor haar wil geweest. In de stroming van de tijd had ze zichzelf als existentialist beschouwd: een project uitkiezen en nastreven. Het was schokkend dat de wil zo uit de mode was geraakt. Amerikanen beschouwden zichzelf tegenwoordig als zo slap als zacht asfalt, meedogenloos platgewalst door hun vroegste jeugd. Maar misschien was dat beter. Toen zij eenmaal was gaan gebruiken, had ze haar wil zo hoog aangeslagen dat ze in haar eigen ogen een Nietzsche-figuur was geworden, een Napoleontische Supervrouw met de moed zichzelf buiten de conventie te plaatsen. Pas jaren later had ze in een cel beseft dat het angst was die haar afkeer van de burgerlijke moraal had gevoed, het besef hoe verpletterend ze vanuit een strenge moraal over zichzelf zou hebben geoordeeld.

'Mensen overleven allerlei ellende, Gillian. Ik heb mensen in de familie die jaren in Dachau hebben overleefd. En die zijn doorgegaan. Die zijn hier gekomen, hebben gordijnen verkocht, zijn gaan kegelen en hebben hun kleinkinderen zien opgroeien. Ik bedoel: je gaat door.'

'Ik heb het mezelf aangedaan, Arthur. Ik heb geen natuurramp doorgemaakt of een toppunt van menselijke perfiditeit.'

'Je bent meegesleurd. Ik bedoel: jezus, wat doe je hier? Je lijdt of je straft jezelf of je beleeft opnieuw de bizarre psychologische shit die je al hebt doorgemaakt. Ik bedoel: het is voorbij. Je bent anders geworden.'

'Is dat zo?' Dit moest worden uitgediept.

'Je bent gestopt met drinken. Ik was doodsbang voor die eerste ontmoeting omdat ik dacht dat ik je half aangeschoten zou aantreffen. Maar nee, je bent nuchter. Dus vat moed. Ga verder. Schroef je ambities op. Drie keer per week zie ik als ik de krant opensla de naam van iemand die ik heb vervolgd toen ik fraudezaken deed, en meestal zitten ze midden een grote transactie.'

'En jij vindt dat idioten.'

'Nee, ik vind dat ze doen waarop ze het recht hebben. Doorgaan. Ik hoop maar dat ze nu wijzer zijn. Bij sommigen is dat zo. Bij anderen niet. Als ze het nog eens doen, dan vind ik het idioten.'

Ze was niet helemaal overtuigd, maar het was roerend dat hij zo zijn best deed.

'Heb ik al gezegd dat je erg aardig voor me bent, Arthur?'

Hij keek met iets toegeknepen ogen tegen de late middagzon naar haar. 'Is dat tegen de voorschriften?'

'Het is vreemd voor me.'

'Misschien denk ik dat we dingen gemeen hebben.'

Altijd als ze Arthur zag moest ze terugkomen op die uitglijder van haar in het restaurant. Daardoor was een opening gecreëerd, terwijl haar opmerking bedoeld leek om alle openingen af te sluiten. Hij bleef volhouden dat ze verwante zielen waren, terwijl zij bleef betwijfelen of er überhaupt enige gelijkenis was. Ze waardeerde Arthur. Afgezien van Duffy, die nooit echt had meegeteld, had ze zich afzijdig gehouden van advocaten. Ernstige advocatengesprekken, echt contact, serieus praten over motieven en betekenissen, met iemand die tot de kern kon doordringen – daar had ze veel behoefte aan. Maar dat leek haar het enige dat ze gemeen hadden.

Ze stonden voor de deur van Morton. Het gebouw, ontworpen door een beroemde architect die een leermeester van Frank Lloyd Wright was geweest, was het voorbeeld dat de leerling de andere richting had doen inslaan. De buitenkant was imposant, met diepe reliëfs in de metalen pui en zeven meter hoge glazen deuren gevat in versierd messing. De deurknoppen hadden de vorm van druiventrossen, gepolijst door de aanraking van duizenden die elke dag naar binnen gingen. Ze glommen in het helle middaglicht. De cosmetica-afdeling was net voorbij de ingang.

'Mijn post.' Ze wees. Lange tijd had ze niet in het warenhuis in Center City willen werken, waar ze geregeld werd herkend, maar nu de zomervakanties begonnen, had Ralph haar twee dagen in de week hier nodig.

'Vind je het een prettige baan?'

'Nou ja, ik ben blij dat ik werk heb. In de gevangenis wordt dat als een voorrecht beschouwd. En dat blijkt het ook te zijn. Ik zag een advertentie en het leek een geschikte plek om te beginnen.'

Het had haar leuk werk geleken, hoewel zelfs haar belangstelling voor mode nooit oppervlakkig was geweest. In de loop van de jaren had ze talloze uitspraken over mode gehoord die haar diep hadden getroffen, als volmaakte wijsheden uit het evangelie of Shakespeare. 'Mode raakt dicht aan de ziel.' 'Mode is evenzeer een onderdeel van het leven als seks.' Voor haar was het simpel: zorg in élk geval dat je er goed uitziet. Het was deels maskerade, deels kinderspel, deels gevoeligheid voor het oordeel van anderen en meer dan wat ook het verrukkelijke gevoel dat je die opvattingen kon vormen. Het sloeg nergens op – net zomin als dat belachelijke en zich telkens herhalende kleine-jongetjesgedrag met ballen en stokken waaraan mannen zich overgaven – maar heel veel vrouwen, al dan niet in toom gehouden door cultuur of instinct, hunkerden naar schoonheid en beoordeelden elkaar op hun inspanningen. Zelf had ze zich inmiddels uit de concurrentie teruggetrokken. In vergelijking met de beeldschone jonge vrouwen die van hun fitnessclub naar haar toonbank kwamen, was Gillian nu een 'voormalige schoonheid', woorden met dezelfde treurige bijklank als 'voormalig sportman'. Maar in het contact met haar klanten vond ze het elke dag een opluchting dat ijdelheid veel minder dominant in haar leven was geworden. IJdelheid had ze als een onderdeel van haar ondergang beschouwd.

'Je zult het wel oppervlakkig vinden, Arthur.'

'Och...'

'Je mag het best zeggen. Dat is het juiste woord. Het is per definitie iets cosmetisch.'

'Je zou kunnen zeggen dat ik er niets mee heb. Ik bedoel: zelfs lelijke mensen hebben hun instincten, maar je moet met jezelf leren leven.'

'Och kom toch, Arthur!' Het deed haar vaak pijn dat Arthur zo'n geringe dunk van zichzelf had. 'Aantrekkelijkheid bij een man op zekere leeftijd heeft niets te maken met wat dat als tiener betekende. Grote successen, dik salaris, mooie auto. We weten allebei hoe het gaat. Er zijn geen lelijke mannen met een dikke portefeuille.'

'Voor mij lijkt het zo niet te werken.'

'Dat betwijfel ik.'

'Waarschijnlijk omdat ik onvolwassen ben,' zei hij.

Ze lachte.

'Het is waar,' zei hij. 'Ik wil nog steeds mijn fantasieën realiseren.'

'Namelijk?'

'Iemand die mooi en slim is – dat is toch stom? Ik wil iemand die alles is wat ik niet ben.'

'Een jong meisje uit een tijdschrift?'

'Zo onvolwassen ben ik nu ook weer niet. Een volwassene zou prettig zijn.' Arthur had zijn gezicht afgewend. Een seconde leek hij verblind door de zon, toen liet hij er zachtjes op volgen: 'Iemand zoals jij.'

'Ik?' In paniek keek ze op, in de hoop dat het gesprek niet de wending had genomen die ze vreesde. 'Maar dan iemand die meer van jouw leeftijd is?' Met haar zevenenveertig jaar was ze, schatte ze, tien jaar ouder dan Arthur.

Arthur lachte kort. 'O, met jou zou ik best tevreden zijn.'

'Ik zou je moeder kunnen zijn.'

'Toe zeg.'

'Je tante.'

'Je kunt ook "nee" zeggen, Gillian,' zei hij mild. 'Daar ben ik aan gewend.'

'Ar-thur,' zei ze bestraffend. 'Arthur, ik ben een puinhoop die niemand wil opruimen of moet willen opruimen. Echt waar. In alle eerlijkheid zeg ik tegen niemand ja. Dat is er niet bij in mijn leven.'

Hij was nog in een speelse stemming, maar hij fronste en boog even het hoofd, zodat de kale plekken op zijn schedel het krachtige licht weerkaatsten. Toen vermande hij zich en toonde een grijns.

'Laat maar zitten, Gillian. Ik wilde alleen laten zien wat ik bedoelde.'

Ze had hem een zusterlijke kus kunnen geven, maar dat was nooit haar stijl geweest. In plaats daarvan glimlachte ze hem vriendelijk toe en beloofde de volgende dag te zullen komen. Raven glimlachte ook, maar liep sjokkend door, bijna slepend met zijn tas. Ze voelde weer het bederf van schuldgevoel. De man in zijn triomf, die misschien iets meer had gewaagd dan hij anders zou durven, was verdwenen. Met enkele woorden had ze hem kleiner gemaakt, waardoor Arthur weer zichzelf was geworden.

17

13 JUNI 2001

Geschiedenis

Erno Erdai werd vastgehouden op een gesloten afdeling in het algemene ziekenhuis in Kindle County. Terwijl hij door mensen van de rechtbank de rechtszaal binnen werd gereden in een rolstoel, wat Erno niet leek te bevallen, schoot Larry toe om te vragen of hij kon helpen. Met de traagheid van bejaarde mensen ging Erno staan en Larry en de anderen hielpen Erno met zijn zuurstoftank naar de zitplaats voor getuigen, waar zijn kruisverhoor zo meteen zou beginnen. Hoewel Erno Muriels verzoek om een voorafgaand gesprek vierkant had afgewezen, vermoedde Larry dat Erdai best met hem wilde praten, als dienders onder elkaar, zoals Erno het waarschijnlijk nog zag. Terwijl het rechtbankpersoneel zich terugtrok en Erno zijn neusstukje aanduwde, bleef Larry staan met zijn hand op het notenhouten hekje en bewonderde de ceremoniële rechtszaal, waar rechtszittingen en burgerschapsplechtigheden werden gehouden. Hij had waardering voor het vakmanschap dat in het oude gebouw bewaard was gebleven, hoewel hij overigens weinig waardering voor het federale systeem kon opbrengen.

'Longkanker dus? Rook je, Erno?'

'Als jongen in dienst. In Vietnam.'

'En hoe lang weet je al dat je het hebt?'

'Niet zeiken, Larry. Ik weet dat je inmiddels mijn hele dossier hebt gelezen.'

Het dossier was de avond daarvoor Rudyard uit gesmokkeld en hierheen gebracht. Maar het halve personeel van de gevangenis en de aanklager konden een proces aan hun broek krijgen als Larry dat toegaf. Bovendien had Muriel het initiatief genomen om medische gegevens in handen te krijgen. Ze waren tot bijna drie uur bezig geweest om zoveel mogelijk over Erno te weten te komen.

Larry vroeg Erno hoe het met zijn gezin was.

'Mijn vrouw heeft betere dagen gekend, na wat vanmorgen in de krant stond.'

'En je kinderen?'

'Geen kinderen, Larry. Kon ik niet maken. Alleen mijn neefje. Hoe is het met jouw kinderen, Larry? Twee jongens, toch?'

'Ja,' zei Larry. Hij beschreef wat Michael en Darrell zoal deden, en besefte dat Erdai al die jaren geleden beter had opgelet dan hij. Maar ook Larry kon zich nog het een en ander herinneren. Hij stak zijn hand in zijn zak en bood Erdai een tandenstoker aan. Erdai reageerde verheugd en stak hem meteen in zijn mondhoek.

'Die zie je niet veel in de bajes. Ik wed dat je er niet aan hebt gedacht dat een tandenstoker een dodelijk wapen kan zijn, Larry.'

'In de bajes waarschijnlijk wel.'

'In de bajes zou iemand er misschien je oog mee uitsteken.'

'Hoe doet een blanke ex-diender het daar nou, tussen die rare gasten?'

'Je ziet je te redden, Larry. Je moet wel. Ik loop niemand voor de voeten. Het enige voordeel dat ik had was dat ik wist dat je een ongelooflijke bak stront kunt overleven. Dat is me als kind gelukt. De mensen in dit land voelen zich veel te veilig, Larry. Veilig ben je nooit. Niet zoals de mensen hier willen.'

Dat onthield Larry. Hij had al een paar puntjes uit het gesprek die hij aan Muriel wilde vertellen wanneer ze binnenkwam. Erdai vroeg hoe het met hem ging.

'Nou, Erno, ik heb vannacht nauwelijks geslapen. Weet je waarom?'

'Ik kan het me wel voorstellen.'

'Wat ik niet begrijp is wat je voor kick krijgt van al die vuile leugens.'

Even klemde Erdai zijn lippen om de tandenstoker.

'Ik begrijp dat je dat denkt, Larry, maar als je naar Rudyard was gekomen toen ik je had geschreven, had ik het je verteld, precies zoals ik hier heb gedaan. Ik meen het, Larry: ik begrijp dat het vervelend is voor jou en je vriendinnetje, maar ik ben niet de eerste die schoon schip wil maken voor hij het aflegt.'

Jij en je vriendinnetje. Dat onthield Larry ook. Erno had heel wat gehoord in de jaren dat hij bij Ike met de dienders had opgetrokken. Licht geërgerd liet Larry de schijn van gemoedelijkheid varen en keek Erdai dreigend aan, wat hij leek te verwachten. Ondoorgrondelijk en onverstoorbaar bleef Erdai hem aankijken. Larry had Erdai nooit goed kunnen peilen. Het was hem ontgaan hoe diep de ijsberg stak. Hij had niet beseft dat Erdai iemand was die in een kroeg door het lint kon gaan of voor de sport kon liegen. Maar nu had hij hem door. Er waren zat mensen zoals Erno, die wraak op iedereen wilden nemen voordat de kist werd dichtgetimmerd.

Toen Larry zich afwendde, kwam Muriel net binnen. Tommy Molto, indertijd medeaanklager in de zaak – toen haar chef, nu haar rechterhand – kwam achter haar aan, evenals Carol Keeney, een specialist in beroepszaken die jarenlang op het dossier had gezeten toen de zaak zich voortsleepte. Tommy was dik en zag er opgejaagd uit, net als altijd. Hij kreeg de wangplooien van een buldog, maar Larry had Molto altijd graag gemogen, omdat hij zijn best bleef doen. Carol daarentegen leek doodsbang en haar dunne lippen vormden een grimmige streep. Ze was slank en blond, een derde- of vierdejaars advocaat die had moeten uitvissen wat er aan de hand was toen Arthur zijn verzoek indiende, in plaats van het op Muriels bureau te leggen en tegen haar te zeggen dat zij waarschijnlijk meer geluk zou hebben bij rechter Harlow. Iedereen zou tegen Carol zeggen dat ze het zich niet moest aantrekken, maar iedereen wist dat ze een toekomst als aanklager kon vergeten.

Raven, die met zijn knappe blonde assistente was binnengekomen, bereikte Muriel bij de advocatentafel enkele stappen eerder dan Larry. Muriel pakte haar zwarte dossiertas uit terwijl Arthur tegen haar begon over een getuige die hij op de gang had. Muriel had waarschijnlijk maar een uur of twee geslapen, maar ze leek kracht te ontlenen aan de uitdaging die voor haar lag, ondanks het feit dat ze in de ochtendkranten en op tv was afgebrand. Dominee Carnelian Blythe uit het South End, die in elk onrecht dat een zwarte Amerikaan werd aangedaan het equivalent van de slavernij zag, had al beslag op Eekhoorn gelegd, organiseerde demonstraties en had zich vanmorgen op het bordes van het gerechtsgebouw laten interviewen, waarbij hij Gandolph had gebruikt om zijn eindeloze jammerklacht te onderbouwen over de wreedheid van de politie in Kindle County. Een dag eerder had Blythe waarschijnlijk nog nooit van Rommy gehoord.

'Het kan me niet schelen, Arthur,' zei Muriel nu. 'Ik maak er wel melding van dat ze die stomme brief heeft gekregen. Je hoeft haar niet te laten opdraven.'

Toen Arthur zich omdraaide, stak Larry zijn hand uit, die Arthur graag drukte. Voormalige aanklagers beschouwden hun periode als aanklager altijd als hun glorietijd, omdat ze toen nog niet hadden gehoereerd om aan geld te komen.

'En stromen de aanbiedingen uit Hollywood binnen na gisteravond?' vroeg Larry. Arthur was uitvoerig op tv geweest en had in elk interview gedaan alsof hij verwachtte dat Muriel op de zitting Rommy Gandolph zou smeken om vergiffenis. Arthur leek de plagerij wel te kunnen waarderen, maar een ogenblik later liep hij weg om zijn getuige te zoeken.

'Waar had Arthur het over?' vroeg Larry aan Muriel.

'Gillian Sullivan. Hij heeft haar als getuige opgeroepen om te verklaren dat Erno's brief authentiek is, voor het geval hij die nodig heeft wanneer hij aan de beurt is.'

'Dus die was het!' Larry had Gillian in de gang gezien, maar ze was zo ver in zijn geheugen weggezakt dat hij alleen nog wist dat hij haar kende. Ze had er niet slecht uitgezien, zeker niet voor iemand die in de bak had gezeten: nog altijd slank en bleek en op een koele manier aantrekkelijk. Onder aanklagers werden Gillian en Muriel vaak met elkaar vergeleken, de sterren uit verschillende generaties, maar Larry had het wel geweten. Gillian was cerebraal en afstandelijk; ze deelde de lakens uit, ook aan mensen die haar of haar vader hadden gekend sinds zij op de nonnenschool zat. Muriel had er slag van om met mensen om te gaan, ze had humor en ze had tijd voor mensen. Het eind van het liedje, met Muriel aan de top en Gillian weg, beschouwde Larry als een passende moraal.

En hij had er vertrouwen in dat Muriel zijn geloof in haar niet zou beschamen. Hij keek naar haar terwijl ze haar dossiers op de tafel rangschikte; zelfs zulke onbenullige dingen had ze al uitgedacht. Ze kwam tegenwoordig veel minder vaak in de rechtszaal, maar Muriel bleef de beste staande jurist die Larry kende. De beste in de rechtszaal. De beste op kantoor. Misschien de beste vrouw die hij ooit in bed had gehad en waarschijnlijk de enige vrouw die hij had ontmoet die hetzelfde ritme leek te horen en te voelen als hij in de roerige wereld van rechtszalen en dienders en misdaad waarin ze de meeste tijd doorbrachten. Het einde van zijn verhouding met haar was misschien wel het dieptepunt van zijn leven als volwassene. Hij kon zich niet voorstellen dat ze het prettig had gevonden om hem te moeten bellen, en hij had het dubbel zo beroerd gevonden haar stem te horen. Toen hij jonger was had hij niet begrepen wat er zo mooi was aan een geregeld leven.

Arthur koesterde weinig illusies over zijn talenten in de rechtszaal. Hij was systematisch en oprecht, soms imposant maar zelden meeslepend. Toch kon hij zich geen ander leven voorstellen. Hij kreeg nooit genoeg van de spanning die grote zaken opleverden; dan voelde hij zich als een snaar die in trilling werd gebracht door de stemmen van de bezoekers die de banken in de zaal vulden. In geen enkele andere omgeving werden de gebeurtenissen die het leven van een gemeenschap vormgaven zo snel en onverhuld bepaald als in een rechtszaal. Iedereen – de advocaten, de partijen, de toeschouwers – kwam binnen met het besef dat er geschiedenis zou worden geschreven.

Hoewel hij ervan kon genieten, was het een opluchting om zijn zorgen even achter te laten en door de gang naar de getuigenkamer te lopen. Hij klopte aan en ging naar binnen. Gillian zat bij het raam en keek afwezig, zoals gewoonlijk, terwijl ze naar buiten staarde. Haar tas lag op haar schoot en haar benen, in witte kousen, waren keurig bij de enkels gekruist. Misschien was haar aandacht getrokken door dominee Blythe die op het plein beneden met een megafoon stond. Arthur had die avond een afspraak met Blythe; dan zou de kale, briljante dominee, een man met een voorname staat van dienst en een nog groter ego, ongetwijfeld proberen de zaak-Gandolph in zijn eigen voordeel te manipuleren. Arthur zag als een berg tegen het gesprek op, maar hij wilde er nu nog niet aan denken.

Zodra hij Gillian zag voelde hij zijn hart openspringen. Nog een paar dagen na hun tochtje naar Rudyard had hij in de BMW met genoegen haar geur opgesnoven. Ondanks het beschamende blauwtje dat hij de vorige dag voor de ingang van het warenhuis had gelopen, bleef het een opwindend besef dat hij een bepaalde relatie met deze vrouw had aangeknoopt, ook al beperkte die zich tot het rijk van het recht. Gillian Sullivan!

'Arthur.' Ze glimlachte vriendelijk en kwam overeind. Hij legde uit dat Muriel bereid was te accepteren dat Gillian Erno's brief had ontvangen. Ze hoefde niet te getuigen. 'Je kunt weg,' zei hij. 'Ik wil je heel erg bedanken voor alles. Je hebt veel moed getoond.'

'Och nee, Arthur.'

'Het spijt me heel erg dat je vanochtend in de kranten zo bent aangevallen.' Zowel de *Trib* als de *Bugle*, het meest gelezen dagblad in de buitenwijken, had de gegevens dat Gillian was veroordeeld en bekendstond als alcoholiste aangegrepen om de afloop van de zaak tegen Rommy in een kwaad daglicht te stellen. Hoewel Arthur er een maand eerder nog net zo over had gedacht, was hij er in de omgang met haar anders over gaan denken en toen hij de artikelen las, had hij zich namens haar verontwaardigd gevoeld.

'Het waren maar een paar regels, Arthur. Ik was op iets ergers voorbereid.'

'Ik heb het gevoel dat ik je daaraan heb blootgesteld,' zei hij, 'en ik heb er zelfs niet aan gedacht.'

'Het zou niets voor jou zijn om te proberen te profiteren, Arthur. Dat zou ik nooit denken.'

'Dank je.' Ze glimlachten allebei een beetje verlegen. Toen bood hij haar zijn hand. Een ogenblik vond hij het pijnlijk om haar weer uit zijn leven te laten gaan, maar het kon eigenlijk niet anders. In plaats van zijn hand te drukken bestudeerde Gillian haar ivoorkleurige handtas alsof ze daarin niet slechts vrouwelijke parafernalia bewaarde, maar ook een Delfische oplossing.

'Arthur, mag ik iets zeggen over gisteren?'

'Nee,' zei hij prompt. In de waanzin van de triomf had hij de treurige speelgoedkist van zijn fantasieën opengedaan. Hij kon er nauwelijks aan terugdenken. Een volstrekt stilzwijgen bewaren over zijn stoutste verwachtingen was de enige manier waarop hij ze in stand kon houden. 'Vergeet het alsjeblieft. Het was brutaal van me. Onprofessioneel ook. Ik bedoel: ik ben een stuntelaar. Als het om zulke dingen gaat. Er zijn redenen waarom iemand op zijn achtendertigste nog alleen is, Gillian.'

'Arthur, ik was op mijn achtendertigste ook alleen. En op mijn achtenveertigste zal ik ook alleen zijn. Maak het jezelf niet zo moeilijk.'

'Jij bent alleen omdat je daarvoor kiest.'

'Niet helemaal. Ik ben op mijn manier ook stuntelig, Arthur.'

'Stil, Gillian. Ik ben verloren. Ik weet dat ik verloren ben. De wereld is vol mensen zoals ik die geen contact kunnen maken. Dat verandert niet. Dus probeer het ook niet.' Hij wilde weer een hand geven, maar ze fronste.

Hij legde uit dat de rechter elk ogenblik kon binnenkomen en ze liepen de gang op. Gillian vroeg of Erno er klaar voor was.

'We hebben hem uit-en-ter-na geprepareerd,' zei Arthur, 'maar je weet het altijd pas als ze in de kijker zijn. Dat weet je.'

Even tuurde ze door een raampje de zaal in.

'Kom gerust kijken,' zei hij, 'als je tijd hebt.'

Ze bleef staan.

'Ik ben eigenlijk wel nieuwsgierig, Arthur. Ik heb vaak betreurd dat ik in Rudyard niet naar Erno ben blijven luisteren. Misschien komt het door de kranten, maar ik voel me er steeds meer bij betrokken. Maar is het niet onorthodox als ik erbij ben?'

'Ik vraag wel of iemand bezwaar heeft.' Hij hield de zware, met leer beklede deur open en gebaarde naar de parketwacht dat Gillian bij hem hoorde, opdat de man haar een zitplaats zou wijzen.

Zoals Arthur had verwacht maakte Muriel geen bezwaar tegen Gillian. Het hoorde trouwens bij haar machopose in de rechtszaal dat het haar nog niets zou kunnen schelen als God en zijn engelen erbij zouden zijn terwijl ze een kruisverhoor afnam. Toen rechter Harlow binnenkwam, verzocht Arthur om overleg. Harlow was zo lang dat hij maar zijn stoel naar de zijkant van de verhoging hoefde te verrijden om zich over de leuning te buigen, terwijl Arthur vroeg of het hof bezwaar had tegen de aanwezigheid van mevrouw Sullivan, de rechter die de oorspronkelijke veroordeling had uitgesproken, op de publieke tribune. Hij legde uit wat de aanleiding van haar aanwezigheid was geweest.

'Gillian Sullivan, nietwaar?' vroeg Harlow. Hij keek naar haar, turend door zijn dikke brillenglazen. 'Een en dezelfde?'

Arthur knikte. De rechter vroeg Muriel of ze bezwaar had.

'Ik maak bezwaar tegen het feit dat we niet op de hoogte zijn gesteld toen ze de brief kreeg, maar het kan me niet schelen dat ze hier is. Ze heeft geen rol in de procedure.'

'Ze zal het met eigen ogen willen zien,' zei Harlow. 'Kan niet zeggen dat ik het haar kwalijk neem. Goed, laten we maar beginnen.'

De rechter gebaarde het groepje juristen dat ze op hun plaats moesten gaan zitten, maar terwijl ze zich omdraaiden, besefte Arthur dat ze allemaal – Muriel, Tommy Molto, Carol Keeney, Larry die had meegeluisterd, de rechter en zeker Arthur zelf – naar Gillian staarden, die keurig verzorgd en met een neutrale blik op de achterste rij bij het gangpad zat. Het trof Arthur dat ze gelijk had gehad. Ze was een betrokkene, zij had echt belang bij de zaak. Want in bepaalde opzichten was zij beklaagde. De vraag was aan de orde of zij tien jaar eerder om welke reden dan ook bij het wijzen van vonnissen fouten had gemaakt die herziening wettigden. Gillian kromp niet onder de aandacht, terwijl ze allemaal op het antwoord wachtten.

18

13 JUNI 2001

Erno's kruisverhoor

'Dus de vraag, meneer Erdai,' zei Muriel, 'de eigenlijke vraag is: loog u toen of liegt u nu?' Nog voordat Harlow had gezegd dat ze kon beginnen, had Muriel zich voor Erno geposteerd, waarbij ze Larry deed denken aan een bokser die nog voor het begin van een nieuwe ronde van zijn kruk kwam. Daarna had ze nog een ogenblik gewacht, een klein, slank figuurtje dat alle aandacht in de rechtszaal opslokte, voordat ze haar eerste vraag stelde.

'Toen,' zei Erno.

'Is dat een leugen?'

'Nee.'

'Maar u liegt toch weleens, meneer Erdai?'

'Net als iedereen.'

'In 1991 hebt u tegen rechercheur Starczek gelogen, nietwaar?'

'Ja, mevrouw.'

'U hebt gelogen en de strop om de nek van een ander gelegd. Is dat wat u wilt zeggen?'

De tandenstoker verhuisde naar de andere mondhoek voordat Erno ja zei.

'Dat was toch verachtelijk?'

'Niets om trots op te zijn.'

'Maar hoewel u een verachtelijke leugenaar bent, vraagt u ons u te geloven. Zo is het toch?'

'Waarom niet?'

'Daar komen we nog aan toe, meneer Erdai. Heb ik mezelf trouwens al voorgesteld?'

'Ik weet wie u bent.'

'Maar u hebt een onderhoud met mij geweigerd, zo is het toch?'

'Omdat dat u alleen zal helpen de schijn te wekken dat ik lieg, terwijl ik de waarheid zeg.'

Op zijn verhoging glimlachte Harlow flauwtjes. Larry kreeg het gevoel dat de rechter vaak aardigheid had in het steekspel in de rechtszaal.

'Laat me nagaan of ik begrijp wat u tegen ons zegt, meneer Erdai. U zegt dat u in juli 1991 drie mensen om het leven hebt gebracht. En drie maanden later had de politie u nog steeds niet opgepakt?'

'Klopt.'

'Wilde u dat u opgepakt zou worden?'

'Wat denkt u?'

'Ik denk dat u alles zou hebben gedaan om niet gepakt te worden – is dat juist?'

'Daar komt het wel op neer.'

'U had veel vrienden bij de politie, is het niet?'

'Heel veel.'

'Dus u wist dat het onderzoek was vastgelopen?'

'Jawel.'

'Dus als u inderdaad die mensen om het leven hebt gebracht, had u alle reden om te denken dat u uw straf zou ontlopen?'

'Realistisch gesproken wel. Maar ik maakte me zorgen.'

'Juist. U had zorgen. En niettemin, en hoewel u wist dat het onderzoek was vastgelopen, besloot u informatie te verstrekken waardoor het weer op gang zou komen. Is dat wat u zegt?'

'Vanwege mijn neef.'

'En u gaf niet een anonieme tip, u benaderde rechercheur Starczek rechtstreeks.'

'Hij kwam bij mij langs, maar dat is lood om oud ijzer.'

'Lood om oud ijzer,' zei Muriel. Ze liep nu als een roofdier in een kooi heen en weer. Ze hield de vingers van beide handen gespreid, alsof ze Erno zou vastgrijpen als hij probeerde te ontsnappen. Ze droeg wat Larry een meisjesjurk vond, een imprimé met een ceintuurtje en een grote strik bij de hals, een jurk die zowel de juiste indruk moest maken op de rechter als op de tv-kijkers. Als ze een button van een oudervereniging had kunnen op doen, had ze het gedaan. Maar iedereen die Muriel in de rechtszaal zag, besefte dat ze zo levensgevaarlijk was als een panter.

'Is hij een goede rechercheur?'

'Beter vind je niet.'

'En bent u met me eens dat goede rechercheurs meestal weten wanneer ze worden voorgelogen?'

'Als ze erop bedacht zijn wel. Maar niemand heeft permanent de antenne op scherp.'

'Maar niet alleen bracht u een vastgelopen onderzoek weer op gang, dat deed u bovendien, zegt u, door te liegen tegen iemand die goed was in het doorzien van leugens, zoals u wist?'

'Zo kunt u het stellen,' zei Erno.

'En toen liet u uw neef de politie naar een camee leiden, in het besef dat Gandolph, als hij de waarheid zei, heel goed uw naam zou kunnen noemen. Is dat juist?'

'Dan had ik gezegd dat hij maar wat zei en alleen mijn naam noemde omdat hij er op een of andere manier achter was gekomen dat ik de politie op hem af had gestuurd. Daar had ik over nagedacht.'

'En u dacht dat die leugen overtuigend zou zijn?'

'Zeker.'

'Omdat u overtuigend kunt liegen?'

Harlow wees Arthurs bezwaar toe voordat Erno antwoord hoefde te geven, maar de rechter leek te glimlachen om het raffinement van de vraag.

'U hebt ons gisteren verteld dat u begreep dat uw neef niets van de politie of de aanklager gedaan zou krijgen tenzij Gandolph werd veroordeeld, nietwaar? U kon bijvoorbeeld niet voorspellen of Gandolph een alibi had?'

'Ik wist dat hij op het vliegveld was geweest om Luisa's camee te klauwen.'

'In de zomer? Ik dacht dat Gandolph alleen op het vliegveld kwam als hij daar door de winterkou toe gedreven werd.'

Erno vertrok zijn gezicht. Hij had geprobeerd Muriel af te schepen en ze was er niet in getrapt. Na nog wat tegenstribbelen gaf hij toe dat hij de rechter de vorige dag had verteld dat Gandolph in de winter op het vliegveld was en dat hij niet kon hebben geweten of Eekhoorn een alibi had. Erno incasseerde zijn verlies met een grimmig gezicht.

'Dus het komt hierop neer, meneer Erdai,' zei Muriel en begon de punten op haar vingers af te tellen. 'Hoewel u niet gepakt wilde worden, blies u een vastgelopen onderzoek nieuw leven in. Dat deed u door te liegen tegen een rechercheur die, zoals u wist, goed was in het betrappen van leugenaars. En u wees hem op iemand die in feite u in verband kon brengen met een van de slachtoffers. En dat deed u allemaal zonder te weten of de man die u wilde beschuldigen een waterdicht alibi had. Begrijpt u nu waarom we u niet zouden moeten geloven?'

Voor het eerst maakte Arthur op luide toon bezwaar en de rechter zei: 'Toegewezen.' Gepikeerd was Erno zo onverstandig uit zichzelf door te gaan.

'Misschien vindt u het niet logisch, maar zo is het gebeurd. Ik moest iets doen voor mijn neef. Mensen zijn niet altijd logisch.'

'En dit is toch niet logisch, meneer Erdai? Wat u ons vertelt? Het is een van die onlogische dingen.'

Arthur maakte opnieuw bezwaar. Zonder op te kijken van wat hij schreef stelde de rechter voor dat Muriel door zou gaan. Ze draaide zich even om en zocht met haar kleine donkere ogen Larry, om te kijken hoe het ging. Hij bedekte zijn mond met zijn hand en liet zijn duim omhoogsteken. Muriel knikte nauwelijks merkbaar. Zo dacht ze er zelf ook over.

'Verbaast het u, meneer Erdai, dat uit een geautomatiseerde controle van vingerafdrukken die op de plaats delict zijn aangetroffen is gebleken dat die van u er niet bij waren?'

'Ik heb alles afgeveegd. Ik was voorzichtig. Dat heb ik toch al gezegd.'

'Geen DNA. Geen bloed. Geen speeksel. Geen sperma. Niets daarvan zal op die plaats worden aangetroffen, wel?'

'Nee. Maar die had u ook niet van Gandolph.'

'U kent onze bewijsvoering tegen meneer Gandolph heel goed, hè meneer Erdai?'

'Ik heb de ontwikkelingen scherp gevolgd. Duidelijke zaak.'

'En het wapen, meneer? Wat is daarmee gebeurd?'

'In de rivier. Met de rest.'

Muriel grijnsde kort, de reactie van een veteraan die heel wat handige jongens had ontmoet. Ze wandelde terug naar haar tafel om haar aantekeningen in te zien en staarde toen enkele ogenblikken naar Erdai.

'Bent u stervende?' vroeg ze toen.

'De dokters zeggen van wel.'

'Gelooft u ze?'

'Meestal wel. Soms heb ik weleens het idee dat ze ernaast kunnen zitten, dat is vaker gebeurd, maar meestal weet ik wel beter.'

'Dus wat u betreft hebt u niets te verliezen door wat u ons vandaag vertelt. Zo is het toch?'

'Dat volg ik niet.'

'Echt niet? Kunt u ons iets noemen dat u niet graag wilt verliezen?'

'Mijn ziel,' zei Erno. 'Als ik die heb.'

'Als u die hebt,' herhaalde Muriel. 'Laten we hier op aarde blijven. Is hier iets dat u niet graag wilt verliezen?'

'Mijn familie,' zei Erdai. 'Daar ben ik erg aan gehecht.'

'Ze staan achter u, meneer Erdai, zo is het toch? En wat nog meer?'

'Ik zou niet graag mijn pensioen van TN Air kwijtraken. Ik heb er lang voor gewerkt en ik wil de zekerheid dat mijn vrouw wat heeft.'

'Maar u raakt uw pensioen toch niet kwijt vanwege een moord?'

'Wel als het een misdrijf tegen de luchtvaartmaatschappij is.'

'Was dit zo'n misdrijf?'

'Alleen als Luisa manager was geweest.'

Luid gelach klonk van de publieke tribune. De rechtszaal was vandaag vol. De berichten in de pers hadden het voorspelbare effect gehad; alle stoelen waren bezet.

'Dus uw pensioen raakt u niet kwijt. En u zult niet lang genoeg leven om vervolgd te kunnen worden wegens meineed?'

'Er is niets om voor vervolgd te worden.'

'Dus er is geen zicht op dat u langer zult moeten zitten?'

'Nou nee.'

'En uw neef, Collins Farwell? Die heeft toch gelogen tegen rechercheur Starczek over bepaalde gesprekken met Rommy Gandolph?'

'Ja, maar hij dacht dat Gandolph de dader was.'

'En waar is Collins nu?'

'Hij heeft een advocaat die Jackson Aires heet. Die kunt u bellen.'

'Een advocaat? Om hem te adviseren over deze situatie?'

'Inderdaad. Ik betaal de rekening omdat ik degene ben die hem in deze situatie heeft gebracht.'

'En weet u of de advocaat Collins heeft verzekerd dat hij niet kan worden vervolgd voor de leugens die hij in 1991 heeft verteld, omdat het misdrijf is verjaard?'

'Is dat geen vertrouwelijke informatie?'

'Laat ik het zo stellen, meneer Erdai. Beseft u dat Collins niets zal overkomen als gevolg van uw getuigenverklaring?'

'Ik hoop dat hem niets overkomt.'

'En waar is hij?'

Erno keek naar de rechter, die hem resoluut toeknikte.

'Atlanta. Daar doet hij het goed, zoals ik al zei.'

'Gefeliciteerd,' zei Muriel. 'En nu de andere kant, meneer Erdai. Hebt u iets te winnen door nu uitspraken te doen?'

'Een rein geweten.'

'Een rein geweten,' zei Muriel. 'U zegt, meneer Erdai, dat u in uw leven op vijf mensen hebt geschoten – drie mensen vermoord, uw schoonmoeder doodgeschoten en geprobeerd een vijfde persoon te vermoorden die u lastig viel in een café. En hierdoor zult u zich beter voelen?'

Er werd gegrinnikt achter Larry. Het klonk of Carol, die beter had moeten weten, de eerste was geweest. Harlow keek de zaal in en het werd meteen stil.

'Aan de rest kan ik niets veranderen, Muriel. Meer dan dit kan ik niet doen.'

Muriel bij haar voornaam noemen was echt iets voor Erdai. Voor zover Larry wist kenden ze elkaar pas sinds kort, maar Erno probeerde altijd de indruk te wekken dat hij de bloedbroeder was van iedereen bij politie en justitie.

'Had u niet een paar maanden geleden bijzonder verlof aangevraagd? En toen dat werd geweigerd, bijzondere overplaatsing? Om dichter bij uw vrouw te kunnen zijn?'

'Klopt.'

'Ook afgewezen?'

'Ja.'

'Uw vrouw heeft problemen met het reizen naar Rudyard?'

'Het zou veel gemakkelijker zijn als ik hier was.'

'Waar hebt u afgelopen nacht geslapen?'

'Algemeen ziekenhuis. Hier.'

'Heeft uw vrouw u daar vandaag bezocht?'

'Voor de zitting.'

Muriel somde op. Zijn vrouw had hem de dag daarvoor ook bezocht. En de dag daarvoor. En Arthur had een verzoekschrift ingediend om Erno niet naar Rudyard terug te sturen zolang de zaak-Gandolph nog in behandeling was.

'Betekent het veel voor u om uw vrouw elke dag te zien? In dit stadium?'

'Juist nu? Ja, zeker, het is heel belangrijk. Deze laatste paar jaar had ze niet verdiend. Nog geen dag.' Zijn stem werd zwakker en opeens werd Erno rood. Hij trok het klemmetje uit zijn neus en bedekte zijn gezicht met zijn hand. Harlow had Kleenex staan en gaf met klinische efficiency de doos aan. Muriel wachtte af zonder blijk van ongeduld, omdat Erno nauwelijks meer had kunnen doen om haar gelijk aan te tonen. Zodra hij weer op adem was gekomen, ging ze op een ander onderwerp over.

'Laten we over het misdrijf spreken waarvoor u gedetineerd bent, meneer Erdai.'

'Waar slaat dat nou op?' vroeg Erno. Arthur stond al om bezwaar te maken. De veroordeling was alleen relevant, stelde hij, voor zover die iets zei over Erdais geloofwaardigheid. De omstandigheden waren niet relevant.

'Ik rond af,' zei Muriel. Dit was de juristenversie van 'ik kom zo bij u', maar Harlow, die zonder jury voorzat, zei dat hij Muriel wat ruimte zou gunnen omdat deze zitting geen onderdeel was van een proces.

'Ik aanvaard geen tweede woordbreuk van de juristen die voor me verschijnen,' voegde de rechter eraan toe.

'Dat verwacht ik ook niet van u,' zei Muriel en richtte zich weer tot Erno die, meende Larry, een beetje van haar schrok toen ze naar hem toe kwam. Erdai leek al wat minder kek na zijn krachtmeting met Muriel.

'U zit, meneer Erdai, alleen in de gevangenis, in feite alleen in de gevangenis omdat uw vrienden bij de politie uw versie van de zaak niet hebben bevestigd, zo is het toch?'

'Ik zit in de gevangenis omdat ik iemand heb neergeschoten.'

'Maar u hebt toch tegen de politiemensen in dat café, Ike, waar de schietpartij heeft plaatsgevonden, gezegd dat u uit zelfverdediging had geschoten?'

'In mijn opvatting was dat ook zo.'

'En veel politiemensen die getuige van die schietpartij waren geweest en uw bewering hoorden dat u alleen uzelf wilde verdedigen waren vrienden van u, toch? Politiemensen met wie u daar zat te drinken?'

'Ja.'

'Was het teleurstellend voor u, meneer Erdai, dat geen van die mensen u heeft gesteund toen u zei dat het zelfverdediging was?'

'Niet toen ik de gelegenheid had had om erover na te denken.'

'Maar in het begin?'

'Ik weet niet wat ik verwachtte.'

'Maar u had het niet vervelend gevonden als ze uw versie hadden onderschreven?'

'Nou nee.'

'Hebt u ooit meegemaakt dat politiemensen hun collega's in bescherming nemen?'

'Dat is weleens gebeurd, denk ik.'

'Maar in uw geval niet?'

Voor het eerst was Erno's felle kant te zien, een zwavelgloed achter de ogen. Maar hij had zichzelf goed genoeg in de hand om te kalmeren voordat hij nee zei.

'En dus moest u verklaren dat u schuldig was, klopt dat?'

'Dat is wat er is gebeurd.'

'En rechercheur Starczek?' Larry ging automatisch recht overeind zitten toen hij zijn naam hoorde. 'Was hij een van uw vrienden bij de politie?'

'Larry? Die ken ik zo'n jaar of dertig. We hebben samen op de opleiding gezeten.'

'En die brieven die u aan rechercheur Starczek hebt geschreven...'

Onverwachts draaide Muriel zich om naar Larry aan haar tafel. Ze fluisterde met nauwelijks bewegende lippen: 'Pak uit mijn tas de post in het voorste vak.' Even had hij iets onzekers, maar toen ze voor hem stond, had hij de drie brieven gevonden. Aan de adressen van de afzenders te zien waren het haar opgave van het pensioenfonds en twee afrekeningen van haar creditcard. Met de brieven in de hand draaide ze zich weer om naar de getuige.

'U hebt rechercheur Starczek nooit geschreven dat u iemand ter dood had gebracht, wel?'

'Gezegd dat ik hem moest spreken.'

'Hebt u hem niet ronduit laten weten dat u wilde dat hij u zou helpen?'

'Misschien. Weet u, wat ik me kan herinneren is dat ik hem een paar keer heb gebeld, alleen was hij er niet, en uit de bak kun je niet op andermans kosten bellen, dus heb ik hem twee of drie keer een brief geschreven, maar hij heeft niets van zich laten horen.'

Arthur stond op en gebaarde naar wat Muriel in haar hand had.

'Edelachtbare, ik heb die brieven niet gezien.'

'Edelachtbare, ik heb geen voorinzage gehad in de getuigenverklaring van de heer Erdai. En bovendien heb ik ze niet aan de getuige getoond. Meneer Raven mag bekijken wat ik de getuige laat zien.'

Arthur volhardde in zijn bezwaar en Harlow riep hen ten slotte bij zich aan de andere kant van zijn verhoging, weg van Erno. Larry voegde zich erbij.

'Hoe zit dat met die brieven?' fluisterde Harlow.

'Die heb ik niet,' zei Muriel.

Larry dacht dat de rechter razend zou worden, maar Harlow grijnsde breed.

'Bluf?' vroeg Harlow.

'Ik sta in mijn recht,' zei ze.

'Zeker,' zei de rechter en stuurde iedereen terug. Muriel liet de stenograaf de laatste twee vragen en antwoorden oplezen.

Larry keek naar Arthur; hij was bang dat die zou proberen Erno in te seinen dat de brieven van Muriel nep waren. Je wist nooit wat voor drol een strafpleiter zou blijken te zijn, maar Arthurs gezicht verried niets terwijl hij zijn assistent achter zijn hand uitlegde wat er gebeurde.

'In de tijd dat u rechercheur Starczek schreef wilde u overplaatsing naar een minder streng beveiligde inrichting, nietwaar?'

'Nou ja, dat heeft mijn advocaat geprobeerd voor elkaar te krijgen. En toen dat niet lukte, heb ik andere mensen gevraagd of ze konden helpen.'

'En wilt u zeggen, meneer Erdai, dat u dacht dat u in een minder streng beveiligde inrichting kon komen door rechercheur Starczek te laten weten dat u een drievoudige moord had gepleegd?'

Ondanks Harlows eerdere blik werd er weer gegiecheld in de zaal.

'Toen ik Larry schreef had ik die overplaatsing al opgegeven. Als je een misdrijf met een vuurwapen hebt gepleegd, moet je naar een extra beveiligde inrichting, punt uit.'

'En kunt u ons de naam noemen van iemand bij de politie die voor u heeft geprobeerd tussenbeide te komen bij de plaatsingsdienst?'

Erno nam de tandenstoker uit zijn mond. Hij zat voor het blok, want hij wist dat niemand zou willen verschijnen om zijn woord te bevestigen. Hij gaf Muriel ten antwoord dat hij het niet meer wist.

'En wat u rechercheur Starczek ook hebt geschreven, niet over die moorden, daar zijn we het over eens?'

'Klopt. Ik heb gezegd dat ik hem over iets belangrijks moest spreken.'

'Rechercheur Starczek heeft niet gereageerd?'

'Klopt.'

'Hij wilde niets met u te maken hebben nu u niets meer voor hem kon doen. Had u dat gevoel?'

'Nee, dat wil ik niet zeggen.'

Muriel draaide zich om naar Larry voor een kopie van de brief die Erno aan Gillian had geschreven en liep naar de getuige toe. Drie meter links van Larry kwam Raven direct overeind.

'Edelachtbare, dat heb ik niet gezien,' zei Arthur. Met een onschuldige blik liet Muriel Erno's brief eerst aan Erno en daarna aan Harlow zien. Larry las een andere kopie door die Muriel op tafel had laten liggen. De woorden stonden er gewoon, hoewel aan Arthurs verslagen gezichtsuitdrukking te zien was dat de betekenis ervan hem was ontgaan. Terwijl Muriel zich omdraaide, zag Larry dat ze Arthur collegiaal toelachte, een vriendelijk 'hebbes' alsof het om een potje Scrabble of tennis ging. Ze keek weer naar Erno en gebruikte de brief als een mes in de lever.

'Hebt u rechter Sullivan geschreven dat de rechercheur die de zaak behandelde zich niet meer voor u interesseerde "nu u niets meer voor hem kunt doen"?'

Erno las de brief een paar keer. 'Dat staat hier.'

'Was u rancuneus?' vroeg Muriel.

'U moet maar zeggen wat u wilt.'

'Ik vind dat er rancune uit spreekt,' zei Muriel. Harlow wees het bezwaar toe, maar glimlachte weer. Larry had de rechter inmiddels door. Kenton Harlow hield van vakmensen en had er bewondering voor. Hij geloofde dat de waarheid te voorschijn zou komen uit het fanatiek gestreden steekspel en het was duidelijk dat Muriels stijl hem beviel.

'Laten we het zo stellen,' zei Muriel. 'U verstrekte rechercheur Starczek informatie over een grote zaak, nietwaar?'

'Klopt,' zei Erno.

'En uw vriend Starczek maakte de zaak rond? Hij kreeg de eer.'

'Hem en u,' zei Erno.

'Hij en ik. En de politie ging met de eer strijken, nietwaar?'

'Klopt.'

'De politie, die geen vinger uitstak om u te helpen overplaatsing te krijgen naar een minder streng regime.'

'Klopt.'

'Dezelfde politie die vier jaar eerder uw bewering niet had willen bevestigen dat de schietpartij bij Ike noodweer was.'

'Ja, nou ja.'

'En door te zeggen wat u nu zegt neemt u in feite terug wat u rechercheur Starczek en de politie eerder hebt gegeven. Ja?'

'Ik zeg de waarheid.'

'Waar of niet, u probeert het effect van de informatie die u eerder hebt verstrekt terug te draaien of te wijzigen. Zo is het toch?'

'Omdat dat een leugen was.'

Muriel verzocht om een gedwongen antwoord en Harlow willigde haar verzoek in. Erno had geen keus: hij moest wel ja zeggen. Het was nu overduidelijk, maar er ging toch een geroezemoes op bij de pers nadat hij het woord had uitgesproken. Ze wisten waarmee ze hun verslag moesten beginnen.

Nu begon Muriel Erno te ondervragen over zijn relatie met de Gangster Outlaws, een van de straatbendes die de gevangenis in Rudyard domineerde. Aan deze informatie had Larry een aanzienlijk deel van de avond en nacht zitten werken en Muriel presenteerde hem heel fraai. Erno had vriendschap gesloten met een celgenoot die lid was van de GO's en uiteindelijk bescherming gekregen van de bende; gedacht werd dat Erno bij gelegenheid informatie had doorgespeeld van zijn oude makkers bij het korps. Dat laatste wilde Erno niet erkennen.

'Maar weet u, meneer Erdai, dat er diverse zaken zijn geweest waarbij leden van de Gangster Outlaws die gedetineerd waren valse bekentenissen hebben afgelegd, misdrijven hebben bekend die door andere GO's waren gepleegd?'

'Bezwaar,' zei Arthur. 'Er is geen bewijs dat meneer Gandolph lid is van een bende.'

'De vraag,' zei Muriel, 'is of meneer Erdai dat weet.'

'Dat is irrelevant,' zei Arthur.

'Ik wil het wel horen,' zei de rechter.

'Dat heb ik gehoord,' zei Erno.

'En hebt u ook gehoord, meneer Erdai, dat de GO's de dienst uitmaken in de dodencellen in Rudyard?'

'Ik weet dat er daar veel zijn.'

'Met inbegrip van de heer Gandolph?'

'Dat zou ik niet weten. U moet begrijpen dat die mensen in de dodencellen, de Gele Mannen, apart zitten. Ze zien verder niemand. Ik heb meneer Gandolph niet één keer gesproken in de tijd dat ik in de inrichting zat.'

'Meneer Erdai, vertelt u ons dat, gezien uw ervaring in de inrichting, als iemand van de GO's, die u hebben beschermd, u een verhaal wilde vertellen, zeker een verhaal dat u niet zou schaden maar wel rechercheur Starczek en de politie zou schaden die u in de steek hadden gelaten, een verhaal dat u in staat zou stellen tijd met uw vrouw door te brengen voor u stierf – wilt u echt beweren dat u te integer bent om dat te doen?'

Arthur was allang overeind gekomen voordat Muriel uitgesproken was. 'Bezwaar,' zei hij ingehouden en Harlow zei snel: 'Toegewezen.' Maar Muriel had in essentie al haar slotwoord voor de pers uitgesproken. Ze liep terug naar haar tafel, maar bleef plotseling staan.

'O ja,' zei ze alsof haar nog iets te binnen was geschoten. 'Nadat u die lijken naar de koelcel had versleept, meneer Erdai, wat hebt u toen nog met het lijk van Luisa Remardi gedaan?'

'Ik heb haar rok en ondergoed op haar enkels getrokken.'

'En toen?'

'Toen niets.'

'Dus u hebt haar alleen ontkleed uit... Wat was het, nieuwsgierigheid?'

'Dat heb ik gedaan omdat ik wist dat ze een uur eerder seks had gehad en ik dacht dat dat bij de sectie zou blijken. Ik wilde het eruit laten zien alsof ze was aangerand. Het was hetzelfde idee als iemands spullen pakken om het op een overval te laten lijken. Een poging om te misleiden.'

'En u hebt geen anaal verkeer met het lijk gehad.'

'Nee.'

'U weet, neem ik aan, dat de patholoog-anatoom dr. Kumagai ter zitting heeft verklaard dat er anaal misbruik op het lijk was gepleegd.'

'Ik weet dat Painless Kumagai er in de loop van de jaren heel wat keren naast heeft gezeten.'

'Maar u weet niet waarom een veel gebruikt condoomglijmiddel in haar anus is ontdekt?'

'Ik denk dat dat een vraag is voor de man met wie ze op het parkeerterrein heeft gerelaxt.'

'En denkt u dat dat een verklaring is voor het feit dat haar kringspier na overlijden verwijd was?'

'Ik ben geen patholoog.'

'Maar u bent het toch met me eens, meneer Erdai, dat uw uitlatingen geen verklaring bieden voor dat feit?'

'Nee, daar heb ik geen verklaring voor gegeven.'

'Dank u,' zei Muriel.

Ze ging naast Larry zitten. Onder de tafel voelde hij onverwachts haar vuist tegen de zijne slaan.

Muriels kruisverhoor was bijna helemaal zo verlopen als Arthur het bij zijn voorbereidende sessies met Erno in de gevangenis had doorgenomen. De enige uitzondering was de regel in Erno's brief over Larry die niets meer aan hem had; Arthur had niet beseft welke betekenis daaraan zou kunnen worden gegeven. Afgezien daarvan was Erno goed voorbereid geweest. Het verschil was Muriel. Zij won elke krachtmeting op finesse.

Toen ze klaar was, zat rechter Harlow rechtop in zijn stoel op de verhoging en hield letterlijk afstand van Erdai. Terwijl Arthur opstond voor zijn tweede termijn besefte hij dat er voor hem werk aan de winkel was. Hij knoopte zijn jasje dicht en controleerde twee keer Pamela's aantekeningen voordat hij begon aan wat in het jargon de rehabilitatie van de getuige heette.

'Meneer Erdai, mevrouw Wynn heeft u gevraagd waarom u zulke risico's voor uzelf zou nemen ter wille van uw neef. Kunt u dat uitleggen aan rechter Harlow?'

Erno bestudeerde enige tijd het hekje.

'Deze familie – mijn familie – wij hebben veel overleefd. Ik bedoel: ze hebben het verschrikkelijk gehad in de Tweede Wereldoorlog en toen in 1956 was mijn vader actief in de opstand...' Erno vertrok pijnlijk zijn gezicht. 'Hij is gedood – doodgeschoten en aan zijn voeten opgehangen aan de lantaarnpaal voor ons huis, ter afschrikking. Onze buren hadden hem verraden aan de AVH, de geheime politie. En mijn moeder en zus en ik, het was een hele toestand om daar weg te komen en hier te kunnen komen. En mijn neef Collins – hij was het enige kind van mijn zus, het enige dat we hadden, mijn zus en ik. En als hij de rest van zijn leven in de gevangenis zou moeten doorbrengen, dan was het afgelopen, dat wist ik. Ik bedoel: ik heb veel nagedacht over mijn vader die aan die lantaarn hing – hij moest daar dagen blijven hangen, we mochten hem niet weghalen, het was een waarschuwing.' Erno sloeg zijn hand voor zijn mond, alsof hij zou moeten overgeven, maar begon in plaats daarvan te huilen. Na een tijdje depte hij zijn gezicht met de tissues van de rechter en wachtte tot hij weer op adem was gekomen.

'Ik had het gevoel dat hij iets kon, Collins. Hij was slim genoeg, hij zat alleen moeilijk. Maar ik had het gevoel dat ik het aan mijn vader verschuldigd was, en aan – aan de hele familie om te proberen hem nog één kans te geven. Ik moest doen wat ik kon.'

Arthur wachtte af of Erno nog meer zou zeggen, maar hij was klaar. Arthur en Pamela hadden inmiddels vele uren met Erno doorgebracht en een van de moeilijke waarheden in de zaak was dat Arthur weinig sympathie voor hem had. Het lag er niet aan dat Erno crimineel was, en zelfs niet aan de ernst van zijn misdrijf. In de loop van de jaren had Arthur net als iedereen die in het systeem werkte absolute boosdoeners ontmoet die superslim waren en zelfs innemend. Maar Erno was onveranderlijk kil. Hij was bot en niet slechts onverschillig voor gevoelens, maar daar zelfs trots op. Hij vroeg niet om sympathie. En toch was het juist zijn hardheid die Arthur de rotsvaste overtuiging gaf dat Erno de waarheid sprak en een niet geringe bewondering voor Erno's bereidheid door te gaan zonder te eisen dat hij als heilige of martelaar werd beschouwd. Hij wist dat hij dat niet was.

'Goed dan. Eén punt nog. Mevrouw Wynn heeft vragen gesteld over de motivering voor uw getuigenverklaring. Kunt u ons vertellen waarom u erin hebt toegestemd met rechter Sullivan en mij te praten – waarom u hebt besloten de waarheid te vertellen over wat er op 4 juli 1991 is gebeurd?'

Zoals te voorspellen viel, stond Muriel op om bezwaar te maken tegen de premisse dat Erno de waarheid sprak. De rechter wuifde haar protest weg, zoals hij een paar keer met Arthur had gedaan.

'Laten we wel ons juristenwerk doen, mensen. We gaan ons geen zorgen maken over het schellinkje,' zei Harlow, wat kennelijk voor de pers was bedoeld. 'Goed, meneer Erdai. Legt u maar uit. Waarom krijgen we dit nu te horen?'

Erno concentreerde zich op zijn ademhaling voordat hij begon.

'Ik zou zeggen dat ik in het begin, toen ik dat met Gandolph deed, dat ik me toen niet zoveel zorgen over hem maakte. Ik dacht: als je alles bij elkaar neemt wat hij heeft gedaan, verdient hij waarschijnlijk een flinke straf.

Ik zei al: als Larry langs was gekomen toen ik erom vroeg, had ik het hem verteld. Ik had niet precies uitgevogeld hoe ik dat zou doen, maar dat zou ik hebben gedaan, omdat ik aan hem verplicht was om te zeggen hoe het zat. Maar nu besef ik dat ik het aan Gandolph verplicht ben.

Doodgaan is met niets te vergelijken, dat kan ik u wel vertellen. U denkt misschien dat u begrijpt dat u hier maar tijdelijk bent, maar wanneer de dokters je vertellen... Ik weet het niet, misschien is het voor oude mensen anders. Mijn moeder had er op haar zesentachtigste vrede mee. Maar als het voortijdig is – voor mij – ik ben heel vaak bang. Het komt eraan. Het is hard, hoor. Je brengt je hele leven door, je overleeft al die dingen en dan is het einde zo hard.

Nou weet u ook wel dat mensen op hun sterfbed hun geloof herontdekken en dat heb ik ook gedaan. Ik luister naar de priester. En ik denk veel na. Ik heb veel verschrikkelijke dingen gedaan. Ik weet niet of God me deze ziekte als straf heeft gegeven, of dat het gewoon is gebeurd omdat dingen nu eenmaal gebeuren – Hij zal geen telegram sturen om het uit te leggen. Maar uiteindelijk komt het idee bij je op dat het in je macht ligt om dingen te verhelpen. En daardoor kwamen mijn gedachten op Gandolph. Hij zit daar elke dag, nu al meer dan negen jaar, en hij beseft elke dag net als ik dat het eraan komt. Het komt eraan en hij kan er niets tegen doen. Net als ik. Alleen heeft hij het niet verdiend. Als ik gewoon de waarheid vertel, komt hij eronderuit. Hij maakt elke dag mee wat ik meemaak, maar bij hem hoeft het niet. Dat kon ik maar niet van me afzetten. Voor mijzelf kan ik niets veranderen. Voor hem kan ik het wel veranderen. Ik hoef alleen maar te doen wat ik moet doen.'

Erno had naar niemand gekeken bij zijn betoog. Hij had zijn ogen neergeslagen en hij sprak met dezelfde kale klanken, een schorre stem die een beetje hol klonk, waarmee hij antwoord op alle eerdere vragen had gegeven. Maar toen hij klaar was, keek hij op en knikte beslist naar de rechter.

Met een lange vinger naast zijn neus zat Harlow zichtbaar af te wegen wat hij van Erno moest denken. Arthur en Pamela hadden elkaar diezelfde vraag ook vele malen gesteld. Ondanks Erno's openhartigheid had hij ook iets ongrijpbaars dat, had Arthur uiteindelijk geconcludeerd, voortkwam uit Erno's onzekerheid. Voor Arthur stond vast dat hij elk woord meende van wat hij had gezegd, en toch was er iets vreemds aan zulke bespiegelingen. Soms deed Erno Arthur denken aan zijn schizofrene zuster Susan, die vaak beweerde dat ze commando's kreeg van stemmen van elders uit de kosmos. Erno had verklaard dat hij iets lugubers in zijn eigen karakter had ontdekt toen hij Paul Judson doodschoot. Maar dat was veel begrijpelijker dan de krachten die hem aan zijn levenseinde tot het besluit hadden gebracht het weinige recht te zetten van de door zijn wrede kant aangerichte schade waartoe hij bij machte was. Erno accepteerde dat hij er goed aan deed. Maar hij leek nog volstrekt niet te weten wat het hemzelf zou opleveren.

Ten slotte vroeg de rechter aan Muriel of ze nog vragen had. Ze overlegde met Larry en zei daarna van niet.

'Meneer Erdai,' zei de rechter, 'u kunt gaan.' Harlow bestudeerde Erno nog even, voegde er toen op vlakke toon aan toe: 'Het beste met u, meneer,' en verliet zonder omkijken zijn verhoging.

19

13 JUNI 2001

Nog steeds slachtoffer

Na de afsluiting van de zitting keek Muriel, high van de adrenaline, naar de zaal, waar de toehoorders schouder aan schouder overeind kwamen. Er waren zeker tien verslaggevers en tientallen burgers die door de berichten van de afgelopen vierentwintig uur op de zaak attent waren gemaakt.

Die ochtend had Ned Halsey Muriel het galante voorstel gedaan de zaak – en de controverse – aan hem over te laten. Maar de verslaggevers wisten dat de zaak-Gandolph een keerpunt in haar carrière had betekend; als Arthur echt kon aantonen dat Eekhoorn ten onrechte was veroordeeld, zou de pers haar afmaken, ongeacht of ze de zaak zelf behandelde of niet. En ze wilde de uitdaging niet uit de weg gaan. Ze hunkerde naar gelegenheden waarbij het uiterste van haar werd gevraagd, hoe akelig de aanleiding ook was, als de wereld aan haar trok als een woelige zee. Raven liep naar de verhoging met een nieuwe stapel verzoekschriften. Met Molto en Carol moest de volgende stap worden besproken. Larry wachtte op instructies voor zijn onderzoek naar Erdai. En de journalisten drongen al naar voren om te zien of ze in een commentaar op de afloop vooruit wilde lopen. Maar dit was de bestemming waar ze altijd al naartoe had geleefd. 'De arena' noemde Talmadge het, maar dat klonk haar te zeer naar gladiatoren. Voor haar was het een kwestie van jezelf volledig inzetten, voelen dat elke lichaamscel iets moest bijdragen aan het veroveren van haar plaats in haar tijd.

Zoals altijd bij dit soort gelegenheden was haar instinctief duidelijk wat haar te doen stond. John Leonidis was aanwezig; hij had een plaatsje achterin gezocht, zoals hij al ruim negen jaar trouw had gedaan bij alle belangrijke zittingen. Ze negeerde alle anderen en met de verslaggevers om zich heen gegroepeerd legde ze haar arm op Johns schouder en voerde hem mee naar de getuigenkamer. De pers, wist ze, zou pas weggaan nadat ze haar commentaar had gegeven.

John was niet alleen gekomen. Hij stelde een man met een gladde huid voor, Pan, misschien een Filippino, die een stuk jonger was dan John. Nadat Muriel de deur van het kamertje dicht had gedaan, was het geroezemoes op de gang gedempt hoorbaar. John had zich kennelijk kwaad gemaakt. Terwijl hij stond te tieren, beet hij een stukje van zijn duimnagel. Hij legde Muriel uit, alsof dat nieuws voor haar was, dat Erdai loog om wraak te nemen op de politie in Kindle County en alle gegevens in de mond gelegd had gekregen.

'Ik wil die idioten van de pers vertellen wat er aan de hand is,' zei John.

Voor Muriel was het ideaal om door de slachtoffers te worden verdedigd. Niettemin zei ze tegen John dat hij alleen moest spreken als hij dat echt wilde.

'Reken maar dat ik dat wil,' zei John. 'Ik denk elke dag aan die smeerlap. Gandolph? Elke dag, Muriel, besef ik wat ik nog meer door die gast ben kwijtgeraakt. De afgelopen paar maanden vraag ik me telkens af of mijn oude heer trots op me zou zijn geweest.' John had goede redenen om te geloven dat Gus tevreden over hem zou zijn geweest. Niet alleen had John het restaurant voortgezet – de zaak liep uitstekend omdat de wijk weer in opkomst was – hij had ook, in samenwerking met een plaatselijke hoteleigenaar, franchisecontracten afgesloten met goedkope Griekse restaurants in het hele land. Op uitnodiging van John lunchte Muriel een paar keer per jaar in het restaurant in Center City, BG's Taverna. BG voor Brave Gus. John zat dan aan tafel te roken en de zaak door te spitten, die hem zo helder voor ogen stond of het proces een dag eerder was afgesloten.

'Ik denk wel dat Gus het moeilijk zou hebben gehad met bepaalde aspecten van mijn leven,' zei John, 'net als mijn moeder, maar ik denk dat het met hem ook wel goed was gekomen. Dat geloof ik echt. Maar ik heb er recht op om het te weten. Ja toch? Daar heeft iedereen recht op. Die klootzak van een Gandolph is niet God. Maar in mijn leven heeft hij wel voor God gespeeld.'

Voor John gold hetzelfde als voor de meeste nabestaanden: de moord op zijn vader zou altijd hemzelf sterk blijven beïnvloeden.

Maar de voornaamste reden dat John de zaak niet kon loslaten was dat die voor hem niet afgelopen was. Voor John Leonidis was het alsof hij bijna tien jaar zijn adem had ingehouden, tegen beter weten in hopend dat Gus' onrechtvaardige dood niet erger zou worden gemaakt doordat hij moest meemaken dat Rommy Gandolph ontsnapte aan het lot dat hij volgens de krakkemikkige molens van justitie had verdiend.

Jaren terug was John het fanatiekst van alle nabestaanden geweest wat de doodstraf voor Gandolph betrof. Ten tijde van het proces was de vrouw van Paul Judson, Dina, naar Colorado verhuisd om haar uiterste best te doen opnieuw te beginnen; al jaren had niemand meer iets van haar gehoord. Luisa's moeder, die Larry tijdens het onderzoek tegen de haren in had gestreken, was op de zitting verschenen om de doodstraf te vragen, maar leek ontmoedigd. John daarentegen zou bereid zijn geweest rechten te gaan studeren om de zaak zelf in behandeling te kunnen nemen. Muriel had aanvankelijk gedacht dat dat ter wille van zijn moeder was. Maar wat hij had verklaard, toen de nabestaanden voordat vonnis werd gewezen het woord mochten voeren, was dat naar zijn overtuiging zijn vader ook de doodstraf zou hebben gewild.

'Hij gaf mensen een kans,' had John over Gus gezegd. 'Hij gaf je vijf kansen, als hij dacht dat je je best deed. Maar als het erop aankwam, was hij van de oude stempel. Hij was hard. Vroeg of laat vond hij dat het mooi zat was geweest. Mijn vader was goed voor Gandolph. En daarvoor heeft hij alleen een kogel in zijn hoofd gekregen. Hij zou die man dood hebben gewild. Dus dat is wat ik wil.' Indertijd had Muriel zich al afgevraagd of John wel helemaal de juiste kijk op zijn vader had, maar het was niet aan haar om over hem te oordelen. Ze kon zich echter wel de stemming in de rechtszaal herinneren terwijl John het woord voerde, de ernst waarmee Gillian Sullivan op haar verhoging naar hem had geluisterd. Idealisten konden van alles beweren over de onwaardigheid van het doden door de staat, in elk geval was het beter dan dat zij de zaak in eigen hand namen, wat kon gebeuren bij mensen zoals John, mensen met verdriet en schulden aan de doden die om actie riepen. Voor hem was de dood van Rommy Gandolph een prioriteit geworden, onderdeel van zijn rol als opvolger van zijn vader die hij direct na de dood van Gus op zich had genomen.

Muriel deed de deur open en gebaarde naar Carol dat ze met John en zijn vriend mee zou gaan naar beneden, naar de hal, waar de tv-camera's wachtten. Enkele persmensen riepen Muriels naam en ze beloofde dat ze zich nog ter beschikking zou stellen. Maar Larry kwam met vier vrouwen naar binnen – twee jonge meisjes, een vriendelijk uitziende vrouw van rond de veertig en daarachter een oude dame met levenloos zwart geverfd haar. Ze was de enige van de vier die Muriel herkende.

'Mevrouw Salvino, natuurlijk,' zei Muriel, om de moeder van Luisa Remardi te verwelkomen. De oude vrouw was hard en zakelijk en Muriel had altijd aangenomen dat Luisa op haar had geleken. De tienermeisjes hadden bijna identieke gezichten, maar de twee jaar leeftijdsverschil leidde tot een aanzienlijk uiterlijk verschil. De oudste was opgemaakt en bijna een kop groter dan haar zus. Maar ze waren allebei slank en donker, met lange kaken en loshangende gitzwarte lokken. Ze waren allebei erg knap. Het was Muriel direct duidelijk dat het Luisa's dochters waren.

Kortaf als altijd deed mevrouw Salvino Muriels begroeting af.

'Wat een gedoe,' zei ze. 'Maken jullie er dan nooit een eind aan?'

'Nuccia,' zei de vierde vrouw vermanend.

'Muriel,' zei Larry ongebruikelijk plechtig voor zijn doen, 'misschien kun je je Genevieve Carriere herinneren. Ze was een goede vriendin van Luisa.' Genevieve was ingeschakeld om te chaufferen en te begeleiden. Mevrouw Salvino was zo'n Italiaanse uit Kewahnee die hoogstens twee of drie keer per jaar in Center City kwam, altijd beducht voor wat haar daar wachtte.

'Ik kom hier alleen als het moet,' zei mevrouw Salvino. 'Darla had de televisie gehoord. Dus die wou beslist komen, al is dat eigenlijk een excuus om niet naar school te gaan.'

'Alsof ik een excuus nodig heb,' zei haar oudste kleindochter. De jongste was verlegen en had een beugel en bleef bij de deur aarzelen. Maar Darla wist kennelijk wat ze wou. Ze was zestien en koos voor de nauwsluitende kleding en zware make-up die Muriel tegenwoordig veel op straat zag. Met haar vormen kon ze zich zo'n strak hemdje tot boven haar navel niet veroorloven. Muriel was vaak verwonderd over haar reactie op de seksuele vrijmoedigheid van zulke meisjes, omdat ze wist dat ze ten volle van die vrijheid zou hebben geprofiteerd als die in haar tijd zou hebben bestaan.

'Dit hoef je allemaal niet te horen,' zei haar oma.

'Kom op, oma! Het is op televisie. En het gaat om mijn eigen moeder, dus dat slaat nergens op. Het is totale onzin.'

Larry kwam ertussen. 'Ik geloof niet dat je hebt begrepen wat er vandaag is gebeurd, Darla. Het was alleen maar een verbitterde man in zijn nadagen die zijn straatje wilde schoonvegen.'

'Ik geloofde hem soms wel,' zei ze op de dwarse toon die bij haar leeftijd paste. 'Die andere, die ze zeiden dat het had gedaan, daar waren ze niet erg duidelijk over. Ik denk niet dat deze die nou hier was ook maar de puf had om het allemaal te verzinnen.'

'Verzinnen, daar weet jij alles van,' zei haar grootmoeder.

Darla wierp haar een honende blik toe.

'Het enige met deze,' zei Darla, 'is dat hij zo totaal jasses is om naar te kijken.'

Muriel en Larry, nog in de strijdlustige stemming van de rechtszaal, begonnen tegelijk te lachen, geamuseerd door het wrede oordeel over Erno.

'Nee, echt,' hield Darla aan. 'Ik bedoel: ik weet dat hij ziek is en alles maar hij kan nooit zeg maar leuk om te zien zijn geweest. Dat is niets voor mijn moeder. Als je de foto's ziet van haar met een vriend – of zelfs mijn vader – dan zijn het altijd stukken.' Het meisje sprak met overtuiging en Muriel was getroffen door haar adorerende reconstructie van haar moeder. Hoe ouder Muriel werd, des te meer werd ze zich bewust van de ongeziene pijn die de mensen in elk gerechtsgebouw met zich meedroegen. Toen ze jonger was, had ze voornamelijk de wrok gevoeld – zowel van de slachtoffers als de verdachten, die zich vaak miskend voelden – en nog sterker haar eigen rechtzinnige drang om het kwaad te bestraffen. Maar wat haar nu bijbleef was de erfenis van smart – bij Darla, zelfs bij de misdadigers, die vaak zo verstandig waren spijt te hebben van wat ze hadden gedaan, en zeker bij hun familieleden, die gewoonlijk even onschuldig waren als andere omstanders; hun kon alleen worden verweten dat ze hielden van iemand die iets had misdreven.

Voor Darla was het kennelijk belangrijk dat haar oordeel over haar moeder zou worden beaamd. Ze richtte zich tot Genevieve, die met een flauw lachje naar Darla's dialoog met haar oma had geluisterd.

'Zo is het toch, tante Genevieve? Die man was niets voor mama.'

'Natuurlijk niet,' zei Genevieve. 'Je moeder kon hem niet uitstaan.' Ze raakte de blote schouder van het meisje aan en zag niet dat Muriel en Larry een blik van verstandhouding wisselden.

'Waarom kon ze hem niet uitstaan?' vroeg Muriel.

Zes mensen was al veel, in een kamertje met een oude met tweed overtrokken bank en een goedkope tafel met wat stoelen. Genevieve was zich er onmiddellijk van bewust dat ze buiten haar boekje was gegaan en veinsde opeens belangstelling voor een boslandschapje aan de muur.

'Er was kwaad bloed,' zei ze en bewoog een gemanicuurde hand door de lucht, alsof ze niets concreets zou kunnen noemen. Ze had wit haar dat niet bij haar leeftijd paste en des te opvallender was omdat ze met haar blozende wangen jong was gebleven, tot haar overbeet aan toe. Genevieve leek iemand die met beide benen op de grond stond. Na tien jaar stond ze nog steeds de kinderen en moeder van haar vriendin bij. Muriel had zich inmiddels jarenlang voorgesteld dat ze op een sportcomplex aan de zijlijn zou staan tussen zulke vrouwen, moeders die automatisch hun kinderen bijstonden en waarschijnlijk de beste mensen op de planeet waren.

'Misschien kunnen de meisjes op de gang wachten,' stelde Muriel voor omdat ze dacht dat zij de reden konden zijn voor Genevieves terughoudendheid.

'Gelul,' zei Darla. 'We zijn oud genoeg. Ze was ónze moeder.'

Muriel glimlachte ondanks zichzelf, waarschijnlijk omdat ze op haar zestiende net zo tactloos en koppig was geweest. Het opwindende gevoel van te ver gaan, verboden terrein betreden om te weten te komen wie ze was, trok haar nog altijd wel aan. Andrea, Darla's zusje, leek minder zelfverzekerd, maar wilde toch ook liever blijven. Intussen bleef Larry aandringen bij Genevieve.

'Dus volgens jou zijn Erno en Luisa nooit een stel geweest?'

Genevieve keek op haar horloge en wenkte de meisjes, maar was bereid tot een laatste opmerking.

'Ik zou nog eerder geloven dat hij haar heeft vermoord.'

Muriel stak haar hand op om mevrouw Salvino tegen te houden. 'Heeft Luisa u ooit iets verteld over Erno?'

'Wie zal het zeggen?' antwoordde de oude vrouw. 'Wie lette daarop?'

'Vertelde ze over mannen?'

'God nog aan toe,' zei mevrouw Salvino. 'Ik was haar moeder, god nog aan toe. Denkt u dat ik daarnaar vroeg?'

'Volgens mij wel,' zei Darla.

Mevrouw Salvino hief haar hand en maakte een sissend geluid dat Darla beantwoordde met een ander gebaar, met de gestrekte hand, dat ze waarschijnlijk van haar oma had overgenomen. Maar Darla lachte erbij. Ze had meer waardering voor Nuccia Salvino dan ze zou toegeven.

Terwijl Genevieve probeerde het groepje naar de deur te dirigeren, zei Muriel tegen mevrouw Salvino dat de verslaggevers zouden proberen haar te interviewen.

'Ik heb niets te zeggen.'

'Ze willen weten wat u denkt,' zei Muriel. 'Of u denkt dat Erdai haar heeft vermoord.'

'Misschien,' zei mevrouw Salvino. 'Misschien hebben deze en die andere het samen gedaan. Ik weet het niet. Ze is dood. Dat weet ik wel.'

'We hebben geen commentaar,' zei Genevieve.

Muriel nam afscheid. Genevieve was de laatste en Larry legde zijn vingertoppen op haar mouw.

'We willen heel graag nog verder met u praten.'

Genevieve schudde snel haar hoofd. Ze had haar excuus klaar. Vakantie. Elk jaar gingen ze, zodra de kinderen vakantie hadden, een maand naar Skageon.

'Wanneer gaat u weg?' vroeg Muriel.

'Morgen,' zei Genevieve. 'Morgenochtend vroeg.'

'Nou ja, misschien komen we daar nog langs,' zei Larry en Genevieves donkere ogen keken hem schichtig aan.

Muriel dacht aan de pers beneden, besefte dat Larry's aandringen zinloos was en deed de deur open om Genevieve te laten gaan. Nu waren zij en Larry alleen, in een curieuze stilte temidden van de storm.

'We zouden haar moeten dagvaarden,' zei Larry. 'Het zal haar niet bevallen, maar ze lijkt me niet iemand die onder ede liegt. Ik denk niet dat we anders een woord uit haar krijgen.'

'Ik zie er wel wat in om dat puntje over Luisa die altijd een hekel aan Erno zou hebben gehad officieel opgenomen te krijgen. We moeten hem op alle mogelijke manieren voor leugenaar zetten.'

'Dat is je al aardig gelukt.'

Ze aanvaardde het compliment met een glimlach, maar ze had geleerd dat zaken winnen meer vergde dan vuurwerk op de zitting. De afloop van de meeste zaken stond van tevoren vast door de instelling van de rechter of de jury en ze was niet gerust op Kenton Harlow.

'Als hij uitspreekt dat Erno geloofwaardig is,' zei ze, 'zit ik nog een hele tijd aan deze zaak vast. Talmadge denkt dat als het lang gaat duren, dominee Blythe misschien iemand zal overhalen om zich kandidaat te stellen in de voorverkiezingen.'

'Een zwarte kandidaat,' zei Larry.

'Allicht,' zei ze, maar ze schudde haar hoofd bij het vooruitzicht. Ze had geen zin in zo'n gevecht, zeker niet als zij zou worden afgeschilderd als racistische aanklager.

'Wat is het alternatief?' vroeg Larry.

'Je weet wat het alternatief is, Larry. Ga maar na. Of we branden Erno af, of we zeggen dat we ernaast hebben gepoept en proberen de schade te beperken.'

'We hebben er niet naast gepoept. De gekken die tegen de doodstraf zijn komen altijd met hetzelfde oude liedje. De man zat fout, Muriel, dat weet je. Ik heb hem niet geprest tot een bekentenis. Erno kan me wat met zijn Shangrila.'

'Ik zeg het alleen maar.'

'Bovendien, met alle respect voor Talmadge, als we dat eekhoorntje hebben verneukt, laat Blythe weinig van je heel. Misschien moet je die campagneposters dan afbestellen.'

'Als het zo loopt,' zei ze direct. Haar stem klonk te uitdagend, hooghartig zelfs, en ze voelde dat hij ineenkromp. Het deed om een of andere reden aan vroeger denken, aan iets van jaren terug. Daar voelde ze zich schuldig over. En waarschijnlijk had ze niet de waarheid gesproken. Laatst had ze Larry nog verteld dat ze de kans om hoofdaanklager te worden misschien had laten schieten voor het moederschap, en dat had ze gemeend. Maar geen van beide verlangens vervuld krijgen? Ze kende zichzelf goed genoeg om te weten dat ze het zo gemakkelijk niet opgaf.

'Hij is de dader, Larry. Maar nu moeten we door met de actie om Erno te beschadigen. Ik wil Jackson Aires te pakken zien te krijgen om te proberen of ik met Erno's neef kan praten. En blijf werken aan het bendeaspect. Mogelijk hebben de GO's Erno iets beloofd dat we nog niet hebben bedacht. En kijk of je die man kunt opduikelen waar Erno bij Ike op heeft geschoten. Volgens mij zal die niet in de houding springen voor die rotsmoes van Erno over zelfverdediging.'

Die ideeën stonden Larry wel aan. Het was prettig dat het weer vrede tussen hen was.

'Tijd voor de pers,' zei Muriel. 'Zie ik er streng maar rechtvaardig uit?'

Met zijn duimen en wijsvingers vormde hij een camera.

'Echt wel.'

Ze glimlachte hem toe. 'Ik had vergeten hoe leuk het is om met jou samen te werken, Larry.'

Toen Muriel de deur opendeed, zag ze dat Darla, Luisa's oudste dochter, tegen de deur geleund stond. Het meisje schoot Muriel direct aan.

'Vergeten te vragen,' zei ze. 'Ik vroeg me af of we hem misschien terug kunnen krijgen?'

'Hem?'

Darla keek naar Muriel of ze het verstand van een kikker had.

'De camee. Mijn moeders camee. Dat is toch een bewijsstuk? Meneer Molto zei dat we hem pas kunnen terugkrijgen wanneer de hele zaak achter de rug is. Maar we hebben er nu al zo lang op gewacht en ik vroeg het me af omdat...' Ondanks haar stoerheid leek Darla nu niet uit haar woorden te kunnen komen.

Maar Muriel had geen verklaring nodig. Darla wilde de camee hebben omdat ze er als oudste dochter recht op had; omdat het sieraad haar band met haar moeder symboliseerde en omdat er een foto van Darla in zat, gemaakt toen ze pas bestond, die Luisa letterlijk op haar hart had gedragen. Muriel voelde de woede en machteloosheid van het meisje mee. Het duurde nu al tien jaar en de wet had, ondanks alle edele bedoelingen en bizarre functioneren, niet eens een moederloos kind de troost gegund haar kostbaarste erfstuk te kunnen aanraken.

Muriel sloeg even haar armen om Darla heen en beloofde er zo snel mogelijk iets aan te doen; terwijl ze naar de lift liep, probeerde ze weer kalm te worden. Razernij deed het niet goed voor de camera. Maar ze was blij om dat ogenblik met Darla, de gelegenheid om de intensiteit van haar vaste voornemen opnieuw te beleven. Het was geen diefje met verlos. Het was niet gepast dat een verdediger uit naam van Eekhoorn kwam opdraven om 'Raden maar!' te roepen. Lang genoeg waren recht en rust onthouden aan mensen die het hadden verdiend. Het had allang afgelopen moeten zijn – met de zaak, met de juridische bokkensprongen en met Rommy Gandolph zelf.

20

13 JUNI 2001

Susan

Van haar zitplaats op de achterste rij sloop Gillian Sullivan naar de deur zodra de zitting was afgelopen. Ze liep al door de gang, met haar lage hakken tikkend op het marmer, toen ze achter zich haar naam hoorde roepen. Stew Dubinsky, al heel lang rechtbankverslaggever bij de *Trib*, draafde een paar passen om naast haar te komen lopen en hijgde van inspanning. Er waren weinig mensen die ze minder graag wilde zien.

Door de rechtszaal binnen te gaan had ze het risico genomen dat deze confrontatie zou plaatsvinden, en ze had dan ook een paar keer gedacht dat ze beter kon weggaan. Maar het was alsof ze op haar stoel vastgenageld zat, tot Erno zijn laatste woord had gesproken. Wat had haar bezield om te blijven in plaats van de zaak de rug toe te keren, zoals ze zich zo vaak had voorgenomen? Ze had zoveel fouten te berouwen. Duizenden. Hoe kon ze zich op juist deze zo concentreren? Maar 's ochtends had ze de krant gespeld en de vorige avond had ze voor Duffy's tv gezeten terwijl het late journaal zijn gesnurk overstemde. De zaak fascineerde haar, eigenlijk al sinds de dag dat ze met Arthur naar Rudyard was gegaan. Waren dit weer de excessen van een geweten dat altijd hongerde naar schaamte? Toch kon ze zichzelf niets meer wijsmaken. Wat hier ook de waarheid was, op een bepaalde manier zei die iets over haarzelf.

Dubinsky was van mollig gezet geworden. Het gezicht waaraan ze hem al jaren kende was er nog, maar was als een reliëf weggezakt in overdadig spek. Ze had Stew nooit gemogen. Hij was in vrijwel elk opzicht onbetrouwbaar, had de gewoonte te laat te komen, ging luchtig om met de feiten en gebruikte vaak slinkse methoden om aan gegevens te komen. Een jaar of wat terug was hij een tijdje zijn perspasje voor het gerechtsgebouw kwijtgeraakt, nadat hij was aangetroffen met zijn oor tegen de deur van een jurykamer.

In een paar woorden legde ze Dubinsky uit waarom ze de zitting had bijgewoond. Het was meteen duidelijk dat hij haar zag als een invalshoek die zijn concurrenten niet zouden hebben. Hij vond zijn recordertje in zijn jaszak. Haar instinct zei haar dat het haar haar baan zou kunnen kosten als er nog meer over haar in de krant werd geschreven zoals die ochtend, maar ze was bang dat Dubinsky alleen maar hardnekkiger zou worden als ze probeerde hem af te schepen. Ze zei een paar keer dat ze weg moest, maar Stew bleef beloven dat hij nog maar één vraagje had. Hij was klaar met de zaak-Rommy Gandolph en informeerde nu naar haar huidige leven, waarover ze zeker niet wilde praten.

'Daar ben je,' zei iemand en pakte haar elleboog. Het was Arthur. 'We moeten nu weg, als ik je terug moet brengen. Ik ben net opgepiept. Een cliënt van me is aangehouden en ik moet haar borgstelling regelen.' Hij trok Gillian mee over de gang.

Dubinsky bleef kleven, maar nu Arthur erbij was, verplaatste hij zijn aandacht. Hij wilde Ravens reacties horen op vrijwel alles wat Muriel had gezegd. Arthur bleef staan om te proberen Dubinsky weg te sturen, maar uiteindelijk liep hij mee naar het dak van de kleine parkeergarage tegenover het gerechtsgebouw waar Arthurs nieuwe auto stond te wachten.

'Zo, dat schuift, de advocatuur,' zei Stew, en raakte een bumper aan.

'Niet in deze zaak,' verzekerde Arthur hem. Hij hielp Gillian met instappen en reed haastig weg.

'Ik ben je innig dankbaar.' Gillian deed haar ogen dicht en legde haar hand op haar borst. 'Is Stew nog erger geworden dan hij al was of ben ik hem gewoon ontwend? Je hebt niet echt een cliënt in de bak, zeker?'

'Helaas. Mijn zus.'

'Je zus!'

'Het gebeurt zo vaak, Gillian. Maar ik moet erheen.'

'Natuurlijk. Zet me maar ergens af.'

'Waar wil je heen?'

'Toe, Arthur. Jij moet voor je zuster zorgen. Ik werk vanavond in het filiaal in Nearing. Ik pak de bus wel.'

'Nou, ik moet naar West Bank 2. Rijd maar mee, dan kun je daar de bus nemen, als je wilt.'

Ze zag niet in wat hij er voor hinder van zou hebben als ze met hem meereed naar het politiebureau, en ze had nog iets met Arthur te bespreken. Ze had nog hoop dat ze iets kon doen om het afscheid van de vorige dag goed te maken en ze was ook nieuwsgierig naar zijn reacties op de zitting. Maar hij stelde de eerste vraag: wat ze van Erno had gevonden.

'Muriel verstaat haar vak,' zei Gillian. 'Ze heeft heel wat opgerakeld.'

'Geloofde je hem?'

Daar had ze niet echt over nagedacht. Geloven of niet geloven had van secundair belang geleken. De beslissing was niet aan haar. Bovendien merkte ze nu hoe ze in het schouwspel was opgegaan. Na haar veroordeling was ze niet meer in een gerechtsgebouw geweest. Maar de omgeving had haar vandaag meer aangesproken dan ze voor mogelijk had gehouden. De advocaten, de rechters, de akoestiek, de emotie die sterker was dan in een theater omdat alles echt was. Toen Erno over zijn naderende dood had gesproken, leek het of een lange bliksemflits insloeg. Ze had eigenlijk verwacht ozon te ruiken.

Gillian was niet echt verbaasd dat ze zich jaloers had gevoeld. Ze had altijd van de rechtszaal gehouden. Maar het was een schok dat het zo dichtbij was gebleven: de afwegingen en berekening in elke vraag, de pogingen om de ondoorgrondelijke reacties van de rechter te peilen. Ze besefte nu dat ze er elke nacht van had gedroomd.

'Heel eerlijk gezegd weet ik niet of ik hem wil geloven, Arthur. Maar ik vond je tweede termijn echt briljant en even indrukwekkend als Muriels kruisverhoor.'

'Ach nee,' zei Arthur, maar hij kon een glimlach niet onderdrukken. Het was ook geen beleefdheid van Gillian. Arthur had het uitstekend gedaan. Een kruisverhoor vereiste zwier: de ondervrager werd de zichtbare belichaming van ongeloof. De tweede termijn stelde eigen eisen en was veel subtieler: daarbij moest de advocaat, een beetje als een ouder die met zachte hand een kind in de juiste richting stuurde, de getuige onmerkbaar weer in een flatteus licht stellen.

'Ik geloof dat ik in dit stadium nog niet weet wat ik van Erno moet denken,' zei ze. 'Kun je zijn verklaring nog verder onderbouwen?'

'Ik weet niet precies hoe. Niet met fysiek bewijs. Als hij had gezegd dat hij haar had aangerand, zou er misschien een schaamhaar zijn, DNA, maar er is niets.'

'Waarom denk je dat hij ontkent dat hij haar heeft aangerand?'

'Al op de dag dat we bij hem zijn geweest, beweerde hij dat Painless fouten had gemaakt. Ik denk eigenlijk dat het voor hem pleit. Als hij echt zijn verklaring aan het bewijsmateriaal wilde aanpassen, zou hij dat ook hebben toegegeven.'

Ze kwamen maar langzaam vooruit in de middagspits. Gillian dacht na. In dit stadium zou het oproepen van twijfel aan de juistheid van de veroordeling onvoldoende zijn om uitstel van executie voor Gandolph te krijgen. Na tien jaar was het daarvoor veel te laat. Maar het was mogelijk dat Muriel zelf de zaak uit de aandacht wilde hebben.

'Muriel zal je misschien benaderen om een deal te maken, weet je,' zei ze tegen Arthur.

'Om het op levenslang af te maken, bedoel je? Zelfs als hij onschuldig is?'

'Wat zou je cliënt daarop zeggen?'

'Het is het equivalent van een godsoordeel. Hem levenslang aanbieden. Als hij schuldig is, zal hij die kans met beide handen aangrijpen. Als hij onschuldig is, kan hij ook ja zeggen om in leven te kunnen blijven.'

'De keuze is toch aan hem?' vroeg Gillian, maar Arthur schudde zijn hoofd.

'Ik wil dat hij onschuldig is. Ik ben inmiddels net zo erg als Pamela.' Hij keek naar haar met iets van jongensachtige verlegenheid. 'Dit is beter dan aanklager zijn. Als aanklager doe je goed werk. Maar het is anders. Ik ga de strijd aan met de hele wereld. Het is voor het eerst in jaren dat ik 's morgens niet met een verslagen gevoel opsta.' Arthur, die niet de neiging had om tegenover haar zijn gevoelens te verbergen, straalde een ogenblik van pure verrukking.

Gillian glimlachte, maar haar gedachten dwaalden weer af naar het terrein dat ze niet meer mocht betreden. Daarom vroeg ze Arthur naar zijn zuster en hij vertelde haar geschiedenis op zo'n koele toon dat duidelijk werd dat de situatie hem niet onverschillig liet, maar dat alle hoop uiteindelijk was verdrongen door verdriet. Het was het gebruikelijke verhaal: een periode van stabiliteit, dan weer een dramatische terugval en ziekenhuisopname. Susan was diverse keren verdwenen, akelige toestanden waarbij Arthur en zijn vader haar op straat hadden gezocht – de laatste keer was ze in Phoenix opgedoken, waar ze speed had gebruikt, het allergevaarlijkste middel voor iemand die schizofreen was – terwijl ze drie maanden zwanger was. Vooral voor Arthurs vader, die altijd was blijven hopen dat hij dat veelbelovende, knappe meisje terug zou krijgen, waren de cycli van haar ziekte vreselijk geweest.

'Helpen de medicijnen?' vroeg Gillian.

'Ja. Maar vroeg of laat weigert ze ze in te nemen.'

'Waarom?'

'Omdat ze zulke vervelende bijwerkingen hebben. Tremors. Een versnelde hartslag. Haar hals raakt min of meer verlamd terwijl haar hoofd scheef hangt. Een reden voor het begeleid wonen is dat we haar een keer per week een injectie met Prolixin kunnen geven. Ze deed het beter op Risperdal, maar dat moet elke dag en dat lukte dus niet. Daar wordt ze alleen maar tam van. En ze kan het niet uitstaan. Ik denk dat voor haar en al haar lotgenoten één ding het ergst is: dat het leven kleurloos is, vergeleken met wat er in haar hoofd gebeurt als ze geen medicijnen neemt. We hebben het over iemand met een IQ van honderdvijfenzestig. Ik kan me niet eens voorstellen wat er in haar omgaat. Maar ik weet wel dat het heftig is, wild, opwindend. Ze blijft een genie. Voor haar is de buitenwereld ongeveer zo relevant als de Middeleeuwen, maar ze leest elke ochtend drie kranten en vergeet niets.'

Arthur zei dat een jeugdvriend van Susan, nu topman bij de beleggingsmaatschappij Faulkes Warren, baantjes voor haar had geregeld – ponsen, data invoeren, later als fiscalist. Daar was ze echt heel goed in. Als ze niet in haar eentje in een kamer zou moeten zitten of twee keer per jaar naar het ziekenhuis moest, zei Arthur, zou Susan misschien een kwart miljoen dollar per jaar verdienen. In plaats daarvan leefde ze door haar gedrag onder de voortdurende dreiging van ontslag. Daarom had hij een afspraak gemaakt met Susans werkgever. Wanneer zijn zuster in paranoïde dwalingen verstrikt raakte, werd de politie gebeld om haar af te halen. Arthur had een oude vriend bij West Bank 2, Yogi Marvin, een wachtcommandant die dan een wagen langsstuurde. Meestal was Susan blij de politie te zien, in de overtuiging dat de agenten haar kwamen beschermen tegen vermeende belagers.

'Shit,' zei Arthur toen ze de straat in reden waar het bureau was. 'Daar is ze.' Bureau West Bank 2 was een functionele moderne schoenendoos van baksteen. Voor de glazen deuren leken twee vrouwen te ruziën, terwijl een politieman in uniform terzijde stond. Arthur parkeerde vlak bij de ingang en rende erheen. Gillian stapte uit en wachtte bij de glimmende bumper, niet wetend of het onbeleefd zou zijn om weg te lopen.

'Ik moet mijn sigaretten hebben,' zei Susan. 'Je weet dat ik mijn sigaretten nodig heb, Valerie.'

'Ik weet dat je je sigaretten nodig hebt,' zei Valerie, 'en Rolf weet dat ook. Daarom zouden we ze nooit afpakken.' Valerie was, nam Gillian aan, maatschappelijk werker in het huis waarin Susan begeleid woonde. Arthur had gezegd dat er iemand van het huis onderweg was. Levenservaring gaf Gillian de veronderstelling in dat Valerie een non was. Het geduld waarmee ze Susan door praten tot kalmte probeerde te brengen was niet van deze wereld en haar kledij was nauwelijks flatteuzer dan een habijt: een vormeloze trui en schoenen met dikke zolen. Valerie had een rond, vriendelijk gezicht dat in geen jaren in aanraking leek geweest met iets chemisch of zelfs maar nachtcrème.

'Je hebt gezegd dat ik op mijn werk niet mocht roken,' zei Susan, 'en je dacht dat ik het toch deed en daarom heb je ze ingepikt.'

'Susan, ik geloof dat je wel weet dat ik niet op je werk ben geweest. Wat ik heb gezegd is dat Rolf astma heeft en dat je, omdat hij in het hok ernaast werkt, je aan hun voorschriften moet houden en alleen in de hal moet roken. Dat wil niet zeggen dat ik je sigaretten zou afpakken. Of dat Rolf dat zou doen.'

'Ik weet dat Rolf mijn sigaretten heeft afgepakt.'

Arthur vroeg of hij een pakje sigaretten voor Susan moest kopen.

'Maar waarom dwingen ze Rolf niet de sigaretten terug te geven? Ik wil nu een sigaret.'

Arthur zag Gillian bij de auto en wierp haar een wanhopige blik toe. Na Alderson had ze gehoopt nooit meer getuige te hoeven zijn van een hooglopend conflict over sigaretten, zoals in de gevangenis elke dag voorkwam, en in een opwelling stak ze haar hand in haar tas.

'Ik heb wel,' zei ze.

Susan week achteruit en hief haar armen om zichzelf te beschermen. Hoewel Gillian op enkele passen afstand had gestaan, had Susan haar kennelijk niet opgemerkt. Arthur stelde Gillian voor en zei dat ze een vriendin van hem was. Gillians hoop een einde te kunnen maken aan de ruzie over sigaretten werd snel bewaarheid. Susans argwaan richtte zich nu tegen haar.

'Je hebt geen vriendinnen die roken,' zei Susan. Het was tegen haar broer gericht, maar ze keek naar Valerie om niet weer naar Gillian te hoeven kijken.

'Je ziet toch dat Gillian sigaretten heeft,' zei Arthur.
'Je wilt niet dat ik je vriendinnen leer kennen.'
'Ik vind het niet prettig als mijn vriendinnen niet aardig tegen je zijn.'
'Je denkt dat ik niet weet dat ik schiez ben.'
'Ik weet dat je dat weet, Susan.'
Ze nam de sigaret aan zonder echt in Gillians richting te kijken, maar mompelde braaf een bedankje. Als rechter had Gillian een aantal schizofrenen in de acute fase meegemaakt. Ook in Alderson zaten minstens vijf vrouwen die duidelijk dezelfde aandoening hadden en eerder in een psychiatrisch ziekenhuis dan in een gevangenis thuishoorden. Door die ervaring vond ze Susans verschijning verrassend. Ze had een huisvrouw in een buitenwijk kunnen zijn die boodschappen ging doen, in spijkerbroek en T-shirt. Ze was mollig en bleek en opvallend verzorgd, met kort geknipt al tamelijk grijs haar. Ze was ouder dan Arthur, begin veertig, schatte Gillian, en opvallend knap, met gelijkmatige trekken. Maar ze leek onthecht van haar uiterlijke verschijning. Bij het aannemen van de sigaret schoot haar arm gestrekt uit, alsof ze een marionet was. Haar ogen stonden dof en haar strakke gezicht leek aan te geven dat het uitdrukken van emoties onaanvaardbaar riskant was.
'Is ze psychiater?' vroeg Susan aan haar broer.
'Nee.'
Susan knipperde verkrampt met haar ogen zodra ze iets zei en haar lichte ogen keken heel snel even naar Gillian.
'Je bent anticontrair, hè?'
'Sorry?' Gillian keek Arthur aan, die pijnlijk getroffen leek. Het was een woord van Susan zelf, legde hij uit. Schizofrenen die hun medicatie weigerden werden contrair genoemd. Gillian had een ogenblik nodig om te beseffen wat Susan wilde suggereren.
'Jij en Valerie willen me altijd in contact brengen met mensen die beter zijn geworden,' zei Susan.
'We denken dat je daar iets aan kunt hebben. Maar Gillian is niet zo iemand.'
Susan, die tot op dit ogenblik de sigaret alleen had vastgehouden, stak hem nu op met lucifers uit haar broekzak en kneep een oog dicht tegen de rook. Ondanks haar tamelijk besliste uitspraken was Susan kennelijk schichtig en bang.
'Ik weet dat je niet Gillian Sullivan bent.'
'O nee?' zei Gillian voordat ze had nagedacht.
'Gillian Sullivan was een rechter die naar de gevangenis is gegaan.'

Ze begreep wat Arthur bedoelde met zijn opmerking over Susans geheugen en de kranten.

'Ik ben een paar maanden geleden uit de gevangenis ontslagen.'

De plotselinge reactie van Susan was een stap te dichtbij komen en en haar hoofd als een zoeklicht draaien terwijl ze Gillians gezicht bestudeerde.

'Wat gebruik je?'

Arthur wilde Susans arm pakken, maar ze ontweek hem.

'Paxil,' zei Gillian.

'Ik ook,' zei Susan. 'Maar welke neuroleptica? Antipsychotica?'

Toen Gillian aarzelde, schudde Susan nadrukkelijk haar hoofd. 'Je hebt het meegemaakt, dat zie ik.'

Degenen die zeiden dat ze gekken niet begrepen, deden alsof. Susan had gelijk; Gillian was gek geweest. Niet op Susans manier. Susan was niet in staat geweest de kloof over te steken die de meesten van ons als kind oversteken door afstand te nemen van de eigen mythologie ten behoeve van een die ze deelde met haar medemensen. Maar Gillian was wel gevlucht voor de realiteit. Dat wist ze. Ze had zich als rechter uitgesproken over een wereld van wangedrag en de harde gevolgen en dan, in een heroïneroes, haar fantasie van moed en onkwetsbaarheid doen herleven. In het ogenblik voordat ze indommelde voelde ze zich meester over zichzelf en haar omgeving, zoals ze zich als kind had gevoeld als ze met poppen speelde. Nee, ze was niets beter dan Susan en zou zich dat ook nooit verbeelden.

'Je hebt gelijk,' zei Gillian.

'Ik kan het altijd zien,' zei Susan en blies een wolk uit, met het wereldwijze hooghartige air van Bette Davis. 'Maar ik begrijp niet waarom je zegt dat je Gillian Sullivan bent.'

In een poging zijn gelijk alsnog te veroveren, herinnerde Arthur zijn zuster eraan dat hij in zijn verleden als aanklager in rechter Sullivans rechtszaal was opgetreden.

'Dat weet ik nog,' zei Susan. 'Dat weet ik nog. Je was verliefd op haar. Je bent om de drie weken verliefd op iemand.'

'Dank je, Susan.'

'Het is waar. En ze moeten je geen van allen.'

Arthur, die een verschrikkelijk vermoeide indruk maakte zodra hij zijn zuster zag, leek een ogenblik te verslagen om een woord te kunnen uitbrengen.

'Dat is niet mijn schuld, Arthur.'

'Dat denk ik ook niet.'

'Je denkt dat alles geweldig zou zijn, als je niet voor je gekke zus zou moeten zorgen.'

'Susan, ik vind het prettiger als je niet zo confronterend doet. Ik hou van je en ik wil je helpen en dat weet je. Ik moet terug naar kantoor. Ik zit in een proces. Ik heb je over de zaak verteld. De man die ter dood is veroordeeld?'

'Gaat het je lukken om hem vrij te krijgen?'

'Ik hoop van wel.'

'Heb je haar vrij gekregen?'

'Ze heeft haar straf uitgezeten, Susan.'

'Je hebt haar vrij gekregen om haar aan mij te laten zien, hè? Wat neemt ze?'

'Eigenlijk,' zei Gillian, 'was het in mijn geval zo dat ik beter ben geworden door niet meer te nemen.'

Aangemoedigd door haar succes tot nu toe had Gillian gedacht dat haar opmerking zou helpen, maar het bleek een flater. Susan begon te ratelen en maakte met haar stompe vingers bewegingen door de lucht.

'Dat zeg ik nou al zo lang! Als ik maar mocht ophouden, zou het me lukken, ik weet dat het me dan zou lukken! Het is haar ook gelukt en zij neemt niets.'

'Susan, Gillian heeft in de gevangenis gezeten, niet in het ziekenhuis. Nu bouwt ze haar leven weer op.'

'Zoals jij wilt dat ik doe.'

Arthur wist het even niet meer. Het leek geen grote concessie, maar kennelijk had hij in de loop van de jaren geleerd dat toegeven op welk punt ook Susan in haar overtuiging zou sterken.

'Dat zou ik wel willen, Susan, maar je moet doen wat je zelf goed lijkt.'

'Je weet toch dat ik beter wil worden, Arthur.'

'Dat weet ik.'

'Dan mag je haar nog eens meenemen.'

'Gillian?'

'Wie ze ook is. Op dinsdag. Drie mensen is trouwens toch beter.'

'Ik denk niet dat ze dinsdag kan. Dan moet je zeker werken?'

Gillian probeerde aan Arthur te zien wat de bedoeling was, maar de vraag leek oprecht. Ze schudde aarzelend haar hoofd.

'Nu wil je niet dat ik contact met haar heb,' zei Susan.

'Susan, vraag je af of je wel je best doet om mee te werken.'

'Waarom mag ze van jou dinsdag niet komen? Je wilt me niet echt helpen. Je wilt dat ik die troep blijf nemen en zij wil dat niet en dus wil je niet dat ik met haar praat.'

'Susan, ik vind het prettiger als je niet zo prikkelbaar doet. Waarom ga je niet met Valerie naar huis?'

Susan bleef opgewonden volhouden dat hij haar bij Gillian weg wilde houden. En dat was natuurlijk ook zo, dat zag Gillian wel, maar het was eerder ter wille van haarzelf dan om Susan te kwetsen. Ze overwoog te zeggen dat ze dinsdag best wilde komen, wat het ook inhield, maar aarzelde omdat haar pogingen om te helpen tot nu toe zulke onvoorspelbare gevolgen hadden gehad.

Arthur hield zijn zuster aan het lijntje door te zeggen dat ze wel zouden zien. Susan werd even wat rustiger en steigerde toen bijna zichtbaar.

'Ik weet toch dat ze niet wil komen.'

'Zo is het genoeg, Susan,' zei Arthur. 'Zo is het genoeg. Je hebt een sigaret gekregen. Ik heb gezegd dat we wel zullen zien wat Gillian betreft. Ga nu met Valerie mee.'

Het duurde nog even, maar uiteindelijk zaten Susan en Valerie allebei in het witte busje van het Franz Center. Susan had bezworen dat ze te weten zou komen wie Gillian werkelijk was. Zodra het busje wegreed, begon Arthur uitvoerig zijn excuses aan te bieden, eerst aan de politieman die bij het hele gesprek erbij was gebleven en daarna aan Gillian. Hij legde uit dat als er ook maar iets misging voor Susan – zoals vandaag met die sigaretten – het hele bouwwerk van haar zekerheden kon instorten.

'Arthur, je hoeft je nergens voor te verontschuldigen. Maar mag ik vragen wat dinsdag inhoudt?'

'O. Dan krijgt ze haar injectie. En daarna gaan we naar de flat. Dat is waar vroeger mijn vader woonde, maar ik woon daar nu, voornamelijk voor haar. We maken avondeten klaar. Vooral na de dood van mijn vader is dat erg belangrijk geworden. Ik denk dat ze dat bedoelde toen ze zei dat drie mensen beter is.'

'Aha. Het zou niet veel moeite voor me zijn om te komen. Als het echt belangrijk voor haar is.'

'Dat vraag ik niet van je. Susan zou je nauwelijks opmerken wanneer je er was. Dat weet ik uit ervaring. Er is geen continuïteit. Alleen wat haar paranoia betreft.'

Arthur stond erop Gillian naar het winkelcentrum te brengen. Ze protesteerde kort, maar het was al bijna vijf uur. Terwijl ze wegreden van het parkeerterrein van het politiebureau, vroeg Gillian of het hoopgevend was dat Susan over herstel had gesproken.

'Alle gesprekken met Susan gaan over herstel. Dat gaat al bijna dertig jaar zo.'

Dertig jaar. De gedachte aan de energie die Arthurs zuster vereiste deed Gillians bewondering voor hem weer toenemen. Zelf zou ze het al jaren eerder hebben opgegeven.

'Ik weet dat je het niet zult geloven,' zei hij, 'maar ik denk dat ze je echt aardig vindt. Meestal doet ze of onbekenden er niet zijn. Dat aspect van uit de gevangenis komen – ik hoef het niet uit te leggen. Het spreekt vanzelf dat het haar interesseert. Maar het spijt me dat ze zo beledigend was.'

'Ze zat er veel te dicht bij om beledigend te zijn.'

Arthur scheen niet te weten wat hij van die opmerking moest vinden en even klonk in de auto alleen het gepruttel van de radio. Nu Gillian erover nadacht, vond ze het eigenlijk wel grappig. Ondanks Arthurs vele uitspraken over verwantschap met Gillian was het zijn zuster, niet hij, die de verwante ziel was, een vrouw die begiftigd was met een ongewone schoonheid en intelligentie en verscheurd werd door geheimzinnige innerlijke impulsen.

'Susan is inderdaad zo begaafd als je beweerde,' zei Gillian. 'Ze is heel scherpzinnig.'

'Ze had mij in elk geval door,' zei Arthur. Hij ademde hoorbaar uit en raakte zijn jasje aan ter hoogte van zijn hart. Ze hoefde niet te vragen welke opmerking hem had getroffen. 'En ze moeten je geen van allen.' Weer besefte ze hoeveel teleurstellingen Arthur Raven in zijn leven had moeten verwerken.

Ze waren uitgekomen bij het winkelcentrum. Arthur keerde zijn chique wagen voor Morton, maar ze aarzelde om uit te stappen. Het leek belangrijker dan ooit dat ze hem niet verder tegen de haren in zou strijken, dat ze de troostende woorden zou uitspreken die ze inmiddels had bedacht.

'Arthur, ik wil niet doorzeuren, maar ik wil nog één ding zeggen. Ik voelde me ongelukkig gisteren bij het afscheid dat je je afgewezen leek te voelen. Maar ik verzeker je dat het niet persoonlijk bedoeld was.'

Arthur beet op zijn lip. 'Natuurlijk was het dat. Persoonlijker kan niet. Wat zou het anders kunnen zijn?'

'Arthur, je houdt geen rekening met de realiteit.'

'Hoor eens,' zei hij, 'je hebt het volste recht om nee te zeggen. Daar hoef je geen hartzeer van te hebben. De wereld is vol vrouwen die liever niet met mij worden gezien.'

'Arthur! Daar gaat het toch niet om!' Ze zei het met meer overtuiging dan ze zou hebben verwacht. Nee, Arthur was geen prins op een wit paard, maar ze had de ouderwetse overtuiging dat schoonheid het alleenrecht van vrouwen was. Eerlijk gezegd had ze meer moeite met zijn lengte; hij was een halve kop kleiner dan zij, zelfs als ze platte schoenen droeg. Maar ze vond hem prettig gezelschap. Zoals ze altijd zou erkennen had hij zijn neuroses stevig in bedwang. Hij kon net zomin ophouden met de erwten op zijn bord bij elkaar schuiven als met ademhalen. Maar dat wist hij. Het was zijn kijk op zichzelf, zijn aanvaarding, die sympathiek overkwam – dat en zijn vermogen om te blijven doen wat hij naar zijn gevoel behoorde te doen. Zijn onverstoorbaarheid en weigering zich door de gekte van zijn zus uit het veld te laten slaan, hadden diepe indruk op haar gemaakt. Het probleem was niet Arthur, het probleem was zijzelf.

'Arthur, eerlijk gezegd zou jíj je niet met míj moeten willen laten zien.'

'Vanwege je rol in deze zaak?'

'Omdat het je in een dubieus licht zal stellen in een gemeenschap waarvan het respect essentieel is voor je werk als jurist.' Ze staarde naar hem. 'Waar denk je aan, Arthur? Een etentje en dan dansen? Waarom niet een cocktailparty van een advocatenkantoor? Ik weet zeker dat je maten het interessant zullen vinden dat je omgaat met een ex-gedetineerde op leeftijd die schande over je beroep heeft gebracht.'

'Een film?' vroeg hij. 'In het donker. Dat ziet niemand.' Hij glimlachte er natuurlijk bij, maar het was duidelijk dat hij genoeg had van het gesprek. 'Gillian, je hebt me tien keer verteld dat ik aardig voor je ben geweest, en je wilt iets terugdoen. Maar we weten allebei dat dit voornamelijk een kwestie van instinct is. En ik zie heus wel wat je instinct je ingeeft.'

'Nee, Arthur, voor de laatste keer: daar gaat het niet om. Je bent inderdaad een goed mens en goede mensen zijn er weinig in mijn wereld. Maar ik wil geen misbruik van je maken, Arthur. Je zou niet krijgen waar je recht op hebt. Dat heeft niemand ooit gekregen.'

'Dat vat ik als een nee op. Sans rancune. Het onderwerp is nooit ter sprake gekomen. We zijn vrienden.' Hij drukte op een knopje om haar portier te ontgrendelen en deed zijn best om breed te grijnzen. Weer bood hij haar zijn hand. Ze was razend en wilde zijn hand niet drukken. Hij kon dit alleen maar als diep grievend opvatten.

'Avondeten op dinsdag dus,' zei ze. 'Hoe laat? Waar spreken we af?'

Zijn zachte mond viel een eindje open.

'Dat hoeft niet, Gillian. Susan komt er wel overheen. Bovendien is het verkeerd om toe te geven aan haar onredelijkheid. En ik kan het niet van je vragen.'

'Onzin,' zei ze en stapte uit. Ze boog zich naar het donkere interieur van de auto en de opzij kijkende Arthur, die in verwarring gebracht naar haar keek. ‘We zijn immers vrienden,’ zei ze en mepte voldaan het portier dicht.

21

15-19 JUNI 2001
Collins

Jackson Aires, de advocaat die Erno voor zijn neef Collins in de arm had genomen, was lastig. Privé sprak hij over zijn cliënten als 'uitschot', maar hij had een nog geringere dunk van politiemensen en aanklagers. Het enige dat hij aan hen waardeerde was de weerstand die ze boden. Voor Aires ging het in het recht om maar één ding: huidskleur. Alles in de wereld viel terug te brengen tot blank versus zwart. Een paar jaar terug had hij op een zitting Muriel voor het front van de jury uitgemaakt voor 'slavenhoudster'. Ze kon niet zeggen dat hun relatie daardoor was verslechterd. Die was altijd al beroerd geweest.

Jackson zat in Muriels kantoor te luisteren naar haar betoog; hij had zijn slanke vingers gestrekt op tafel neergezet. Jackson was de zeventig ruimschoots gepasseerd, maar hij was kwiek en slank en uiterst weerbaar. Hij had een helm van kroezend wit haar zoals Mandela; de gelijkenis was waarschijnlijk geen toeval. Zoals alle strafpleiters was hij niet gewend aan een voordeelpositie en als hij die had, zoals nu, werd hij totaal onmogelijk. Tommy Molto, donker en onverzorgd, zat naast Jackson voor Muriels enorme bureau en deed geen poging zijn oprispingen binnen te houden terwijl Aires oreerde.

'Immuniteit,' antwoordde Aires nadat Muriel had gezegd dat ze een woordje met Collins wilde wisselen.

'Immuniteit?' vroeg Muriel. 'Waar heeft hij immuniteit voor nodig? De zaak is allang verjaard, zelfs al heeft hij in 1991 tegen ons gelogen.'

'Waarom is tussen hem en mij, Muriel. Zonder immuniteit eist hij zijn grondwettelijke rechten met een beroep op het vijfde amendement.'

'En een idee van wat hij te zeggen heeft?' vroeg Muriel.

'Waarom zou ik dat willen geven? De man zit in het zuiden, in Atlanta, Georgia, en leidt daar een onbezorgd leven. Hij hoeft niet met jou te praten, Muriel.'

'Jackson, waarom krijg ik het gevoel dat je met Arthur hebt gebabbeld? Ik heb net gereageerd op zijn verzoekschrift, waarin hij rechter Harlow vraagt me te dwingen jouw cliënt immuniteit te verlenen.' Arthur en Jackson beseften allebei dat het verlenen van immuniteit uitsluitend het voorrecht van de aanklager was en dat ze het nooit zou doen tenzij ze haar positie erdoor kon versterken.

'Dat is wat Arthur wil, Muriel. Wat mij betreft mag je vergeten dat je Collins' naam ooit hebt horen noemen. Maar mijn man praat niet met Arthur of jou zonder de volle bescherming van de wet.'

'Hij bekijkt het maar, Jackson,' zei Muriel. 'Alleen wil ik dat wel officieel hebben, zodat de rechter weet dat we ons hebben ingespannen om erachter te komen wat hij te zeggen had. Neem jij de dagvaarding voor de getuigenverklaring aan?'

'Wat wordt mijn cliënt daar wijzer van?'

'Vrij reizen?'

'Dame, de man heeft een reisbureau. Hij heeft altijd vrij reizen. Bovendien is dit een civiele procedure. Als jullie hem willen horen, zullen jullie naar hem toe moeten. En ik denk niet dat Jan de Belastingbetaler onder de indruk zal zijn als jullie op zijn kosten twee keer naar Georgia reizen, alleen maar om van de man te horen dat hij niet wil ingaan op jullie vragen.'

'Twee keer naar Georgia?' vroeg Molto. Muriel zou Aires de voldoening van die vraag niet hebben gegund, hoewel zij ook zou moeten opzoeken waar hij het over had. Het boek dat dit soort kwesties regelde – de federale regels voor civiele procedures – stond niet op haar boekenplank.

Jackson wist zich triomfator en grijnsde breed. Zijn doorrookte, scheve gebit was zelden te bewonderen in de rechtszaal, waar hij niet veel anders liet zien dan een verontwaardigde grimas. Als ze Collins als getuige wilden dagvaarden, zei Aires, zouden ze eerst naar het federale hof in Atlanta moeten gaan om daar een dagvaarding aan te vragen die ze dan in Atlanta konden laten betekenen.

'Misschien doen we dat wel,' zei Muriel. 'Misschien kunnen we samen het vliegtuig nemen voor de voorbereidende zitting.'

'Denk je dat ik het niet doorheb als je bluft? Muriel, het perkament van mijn bul is zo oud dat het schaap nog bij Noach op de ark heeft meegevaren. Besef je dat wel? Ik ben te oud voor bluf, Muriel.'

Molto liet Jackson uit. Ze overlegde nog even met Tommy toen hij terugkwam en liet daarna een boodschap voor Larry achter. Even na vijven stond hij op de drempel en klopte beleefd op de open deur. Zoals altijd kwam ze onder de indruk van Larry's omvang, de manier waarop hij bezit nam van de ruimte. Lange, brede mensen boften toch maar.

'Druk?'

'Nooit te druk voor jou, Lar.'

De assistenten die in de grote ontvangsthal voor haar deur werkten waren naar huis en de telefoons, overgezet op de voicemail, zwegen. Larry's vingers rustten nog op de deurpost. Hij was getroffen door de speciale klank van haar stem. Ze had het zelf ook gehoord. Iemand die nu meeluisterde, of laatst in de getuigenkamer, zou misschien zeggen dat ze flirtte. Macht der gewoonte, veronderstelde ze. Overblijfsel van vroeger. Hij was een dik geworden man van middelbare leeftijd, maar de cellen hadden de herinnering aan zijn aantrekkingskracht behouden. Het was natuurlijk leuk om je jonger en gretiger te voelen – jeugdig elan. Maar het was ook stom.

Ze vertelde over haar overleg met Jackson. Larry begreep niet waarom Collins immuniteit zou eisen.

'Waarschijnlijk,' zei Muriel, 'omdat hij weet dat ik hem die niet zal verlenen. Volgens mij zijn Collins en zijn oom niet echt dikke vrienden. Door te hoog in te zetten houdt hij zich erbuiten. Daarom gaan we naar Atlanta.'

'We?'

'Jazeker, jij en ik. Ik zorg voor de dagvaarding en jij gaat die aan Collins aanbieden zodra hij is afgegeven.'

'Mag ik met Collins praten als zijn advocaat zegt van niet?'

'Ik mag niet met een betrokkene praten. Maar Jackson doet moeilijk. Dus moet iemand officieel bij Collins langs om hem de dagvaarding te overhandigen en de zaak uit te leggen. Als hij tegen het advies van zijn advocaat in met je wil praten, valt dat ons niet te verwijten.' Muriel genoot bij het idee van Jacksons reactie. Hij protesteerde altijd het hardst als hij zelf had geblunderd.

Dinsdagochtend stond Larry op de mainport van Tri-Cities bezorgd naar haar uit te kijken toen ze kwam aanhollen. Voor Muriel was een vliegtuig halen zoals veel dingen in haar leven een uitdaging. Als het grondpersoneel niet de gate afsloot zodra ze binnen was, had ze het gevoel kostbare tijd te hebben verspild.

'Verdomme, hoe doe je dat toch?' wilde Larry weten zodra ze op hun plaats zaten. 'Vliegen is toch al zo erg.' Ze hadden allebei een weekendtas bij zich, maar de bagagevakken waren vol. De juridische dienst van de staat Georgia zou er niet langer dan een uur over doen om de dagvaarding af te geven, maar Larry zou die pas laat op de dag aan Collins kunnen aanbieden. In verband met het spitsverkeer was het denkbaar dat ze de nacht in Atlanta moesten doorbrengen. Larry schoof zijn tas onder de stoel voor hem en klaagde dat hij het hele eind naar Atlanta het gevoel zou houden dat hij in een poppenhuis was gaan zitten.

'Sorry, Lar. Ik had Claire nog niet te pakken gekregen – dochter van Talmadge. Ik had vanavond op onze kleinzoon zullen passen.'

'Ik hoop dat je het als een compliment opvat, maar als ik "Zilveren draden tussen 't goud" hoor, zie ik er niet jouw gezicht bij.'

'Ik ben een goede oma, Larry. Dit is de beste kans die me wordt geboden en die benut ik ten volle.' Zelfs als ze over het kereltje praatte, voelde ze al iets van de verrukking en het verlangen waarmee zijn aan- en afwezigheid gepaard ging. Kennelijk verried haar gezicht dat.

'Adoptie?' vroeg Larry.

'Hè?'

'Heb je daaraan gedacht?'

'O.' Ze legde even haar hand op haar hart. 'Drie jaar geleden hebben we bijna een jongetje geadopteerd. Afrikaans-Amerikaans. Moeder aan de crack. De hele ellende. En dat is niet doorgegaan. Ik vond het vreselijk. Maar ja, misschien is het beter zo. De dochters van Talmadge vonden hem niet bepaald de ideale vader. Toch denk ik nog weleens over een laatste poging.'

'Van Talmadge hoeft het niet zo?'

'Zijn enthousiasme is niet erg groot. Hij reist zoveel – ik zou het voornamelijk solo moeten doen. Het ligt moeilijk.'

'En kan hij het beter met zijn dochters vinden nu ze volwassen zijn?'

'Ze accepteren hem. Bovendien mogen ze *míj* graag.' Ze prikte met haar vinger in haar buik en ze lachten allebei. Talmadges afwezigheid was in feite een van de redenen voor Muriels band met beide jonge vrouwen. Ze begrepen dat Talmadge de wereld toebehoorde en niet gewoon van hen was. Muriel tolereerde en respecteerde dat, niet alleen uit bewondering maar omdat ze zelf eigenlijk net zo was. Daarin waren Talmadge en zij op hun best, meegevoerd door elkaars slipstream; de simpele genoegens waarop andere stellen zich verheugden – wandelen in het park, behang uitzoeken of zelfs seks – waren zeldzamer voor hen. Ook had Muriel geen metgezel op de ogenblikken dat haar ambities haar niet de buitenwereld in voerden, maar haar eigen innerlijke wereld.

Die gedachten, geen opwekkende gedachten, waren niet welkom, net als het hele gesprek. Het brommen van het vliegtuig bood maar een minimum aan privacy. En ze viel terug op de oude reactie dat met Larry praten over Talmadge niet kon. Ze ging weer aan het werk.

'Best,' zei hij, 'ik hou er al over op.'

Zonder op te kijken van haar klaptafeltje, waarop ze verschillende versies van de tenlastelegging had uitgestald, zei ze: 'Nou graag.'

'Het is alleen...'

'Ja?'

'Ik weet dat het me niet aangaat,' zei hij.

'Laat je daar vooral niet door weerhouden, Larry. Dat heb je nog nooit gedaan.'

Ze hoorde hem zuchten. 'Goed hoor.'

'Maak het maar af, Larry. En dan over en uit. Laatste kans. Brand los.'

'Nou, het valt me alleen op dat je soms op zo'n manier over Talmadge praat, dat ik moet denken aan de manier waarop je over Dinges praatte.'

'Dinges?'

'Je echtgenoot, zaliger nagedachtenis.'

'Rod?' Ze schoot in de lach, zo luid dat ze ondanks het brommen van het toestel een passagier aan de andere kant van het gangpad zag reageren. De vergelijking sloeg nergens op. Talmadge was een reus, een instituut. Rod was een zatlap.

'Dank voor je bijdrage, Larry,' zei ze, en sloeg nog een map open. Maar het gesprek was daarmee voor haar niet voorbij, want opeens herinnerde ze zich hoe ze Rod had gezien toen ze achter hem aan zat: stralend en charmant, in plaats van een wrak dat door het drijfijs in zijn cocktailglas was lekgeslagen. Heel even ging ze daarom Larry's suggestie na. Allebei ouder dan zij. In beslag genomen door wat hen interesseerde. Allebei haar leraar. Allebei sterren in haar firmament. En allebei met een hoogmoed die, zoals ze instinctief had kunnen weten, monumentale twijfel aan de eigen verdienste camoufleerde. Het werd haar kil om het hart. Wat betekende dat? Alles? Niets? Ze was vierenveertig en had haar keuzes bepaald, haar leven ingericht. De filosoof naast haar had haar weken terug de fundamentele waarheid voorgehouden: het leven was niet volmaakt. Ze rekte zich uit in haar stoel, sloot die gedachten buiten en wijdde zich weer aan haar werk.

Af en toe moest Larry een vliegtuig in om een getuige te verhoren en voor grote zaken was hij bereid een moordenaar te gaan halen voor uitlevering. Maar na Vietnam ging hij eigenlijk liever niet meer van huis. Voordat het door sportverplichtingen niet meer kon had hij Nancy en de jongens elke zomer meegenomen naar Florida, en elk jaar reisde hij in maart nog met een groep rechercheurs naar Vegas, waar ze zich vier dagen lang gedroegen alsof ze twintig waren. Ze dronken en gokten en belden alle escortbureaus in de stad om naar de tarieven te vragen, en als ze dan weer aan het werk gingen, voelden ze zich als hondjes die door het tuinhek waren ontsnapt en nu weer blij waren hun etensbak te zien. Maar al met al was hij liever niet meegegaan naar Atlanta. De lucht was zo dik dat je erin kon zwemmen. En hij voelde zich niet op zijn gemak, zo op Muriels lip.

Om halfdrie waren ze klaar, in het hoge, witte federale gerechtsgebouw. Buiten maakten Muriel en Larry plannen voor de rest van de dag met een aanklager die Thane heette en een detective in dienst van justitie in Fulton County, die opdracht had hen bij te staan. Het CNN-gebouw en de koepel van het gebouw waarin de regering van de staat Georgia zetelde waren zichtbaar aan de overkant van een diep in een ravijn liggende snelweg met vele viaducten. Larry zou tegen de jongens kunnen zeggen dat hij de bezienswaardigheden had gezien.

Gevieren besloten ze dat Larry en de detective, Wilton Morley, met de dagvaarding naar Collins zouden gaan, terwijl Muriel met haar mobieltje zou wachten op het ministerie van justitie. Als Collins opeens bereid was zonder zijn advocaat erbij te praten, wilde Muriel erbij zijn om het gesprek naar behoren te notuleren. Als ze niets van Larry hoorde, zouden ze elkaar treffen op het vliegveld bij de gate.

Morley had een adres van Collins gevonden, in een buitenwijk in het noorden van de stad. Aan de telefoon had Larry door dat verdomde zuidelijke accent niet kunnen bepalen welke huidskleur Morley had en nu stond hij hier, diepzwart en joviaal. Blank en zwart waren hier anders dan in het noorden. Dat had Larry decennia terug al in het leger gemerkt en het leek nog steeds zo. De zwarte bevolking had hier concreter gewonnen. Eerst hadden ze de slavernij teruggedrongen en daarna het racisme. De duidelijkheid hier was voor iedereen prettiger.

In de auto liet Morley Larry de documenten zien die hij had opgevraagd. Een uittreksel toonde aan dat Collins de eigenaar van Collins

Travel was. Precies zoals Erno had gezegd bleek uit Collins' strafblad, zowel het nationale als dat van de staat Georgia, dat hij na zijn ontslag uit de gevangenis, vijf jaar geleden, niet meer was gearresteerd. Achtenzeventig procent van de gedetineerden recidiveerde. Maar af en toe liet Larry zich bemoedigen door de overigen. Bij de ergste vormen van kanker zouden oncologen dolblij zijn met 22 procent genezingen. Weliswaar kwamen heel wat mensen niet meer in aanraking met justitie omdat ze geraffineerder waren geworden in het uit handen van de politie blijven, en Larry kon niet weten of Collins in die categorie viel. Het was een beetje verdacht dat een man die pas een paar jaar op vrije voeten was het kapitaal had om een eigen bedrijf te beginnen, en een reisbureau was een ideale dekmantel voor het witwassen van drugsgeld. Maar Morley had gunstige dingen over Collins gehoord.

'Een van mijn mensen gaat naar dezelfde kerk als Collins,' vertelde Morley, 'en koopt bij hem zijn vliegtickets. Zegt dat hij goed werk levert, wat dat ook mag betekenen.'

Atlanta was voor Larry als LA South: aantrekkelijk terrein met bomen en heuvels dat was opgeofferd aan snelwegen en winkelcentra. Collins woonde en werkte een halfuur ten noordoosten van het centrum achter de Jimmy Carter Boulevard, in een oude kern die nu omgeven was door stadsuitbreiding. In de drie kilometer na de snelweg passeerden ze elk franchiserestaurant waarvan Larry ooit had gehoord en diverse kerken die leken op supermarkten.

Morley reed een keer om het reisbureau heen. Het reisbureau bevond zich op de hoek van een gebouw met een plat dak en een betonnen voorgevel, naast een stomerij en een dierenwinkel. Bij nader inzien had Larry besloten in zijn eentje naar Collins toe te gaan.

'Je bent nu in het zuiden, man,' zei Morley toen Larry voorstelde dat de detective in de auto zou blijven. 'Het zou hier weleens anders kunnen zijn dan waar jij vandaan komt.'

Larry wist niet precies wat Morley bedoelde. Hij dacht waarschijnlijk dat een diender uit het noorden naar binnen zou gaan en Collins een ram voor zijn gezicht zou geven.

'Begrepen,' zei Larry. 'Hou me scherp in het oog. Ik denk alleen dat ik meer kans heb om iets van hem los te krijgen als het op een reünie lijkt in plaats van een aanhouding.'

Morley parkeerde aan de overkant op de drukke, brede straat. Terwijl ze naar het reisbureau keken, kwamen er twee mannen naar buiten: een man die groot genoeg was om Collins te kunnen zijn, in een modieus overhemd met das, en een vrouw op leeftijd die hij een hand gaf. Daarna liep de man naar een autowerkplaats die aan de winkels grensde. De rolluikdeuren waren opgehaald en zelfs in de verte hoorde Larry in de wind het hoge janken van elektrisch gereedschap en rook hij de vieze chemicaliën die werden gebruikt om te voorkomen dat versnellingsbakken zouden knarsen. De man ging in gesprek met iemand die voor een oude Acura stond die op de brug was gezet. Larry keek naar links en rechts en draafde toen naar de overkant.

Toen de man zich omdraaide, herkende Larry hem met zekerheid als Collins. Hij liep glimlachend op hem af. Collins keek even naar Larry, wendde zich toen af en liep terug naar zijn reisbureau. Toen Larry Collins weer zag, kwam hij op volle snelheid uit de zijdeur van het gebouw. Een ogenblik keek Larry alleen maar naar hem.

Klotezaak, dacht hij. Klotezaak.

Toen zette hij de achtervolging in; Collins was verdwenen in een dwarsstraat met woonhuizen. Larry wist dat het niet bijzonder slim was, een blanke die achter een zwarte man aan rende in een buurt waar iemand met een proppenschieter door een raam kon schieten. Als wilde tiener was hij verzot geweest op de jagende adrenaline bij gevaar, maar na Vietnam was dat afgelopen. Gevaar, had hij daar geleerd, was dodelijk, niet goed voor je conditie, en hij rende hard in de hoop dat hij Collins snel te pakken zou krijgen. Terwijl hij hem inhaalde, riep Larry de gebruikelijke onzin: 'Ik wil alleen praten.'

Collins draafde heuvelop en na nog een paar honderd meter gaf hij zich gewonnen. Hij had Larry gehoord, of het werd hem te machtig; dat laatste was het waarschijnlijkst. Hij woog ruim twintig kilo meer dan tien jaar eerder en hij stond zwaar te hijgen, met zijn handen op zijn knieën.

'Godverdomme, wat doe je nou?' vroeg Larry een paar keer. Over zijn schouder zag hij dat Morley met getrokken pistool kwam aanrennen. Larry gebaarde dat hij moest blijven staan. Morley kwam tot stilstand, maar bleef alert.

Toen Farwell kon praten, zei hij: 'Verdomme, man, ik heb gewoon geen zin om met je te praten.' In de hitte had Collins zijn kleren totaal doorzweet. Zijn mouwloze onderhemd was goed zichtbaar onder zijn witte overhemd.

'Op hol slaan is de beste manier om gepakt te worden.'

Collins reageerde dwars. Tot nu toe was het gesprek zakelijk geweest.

'Ik heb niks gedaan waar jij me voor moet pakken, man. Ik hou me aan de wet. Ga maar na. Je kan mij niks maken.' Collins' gezicht was wat ronder geworden en hij werd wat kaal, maar hij bleef opvallend knap, met die opvallende ogen in de kleur van onbewerkt leer. In de zomer was zijn blanke component gebruind, zodat er een gloed over zijn huid lag.

'Luister,' zei Larry. 'Ik ben hier met een dagvaarding omdat die stronteigenwijze advocaat van je die niet wou aanpakken. Dat is alles. Maar ik ben blij dat je je aan de wet houdt. Daar ben ik echt verheugd over. Je hebt het goed gedaan.'

'Verdorie nou,' zei Collins. 'God heeft me geholpen, man, en zo heb ik ermee gekapt. Alles waar ik je van ken, dat is allang verleden tijd. De Heer heeft gezegd dat Hij me een nieuw mens kon maken en dat aanbod heb ik aangenomen. Je weet wel. Een aanbod dat je niet kan afslaan. Ik ben gedoopt en heb mijn zonden afgespoeld.'

'Dat is mooi,' zei Larry, 'dat is prachtig.' Had hij maar zo'n speldje dat opbouwwerkers aan brave kindertjes uitdeelden. Daar zou Collins blij mee zijn.

Het weer werd beter; de ergste hitte nam af. Ze stonden in een straat met kleine huizen, witte overnaadse houten huizen met groene shingles op het dak en een veranda aan de voorkant, sommige afgeschermd met muskietengaas. Lariksen wierpen diepe schaduwen. Collins keek even naar boven; toen begonnen Larry en hij zonder iets te zeggen de helling af te lopen. Larry gebaarde naar Morley dat het goed zat. Morley liep achteruit om te kunnen blijven kijken.

'Is dat je maat?' vroeg Collins.

'Ja.'

Collins schudde zijn hoofd. 'Twee man in de weer en dat terwijl ik een vreedzaam leven leid.'

'Daarom is hij op afstand gebleven, Collins. Ik kom alleen een dagvaarding brengen.'

'Man, je doet maar. Ik hoef niets te zeggen. Dat heeft de advocaat me verteld. Het vijfde amendement, man.'

'Tja, vroeg of laat zul je naar de Tri-Cities moeten komen om dat oog in oog met de rechter te verklaren. Tenzij je nu een paar vraagjes wilt beantwoorden.'

Collins lachte. Dat soort opzetjes kende hij.

'Ik praat pas als de advocaat het zegt. Dat vijfde amendement werkt alleen als je je mond houdt. Volgens hem kan je niet stoppen wanneer je wil als je eenmaal begonnen ben. En je weet verdraaid goed dat ik indertijd van alles heb gedaan waar ik het liever niet meer over heb. Ik wil niet weer omlaaggehaald worden. Het heb me moeite genoeg gekost om uit het dal te komen, man.'

'Hoor eens, ik schrijf niets op. We zijn onder elkaar. Ik heb trouwens maar één echte vraag. Je oom zegt dat je tien jaar geleden in de gevangenis tegen me hebt gelogen over Rommy. Hij zegt dat je me hebt voorgelogen.'

Collins bestudeerde de stoep onder het lopen.

'Mijn oom is een goed mens.'

'Die lijsten we in, Collins. Wat ik wil weten is of hij de waarheid spreekt. Honderd procent. Heb je me in de veiling genomen?'

'Hoor eens...' Collins bleef staan. 'Man, ik zou waarachtig je naam niet meer weten.'

'Starczek.'

'O ja, Starczek. Starczek, het is nou eenmaal zo: je gaat mijn antwoord toch niet geloven. Dat weet je. Als ik zeg: "Ja, ik heb toen gelogen," zeg je: "Dat zegt hij voor zijn oom." Wat jij wil horen is dat mijn oom de boel bij elkaar liegt. Maar dat doet hij niet. Dat doet hij echt niet.'

Ze gingen het reisbureau binnen door de zijdeur, die nog wijd openstond. Ze kwamen in een kleine achterkamer waar briefpapier en ticketformulieren lagen. Voorin stonden twee bureaus, een van Collins en nog een, achter een vrijstaande scheidingskast, die waarschijnlijk van een receptioniste of secretaresse was. Er was nu niemand. Collins ging zitten en wees Larry de leunstoel aan de andere kant van het bureau. Aan de gelambriseerde muur achter Collins hing een grote kalender met een religieuze voorstelling naast een eenvoudig kruis, waarschijnlijk van mahoniehout, in bijna dezelfde kleur als de wandbekleding.

'Hoe gaan de zaken?'

'Niet slecht. Die verdomde maatschappijen gunnen je geen winst. Ik zit tegenwoordig meer in de verzorgde reizen. Allerlei kerkgroepen die naar allerlei bestemmingen willen.'

'En dit bureau is van jou, Collins?'

'Ja.'

'Mooi hoor.' Larry keek waarderend rond, alsof hij het meende.

'Mijn oom heeft me het startkapitaal geleend. Vorig jaar afbetaald.'

'Oom Erno?'

'Enige oom die ik heb. Die man is een zegen voor me. Ik heb er veel te lang over gedaan om dat te weten te komen, maar het is de hand van Jezus Christus in mijn leven geweest. Echt waar, ik zou nooit iets van Erno zeggen. Hij is een goed mens. En zelf nu ook tot Christus gekomen.'

'Spaar me,' liet Larry zich ontvallen. Hij voelde altijd wantrouwen jegens ware gelovigen, de mensen die dachten een hogere waarheid in pacht te hebben – of het nu godsdienst was of yoga of het veganisme – waarvoor de rest van de mensheid blind was.

'Niet lachen, Starczek, wanneer ik over mijn Heer en Verlosser spreek. Dat is het meest serieuze in mijn leven.'

'Nee, Collins, ik moet grinniken om je oom. Hij liegt en dat weet je.'

'Zie je wel. Daar ga je al. Net wat ik zei. Jij denkt dat een man die binnenkort voor Gods troon moet verschijnen om het oordeel te vernemen zal liegen? Ik niet. Volgens mij zegt die de waarheid, zo waarlijk helpe hem God almachtig.'

'Nou ja, als hij de waarheid spreekt, waarom wil je dan niet naar het noorden om dat te bevestigen?'

'Dat wil hij niet. Hij heeft alles gedaan wat gedaan moet worden. Ga ik daar naakt heen, met geen immuniteit of wat ook, dan weet je verdraaid goed dat jullie me achter mijn rug een leugenaar gaan noemen. Het is vragen om ellende. Zie ik niks in.'

Ongetwijfeld had Aires het Collins zo uitgelegd. Niet dat het onjuist was.

'Ja, nou, als Erno de waarheid spreekt, vind je dan niet dat je Gandolph iets schuldig bent?'

De gedachte aan Eekhoorn maakte Collins veel somberder. Hij zakte een eindje weg in de ruimte bureaustoel.

'Over Gandolph kan ik maar één ding zeggen en meer zeg ik ook niet. Wanneer ik elke avond bid en Jezus om vergeving vraag, begin ik met Gandolph. Die staat bovenaan. Ik vraag God elke dag me te vergeven voor wat we die arme stakker hebben aangedaan.' Collins keek onbevreesd, met opengesperde lichte ogen, en knikte nadrukkelijk.

Wat die twee ook in hun schild voerden, het ging Larry boven de pet. Hij haalde twee exemplaren van de dagvaarding uit zijn zak. Hij vulde er een in, beschreef waar en aan wie het document was overhandigd en bood de andere aan. Collins bestudeerde de tekst terwijl Larry de foto's op het bureau bekeek. Op de meeste stond een grote, lief uitziende blonde vrouw, vaak met twee identieke meisjes met witblond haar.

'Die zijn van mij,' zei Collins, 'als je het wil weten.'

'De kinderen?'

'Ja. Zien er net zo blank uit als jij. Toen ik het ziekenhuis uit liep met die baby's in mijn armen, wilde de bewaking me niet doorlaten. Terwijl ze zelf een zwarte vrouw was. Anne-Marie, mijn vrouw, zette een enorme keel op. Die heeft meer moeite met discriminatie. Maar de tweeling is van mij. Er is een tijd geweest dat ik geen blanken wou kennen. Maar een mens kan niet onder de waarheid uit. En de waarheid is dat al mijn familieleden blank zijn. En ik ben zwart. Ga maar na. De enige verklaring lijkt mij dat Jezus een bijzondere bedoeling had.'

Larry probeerde zijn reactie in te houden op die bewering over Gods bedoelingen, maar Collins bespeurde scepsis.

'Jij denkt dat ik niet goed snik ben. Maar het is de waarheid in mijn leven, man. Na Rudyard was ik in een maand weer terug bij af, stom genoeg. Er is geen zonde die ik niet heb begaan. En weet je wat er toen gebeurde? Je kon erop wachten. Ik heb een kogel opgevangen, man. En dat heb ik puntgaaf overleefd. Hier zit ik. Twee armen, twee benen. Man, ze konden het niet geloven in het ziekenhuis, de dokters. Die kogel leek wel een kruisraket. Of hij bestuurd werd. De rugwervels van die jongen, nee, daar ga ik langs; dan een bochtje om zijn nier heen, dan iets naar rechts om geen grote bloedvaten te raken. Het was een wonder. Weet je waarom?'

'Nou nee.'

'Omdat Jezus me wat te zeggen had, man. Hij zei: ik geef je het ene teken na het andere en jij blijft maar stom. Dus ga ik een echt wonder doen. Als jij niet begrijpt dat ik er ben en dat ik wat beters voor je wil, als je dat nou nog niet weet, dan kan ik gewoon niks meer voor je doen. Als je stom wilt blijven, blijf je maar stom. Maar niemand komt in de hemel zonder Mij. Je kan wel in een cel zitten en zeggen: dat nooit meer, maar als je Mij niet in je leven ontvangt, kom je er nooit af. En als je dat wel doet, als je Mij ontvangt, dan hoeft het niet meer. Geen seconde meer. En zo is het dan ook gegaan.

Dus als het tijd voor mij is om te spreken, Starczek, dan zal Jezus het me laten weten. En wanneer ik mijn eed aan hem afleg, weet je dat elk woord waar is. Maar nu wil Jezus me hier hebben. En dus blijf ik hier. Het vijfde amendement, man.'

Collins liep met Larry naar de deur, drukte hem de hand en wenste hem het beste. Hij stak zelfs zijn hand op naar Morley aan de overkant.

22

19 JUNI 2001

De familie Raven

Dinsdagochtend vroeg vaardigde rechter Harlow een korte schriftelijke instructie uit in reactie op diverse verzoekschriften die Arthur had ingediend. Ze werden vrijwel allemaal afgewezen, maar Harlows overwegingen waren welkom. De verzoeken konden later opnieuw worden beoordeeld, schreef de rechter, 'aangezien de getuigenverklaring van Erno Erdai het hof voldoende geloofwaardig voorkomt om het proces voort te zetten'. Het was het hof van appèl dat uiteindelijk zou bepalen of Gandolph opnieuw om herziening zou mogen verzoeken, maar het oordeel van Harlow was een behoorlijk steuntje in de rug voor Rommy. Als het hof van beroep besliste zoals kon worden verwacht, zou Rommy Gandolph nog een aantal jaren kunnen doorleven, terwijl Arthur en Pamela werkten aan zijn rehabilitatie. Ze vierden hun triomf en belden hun cliënt. Daarna drong de realiteit tot Arthur door: er wachtte hem een periode van onbepaalde lengte waarin hij voor Rommy zou moeten doorploeteren. Rommy was nu zijn grote zaak – en zijn albatros.

Het nieuws was een welkome afleiding in het vooruitzicht van deze avond dat Gillian zich bij Susan en hem zou voegen. Arthur had verwacht dat Gillian een uitvlucht zou vinden, maar tegen het einde van de middag legde zijn secretaresse een briefje voor hem neer, terwijl hij een telefoongesprek met een journalist voerde. Er stond: 'Mevrouw Sullivan is om vijf uur in de hal.'

Gillian Sullivan in zijn vreselijke flatje. Een ogenblik was hij doodsbang en beschaamd.

Ze was er zoals beloofd. Op weg naar het Franz Center om Susan af te halen deed Arthur het weinige dat hij kon om Gillian op zijn zuster voor te bereiden. Het probleem was alleen dat hij zelfs na dertig jaar nog slecht kon voorspellen hoe Susan zich zou gedragen. Schizofrenie was heel vaak een aandoening van begaafde mensen en Susan had een tomeloos vermogen om haar angst en wantrouwen te onderbouwen. Wat er ook gebeurde, Arthur legde een eindeloos geduld aan de dag – dreigende of kritische reacties maakten het alleen erger. Slechts als hij in zijn eentje was stond hij zichzelf toe te reageren. Susan stuurde hem een paar keer per dag een e-mail en als ze niet werd afgeleid, waren haar korte berichten soms volkomen lucide. Soms was ze zo geestig en scherpzinnig als een columnist.

'Soms als ik die e-mails krijg,' zei Arthur terwijl ze het Franz Center naderden, 'krijg ik het te kwaad. Dan zit ik in mijn kantoor te janken. Maar weet je, mijn vader maakte zichzelf gek door te denken aan hoe het geweest had kunnen zijn. En eigenlijk is het niet fair tegenover Susan om haar ziekte niet te aanvaarden als iets dat bij haar hoort.'

Het North End, de buurt waarin het Franz Center stond, bestond voornamelijk uit huizen met oude shingles tegen de muren, met wat steviger gebouwde huizen ertussen. Arthur parkeerde voor het grote, verveloze stenen huis en keek even de straat in. Een groep jongens, de meesten in zijden bendejacks, hingen rond op de hoek.

'Ga maar mee naar binnen,' zei hij. 'Een blanke dame alleen in een auto, dat is misschien niet zo verstandig.' De pieptoon van de afstandsbediening waarmee hij de portieren vergrendelde trok verderop de aandacht. 'Ga maar voor het raam staan, dan kun je naar mijn auto kijken en noteren welke onderdelen eraf worden gesloopt.'

Susan woonde in een huis voor begeleid groepswonen. Elk van de acht bewoners had zijn eigen kamer en er was dag en nacht supervisie van Valerie of een van de andere begeleiders. Als Susan stabiel was en werkte, kon ze de kosten grotendeels zelf dragen, maar dat was omdat het Center een forse subsidie kreeg van de staat en van de Franz Foundation. De staatssubsidie lag constant onder vuur en Arthur schreef geregeld brieven aan zijn lid van de assemblee of belde hem op om te voorkomen dat het Center gesloten zou moeten worden. Het kapitaal van zijn vader – dat door Harvey Ravens gierigheid groter was dan van een man met zijn inkomen kon worden verwacht – bleef achter de hand voor noodgevallen.

Susans kamer was klein en de laatste tijd netjes opgeruimd. Er waren periodes dat ze de boel liet versloffen en ze dacht zelden uit zichzelf aan opruimen, maar als een van de begeleiders haar dat voorstelde, gehoorzaamde ze. Er hing niets aan de muur en er waren geen elektronische apparaten, omdat ze zich daar vroeg of laat in een waantoestand door belaagd zou voelen. Meestal hoorde Susan de stem van hun moeder die haar waarschuwde tegen een onzichtbare bedreiging.

De verpleegkundige die de Prolixin toediende was er al en de injectie was al gegeven toen Arthur binnenkwam. Susan kon weg. Arthur herinnerde haar opnieuw aan Gillian, zoals hij Valerie die week ook een paar keer had laten doen, maar Susan liet niet merken of ze iets herkende van wat hij zei, tot ze op de voorbank was geïnstalleerd.

Zodra ze waren weggereden zei ze zonder enige waarschuwing: 'Betekent dat dat jullie neuken?'

'Susan, het is veel prettiger als je tactvol bent.'

'Neuken jullie? Ik weet alles van neuken. Arthur weet niet veel.' Die laatste opmerking was kennelijk voor Gillian bedoeld, hoewel Susan niet naar haar omkeek.

'Ik geloof niet dat het een vak is waar ze cijfers voor geven,' zei Gillian bedaard. Arthur had haar vooraf geadviseerd zich niet door zijn zuster in een hoek te laten dringen of bang te laten maken, en die ene reactie leek voldoende om Susan het zwijgen op te leggen. In Arthurs spiegeltje leek Gillian volkomen onverstoorbaar.

Na de dood van zijn vader was Arthur weer in Harvey Ravens flat gaan wonen. Het was wel een prettig huis. Arthur had jarenlang gewoond in een moderne torenflat bij de Street of Dreams, waar 's avonds een blik omlaag soms al voldoende was om hem het bedrukkende gevoel te geven dat hij nooit deel zou uitmaken van de wereld van mode en allure. Maar het was eigenlijk toch een nederlaag dat hij was teruggekeerd naar de vreugdeloze omgeving waaruit hij op aandringen van zijn vader was gevlucht. Hij had niet veel keus gehad. Susan had zich de dood van hun vader erg aangetrokken en haar adviseurs bevestigden dat de flat erg belangrijk voor haar was. Het was het enige huis waarin Susan Raven gezond was geweest. Voor haar had de flat de nergens anders te vinden realiteit van mentaal evenwicht. Door het opzeggen van de flat zou een deur voor altijd worden gesloten.

Arthur wees Gillian een oude metalen trapkruk terwijl zijn zuster en hij hun gebruikelijke handelingen verrichtten. De keuken met de witte metalen kasten was klein, maar ze werkten goed samen. Susan maakte aardappelpuree, haar specialiteit. Ze bewerkte de aardappels alsof ze een opstand moest neerslaan en staarde fronsend naar de pan.

Haar enige reactie op de aanwezigheid van Gillian was dat ze Gillians sigaretten rookte in plaats van die van haarzelf.

Het hoofdgerecht, runderstoofpot, kwam uit een grote plastic bak die Arthur die ochtend uit de vrieskist had gehaald. Hij liet de inhoud in een grote pan vallen en voegde er verse ingrediënten aan toe. Er was waarschijnlijk genoeg voor twaalf mensen. Wat er na het eten over was, zou opnieuw worden ingevroren. Arthur had berekend dat er een paar brokjes vlees in moesten zitten die sinds de vroege jaren negentig elke week waren ontdooid en weer ingevroren. Het was levensgevaarlijk. Maar zo had hun zuinige vader het gedaan – weggooien is zonde – en zijn zuster wilde het niet anders.

Susan dekte voor drie personen, de eerste openlijke erkenning van Gillians aanwezigheid. Arthur schepte op. Susan pakte haar bord en ging er in de huiskamer mee voor de tv zitten.

'Wat heb ik gedaan?' fluisterde Gillian.

'Dat hoort erbij.'

'Eten jullie niet samen?'

Arthur schudde zijn hoofd. 'Haar programma komt zo. Het is het enige dat ze kan zien zonder daas te worden.'

'En dat is?'

'Hou je vast: *Star Trek*.'

Arthur hield zijn vinger voor zijn lippen om Gillian te waarschuwen dat ze niet moest lachen, en ze moest haar halve vuist gebruiken om haar lach te smoren. De stand van zaken in Rommy's procedure leek Gillian een veiliger onderwerp. Ze had niet gehoord wat Harlow had bepaald en leek blij voor Arthur.

'Wat is nu je volgende stap, Arthur?'

'Er wil me niets te binnen schieten. Ik heb alle verzoekschriften ingediend en alle getuigen gedagvaard die ik kan bedenken. Er zijn absoluut geen archiefstukken meer waaruit valt op te maken of hij de nacht van de moorden wel of niet in het huis van bewaring heeft doorgebracht. Jackson Aires staat niemand toe met Erno's neef te praten en Muriel wil hem geen immuniteit verlenen, en de rechter kan haar daar niet toe dwingen. De termijn loopt af op 29 juni. Ik denk dat ik maar gewoon moet afwachten. Na de conclusie van Harlow is het eigenlijk aan Muriel om iets te doen om Erno's geloofwaardigheid te ondermijnen voordat we naar het hof van appèl gaan om te vragen om herziening.'

Arthurs grootste uitdaging was waarschijnlijk dominee Blythe. Zoals verwacht was het contact met de dominee nogal eenzijdig. Na hun eerste ontmoeting verwaardigde de dominee zich niet meer Arthur direct te benaderen. In plaats daarvan had hij een assistent die elke dag opbelde om zich uitgebreid te laten voorlichten. Arthur was verplicht hem informatie te geven omdat Rommy, dolblij met de bezoeken van Blythe aan Rudyard, dat aan Arthur had gevraagd. De dominee deed er niets voor terug. Hoewel Blythe zichzelf nu Rommy's geestelijk leidsman noemde en beweerde dat hij en Arthur een team vormden, negeerde de dominee Arthurs pogingen de retoriek van Blythe te temperen en weigerde van tevoren te laten weten wanneer het volgende salvo zou losbarsten.

'Ik ben doodsbang,' zei Arthur, 'dat hij met dat gedoe over "racistische onderdrukkers" het hof razend zal maken.'

'Maar denk je niet dat ze je wel moeten laten doorgaan? Erno kan niet worden genegeerd, die moet gehoord worden. Dat bedoelde Harlow toch?'

Zo zag Arthur het ook, maar hij had vaak in zijn carrière onjuist ingeschat wat rechters zouden doen.

Toen het programma afgelopen was, kwam Susan voor het dessert weer aan tafel. Ze was dol op taart. Daarna werd de afwas gedaan en alles werd opgeruimd. Voordat Arthur wegging, deed hij de bak met stoofpot weer in de vrieskist.

Op de schemerige overloop van de driekamerflat liet Gillian Arthur en zijn zuster voorgaan, de trap af. De gebouwen waren zo solide als mijnenvegers, maar het onderhoud was verwaarloosd. De traploper was tot op de draad versleten en waar de muurverf had losgelaten waren amoebevormige vlekken te zien.

Gillian ging zo zelden ergens heen, afgezien van haar werk en haar zusters, met wie de relatie nogal stroef was, dat ze zich echt op deze avond had verheugd, en ze was niet teleurgesteld. Ze had er veel genoegen aan beleefd, net als bij de eerste gelegenheid dat Arthur zo handig en liefdevol met zijn zuster omging.

Terwijl ze terugreden, vertelde Susan tot in de finesses de aflevering van *Star Trek* na. Zoals iedereen in de bajes had Gillian veel tv gekeken en ze stelde een paar kennersvragen over Kirk, Spock en Scotty, waarop Susan gretig inging. Bij het Franz Center stapte Gillian uit om afscheid van Susan te nemen en haar plaats voorin over te nemen. En daar op de stoep, in het laatste licht van de langste dag, ontmoette Gillian heel even de andere Susan Raven. Haar hand kwam wat stuntelig omhoog en ze zwengelde te veel met Gillians hand. Maar ze maakte voluit oogcontact en Gillian voelde zich op een heel andere manier herkend.

'Het was erg leuk om je weer te zien,' zei Susan. 'Ik ben blij dat Arthur zo'n aardige vriendin heeft.'

Arthur bracht Susan naar binnen. Gillian bleef voor de deur staan om een sigaret te roken. Ze was vreemd ontroerd. Toen Arthur terugkwam moest Gillian, die nooit huilde, tranen wegvegen. Arthur zag het meteen en op de terugweg naar Duffy legde Gillian uit dat ze Susan eindelijk had gezien zoals ze kon zijn, bijna alsof een paar ogen haar vanuit een bos had aangekeken. Arthur moest er een poosje over nadenken.

'De waarheid,' zei hij toen, 'is dat voor mij die persoon, de vrouw die jou zopas aansprak, er altijd is, weet je, de schim van het meisje met wie ik ben opgegroeid.'

'Als kind was ze goed gezond?'

'Zo gaat het meestal met schizofrenen. Het gebeurt gewoon. Ze was veertien. En ik denk niet dat je het ooit had gemerkt. Ik bedoel: ze was excentriek. Ze verzamelde soldaatjes en speelde veldslagen na. Dat was ongebruikelijk voor een meisje. Ze bewaarde stenen die ze op de oever van de rivier had gevonden en was manisch wat de ouderdom ervan betrof. Ze kon niet slapen voordat ze ze in chronologische volgorde had gelegd. Maar we vonden haar allemaal briljant. Dat is ze ook. En op een dag zat ze naakt in een hoek van haar kamer en wilde niet te voorschijn komen. Ze had zich volgesmeerd met haar poep. Ze zei dat mijn moeders moeder van de doden was teruggekomen om haar te vertellen dat haar ouders in code over haar praatten.

Dat beeld,' zei Arthur zuchtend, 'dat beeld zit in mijn hoofd als een filmaffiche met licht erop. Je weet wel, zoals ze aan de bioscoop hebben hangen? Het is er elke keer als ik naar Susan toe loop. Omdat het zo'n ogenblik was waarop je beseft dat alles in je leven van boven tot onder anders is geworden.'

'Het moet verpletterend zijn geweest.'

'Zeg dat wel. Zeker voor mijn ouders. Ik bedoel: zodra zij het woord "schizofreen" hoorden, wisten ze dat het met ze gedaan was. En dat was ook zo. Twee jaar later was mijn moeder de deur uit. Ik was negen toen Susan ziek werd en ik wist niet wat ik moest denken. Ik bedoel: de waarheid, de akelige waarheid, is dat ik me kan herinneren dat ik gelukkig was.'

'Gelukkig?'

'Ze was zo slim. Ze was zo mooi. Susan was een Ster met een hoofdletter S. Zo noemde ik haar in mijn hoofd. En opeens was ze aan de kant geschoven. Het doet pijn om eraan terug te denken. Niet alleen het kinderlijke. Maar omdat ik me zo vergiste. Het stomste, gekste, treurigste is dat ik nog steeds huizenhoog tegen haar opkijk. Misschien voel ik me daartoe bijna verplicht, zodat iemand op aarde echt beseft hoe tragisch het is. Een Ster met een hoofdletter S,' herhaalde Arthur.

'Ja,' zei Gillian. Arthur parkeerde voor Duffy's bungalow. Ze keek ernaar, maar wilde nog even doorpraten. 'Ik heb zo'n broer gehad,' zei ze. 'Naar wie ik huizenhoog opkeek.'

'O ja?'

'Ja. Carl. Mijn lievelingsbroer. Carl was vier jaar ouder. O,' zei ze geëmotioneerd, 'hij was zo mooi. En wild. Ik was dol op hem.'

'Waar is hij nu?'

'Dood. Verongelukt met zijn motor. Zijn leven heeft achttien jaar geduurd.' Ze schraapte haar keel en vertelde: 'Hij was de eerste man met wie ik heb geslapen.'

Na een ogenblik vond ze de moed om naar Arthur te kijken. Hij staarde geconcentreerd peinzend voor zich uit. Ze zag dat hij probeerde te bedenken wat dit voor haar betekende. Als zo vaak verbaasde het haar hoe volwassen Arthur Raven was geworden.

Ze merkte dat ze een sigaret had opgestoken zonder er zelfs maar aan te denken dat ze het perfecte milieu in Arthurs dure auto vervuilde.

'Je bent gechoqueerd,' zei ze.

Het duurde even voor hij antwoord gaf. 'Natuurlijk.'

'Ja,' zei Gillian. Ze deed haar tas dicht en wilde haar sigaret doven, maar nam nog een laatste genietende trek. 'Natuurlijk, het is ook schokkend. Ik heb nooit echt geweten wat ik ervan moest denken en dus doe ik dat maar niet. Want ik wilde dat het zou gebeuren. Later was het verwarrender – jaren later. Maar indertijd was ik er blij om.'

Voor een veertienjarige was het monumentaal zonder ook maar iets sinisters. Als rechter had ze vanzelfsprekend mannen veroordeeld – vaders, stiefvaders – wegens seksueel misbruik van hun kinderen en dat als onvergeeflijk beoordeeld. Maar haar eigen ervaring viel in een categorie die buiten de maatschappelijke verwachtingen van het recht viel. Ze was bereidwillig en verleidelijk geweest. En ze hield veel te veel van Carl om hem iets kwalijk te nemen, ook in haar herinnering. Ze waren altijd elkaars lieveling geweest. Toen ze nog heel klein waren hadden ze al iets samen dat meestal tot uitdrukking kwam in de blikken die ze wisselden. Hij was haar kameraad in haar strijd tegen hun ouders. Zoveel andere jonge vrouwen hunkerden naar zijn aandacht en zijn schoonheid. Op een avond kwam Carl wankelend thuis. Hij omhelsde haar. Zij klampte zich aan hem vast. De natuur had bepaald hoe het verder ging. De volgende ochtend zei hij: 'Ik ben verknipter dan ik denk.' 'Ik vond het prettig,' zei ze. Het gebeurde nog twee keer. Ze luisterde of ze hem hoorde thuiskomen en ging naar hem toe. Zíj nam het initiatief. Daarna sloot hij de deur van zijn kamer af en overlaadde haar met verwijten toen ze waagde te vragen waarom. 'Soms denk ik aan wat ik heb gedaan en dan wil ik de oren van mijn hoofd scheuren om het niet te kunnen horen. Het is krankzinnig. Krankzinnig.' Het was haar gelukt hem af te stoten. Dat was het pijnlijkste. In de maanden voor zijn dood hadden ze nauwelijks een woord gewisseld.

'Na zijn dood wilde ik ook dood. Ik dacht erover om er een eind aan te maken. Ik maakte plannen. Dacht na over manieren. Praatte er met vriendinnen over. Ophangen. Brand. Verdrinken. Ik wilde voor een trein springen – ik had *Anna Karenina* al gelezen. En daarna heb ik me een tijdje verminkt met sigaretten. Op plaatsen waar andere mensen het niet konden zien. Maar het ging over. Ik hield ermee op. Ik dacht er niet meer aan en ook niet aan waarom ik erover had gedacht. Mensen doen bizarre dingen in hun puberteit. Wij allemaal. Dat overleven we. Maar er was niets aan die ervaring dat voor mij ooit kon worden weergegeven door het woord "misbruik". Ze keek omlaag en zag dat ze weer een sigaret had opgestoken. De linkerhand met de aansteker trilde niet, maar de andere, met de sigaret, bewoog alsof er een stormwind stond.

'Ik heb dat verhaal nooit aan iemand verteld, Arthur,' zei ze. 'Aan niemand.' Ze had in allerlei groepen urenlang bekentenissen aangehoord en alles met Duffy gedeeld. Of had gedacht dat dat zo was. Ze vond weer de moed om naar Arthur te kijken, die haar bestudeerde.

'Je hebt geen flauw idee wat je doet, hè?' vroeg hij.

Dus dat had hij ook door.

'Nee,' zei ze.

Hij boog opzij om het portier voor haar open te doen. Met zijn gezicht dicht bij het hare zei hij zacht: 'Als je opgroeit bij zo'n maniak als mijn vader, denk je heel veel na over wat er in de wereld is dat echt waard is om bang voor te zijn.' Hij deed het portier open, maar bleef haar aankijken.

'En ik ben niet bang voor jou,' zei hij.

23

19 JUNI 2001

Dr. Kevorkian onder de knop

Het was halfzes geweest toen Larry Muriel opbelde en ze spraken af apart naar het vliegveld te gaan. Morley en Larry konden goed opschieten omdat het meeste verkeer de andere kant op wilde, maar op een weggedeelte dat 'de verbinding' scheen te heten, kwamen ze volledig tot stilstand. Op de radio werd gezegd dat er niet ver van Turner Field een vrachtwagen was geschaard. Om kwart over zes ging Larry's mobieltje. Het was Muriel in haar taxi. Ze was een halfuur eerder vertrokken dan zij, maar was maar een paar kilometer dichter bij Hartsfield.

'We kunnen het vergeten,' zei ze. Inmiddels had ze zoals gewoonlijk alle mogelijkheden onderzocht en al een plan gemaakt. De Deltavlucht van tien over acht zat vol en er stonden al achttien mensen op de wachtlijst; ze konden niet bij een andere maatschappij terecht omdat ze tickets hadden tegen overheidstarief. Muriel had ze overgeboekt op een ochtendvlucht en twee kamers genomen in een hotel bij het vliegveld.

Toen Larry daar vijftig minuten later aankwam, zat Muriel in de lobby met haar tassen en regelde telefonisch een eind weg op haar kantoor. Een zaak in verband met een afrekening onder criminelen liep op de gebruikelijke manier in de soep: alle getuigen, ook degenen die waren ingesloten om door de *grand jury* te worden gehoord, verklaarden nu de verdachte ten onrechte te hebben herkend. Rechter

Harrison, die het standpunt huldigde dat er na hemzelf in veertig jaar geen fatsoenlijke aanklager meer was geweest, gedroeg zich onmogelijk. Muriel deed haar mobieltje weer in haar tas. Ze had het hof van appèl verzocht Harrison uit de droom te helpen.

'Elke dag een nieuwe clown in het circus,' zei ze. Ze had ingeschreven en gaf Larry zijn sleutel, maar ze hadden geen van beiden geluncht en wilden allebei meteen naar het restaurant. Larry was bijna in staat op te zitten en pootjes te geven toen de serveerster hem vroeg wat hij wilde drinken. Hij nam een kopstoot en dronk eerst het bier, bijna in één teug. Hij voelde zijn kleren aan zijn lichaam plakken, trok zijn jasje uit en hing het over een stoel. De mensen verdienden hier een klimaattoeslag. Het had ook niet geholpen dat hij achter Collins aan had gesprint. Hij vertelde Muriel hoe het was verlopen. Ze lachte er hartelijk om, tot hij zei dat Collins had beweerd dat zijn oom een Godswaarheid had gesproken en dat Collins zelf elke avond aan Jezus vroeg hem vergiffenis te schenken voor wat ze Gandolph hadden aangedaan.

'Ai,' zei Muriel. 'Dat is niet best. Nam hij je in de veiling?'

'Waarschijnlijk wel. Hij was heel leep. Zei dat hij Erno nooit zou tegenspreken. En hij wou niets toegeven.' Er stond brood op tafel en Larry smeerde boter op zijn tweede homp. 'Eerlijk gezegd speelt hij een heel overtuigende volwassene. Zegt dat hij God heeft gevonden. Er hangt een kruis zo groot als Cleveland aan de muur in zijn bureau en hij evangeliseerde dat het een aard had.'

Muriel speelde met haar wijnglas en fronste.

'God verdient respect, Larry.'

Hij keek haar aan.

'Hij bestaat,' zei ze. 'Iets. Hij. Zij. Het. Er is iets. Ik verheug me op naar de kerk gaan. Daar voel ik me completer dan de rest van de week.'

'Het katholicisme heeft de godsdienst voor mij verpest,' zei Larry. 'De pastor in onze parochie is een prima kerel. Hij komt soms eten. De jongens zijn gek op hem. Ik zou de hele dag met hem kunnen praten. Maar ik kan niet door de deur de kerk in. Ik bid wel in de tuin. Dat is de enige gelegenheid dat ik het gevoel heb dat ik het recht heb om iets te vragen.'

Hij glimlachte aarzelend en ze glimlachte op dezelfde manier terug, maar de verontrustende gedachte kwam bij hem op dat Muriel radicaal was veranderd. Door wat er de laatste tijd uit haar mond kwam, over God en kinderen, vroeg hij zich af of ze in de afgelopen tien jaar op een gegeven moment een hersentransplantatie had ondergaan. Het was gek wat er gebeurde met mensen na hun veertigste, wanneer ze beseften dat onze plaats hier op aarde gehuurd is, geen eigendom. Het leek gevaarlijk, al kon hij het niet nader benoemen, dat Muriel in bepaalde opzichten zachter was geworden.

In plaats van naar haar te kijken keek Larry om zich heen in de eetzaal. Die was halfleeg, ingericht in een onwaarschijnlijke tropenstijl met palmen en bamboehekjes en rotan meubels. Alle aanwezigen waren moe. Dat was hun aan te zien. Wie kon een schoon bed en een eigen kamer een ontbering noemen? Toch viel het niet mee om van huis te zijn, in een omgeving waar je nooit was geweest. Het was niet verstandig de verbinding met je eigen stukje aarde kwijt te raken, meende hij. Eigenlijk voerde alles in zijn leven hem terug naar de tuin.

Hij besloot een telefoon te gaan zoeken. Hij had het interlokale beltegoed op zijn mobieltje bijna opgesoupeerd en het korps weigerde meer minuten te vergoeden. Hij moest thuis en het bureau laten weten dat hij hier gestrand was. Terwijl hij naar de lobby liep, dacht hij na over Muriel. Hij had overwogen te vragen of Talmadge met haar meeging naar de kerk, maar dan had hij de belofte geschonden die hij haar in het vliegtuig had gedaan. Hij wist trouwens genoeg. Zoals ieders leven was ook dat van Muriel op zijn minst complex. Maar hij kon een grimmige voldoening niet onderdrukken. Muriel geloofde dat God orde schiep in het universum. In zijn zwaarste ogenblikken meende Larry dat het wraak was.

'We hebben een probleem,' zei Muriel toen Larry terugkwam. Ze had er in zijn afwezigheid over zitten peinzen. 'Vanmorgen is de klap gevallen: Harlow gelooft Erno.'

'Godverdomme,' zei Larry.

Ze lichtte toe wat de rechter had geschreven; Carol had haar de tekst over de telefoon voorgelezen.

'Godverdomme,' zei Larry weer. 'Maar die andere rechters – die hoeven daar toch niet in mee te gaan?'

'Het hof van appèl? In theorie niet. Maar zij hebben de man niet zien getuigen. Harlow wel. Ze moeten zijn opvatting wel accepteren, tenzij we met iets nieuws kunnen komen waardoor Erno voor leugenaar staat. En wat Collins vandaag heeft gezegd wijst de andere kant op. Zodra ik het Arthur vertel, zal hij jammeren en met zijn vuisten op de vloer slaan om me over te halen Collins immuniteit te verlenen.'

'En?'

'Dat verzoek maakt geen schijn van kans. Immuniteit is zuiver de beslissing van de aanklager. Maar daardoor krijgt hij wel de informatie voor het hof van beroep.'

'Je hoeft Arthur geen ruk te vertellen. Ik heb Collins beloofd dat ik niets zou opschrijven. Wat Arthur betreft, of wie ook, heeft het gesprek nooit plaatsgevonden.'

'Dat betekent dat we het niet tegen Collins zullen gebruiken. Maar we moeten wel Arthur inlichten.'

'Waarom?'

De gedachte was verwarrend. Ze redeneerde hardop. Strikt juridisch gesproken had de verplichting om inzage in gunstig bewijsmateriaal te geven alleen betrekking op het proces. En omdat Collins niet wilde getuigen, waren zijn uitlatingen tegenover Larry ontoelaatbaar bewijsmateriaal uit de tweede hand.

'Wat is het probleem dan?' vroeg Larry.

'Hè verdraaid, Larry. Het is gewoon niet handig. Collins zal Jackson bellen. Als uitkomt dat we geen inzage hebben gegeven, staan we er gekleurd op.'

'Wat Collins tegen Aires zal zeggen is: "Ik heb die smeris geen ruk verteld." Hij wil natuurlijk niet dat Jackson hem gaat uitschelden omdat hij zijn mond heeft opengedaan. En bovendien vindt hij zelf dat hij niks heeft gezegd. Waarom zou je het leven ingewikkeld maken?'

'Verdorie, Larry, stel dat Collins de waarheid spreekt? Stel dat zijn oom en hij inderdaad Rommy erin hebben geluisd, dat hij elke avond op zijn knieën Jezus om vergiffenis vraagt?'

'In geen honderd jaar.'

'In geen honderd jaar? Wil je zeggen dat je echt geen seconde hebt gedacht dat er een piepklein kansje was dat Erno de waarheid spreekt?'

Hij maaide met een zware hand door de lucht om de duivel van het belachelijke te verjagen.

'Die kleine klootzak heeft bekend, Muriel. Hij heeft bekend waar je bij was.'

'Larry, die jongen heeft het verstand van een garnaal.'

'Wat wil je daar verdomme mee zeggen?'

Gelukkig kwam de serveerster hun eten brengen. Ze zette de borden neer en maakte een vriendelijk praatje. Ze kwam van het platteland van Georgia en had een accent uit *Gone With the Wind.* Toen ze wegging om nog wat te drinken te halen, had Larry zijn halve biefstuk al op en wilde nog steeds niet naar Muriel kijken. Ze wist dat ze de discussie kon uitstellen, maar er was een orde – 'hiërarchie' was eigenlijk het woord – die gehandhaafd moest worden. Politiemensen vonden het altijd vreselijk wanneer juristen de beslissingen namen.

Voor juristen bestond het werk uit woorden – de woorden die ze op de zitting uitspraken, in processtukken opschreven of in politierapporten lazen. Maar de politie had met het leven zelf te maken. Zij deden hun werk met een dienstwapen op de heup en zwetend in hun kogelvrije vesten. De getuigen die netjes opgeknapt in de rechtszaal verschenen om vragen van aanklagers en pleiters te beantwoorden, waren uit smoezelige schietbanen weggeplukt door agenten die niet wisten waarover ze zich meer zorgen moesten maken: een kogel of hiv. De politie leefde in een harde wereld en als het moest pakten ze stevig door. Als een aanklager toegaf, zelfs tegenover iemand die zo goed was als Larry, betekende dat voor hem een aanleiding om recalcitrant te worden.

'Je moet me beloven dat het niet de Hitlerbunker wordt,' zei ze.

'Wat bedoel je?'

'Blijf openstaan voor andere mogelijkheden. Ik bedoel: misschien, heel misschien hebben we een fout gemaakt, Larry. Dat komt voor. Het systeem is niet onfeilbaar. Mensen zijn niet onfeilbaar.'

Hij nam het niet goed op.

'We hebben godverdomme geen fouten gemaakt.'

'Ik val je niet aan, Larry. Bij dit werk worden we geacht nooit fouten te maken. Dat is de norm. Gerede twijfel uitsluiten. Maar zelfs onze beste prestaties en scherpste oordeel zijn niet altijd perfect. Ik bedoel: het is een mogelijkheid.'

'Het is geen mogelijkheid.' Ondanks zijn toegenomen corpulentie werden de aders in zijn brede hals zichtbaar. 'Hij is de dader. Hij kende twee van de slachtoffers. Hij had een motief voor allebei. Hij heeft bekend. Hij wist eerder dan wij wat het moordwapen was en hij had Luisa's camee in zijn zak. Hij is de juiste man en ik sta niet toe dat jij voor heilige moeder gaat spelen. Daarmee douw je jezelf in de stront en daarmee douw je mij in de stront.'

'Larry, het kan me niet schelen wat Arthur zegt, of de rechter. Denk je dat ik bij een drievoudige moord mijn verantwoordelijkheid niet wil nemen? Denk je dat ik John Leonidis of die twee meisjes wil laten barsten? Kijk me aan en zeg dat je dat van mij gelooft.'

Hij pakte de whisky zodra de serveerster hem neerzette en dronk het glas half leeg. De drank hielp hem niet. Hij had kennelijk moeite zich te beheersen. Zijn kern was wrok, dat had ze altijd geweten.

'Ik wil geen gelul meer horen over fouten maken,' zei hij.

'Ik zeg niet dat het een fout is. Ik wil alleen kunnen zeggen dat ik heb voldaan aan de beroepseis dat ik de mogelijkheid in overweging neem.'

'Hoor eens, ik heb die zaak gedraaid. In mijn eentje. Het hele korps heeft de pauzeknop ingedrukt toen de kranten klaar waren met de zaak. Ik ben degene die is doorgegaan. Ik heb de zaak rondgemaakt. Met jou. En voor jou, als je de waarheid wilt weten. Dus ga nou godverdomme niet beweren dat het een fout is.'

'Voor míj?'

Razernij kolkte door hem heen. Hij kreeg er grote ogen van; alles aan hem werd groter.

'Doe nou godverdomme niet of je het niet snapt. Het hoort allemaal bij elkaar, hè Muriel? Deze zaak. Jouw verkiezing tot hoofdaanklager. Jouw beslissing om belangrijk te worden. Jouw besluit om met Talmadge te trouwen. Jouw beslissing om een historische figuur te worden. Jouw beslissing om mij niet te nemen. Dus vertel me nu niet dat het een fout is, verdomme. Het is verdomme te laat voor fouten. Ik heb mijn armzalige leventje gehad en jij koerst af op de sterrenstatus. Doe nou niet of je niet weet wat je voor spelletje speelt, want je hebt godverdomme zelf alle regels bepaald.' Hij smeet zijn groene linnen servet op zijn bord en liep met grote stappen weg, zo snel dat hij iemand omver had kunnen lopen. De kleine weekendtas die hij van huis had meegenomen danste op zijn schouder alsof hij zo licht was als een sjaal.

Ze voelde dat haar keel dichtgeschroefd was. Er was iets groots gebeurd. Eerst dacht ze dat ze geschokt was door de heftigheid van zijn uitbarsting. Maar na een seconde besefte ze dat het werkelijke nieuws was dat Larry's wonden tien jaar later nog altijd niet waren geheeld. Ze veronderstelde dat hij ervoor koos zich anders te presenteren: te onafhankelijk om gevoelig te zijn voor blijvend letsel. Dat was min of meer hoe ze zichzelf probeerde te zien.

Een van haar vriendinnen mocht graag zeggen dat je op je zestiende alles wist wat er te weten viel over hoe liefde begint en eindigt. In het enorme gebied daartussenin drong je pas als volwassene door. Maar de zeer felle lichtflits waarmee liefde begon en eindigde was in elk levensstadium hetzelfde. En wat zij op de middelbare school over Larry's uitbarsting zouden hebben gezegd was waarschijnlijk waar: het betekende dat zijn liefde niet was bekoeld. Ze besefte dat ze gevaar liep.

Hij had zijn jasje over de stoel laten hangen. Ze keek er even naar, pakte het toen op en liep ermee naar de bar; ze dacht dat hij daar zijn toevlucht zou hebben gezocht. Hij was er niet. Boven klopte ze beheerst op zijn kamerdeur.

'Larry, doe open. Ik heb je jasje.'

Hij had zijn overhemd al half openhangen over zijn bolle buik en had een flesje Dewar-whisky uit de minibar in zijn hand. Het was halfleeg. Hij pakte het jasje aan en mikte het op het bed zonder haar te durven aankijken.

'Larry, zullen we het bijleggen? We moeten nog een hele tijd samen verder met deze zaak.'

'Er valt niets bij te leggen. Ik ben gewoon kwaad.' Hij keek naar het flesje, schroefde de dop erop en smeet het in de prullenbak, die wiebelde maar niet omviel. 'En nu weet ik niet waar ik moet kijken.'

'Misschien moeten we praten.'

'Hoezo?'

'Laat me niet zo staan, Larry.' Ze had in beide handen een tas, haar dikke aktetas en een kleine weekendtas. Hij beoordeelde haar situatie, maakte een gebaar dat ze binnen kon komen en wendde zich van haar af. Het kale plekje op zijn hoofd was vuurrood geworden door de drank.

'Muriel, ik weet niet eens waar dat vandaan kwam.'

'Allemachtig, Larry.'

'Nee, ik zeg niet dat ik het niet meende. Maar wat me dwarszit is wat ik het laatst heb gezegd. Over mezelf. Ik vind helemaal niet dat ik kan klagen over mijn leven. Ik heb een goed leven. Beter dan goed. Alleen ben ik net als iedereen, weet je. Niemand krijgt ooit wat hij wil als het om de liefde gaat.'

Die uitspraak, zo exact, maakte haar even sprakeloos, omdat ze wist dat hij haar diepste overtuiging had uitgesproken, hoewel ze zelden de moed had zichzelf die te bekennen. Ze moest weer denken aan de granaat die hij in het vliegtuig naar haar had gegooid: het idee dat ze in haar beide huwelijken dezelfde onrealistische droom had nagejaagd. Het idee was haar de hele dag bijgebleven, als de smaak van bedorven eten die telkens terugkwam. Ze zou er zondag dieper over nadenken. Want liefde was datgene waarvoor ze het vaakst bad op die kostbare momenten in de kerk, waar ze geloofde en niet geloofde. Nu overdacht ze het zoeken naar liefde, de manier waarop dat ons leidde tot een langdurig ongelukkig zijn met zalige momenten, hoe kortstondig ook, waarin de liefde gevonden leek. Alle andere dingen in het leven – status in je werk, kunst en ideeën – waren niet meer dan de pluimpjes en het bont van het roofdier liefde.

'Dit betekende veel voor me,' zei hij. Hij wees met zijn wijsvinger naar haar en hemzelf. 'Daarna heb ik er een tijdje over gedacht om me door Kevorkian te laten helpen. Dat is alles. Ik reageer gewoon, weet je.'

Mannen zoals Larry en Talmadge deden alles om maar niet kwetsbaar te lijken. Maar ze waren kwetsbaar en de ogenblikken waarop dat manifest werd waren crises. Het ging niet over. Dat is wat hij tegen haar zei.

'Ik wil niet dat je het tegen Arthur zegt,' zei hij. 'Van Collins.'

'Larry.'

'Je hebt zelf gezegd dat je niet verplicht bent het hem te vertellen. Ik wil niet dat hij door goeiigheid van onze kant de gelegenheid krijgt om allerlei lulverhalen op te hangen.'

Zelfs hierna was ze niet geneigd toe te geven. Ze ging in een bureaustoel bij de deur zitten om na te denken. Hij keek ongeduldig naar haar.

'Jezus,' zei hij. 'Doe me nou godverdomme een lol. Toch? Toch?' Zijn woede was weer opgelaaid, hij hoorde het zelf en in seconden was het voorbij. Hij liet zich op het bed vallen, uitgeput door zijn eigen woede. Op de gang rammelden ijsblokjes uit de automaat in de gleuf.

Vroeg of laat zou ze Arthur op de hoogte stellen, maar dat kon wachten tot Larry tot bedaren was gekomen. Hij voelde zich nu door haar toedoen te verslagen om nog een tegenvaller te kunnen incasseren.

'Nou, dit doet aan vroeger denken, hè?' zei ze ten slotte. 'Jij en ik en een hotelkamer en ruzie?'

'De ruzies hadden niets om de hakken, Muriel.'

'Meen je dat? Dus ik had me de moeite kunnen besparen?'

'Het was allemaal voorspel.'

Ze had niet het lef daarop iets terug te zeggen.

'Je wilde seks als vorm van rivaliteit,' zei hij.

'Dank u, dr. Ruth.'

'Het was effectief, Muriel. Het had altijd het gewenste effect. Vertel me nou niet dat je dat niet meer weet.' Hij vond de kracht nog één keer naar haar te kijken. Voor hem, besefte ze, was het verhaal van wat er tussen hen was gebeurd in steen gehouwen, vaak herlezen, geanalyseerd en verwerkt. Ontkenning van welk element ook was een belediging.

'Mijn Alzheimer is in het beginstadium, Larry. Ik weet het nog.'

Door die erkenning lag het verleden, met zijn hartstocht en genot, tussen hen in als een opgebaard lijk. Alleen was dit lijk niet helemaal dood. Het verlangen dat ze altijd hadden gevoeld was opeens aanwezig. Ze voelde dat Larry haar reactie schatte. Met zijn gehamer op Talmadge wist ze wat hij wilde vragen, maar zelfs Larry besefte dat hij die grens niet mocht overschrijden. Vergelijkingen waren zinloos –

een huwelijk was geen los-vaste verhouding, dat wist iedereen. Ze was de zoveelste die voor haar trouwen meer van seks had genoten dan erna, hoewel ze dat in alle eerlijkheid nooit had verwacht. Met iemand naar bed gaan had nooit een uitdaging geleken. Belangrijk. Leuk. Maar niet moeilijk. Ze had altijd aangenomen dat Talmadge en zij een ritme zouden vinden. Maar dat was niet gebeurd. Ze had nooit gedacht dat ze iemand was die wel zonder kon, maar of het door uitputting of de leeftijd kwam, het hield haar steeds minder bezig. Wanneer ze verlangend wakker werd, zoals haar een paar keer per maand overkwam, was het verrassend.

En ze was nu ook verbaasd.

'Ik weet het nog, Larry,' zei ze weer zacht. Ze keek op en dacht dat ze hem alleen wilde bevestigen, maar haar verlangen was zo heftig dat ze voelde dat ze het uitstraalde. Het was nog net geen uitnodiging. Maar hij moest voelen dat ze, als hij toenadering zocht, moeilijk nee zou kunnen zeggen. Maar ze kon niet naar hem toe gaan. In Larry's ogen had ze te vaak een beslissing ten koste van hem genomen. Het zou iets heerszuchtigs hebben als zij het initiatief nam. In plaats daarvan voelde ze zich een kokette vrouw die in ademloze spanning afwachtte, verlegen en machteloos, een gevoel dat ze haar hele leven had weten te vermijden. Ze luisterde of ze hem hoorde bewegen zodat ze naar hem toe kon gaan. Maar zijn verbittering weerhield hem daar waarschijnlijk van. Het ogenblik duurde voort. En toen werd de mogelijkheid van een haastige omhelzing na al die vroegere glorie weggenomen met dezelfde ironie waarmee ze zich had aangediend.

'Ik ben bekaf,' zei hij.

'Goed,' zei ze. Op de drempel zei ze dat ze hem om halfzeven in de lobby verwachtte. Toen liep ze door de gang, met zijn eindeloze rijen dichte deuren en schaarse verlichting, naar de eenpersoonskamer waar ze de nacht zou doorbrengen. Ze sjouwde haar tassen mee en vroeg zich af, kijkend naar de kamernummers, hoe moeilijk hierna de rest van haar leven zou zijn.

24

25-28 JUNI 2001

De verklaring van Genevieve Carriere

Bij de post, waar op maandagochtend altijd slecht nieuws bij leek te zitten, vond Arthur een formele mededeling van Muriel Wynn. Over drie dagen, op donderdag, wilde de aanklager een getuigenverklaring laten afleggen door een vrouw genaamd Genevieve Carriere in het kantoor van de advocaten die ze had ingeschakeld, Sandy en Marta Stern.

'Wie is de mysterieuze gast?' vroeg Arthur toen hij na enkele vergeefse pogingen Muriel aan de lijn had gekregen. Bij de schaarse contacten die Arthur de laatste jaren met Muriel had gehad, hadden ze op de informele toon gesproken die bij ex-collega's hoorde. Maar na de tegenslagen in de huidige zaak was Muriel tegenover hem nogal afgemeten. Arthur, die leed onder het verlies van iemands vriendschappelijke gevoelens, had zich op meer van hetzelfde ingesteld, maar Muriel leek in een uitstekend humeur. Hij vermoedde onmiddellijk dat ze een voordeeltje had behaald.

'Arthur,' zei ze, 'laat me twee woorden tegen je zeggen: Erno Erdai.'

Zoals veel aanklagers die Arthur had leren kennen, leefde Muriel naar een eenvoudig motto in haar contacten met strafpleiters: word niet kwaad, maar pak ze terug.

'Dat moest ik wel doen, Muriel.'

'Omdat je ons geen eerlijke kans wilde geven om onderzoek te doen.'

'Omdat ik niet wilde dat jullie naar Rudyard zouden gaan om Erno met een knuppel te bewerken. Of de zaak traineren tot hij dood was of niet meer kon praten. Wat hij zegt is waar en dat weet je heel goed, Muriel.'

'Helemaal niet. De man heeft bekend.'

'Mijn cliënt heeft een IQ van drieënzeventig. Hij weet dat andere mensen slimmer zijn dan hij. Hij is eraan gewend dat hij dingen niet begrijpt en aanvaardt wat hem wordt verteld. En denk maar niet dat Larry hem niet heeft gestimuleerd. Als een volwassen kerel in zijn broek poept, is het meestal omdat hij doodsbang is – niet omdat hij een slecht geweten heeft. Je woont niet in Shangrila, Muriel, en ik ook niet.'

De verwijzing naar Shangrila, die in de rechtszaal zoveel ophef had veroorzaakt, was te vals. Muriels stem werd kribbiger.

'Arthur, ik heb er destijds bij gezeten. Je cliënt was puntgaaf. En hij heeft me aangekeken toen hij zei dat hij goed was behandeld.'

'Omdat hij te zeer van de wereld was om iets anders te zeggen. Erno heeft nog twee keer op mensen geschoten, afgezien van de moorden. Wie past de schoen, Muriel?'

Vreemd genoeg voelde Arthur zich sterker in deze discussie. Hij had meer argumenten. Het enige probleem was dat Rommy nooit een begrijpelijke verklaring voor zijn bekentenis had gegeven. Hij beweerde niet echt dat hij tot zijn verklaring was geprest en dat had hij ook niet beweerd tegenover zijn eerdere advocaten, met wie Arthur minimale contacten had gehad.

Zoals gewoonlijk als ze aan de verliezende hand was, hield Muriel het gesprek zo kort mogelijk en zei eenvoudig: 'Donderdag.' Vervolgens probeerde Arthur het bij de advocaten van mevrouw Carriere. Sandy, hoffelijk als altijd, nam de gelegenheid te baat om Arthur te prijzen voor zijn werk aan de zaak.

'Ik volg je vorderingen in de pers, Arthur. Hoogst opmerkelijk.' Stern, de waardige deken van de orde van advocaten in Kindle County, begreep de waarde van complimenten. Vervolgens droeg hij het gesprek over aan zijn dochter Marta, met wie hij al bijna tien jaar samenwerkte. Zij trad op voor mevrouw Carriere.

Arthur was aankomend aanklager toen Marta op het kantoor van haar vader was begonnen. In die tijd cultiveerde ze de verschillen met haar vader: ze was ook agressief als het niet nodig was, stuntelig in de omgang met mensen en uiterlijk weinig verzorgd. Maar ze was duivels intelligent en de mensen zeiden dat Sandy in de loop van de jaren een beschavende invloed op haar had gehad. Meestal waren strafpleiters onderling tot samenwerking geneigd. Ze hadden een gemeenschappelijke vijand in de aanklager en een gemene zaak in de beperkende bepalingen omtrent cliëntenrechten. Maar over de telefoon klonk Marta stug, waarschijnlijk als gevolg van haar schermutselingen met Arthur in het verre verleden. Ze liet vrijwel niets los, alleen het feit dat Genevieve een goede vriendin en collega van Luisa was geweest.

'Genevieve heeft ons verzocht geen van beide partijen vooraf in te lichten,' zei Marta. 'Ze doet dit met tegenzin. Ze moet al haar vakantie met het gezin onderbreken om haar verklaring af te leggen.'

'Krijg ik last van haar?'

Marta aarzelde. Het protocol onder advocaten vereiste op zijn minst een waarschuwing als dat het geval was.

'Als Muriel zich houdt aan haar aangekondigde agenda, slaat ze wonden, maar geen dodelijke. Zorg dat je bij je kruisverhoor in Muriels voetspoor treedt. Probeer niet ander terrein te betreden.'

Na het telefoontje overwoog Arthur de waarde van dat advies. De Sterns waren allebei fair, maar als hun cliënt met tegenzin getuigde, had zij er alle belang bij om een langdurige ondervraging te ontmoedigen.

Donderdag liep Arthur even voor tweeën naar de Morgan Towers, het hoogste gebouw in de stad. Sandy Stern was een immigrant, maar zijn kantoor was ingericht alsof iemand in zijn familie had meegevochten in de Revolutie. Op de receptie, waar Arthur het verzoek kreeg te wachten, stond Chippendale meubilair, opgesierd met porseleinen beeldjes en zilveren siervoorwerpen. Muriel kwam zoals gebruikelijk tien minuten te laat, met Larry achter zich aan. Marta ging hen voor naar een conferentiekamer zonder ramen. Mevrouw Carriere zat gespannen naast een ovale notenhouten tafel met glazen blad. Haar kleding was formeel, een donker pakje met een kraagloos jasje, en ze zag er echt uit als de vrouw van een arts: een beetje mollig, niet onaardig om te zien, grote ogen. Met haar witte haar, dat bij iemand paste die tientallen jaren ouder was, oogde ze openhartig. Muriel begroette mevrouw Carriere, maar kreeg nauwelijks een groet terug.

De stenograaf, die met zijn apparaat naast de getuige was gaan zitten, vroeg mevrouw Carriere haar rechterhand op te steken en nam de eed af. Aanvankelijk gingen Muriels vragen niet verder dan Arthur op grond van Pamela's onderzoek had verwacht. Mevrouw Carriere bleef nu thuis, maar had jarenlang als grondstewardess voor Trans-

National Air gewerkt. Haar man Matthew was internist, ze woonden in Greenwood County, een buitenwijk, en ze hadden vier kinderen. Genevieve gaf pijnlijk precies antwoord. Marta had haar goed voorbereid. Haar cliënt dacht over de vragen na en antwoordde zo bondig mogelijk. Een tien plus voor deze getuige.

Toen Muriel ten slotte over Erno begon, gaf Genevieve toe dat ze hem had gekend toen hij adjunct-hoofd beveiliging bij TN Air was en op het vliegveld DuSable werkte.

'Heeft Luisa Remardi ooit met u over de heer Erdai gesproken?' vroeg Muriel.

Arthur maakte direct bezwaar: informatie uit de tweede hand. Muriel en hij voerden een kort steekspel van argumenten op, maar bij de federale procedure zou een rechter pas later bezwaren toe- of afwijzen. Voorlopig moest Mevrouw Carriere antwoord geven en Marta bevestigde dat met een knikje naar haar cliënt. In de loop van de jaren was Marta een beetje gezet geworden, maar ook verzorgder. Ze kwam zo van de kapper en droeg een trouwring, zag Arthur. De parade trok verder. Iedereen behalve hijzelf.

'Ja,' zei Genevieve.

'Heeft ze ooit gesproken over de aard van haar relatie met de heer Erdai?'

Genevieve zei dat ze de vraag niet begreep.

'Heeft ze zich ooit negatief uitgelaten over Erno Erdai?'

'Ja.'

'En kwam het voor als ze die uitlatingen deed dat ze in een toestand van grote opwinding of emotionaliteit verkeerde?'

'Ik denk dat je dat wel kunt zeggen.'

De bepaling met betrekking tot informatie uit de tweede hand bevatte een uitzondering voor 'uitlatingen gedaan in opwinding', die wel toelaatbaar waren, op basis van de theorie dat het minder waarschijnlijk was dat opgewonden mensen berekende onwaarheden zouden uitspreken. De uitzondering was zoals veel bewijsregels al heel oud en hield geen rekening met de moderne kennis omtrent de betrouwbaarheid van wat mensen onder spanning zeiden of deden; maar door die stipulering, wist Arthur, zou de verklaring van Genevieve Carriere als toelaatbaar worden beoordeeld.

'Mevrouw Carriere,' zei Muriel, 'wilt u terugdenken aan de gelegenheid waarbij mevrouw Remardi het meest opgewonden was en met u sprak over Erno Erdai? Kunt u zich die gelegenheid herinneren?'

'Ik kan me een bepaalde keer herinneren. Ik weet niet of ze toen het meest opgewonden was, maar ze was wel van streek.'

'Juist. Wanneer was dat?'

'Ongeveer zes weken voordat Luisa werd vermoord.'

'Waar bevond u zich?'

'Waarschijnlijk bij de ticketbalie op DuSable. We gebruikten samen een la. Onze diensten overlapten elkaar met een uur. Meestal was het dan heel rustig, we telden de inhoud van de la en kletsten wat.'

'En weet u uit eigen onafhankelijke kennis wat er was gebeurd waardoor mevrouw Remardi van streek was?'

'Als u bedoelt of ik heb gezien wat er is gebeurd, dan is het antwoord nee.'

'Heeft Luisa de gebeurtenis beschreven?'

Arthur vroeg om aantekening van een doorgaand bezwaar tegen gegevens uit de tweede hand. Hij merkte dat Muriel besefte dat hij alleen maar probeerde de continuïteit van het verhaal te verstoren, omdat ze niet eens in zijn richting keek terwijl ze mevrouw Carriere vroeg antwoord te geven.

'Luisa zei dat ze was gefouilleerd op drugs. Niet gevisiteerd, gefouilleerd.'

'Legde ze uit waarom ze daardoor van streek was geraakt?'

'Dat hoefde ze niet uit te leggen. Natuurlijk is het vervelend om op je werk te worden gefouilleerd. Maar ze was vooral van streek door de manier waarop het was gegaan. Ze drukte zich nogal cru uit.'

'Wat zei ze precies?'

Genevieve keek geërgerd naar Muriel en veroorloofde zich een zucht.

'Ze zei dat ze met haar kleren aan was gefouilleerd, maar nogal grondig; ze maakte een opmerking die erop neerkwam dat ze seks met mannen had gehad die haar niet op al die plaatsen hadden aangeraakt.'

De stenograaf, die tot taak had zo onverstoorbaar te blijven als een standbeeld, viel uit zijn rol en schaterde het uit. De juristen rond de tafel glimlachten, maar mevrouw Carriere bleef stuurs kijken.

'En wanneer na dat fouilleren sprak ze er met u over?'

'Nog geen uur daarna. Ze hadden het gedaan vlak voordat haar dienst afgelopen was, en ik kwam net binnen.'

'En wat zei ze over Erno Erdai?'

'Moet het weer woordelijk?'

'Alstublieft.'

'Ik probeer zulke woorden niet te gebruiken. Ze drukte zich nogal kras uit. Wat in de krant "schuttingtaal" wordt genoemd.'

'Zou het redelijk zijn om te zeggen dat ze haat uitte jegens meneer Erdai?'

'Zeker. Ze zei dat hij wist dat ze niets met drugs te maken had en dat hij had gelogen om te bereiken dat ze gefouilleerd zou worden.'

Muriel leek even niet te weten hoe ze verder moest gaan. Tot nu toe had de verstandhouding tussen ondervraagster en getuige redelijk goed geleken. Arthur had Marta op haar woord geloofd toen ze zei dat ze Muriel niet had toegestaan weer met mevrouw Carriere te praten, maar Marta en Muriel hadden ongetwijfeld overlegd, waarbij Marta ernaar had gestreefd haar cliënt zo gauw mogelijk weer de deur uit te krijgen.

Arthur zag dat Larry zich naar Muriel toe boog om haar iets in te fluisteren. Hij droeg een polo en een kaki sportjasje dat in de zomerwarmte zo verkreukeld was geraakt als een boterhamzakje. Zijn nonchalante kleding leek karakteristiek voor Larry en veel andere rechercheurs, altijd wars van de formele sfeer van juridische procedures. Ondanks de aanwezigheid van de stenograaf had Larry een stenoblok met spiraal voor zich liggen, waarin hijzelf nu en dan aantekeningen maakte.

'Zei ze hoe ze wist dat het Erno Erdai was die had gelogen om haar gefouilleerd te krijgen?' vroeg Muriel.

'Nee.'

'Veronderstelde ze dat?'

Arthur maakte er bezwaar tegen dat mevrouw Carriere uitspraken zou doen over veronderstellingen van Luisa, en Muriel trok de vraag terug. Larry hield weer zijn hand hij haar oor, onder de uitstaande zwarte krullen.

'Zei ze wat ze dacht dat meneer Erdai probeerde te bereiken door haar te laten fouilleren?'

'Nee. Ze zei het alleen.'

Muriels obsidiaanzwarte ogen bleven strak op de getuige gericht. Hoe klein van stuk Muriel ook was, door de kracht van haar concentratie kreeg de ander soms iets van een marionet in haar antwoorden.

'Toen ze die negatieve opmerkingen over de heer Erdai maakte, was dat de eerste keer dat u haar over hem hoorde spreken?'

'Nee.'

'En had ze in die eerdere gesprekken over Erno Erdai gesproken in een andere capaciteit dan zijn rol als collega en hoofd beveiliging op het vliegveld DuSable?'

Genevieve wachtte weer even voordat ze nee zei.

'En had ze eerder opmerkingen gemaakt die erop wezen dat ze een afkeer van hem had?' vroeg Muriel.

'Ik kan me niet herinneren dat ze voor dat fouilleren ooit heeft gezegd dat ze een hekel aan hem had.'

Muriel, die meestal streng en ondoorgrondelijk keek, verried nu haar teleurstelling.

'Gaf ze blijk van positieve gevoelens voor hem?'

'Ik kan me niets herinneren dat daarop leek. Nee,' zei Genevieve.

'Is het redelijk om te stellen dat haar commentaar op de heer Erdai vóór die gebeurtenis negatief van toon was?'

Arthur maakte bezwaar tegen de vorm van de vraag. Op instructie van Muriel gaf mevrouw Carriere antwoord. 'Dat is waarschijnlijk redelijk.'

Muriel keek naar haar gele blok, kennelijk klaar om aan een nieuw onderwerp te beginnen.

'Mevrouw Carriere, u hebt een opmerking aangehaald die mevrouw Remardi tegen u heeft gemaakt over haar liefdesleven.'

Genevieve pruilde, zodat een kuiltje in haar kin zichtbaar werd. Kennelijk betreurde ze het dat ze zich aan deze strenge ondervraging had blootgesteld.

'Besprak mevrouw Remardi vaak haar intieme leven met u?'

'Vaak?'

'Hield ze u op de hoogte van wat er met mannen gaande was?'

'Tweede hand,' zei Arthur weer en Muriel zei opnieuw dat ze verwachtte dat het bezwaar zou worden afgewezen en vroeg de stenograaf de vraag terug te lezen.

'Waarschijnlijk heb ik naar meer geluisterd dan ik had moeten doen,' zei mevrouw Carriere en voor het eerst verscheen de schim van een lachje op haar gezicht. 'Ik ben op mijn negentiende getrouwd.'

'Hebt u mevrouw Remardi ooit in het gezelschap van mannen gezien?'

'Soms.'

'Hebt u, op basis van uw grote vriendschap met Luisa Remardi, uw vele gesprekken met haar en uw eigen waarneming, er een opvatting over of Luisa Remardi een intieme relatie met Erno Erdai heeft gehad?'

Voor het verslag maakte Arthur uitvoerig bezwaar dat dit geen passend onderwerp was voor een getuigenverklaring. Toen hij klaar was, verzocht Muriel opnieuw om een antwoord op haar vraag.

'Ik geloof niet dat ze een intieme relatie hebben gehad,' zei mevrouw Carriere. 'Ik kende Erno. Het zou niets voor Luisa zijn geweest om het me niet te vertellen als ze omgang had met iemand die ik kende.'

Muriel knikte eenmaal, haar smalle lippen verstrakt in een poging niet triomfantelijk te kijken. Daarmee droeg ze de getuige over aan Arthur.

Hij wachtte even, overwegend hoeveel gewicht Harlow of de rechters van het hof van appèl aan de getuigenverklaring van mevrouw Carriere zouden hechten. Waarschijnlijk vrij veel. Rechters stelden vertrouwen in mensen zoals Genevieve, een van die hardwerkende, fatsoenlijke mensen die de wereld op koers hielden. Al met al was hij het eens met Marta's beoordeling van zijn situatie: hij had wonden opgelopen, maar fataal waren ze niet. De opvattingen van mevrouw Carriere waren niet toereikend om rechter Harlow af te brengen van zijn oordeel dat Erno geloofwaardig was. Arthur nam zich voor heel voorzichtig te zijn bij zijn pogingen de schade te beperken.

Hij begon met naar de bekende weg te vragen door haar te laten erkennen, zoals ze grif deed, dat ze niet wist of Luisa haar alles had verteld over haar privéleven of geheimen had bewaard. Mevrouw Carriere bleef afgemeten, maar leek iets ontvankelijker voor Arthur, waarschijnlijk omdat hij niet degene was die haar had gedwongen hierheen te komen. Op zijn laatste vraag antwoordde ze: 'Ik weet zeker dat er dingen waren die ze me niet heeft verteld, omdat ik die soms niet goedkeurde.'

Dit antwoord bood Arthur de gelegenheid wat risico te nemen in de hoop andere aspecten van Erno's versie te kunnen rehabiliteren.

'In aanmerking genomen dat er dingen in mevrouw Remardi's privéleven kunnen zijn geweest die u niet wist: heeft ze ooit tegenover u laten doorschemeren dat ze omgang had met meer dan één man?'

Genevieve vertrok haar mond en keek peinzend naar de grond.

'Ik moet het uitleggen om haar bij mijn antwoord recht te doen,' zei ze, en Arthur gebaarde dat ze kon doorgaan. 'Na haar scheiding had Luisa niet veel op met mannen. In elk geval niet in relaties. Soms had ze behoefte aan gezelschap. Soms wilde ze iets anders. En als ze in de stemming was, dan was ze eerlijk gezegd niet altijd kieskeurig. Of zelfs maar discreet. En er konden maanden tussen zitten. Of een dag. Ze had soms één ontmoeting met iemand. Of een paar keer. Ik weet niet wat het juiste woord ervoor is. Pragmatisch? Ik geloof dat ik wel kan zeggen dat ze op het terrein van mannen tamelijk pragmatisch was. Dus ja, af en toe hoorde ik over meer dan één man.'

Arthur had gehoopt Genevieve heel behoedzaam af te kunnen sturen op de erkenning dat het mogelijk was dat Luisa in meer dan één man interesse had getoond. Dit was een kleine triomf. Hij overwoog of hij zou vragen of ze ooit had gehoord dat mevrouw Remardi ontmoetingen op het parkeerterrein van het vliegveld had gehad, maar de reacties van mevrouw Carriere op Luisa's praktische benadering van de liefde bood hem al voldoende onderbouwing voor die bewering.

In plaats daarvan richtte hij zich op mevrouw Carrieres opvatting dat Luisa en Erno nooit een verhouding hadden gehad, die al enigszins werd ondermijnd door Genevieves erkenning dat Luisa dingen voor zich kon hebben gehouden.

'U weet wel,' vroeg hij, 'door wat mevrouw Remardi zei, dat er kwaad bloed was tussen Erno Erdai en haar?'

'Kwaad bloed?'

'Ik zal het anders formuleren. U weet dat ze zes weken voor haar dood woedend op hem was?'

'Ja.'

'En dat ze dacht dat hij een voorwendsel had gebruikt om haar iets onaangenaams te laten ondergaan, een fysieke schending van haar privacy?'

'Ja.'

'Die ze door haar opmerkingen in verband bracht met intieme handelingen?'

Genevieve glimlachte zowaar naar Arthur, uit bewondering voor het vernuft van de juristen, voordat ze ja zei.

'En het is een feit, zoals u eerder hebt verklaard, dat ze u nooit echt heeft verteld wat meneer Erdai volgens haar ertoe had gebracht haar te laten fouilleren?'

Hij zag direct dat hij een stap te ver was gegaan. Genevieve keek hem even in de ogen, als om hem te waarschuwen, en ze zoog haar lippen naar binnen.

'Zoals ik al zei legde ze niet uit wat Erno volgens haar probeerde te bereiken.'

Bezorgd om wat hem was ontgaan koos Arthur ervoor welwillend te glimlachen, alsof haar antwoord precies was waarop hij had gehoopt. 'Geen vragen meer,' voegde hij eraan toe. Hij durfde niet naar Muriel te kijken en schreef enkele regels op zijn blok. Als hij aan de andere kant van de tafel had gezeten, waren de nuances van Genevieves antwoord hem misschien ontgaan. Maar Muriel beschikte over iets buitenzintuiglijks, een soort instinctieve sonar. Het verbaasde hem niet toen de stenograaf vroeg Arthurs laatste vraag voor te lezen.

'Heeft ze u verteld waarom Erno Erdai opdracht gaf voor het fouilleren?' vroeg Muriel toen.

Genevieve wachtte even en zei toen ja. Muriel wendde zich tot Lar-

ry. Arthur zag Larry een onverschillig gebaar maken.
'En waarom was dat?' vroeg Muriel.
Mevrouw Carriere keek naar haar schoot en zuchtte diep.
'Door iets dat ik de week daarvoor tegen Erno had gezegd.'
'Dat u had gezegd? Even terug...'
Genevieve stak haar hand op. Aan haar pols rinkelde een bedelarmband; tussen de deinende miniatuurtjes waren vier gouden silhouetten, die ongetwijfeld haar kinderen symboliseerden.
'Nadat Luisa was gefouilleerd, was ze woedend op Erno. Maar ze was ook woedend op mij. Omdat ik Erno iets had verteld en ze dacht dat ze daarom was gefouilleerd. Dat was ook de reden dat ze het me vertelde. Ze las me de les omdat ik mijn mond had opengedaan.'
'En wat had u tegen meneer Erdai gezegd?'
Genevieve nam weer de tijd.
'Ik had nachtdienst. Meestal deed Luisa die. En er was een man gekomen die naar Luisa vroeg.'
'Een man? Zei hij hoe hij heette?'
'Nee. Hij noemde geen naam.'
'Kunt u hem beschrijven?'
'In welk opzicht?'
'Hoe zag hij eruit? Welke huidskleur had hij?'
'Hij leek donker. Waarschijnlijk was hij zwart, maar dat kan ik niet met zekerheid zeggen. Misschien was het een latino.'
'Leeftijd?'
'Weet ik niet. Niet oud, niet jong.'
'Postuur?'
'Aan de magere kant.'
'Goed. Dit is wat u tegen Erno Erdai had gezegd, de week voordat Luisa werd gefouilleerd: dat er een man was gekomen.'
'Ja.'
'En hebt u met die man gesproken?'
'Ja. Dat heb ik Erno verteld.'
'En wat zei de man?'
'Deze man vroeg waar Luisa was en hij zei dat ik tegen haar moest zeggen dat hij de Farao had gesproken.'
'De Farao? Zoals in Egypte?'
'Zo klonk het.'
Verbijsterd bestudeerde Muriel mevrouw Carriere.
'En zei de man nog meer dan dat hij de Farao had gesproken?'
'De man zei dat hij Farao had gezien en dat Luisa hem dat niet kon aandoen.'

'En wie was Farao?'
'Dat wist ik niet.'
Arthur merkte op dat Muriel het hoofd boog. Ze had iets gehoord.
'Weet u nu wie Farao was?'
'Ik weet alleen wat Luisa me heeft verteld.'
'Wanneer was dat gesprek?'
'De volgende dag. Nadat die man was geweest.'
'Vertelt u ons wat zij zei en wat u over Farao zei.'
'Ik zei dat die man was geweest en wat hij had gezegd over de Farao en dat ik het aan Erno had verteld. En toen werd ze kwaad op me. Omdat ik het Erno had verteld. En zo kwam van het een het ander. Ze vertelde me wie die Farao was.'
'En wat vertelde ze u?'
Mevrouw Carriere keek nu naar Muriel met dezelfde intensiteit als waarmee Muriel naar haar had gekeken. Toen bedekte Genevieve haar mond met haar hand en schudde haar hoofd.
'Dat zeg ik niet,' zei ze met uitschietende stem. 'Ik weet alleen wat ze zei. Wat volgens mijn advocaat op de zitting niet kan worden gebruikt. Wat de reden is dat ik niet begrijp waarom ik dit moet doormaken.'
'Buiten het verslag,' zei Marta. Ze wenkte Arthur en Muriel en liep met hen de gang door naar haar kantoor. Het was ingericht als een herenbibliotheek in vroeger tijden, met crapauds en boekenseries met titels in bladgoud op de lange planken. Arthur rook Sterns sigaren in de kamer ernaast. Op een van de muurtafels stond een collectie familiefoto's van Marta en haar man, een latino zo te zien, en hun twee kinderen. Er stonden ook diverse foto's van haar ouders van jaren geleden. Zeker in het double-breasted pak dat Marta vandaag droeg leek ze in Arthurs ogen sterk op de Stern van decennia terug.
'Laten we,' zei Marta, 'bij wijze van hypothese veronderstellen dat mevrouw Remardi een zeker eigendom van TN Air ontvreemdde.' Marta formuleerde omzichtig. 'Ontvreemden' was een ander woord voor stelen.
'Wat voor "zeker eigendom"?' vroeg Muriel.
'Vliegtickets.'
'Vliegtickets?'
Larry, die achter hen aan was gelopen, was de eerste die het begreep. 'Die verpatste ze via die Farao, zeker?'
'Een hypothese. TN Air is meedogenloos als het om oneerlijkheid van personeelsleden gaat. Geen pardon. Een jaar of tien geleden hebben ze hun vingers gebrand toen ze probeerden iets onder het tapijt

te vegen betreffende iemand uit de hogere regionen. Een van de juridische adviseurs die een diefstal zou onderzoeken ging er met vier miljoen vandoor.'

'Dat weet ik nog,' zei Muriel.

'Tegenwoordig gaat iedereen voor de bijl. Vervolging, als dat mogelijk is, en civiele processen om het gestolene terug te krijgen. Ongeacht wie of wat. De kinderen Remardi leven van een pensioen van TN Air.'

'TN Air zal geen wezen een proces aandoen.'

'Zou jij dat risico nemen, als het om de kinderen van je beste vriendin ging?' Marta liet Muriel haar gespreide handen zien. 'Je hebt een weergave van Luisa's activiteiten toch niet echt nodig voor het verslag?'

'Op dit moment zou ik zeggen van niet,' zei Muriel. 'Maar ik wil niet je cliënt over berg en dal achtervolgen om een concreet antwoord te krijgen.'

Marta knikte een paar keer en wendde zich tot Arthur. In zijn verwarring wist hij niet wat hij moest denken. Hij begon met Marta eraan te herinneren dat het om de doodstraf ging. Hij zei dat hij de zaak zo lang als hij kon op zijn beloop zou laten, maar hij hield zich het recht voor er opnieuw over te beginnen, als hij bij nader inzien meende dat het in Rommy's voordeel zou kunnen zijn.

'Natuurlijk,' zei Marta.

Marta, Arthur en Muriel gingen terug naar de conferentiekamer en Marta nam haar cliënt mee de gang op. Toen Genevieve weer naast de stenograaf ging zitten, mimede ze 'bedankt' naar de beide juristen. Ze leek nog van streek en had haar tas op schoot en een zakdoek in haar hand.

Muriel leek niet echt verzoend door Genevieves dankbaarheid. Ze leek zelfs geïrriteerder geworden. Ze wipte een paar keer op haar stoel. Arthur vermoedde dat Muriel het gevoel had dat Marta haar te kort had gedaan in hun voorafgaande overleg.

'Het verslag wordt heropend,' zei Muriel. 'Een man wiens naam u niet wist was in mei 1991 naar Luisa Remardi komen vragen – is dat tijdstip juist?'

'Ja.'

'En die man zei iets over Farao of de Farao. U zei toen tegen Erno Erdai wat die man had gezegd en Luisa Remardi was kwaad omdat u dat had gedaan en legde u daarom uit wie Farao was en van welke aard hun relatie was. Komt het daarop neer?'

'Ja.'

'Heeft ze u ook de achternaam van Farao verteld?'
'Nee.'
'Heeft ze gezegd of het een bijnaam was?'
'Nee.'
'Heeft ze u verteld waar Farao woonde of werkte?'
'Ik weet verder niets van hem af. Toen Luisa me had verteld wat ze samen deden, wilde ik er geen woord meer over horen. Eerlijk gezegd was ik er alleen nieuwsgierig naar hoe ze het voor elkaar kregen. Ik had nooit gehoord dat zoiets op de lange termijn goed ging. Maar ik besloot dat ik zelfs dat niet wilde weten.'
'En die man die langskwam – legde Luisa Remardi uit welke relatie hij had met Farao en haarzelf?'
'Hij had ze aan elkaar voorgesteld.'
'Juist ja. En speelde hij een rol in de onderneming waarmee Luisa Remardi en Farao zich bezighielden?'
'Luisa zei dat hij een aandeel had gewild, maar niet had gekregen.'
'Hmmm,' zei Muriel. Dat vermoedde ze al. Arthur ging het voor zichzelf na. De derde man was de verbindingsman geweest. Hij had Luisa in aanraking gebracht met Farao om de tickets te helen en had willen meeprofiteren, maar het lid op de neus gekregen.
'Ik wil zekerheid dat ik het goed heb begrepen. U had geen idee wie Farao was of wat mevrouw Remardi's connectie met hem was tot ze het u uitlegde op de dag nadat die man langs was geweest? Klopt dat?'
'Helemaal.'
'En als u niet begreep wat mevrouw Remardi voor band met Farao had, waarom hebt u Erno Erdai dan verteld wat die man had gezegd?'
'Omdat Erno het hoofd beveiliging was.' Naast haar cliënt maakte Marta een subtiele beweging en Genevieve wees met haar kin naar Muriel. 'Omdat de man dreigementen tegen Luisa had geuit.'
'Specifieke dreigementen? Specifieke handelingen?'
'Ja.'
'Waar dreigde hij mee?'
Genevieve keek moedeloos naar haar handen, op de tas in haar schoot.
'Hij zei dat hij haar zou vermoorden.'
Arthur kreeg het gevoel dat het beeld versprong, alsof er een fragment uit een film ontbrak. Muriel, nooit met stomheid geslagen, zat er met open mond bij.
'Dat zei Erno Erdai?'
'Dat zei de man die die nacht langskwam.'
Geagiteerd draaide Muriel op haar stoel, bewoog haar schouders,

rekte haar hals. Toen staarde ze naar Genevieve en sprak haar stijfjes toe.

'Ik ga u nu een vraag voorleggen, mevrouw Carriere, en ik verwacht van u dat u bij uw antwoord zult bedenken dat de eed die u hebt afgelegd u verplicht de hele waarheid te zeggen. Begrijpt u?'

'Ja.'

'Vertelt u me dan alles wat die man die langskwam tegen u heeft gezegd.'

'Hij vroeg naar Luisa en ik zei dat ze er niet was. En hij werd kwaad. En hij zei iets als: "Zeg maar tegen haar dat ik Farao net heb gesproken en dit kan ze me niet aandoen en wanneer ik haar vind, maak ik haar dood." En natuurlijk maakte ik me zorgen over Luisa. Na mijn dienst zag ik Erno en ik vond dat Erno als hoofd beveiliging dat moest weten. Dus heb ik het hem verteld.'

Nadat het apparaat van de stenograaf was opgehouden met klikken om het antwoord vast te leggen, viel er een diepe stilte. Het gewicht van wat hij net had gehoord besloop Arthur. Luisa was betrokken geweest bij diefstal waarbij een zekere Farao betrokken was, en een derde man. En de derde man had gezegd dat hij haar dood zou maken. Er was een extra dimensie in deze zaak, van misdaad en misschien samenspanning, die niets te maken had met Rommy en ook niet veel met Erno. En het was allemaal goed nieuws voor Romeo Gandolph. Nu het aantal verdachten toenam, kon niemand meer de zekerheid hebben die vereist was om de arme Rommy ter dood te brengen.

Muriel peilde kennelijk ook de schade die ze had opgelopen. Haar kleine gezicht stond strak. Muriel kon gemeen zijn.

'Die man zei dus dat hij Luisa Remardi dood zou maken en dat was twee maanden voor ze is vermoord, klopt dat?'

'Ja.'

'En nadat mevrouw Remardi was vermoord heeft rechercheur Starczek, die hier ook zit, u over deze zaak ondervraagd. Twee keer zelfs. Weet u dat nog?'

'Ja.'

'En u hebt hem nooit verteld, is het wel, dat er op het vliegveld een man was geweest die Luisa Remardi met de dood had bedreigd?'

'Daar vroeg hij niet naar. En ik dacht niet dat het iets met de moord te maken had. Toen ik Luisa erover vertelde, moest ze lachen. Ze wist zeker dat hij maar wat had gezegd.'

'Allicht,' zei Muriel, 'waarom zou u ook denken dat het iets met de moord op Luisa te maken had? Iemand zegt dat hij haar zal vermoorden en ze wordt vermoord. Wat zou er voor verband kunnen zijn?'

'Daar maak ik bezwaar tegen,' zei Marta.

'Daar maak jíj bezwaar tegen?' vroeg Muriel. Ze wees naar Larry. 'Ga op de gang kijken,' zei ze. 'Misschien zijn er nog wel zes of zeven mensen die willen zeggen dat ze die drie hebben vermoord.'

'En daar maak ik zeker bezwaar tegen,' zei Marta.

'Ik wil schorsen,' zei Muriel. 'Ik ben te kwaad om door te gaan.' Haar hoofd wiebelde op de hals als bij een speelgoedhondje in een auto.

De licht ontvlambare Marta viel direct uit. Zij en Muriel hadden afgesproken dat de getuigenverklaring twee uur zou duren. Genevieve zou niet terugkomen. De vrouwen voerden een korte strijd terwijl Arthur toekeek. Wat Marta betrof werd de zitting opgeheven.

'Dat had je verdomme gedacht,' snauwde Muriel. Genevieve, zei ze, was een veel te belangrijke getuige om overhaast af te doen. Nu Muriel dat wist, wilde ze tijd voor onderzoek voordat ze doorging.

Arthur piekerde. De periode die het hof van appèl had vastgesteld zou nog één dag duren. Muriel hoopte kennelijk de datum verzet te kunnen krijgen. En Arthur wilde natuurlijk niet dat haar dat zou lukken. Na afloop van de periode zou deze nieuwe informatie garanderen dat Rommy's verzoek om herziening zou worden ingewilligd. Kenton Harlow, bij wie de beslissing was neergelegd, zou Rommy misschien wel snel een nieuw proces toestaan op basis van de getuigenverklaringen van Erno en Genevieve. Arthur probeerde verzoenend op te treden in de hoop de zitting te kunnen afronden.

'Wat moet je dan onderzoeken?' vroeg hij aan Muriel.

'Nou, ik zou bijvoorbeeld weleens iets meer willen weten over die onbekende die langs is gegaan en Luisa heeft bedreigd.'

'Wat kan mevrouw Carriere er nog aan toevoegen? Ze heeft al een signalement gegeven en ze weet niet hoe hij heet.'

De stenograaf vroeg of hij dit gesprek moest vastleggen. Arthur zei ja en Muriel zei nee.

'Allemachtig zeg,' zei Arthur. 'Voor het verslag: mevrouw Carriere, kunt u ons vandaag nog iets vertellen waar we iets aan hebben om achter de identiteit van die man te komen die heeft gezegd dat hij mevrouw Remardi zou vermoorden?'

Hij dacht dat hij het haar zo vriendelijk als hij kon had gevraagd, maar Genevieve keek hem strak en verbitterd aan.

'Ik wil nu liever stoppen,' zei ze. 'Ik kan u niet zeggen hoe ellendig ik dit vind. Het was allemaal zo krankzinnig.' Genevieve was haar zakdoek blijven vastklemmen en ze keek er nu naar.

'Misschien kunt u gewoon ja of nee zeggen op mijn vraag,' zei Arthur, 'dan zijn we klaar.'

Wat Genevieves gezicht heel even uitdrukte kon wel haat zijn jegens Arthur. Het leek niets voor haar, maar in die blik van walging had ze zijn eeuwige kwetsbaarheid getroffen en Arthur liet zijn hand langs zijn zij vallen.

'Goed,' zei hij. 'Ik ben bereid te schorsen.'

De volgende opmerking leek uit het niets te komen.

'Volgens mij zou ze nu antwoord moeten geven op die vraag.' Het was Larry.

Ze keken allemaal naar hem. De handen van de stenograaf hingen boven de lange toetsen van het stenoapparaat; hij weifelde of hij een interruptie van een niet-advocaat moest vastleggen. Muriel staarde zo woedend naar Larry dat het Arthur verbaasde dat ze hem niet gewoon een mep gaf.

'Zeg dat ze antwoord moet geven,' zei Larry tegen Muriel. Een ogenblik was er iets tussen hen, een beroep op vertrouwen, voor zover Arthur kon zien. Toen gaf Muriel toe.

'Goed,' zei Muriel. 'Geeft u antwoord.'

Genevieve keek naar Marta. Marta schoof haar stoel wat dichter naar haar cliënt toe, legde haar hand op die van Genevieve en wachtte af tot ze haar rust zou hervinden.

'Verzoek weigering te antwoorden te schrappen,' zei Muriel. 'Wilt u antwoord geven op de vraag. Weet u iets dat ons kan helpen de identiteit te bepalen van de man die heeft gezegd dat hij Luisa Remardi dood zou maken?'

'Het is mijn vraag,' zei Arthur. 'Ik trek hem terug.' Hij had geen idee wat hij deed, maar bood instinctief maximaal verzet tegen Muriel.

'Dan stel ik hem,' zei Muriel.

'Je bent niet aan de beurt,' zei Arthur. 'En we hebben net afgesproken om te schorsen.'

'Laten we het afmaken,' zei Muriel. Ze had haar blik niet afgewend van Genevieve, die niet bij machte leek iets anders te doen dan terugstaren, hoewel de tranen haar over de wangen liepen.

'U hebt niet gevraagd of ik hem kende,' zei ze tegen Muriel. 'U vroeg of hij zijn naam noemde. En dat deed hij niet. Maar ik had hem eerder gezien. Op het vliegveld. En nu weet ik wel hoe hij heet.' Ze keek Arthur aan en door de diepe ernst in de grote bruine ogen van mevrouw Carriere besefte hij opeens de betekenis van haar waarschuwende blikken en de omvang van zijn onnozelheid.

'Het was uw cliënt,' zei ze tegen hem. 'Meneer Gandolph. Hij is de man die zei dat hij Luisa dood zou maken.'

DEEL DRIE

De beslissing

25

29 JUNI 2001

Hij heeft het gedaan

Arthur deed zijn best om in zijn eentje weg te komen uit het overdadig ingerichte kantoor van de Sterns, maar Muriel en Larry kwamen aanlopen toen hij nog op de lift stond te wachten en in een pijnlijk stilzwijgen gehuld stonden ze voor de versierde messing deuren. Muriel zei ten slotte iets over het indienen van een verzoekschrift aan het hof van appèl om herziening af te wijzen, maar Arthur was niet in staat om te reageren of zelfs maar te luisteren. Hij liet ze in de eerste lift die kwam naar beneden gaan.

Even later bereikte hij de ingang van de Towers, waar een waaier van staal en glas boven de deuren bescherming bood tegen een plotselinge zomerse stortbui. Arthur keek naar buiten en liep de regen in; hij was al een paar honderd meter verder voordat hij opmerkte dat hij nat werd. Hij koos de entree van een ander gebouw in Center City om te schuilen, maar na enkele ogenblikken gunden zijn gedachten hem geen rust meer en hij liep verder door de regen. Hij moest terug naar kantoor. Hij moest het aan Pamela vertellen. Na een tijdje merkte hij dat hij honger had; hij was moe en moest plassen. Maar het enige waar hij aan kon denken was het laatste antwoord van mevrouw Carriere. *Uw cliënt, meneer Gandolph.* Hij kauwde de woorden tot een smerige, onverteerbare prop en besefte dat hij toch echt moest schuilen. Na een paar minuten hield hij het niet meer uit en liep weer door, uit wanhoop, alsof ergens anders haar verklaring iets anders zou kunnen betekenen.

Rommy bestond in zijn voorstelling uitsluitend nog als veelgeplaagde onschuldige; nog belangrijker was dat hij zichzelf was gaan zien als onvervaard voorvechter van een rechtvaardige en wonderbaarlijke zaak. Als Rommy schuldig was, dan was Arthurs wereld anders en troostelozer, terwijl hij net tot de overtuiging was gekomen dat hij niet langer verplicht was daarin te leven. Het leven zou weer alleen bestaan uit hard werken en plichtsbetrachting.

Ten slotte merkte hij dat hij voor Morton stond. Radeloos ging hij naar binnen met het voornemen de heren-wc te bezoeken, maar in het warenhuis moest hij aan Gillian denken, geïnspireerd door een glimp van haar voskleurige haar. Hij liep naar de cosmetica-afdeling, maar zag haar niet staan. Hij dacht dat het een illusie was geweest, tot ze plotseling voor hem opdook; ze had onder de toonbank de voorraad aangevuld.

'Arthur.' Gillian deed een stap achteruit met lange vingers op haar kraag.

'Hij heeft het gedaan,' zei Arthur. 'Ik vond dat je het moest weten. Muriel zal het aan iedereen lekken. Maar hij heeft het gedaan.'

'Wie?'

'Mijn cliënt. Rommy. Hij is schuldig.'

Gillian kwam achter de toonbank vandaan. Ze pakte Arthur bij de elleboog alsof hij een verdwaald kind was.

'Wat bedoel je met "hij is schuldig"?'

Arthur vertelde wat er was gebeurd. 'Ik ben er nog niet uit,' zei hij. 'Ik heb het gevoel of mijn hoofd in de magnetron is gestopt of zoiets. Waar is de wc?'

Ze zei tegen een collega dat ze pauze nam en leidde hem weg. Ze bood aan zijn tas voor hem te dragen. De roltrap naar beneden voerde naar een koffiebar waar ze op hem zou wachten.

Een paar minuten later hoopte Arthur tot kalmte te kunnen komen door zichzelf in de spiegel op de heren-wc te bekijken. Zijn haar hing in kletsnatte pieken af en in het felle tl-licht leek het wel een inktvlek. Zijn grijze pak was bij de schouders donker doorweekt. Geen wonder dat Gillian van hem was geschrokken. Hij leek wel een dakloze die in de goot had gelegen.

Na zijn wc-bezoek belde hij Pamela en verzekerde haar dat het nieuws echt zo slecht was als het klonk. Daarna ging hij met de lift naar beneden, waar Morton sinds kort een koffiebar had geopend om de klanten nog wat langer in het warenhuis te houden. Het was een succes. Hoewel het lunchuur allang voorbij was, waren de meeste witte tafeltjes bezet door dames die wachtten tot het droog zou worden.

Ze hadden winkeltassen bij hun voeten staan.

Een paar meter voor hem uit zat Gillian met haar rug naar hem toe en maakte haar sigaret uit. Haar aanblik leidde hem wat af van de schok die mevrouw Carrieres uitspraak bij hem teweeg had gebracht. Hoewel hij het koud had en nog duizelig was van de dreun, bleef Gillian als vrouw hem inspireren en zijn hartstocht opwekken. Maar hij kon niet doen alsof ze niet gedeeltelijk haar doel had bereikt met haar onthullingen bij hun laatste ontmoeting. Het beeld van een gekwelde tiener die haar lichaam met brandende sigaretten verwondde was hem bijgebleven. Hij zag haar, heel bleek en mager, de askegel aanduwen tegen het gevoelige plekje aan de binnenkant van haar elleboog, terwijl ze geen spier van haar gezicht vertrok ondanks de pijn en de stank van haar eigen verbrandende vlees.

Het beeld kwam terug en Arthur bleef staan. Hij kende zichzelf als iemand met eindeloze onvervulde dromen. Maar over het eeuwig adolescente wezen was de man gegroeid die hij na zijn dertigste was geworden, niet kinderlijk en niet onnozel, iemand die van zijn fouten was gaan leren in plaats van ze tot in het oneindige te herhalen, iemand die nu niet alleen zijn verlangens in toom kon houden, maar zelfs kon laten verdwijnen. In de achterliggende anderhalve week had hij, als hij op kantoor even ophield met werken om naar de rivier te staren, vaak aan Gillian gedacht. Ja, zijn hart sprong op; ja, hij analyseerde zijn gesprekken met haar tot zijn herinnering eraan niet betrouwbaar meer was, omdat zijn verhitte fantasie er allerlei geraffineerde tussenwerpingen aan had toegevoegd. Maar dan daalde zijn polsslag weer als hij besefte welk risico hij liep. Verlangen kende hij goed, liefdesverdriet minder.

Zijn scheiding had hem erg aangegrepen. Maar hij was voornamelijk met Marjya getrouwd omdat ze hem wilde hebben. Ze was erg mooi. En zeker intelligent. En Arthur wilde zijn geilheid kwijt. Maar hij had in de plusminus veertig dagen die ze samen hadden doorgebracht geen ogenblik het gevoel gehad dat hij haar begreep. Hij kon haar niet zover krijgen dat ze de wc-deur dichtdeed, of Amerikaans eten lekker vond. Wie had hem kunnen vertellen hoe moeilijk het was jezelf uit te leggen aan iemand die zonder televisie was opgegroeid, die maar een vaag idee had van Richard Nixon, laat staan Farrah Fawcett of de kubus van Rubik? Elk ogenblik was verrassend – vooral dat laatste, toen ze had gezegd dat ze hem verliet voor een landgenoot, een tegelzetter nog wel.

Hoe kon ze hem in de steek laten? vroeg hij. Hoe kon ze hun leven de rug toekeren?

'Diet?' zei ze. 'Diet iez niets.'

Dat was erg geweest. Maar Gillian, die hij op zo'n geëxalteerde manier ambieerde, hoe onnozel ook, vertegenwoordigde een veel groter gevaar dan wat Marjya had kunnen aanrichten. In deze wereld had hij bijna niets. Maar wel zijn ik – zijn kwetsbare ziel. Iemand die zo gehavend en gecompromitteerd was als Gillian, iemand die zo door haar duivels was bezeten dat ze zich kon overgeven aan dronkenschap en criminaliteit en incestueuze liefde en God mocht weten wat nog meer – zo iemand was net zo onvoorspelbaar als Susan. Hij had tegen Gillian gezegd dat hij niet bang voor haar was. Dat was moedig – en roekeloos. Naderhand had hij beseft dat het niet helemaal waar was. Laat op de middag, als hij zich omdraaide aan zijn bureau om zijn gedachten de vrije loop te laten op de oranje lichtschubjes op de rivier, bracht de gedachte aan Gillian ook een koel besef mee van de manier waarop liefde in een catastrofe kon omslaan.

Staande in het souterrain van het warenhuis overdacht hij het allemaal nog een keer. Daarna liep hij door. Hij kon alleen zichzelf zijn, wat betekende dat hij zijn kans moest grijpen, al was die nog zo klein, om datgene te worden waarvan hij droomde, de onoverwinnelijke afstand te overbruggen tussen wat alleen in zijn gedachten leefde en wat werkelijk bestond. Zoals eten en gezondheid en onderdak was dat iets waarop iedereen, meende hij, recht had.

Terwijl Gillian op Arthur wachtte, had ze aan het witte tafeltje gezeten en een paar sigaretten gerookt. De laatste tijd had ze zich weten te beperken tot minder dan een pakje per dag, maar inmiddels was het vrijwel zeker geworden dat haar ontmoetingen met Arthur haar zouden aangrijpen. Op zichzelf waren ze de moeite waard, maar ze had er wel de steun van nicotine bij nodig. Ze was met roken gestopt toen ze rechten studeerde en pas weer begonnen in de ontwenningskliniek in Hazelden. Daar leek iedereen op de NarcAnon-bijeenkomsten een sigaret tussen de vingers te hebben. Ze wist dat ze de ene verslaving voor de andere had verruild en dat de nieuwe bijna even dodelijk en minder lekker was, maar zo ging het nu eenmaal als je van dag tot dag leefde.

Ze draaide zich om en zag Arthur teruglopen, volstrekt in gedachten verzonken. Ze had hem iets belangrijks te zeggen en wachtte er niet eens mee tot hij was gaan zitten.

'Je mag het niet opgeven, Arthur.'

Zijn mond viel open terwijl hij zich op het stoeltje liet zakken.

'Ik heb niet het recht je te adviseren,' zei ze, 'maar sta me toe. Je hebt te veel goed werk verricht. Als er één onontdekte getuige is, kunnen er meer zijn.'

Aanvankelijk had ze, terwijl ze op Arthur wachtte, met hem te doen gehad. Nadat ze bij Arthur thuis was geweest, nadat ze Susan had leren kennen, nadat ze hem liefdevol over zijn vader had horen vertellen, had ze graag gewild dat Arthur iets heerlijks zou overkomen, gewoon omdat hij het verdiende. De zaak-Gandolph verliezen zou een onverdiende klap zijn.

Maar wat haar confronteerde met de Gillian die zo vaak een schok voor haar betekende was haar eigen diepe teleurstelling door Arthurs nieuws. Iedereen die de rechtbank goed kende wist dat de verdachten in het algemeen hun straf verdienden. Maar terwijl ze ononderbroken had zitten roken en steeds meer as in het foliebakje had laten vallen, was ze geleidelijk en kalm tot het besef gekomen dat ze had gewild dat Rommy Gandolph zou worden vrijgesproken. Ze had gewild dat haar oordeel over hem als zoveel oordelen uit die tijd onjuist zou blijken. En dat het zou worden herzien. Want vandaag begreep ze het eindelijk: een nieuw leven voor Rommy Gandolph stelde ze gelijk aan haar eigen wedergeboorte. En ze had erop gerekend dat Arthur, toonbeeld van oprechtheid, haar ridder in de nood zou zijn. Omdat Arthur zo was. Betrouwbaar. En deugdzaam. Misschien het vreemdst was wel dat ze niet wilde loslaten. Ze voelde zich niet geroepen haar motieven toe te lichten, maar wilde hem absoluut weer nieuwe moed geven.

'Het probleem,' zei hij, 'is dat ik Genevieve geloofde. Ze wilde niet gedwongen worden om het te moeten zeggen.'

'En Erno geloofde je ook. Denk je nu dat hij heeft gelogen?' Daar leek hij niet over te hebben nagedacht. 'Je hebt tijd nodig, Arthur. Je moet met je cliënt praten. En met Erno.'

'Ja.'

'Niet opgeven.' Ze boog zich over het tafeltje en pakte zijn beide handen. Ze lachte erbij en daar leek hij een beetje kinderlijk door bemoedigd. Hij knikte en vouwde zijn armen om zijn lichaam. Hij had het ijskoud, zei hij, en moest naar huis om droge kleren aan te trekken. Dat kon ze geloven; zijn handen voelden als marmer.

'Niet beledigd zijn, Arthur, maar als ik je zo zie vraag ik me af of je je aandacht bij het verkeer kunt houden. Bemoeder ik je nu te erg?'

'Waarschijnlijk niet. Ik neem wel een taxi.'

'Met deze regen zul je die waarschijnlijk niet vinden. Waar staat je auto? Ik kan je chaufferen. Ik heb geoefend in Duffy's stationcar. En ik heb nog lunchpauze en avondpauze.'

Arthur leek besluiteloos. Met een diensttelefoon belde ze Ralph, haar baas, die haar verzekerde dat ze zich niet hoefde te haasten. Gezien de regen verwachtte hij weinig klanten.

'Ga mee, Arthur,' zei ze. 'Tobben over je chique auto in mijn handen leidt je vast af van je andere zorgen.'

Arthurs gehuurde parkeerplaats was honderd meter verderop en te bereiken via een reeks keldergangen die de gebouwen verbonden. De parkeerplaats was onder een van de nieuwe wolkenkrabbers en de uitgang was aan Lower River, een verkeersader onder de verhoogde River Drive. Mensen die pas in de stad waren aangekomen begrepen die weg niet en Gillian, die in geen tien jaar hier beneden was geweest, was niet veel beter af. Lower River was bedoeld om vrachtverkeer uit de straten in Center City om te leiden en maakte de laad- en losplaatsen van de grote gebouwen toegankelijk. Die functie werd goed vervuld, maar de weg was nogal bochtig en de omgeving surrealistisch. Er brandde vierentwintig uur per dag natriumlicht en in de loop van de jaren was dit het voornaamste toevluchtsoord van daklozen geworden. De kleffe kartonnen dozen en smerige, half kapotte matrassen waarop ze sliepen waren ingeklemd in de nissen tussen de betonnen zuilen waarop River Drive rustte. Regen lekte tussen de naden in het wegdek boven hen door en smoezelige mannen in rafelige kleren hielden zich op tussen de zuilen; ze leken op figuren uit *Les misérables* of zelfs Rodins Hellepoort.

In de auto concentreerde Arthur zich op de ramp van de dag.

'Heb je het gevoel dat je in ere bent hersteld?' vroeg hij.

'Helemaal niet, Arthur,' zei ze vinnig. 'In geen enkel opzicht.'

'Echt waar? Nu de kranten je zo te grazen hebben genomen, dacht ik dat je verbitterd zou zijn.'

'In dat geval was het moedig van je om me dit zelf te komen vertellen. Ik dacht eigenlijk dat ik niets meer van je zou horen, Arthur.'

Gillian reed met de aarzelingen van een bejaarde, met overbodige stuurbewegingen; ze remde te vaak en keek zo strak naar het glimmende plaveisel alsof het een mijnenveld was. In Arthurs huidige gemoedstoestand leek hij enige tijd nodig te hebben om te begrijpen dat ze een toespeling maakte op wat ze hem bij hun laatste gesprek over haar broer had verteld.

'Integendeel,' zei hij toen. 'Ik dacht dat ik jóú misschien had beledigd door wat ik zei toen je uitstapte.'

'O, daar had je vast gelijk in, Arthur. Waarschijnlijk probeerde ik je hoge dunk van mij bij te stellen.'

'Je regelt alles zo dat niemand een kans bij je maakt. Dat weet je toch wel?'

Op dat ogenblik besefte ze hoe stijf ze het stuur omklemd hield.

'Dat heb ik eerder gehoord,' zei ze. 'Het betekent niet dat mijn waarschuwingen nutteloos zijn, Arthur. Waarschijnlijk zijn ze gerechtvaardigd.'

'Ik heb naar elk voorbehoud geluisterd, Gillian. Maar ik heb nooit verondersteld dat je geen fouten hebt. Wel dat je aantrekkelijk bent.'

'Aantrekkelijk? Hoezo?'

Ze voelde dat hij naar haar staarde. Ze naderden zijn flat en Arthur gaf op kribbige toon zijn laatste aanwijzingen. Kennelijk ergerde het hem dat hij niet onder een antwoord uit kon.

'Volgens mij ben je erg intelligent en erg mooi, precies zoals iedereen altijd heeft gevonden, Gillian. Je weet wat je voor reacties uitlokt, ontken het maar niet.'

'Je bedoelt seksueel aantrekkelijk,' zei ze. Achter het stuur zitten leek haar het gevoel te geven dat ze bot kon zijn. Of misschien was het haar feilloze instinct om iedereen op afstand te houden. Maar ze dacht dat ze gelijk had.

'Dat klinkt rancuneus. Maar het is toch gewoon zo?'

Arthur gebaarde naar de oude driekamerflat en met een gevoel van opluchting zette Gillian de auto langs de stoeprand. Ze keek hem aan.

'Maar dat is toch wat erachter zit? Seks?'

Onaangenaam getroffen vertrok hij zijn gezicht. Hij betreurde alles. Ze zag het aan hem. Dit gesprek. Alles wat hij had gezegd en waarop zij onaardig had gereageerd.

'Zou het zo erg zijn als ik ja zei? Wil je het terugbrengen tot de basis? Nou, ik wil graag met je naar bed. Uiteindelijk. Je bent een erg aantrekkelijke vrouw. Ik ben een man. Het is geestelijk en instinctief. Ik bedoel: ik denk niet dat het vandaag zal gebeuren – of morgen, of ergens in de nabije toekomst. Ik wil je graag leren kennen. Ik wil graag dat jij mij leert kennen. Ik zou het heerlijk vinden als jij mij leerde kennen en zo aardig zou vinden dat je zou willen dat dat gebeurt. Daar kun je ook honend over doen, Gillian.' Hij deed het portier open en ze maakte een gebaar om hem tegen te houden.

'Ik maak het niet belachelijk, Arthur. Maar ik heb gelijk.'

'Waarmee?'

'Welk woord gebruikte je er zelf voor: verliefdheid? Je jaagt je eigen beelden na. Van heel lang geleden. Je ziet me niet zoals ik ben, Arthur.'

'Misschien zie ik je scherper dan je jezelf ziet.'

'Er is heel veel dat je niet weet, Arthur.' Ze keek naar de straat, naar de dikke takken van hoge oude iepen, taaie overlevers die volop in blad stonden. Onder de kruinen waren maar een paar spatjes gevallen. Het woord 'heroïne' lag op haar lippen, maar haar motief om dat verhaal te vertellen zou onmiddellijk verdacht lijken en net als haar onthulling over Carl worden opgevat als weer zo'n dramatisch waarschuwingsschot dat bedoeld was om Arthur op afstand te houden. 'Heel veel,' herhaalde ze. 'En ik ben er bang voor.'

'Waarom?'

'Omdat je onvermijdelijk teleurgesteld zult zijn. Ik zou me een schurk voelen en jij ontgoochelder dan je denkt.'

'Nou ja, dat is dan mijn probleem,' zei hij. Hij zette het portier open. 'Hoor eens, ik heb genoeg van dit gesprek. Ik heb er schoon genoeg van dat jij me vertelt wat ik moet willen. Je hebt het recht om nee te zeggen. Dat heb ik eerder gehoord en ik ben nog niet van een brug gesprongen. Dus als je nee zegt, een definitief nee, dan is het voorbij. Maar hou op met dat kokette gedoe.'

'Ik wil geen nee zeggen,' was haar reactie. De schrik sloeg haar om het hart. Ook Arthur leek onthutst. Gillian staarde naar de voorruit met de regendruppels, voelde verwarring en angst en vroeg, omdat ze niets beters wist, of de auto zo kon blijven staan.

'Zeker,' zei hij. 'Ga mee naar boven. Dan schenk ik je iets in en geef je een tijdschrift terwijl ik me ga verkleden.'

Zoals zijn vader waarschijnlijk had gedaan, liet Arthur in de zomer de zonwering voor de zuidelijke ramen dicht en vandaag hing er een oude geur in de flat, iets stoffigs vermengd met keukenluchtjes dat in het behang en de pleisterlaag was getrokken. Net als zij leek hij uit zijn doen door het gesprek dat ze hadden gevoerd; hij liep nerveus van kamer tot kamer om de ventilatiesleuven van de ramen open te zetten. Hij vroeg wat ze wilde drinken en verbeterde zichzelf direct.

'Ik dacht aan frisdrank. Maar ik weet niet wat er in de koelkast staat.' Hij wilde erheen lopen, maar ze zei dat het niet hoefde. 'Ook goed,' zei hij. 'Ik kom zo terug.' Hij staarde voor zich uit, liep toen zonder nog iets te zeggen naar zijn slaapkamer en deed de deur dicht.

Ze bleef een paar minuten in haar eentje in de huiskamer staan. Uit de slaapkamer kwamen geluiden van laden die werden opengetrokken en dichtgeschoven terwijl Arthur zich haastig verkleedde. Ten slotte liep ze naar het raam en tilde de zonwering op. Buiten prikte opeens de zon door de wolken. Arthur Raven, dacht ze. Wie had dat kunnen verzinnen? Maar ze voelde een prettige huivering over haar rug. Hiervoor was het waard elke dag op te staan. Omdat het leven nog verrassingen in petto had. Ze liep naar de donkere slaapkamerdeur en klopte energiek aan.

'Mag ik binnenkomen, Arthur?' vroeg ze.

Hij zette de deur op een kier en keek om de hoek. Hij vroeg haar te herhalen wat ze had gezegd en dat deed ze.

'Waarom?' vroeg hij.

Ze keek hem aan.

'O, alsjeblieft,' zei ze. 'Zodat je me kunt bewijzen dat het al dat drama niet waard is?'

Daar kon hij gelijk in hebben. Ze leek af te gaan op zo'n ogenblik van blind handelen waardoor ze in de afgelopen jaren zo vaak in de problemen was gekomen. Maar ze had gelijk met haar bewering dat deze relatie geen daglicht kon velen. Een schemerig boudoir was de enige omgeving waarin er ernst mee kon worden gemaakt.

'Arthur, ga nou niet moeilijk doen. Ik geloof niet dat ik hier nog een keer de moed voor zal hebben.' Ze zette een stapje over de drempel en kuste hem. Het was een droge, koele kus van niets, zelfs voor een eerste poging. Maar het was voldoende. Toen hij een stap achteruit deed, had hij alleen zijn natte sokken nog aan.

'Hoe zou dit moeten gaan, Arthur?'

Hij keek haar somber aan. 'Langzaam,' zei hij.

Hij kuste haar nu, niet veel beter dan de eerste keer, en pakte haar hand om haar mee te voeren naar het bed. Hij sloot de zonwering volledig af, zodat het donkerder werd in de kamer. Hij sprak tegen haar zonder haar te durven aankijken.

'Jij trekt je kleren uit. En dan gaan we naast elkaar zitten. Alleen maar zitten.'

Ze kleedde zich uit met haar rug naar hem toe. Ze vouwde haar kleren op en legde ze op een stoel en ging weer zitten; ze voelde het bed doorzakken onder zijn gewicht. Hij was zo dichtbij dat zijn zware dij haar zij raakte. Ze keek omlaag, bijna zonder het te willen, en zag dat zijn lid zich al oprichtte tussen zijn dijen. Ze wist dat Arthur zowel teder als gulzig was. Ze kon niet raden welke trek dominant zou zijn. Waarschijnlijk verwachtte ze, als ze moest raden, dat hij haar met zijn mond en tanden zou bewerken. Maar ze had zich hiermee ingelaten. Het was een sprong in het donker.

Aanvankelijk gebeurde er niets. Het was middag en het daglicht leek de geluiden van buiten te verzachten. Nu het niet meer regende, zongen de krekels weer in de bomen en een paar straten verderop snorde een bus.

Na een paar minuten voelde ze zijn vingertoppen op haar dij. Hij beroerde haar langzaam. Hij raakte haar knie aan. Hij raakte licht haar rug en schouders aan. Toen hij haar borsten beroerde, waren de tepels hard. Hij kuste haar – haar schouders, haar borsten. Hij kuste kort haar mond en ging verder omlaag. Hij duwde haar knieën uiteen en drukte zijn mond daar tegen haar. Na lang cirkelen dook hij dieper.

Een ogenblik deed ze toen haar ogen open om naar Arthur Ravens glimmende schedel te kijken. Enkele van zijn weinige haren stonden zo rechtop als een hanenkam en ze moest een fatale neiging om te lachen onderdrukken. Ze bleef een ogenblik koel bewust, maar sprak zichzelf streng toe zonder gebruik van echte woorden, omdat ze het juiste wilde: proberen alleen te voelen en langzaam weg te zinken in een poel van sensualiteit. Enkele malen richtte ze zich weer op, maar elke keer liet ze zich bereidwilliger zakken tot ze, toen hij in haar kwam, zich met het genot had vereenzelvigd. Dit is het leven, dacht ze toen. Deze sensualiteit, die zo lang heeft ontbroken, is de rivier die het leven voedt. Ze liet zich meevoeren door de zilveren stroom en kon zich niet herinneren dat ze hem had omhelsd, maar ze waren nu verstrengeld, met zijn hoofd tegen haar schouder gedrukt, haar benen achter hem gekruist, terwijl haar lichaam zijn ritme beantwoordde.

Na afloop zette hij de zonwering open om wat licht toe te laten. Ze schermde haar ogen af, maar voelde zijn blik op haar lichaam rusten terwijl hij naar haar stond te kijken.

'Je bent inderdaad erg mooi,' zei hij.

'Arthur, ik ben een van die vrouwen die er met kleren aan beter uitzien.' Ze had vele uren doorgebracht met zichzelf beoordelen en wist wat hij zag. Ze had sproeten en was zo bleek dat haar ledematen bijna blauw leken, ze had lange armen en benen en platte borsten.

Arthur was een beetje anders dan hij leek. Hij had een uitgezakt middel, maar had zowaar een deel van zijn eenzame uren aan zijn conditie gewerkt. Zijn ronde vorm dankte hij aan een borstkas die zo gewelfd was als een helm. Hij had smalle heupen en dunne beentjes en mooie, sterke armen. Hij was ook de meest behaarde man die ze ooit had gezien. Zonder zijn kleren leek hij kwiek en snel. In rust glansde zijn lid tussen de begroeiing als een bol. De vorm was zoals de rest bij Arthur: dikker dan velen, maar niet lang. Hij stond haar naast het bed te bestuderen en ze boog zich naar hem toe om het hele ding in haar mond te nemen. Een tijdje werd het groter.

'Nog niet,' zei hij.

Maar ze was er niet aan toe om hem los te laten. Ze ging met doelbewuste tederheid te werk, de tederheid die hij haar had betoond, tot hij weer een volledige erectie had, en toen streek ze met zijn penis als met een toverstokje over haar gezicht, haar ogen, haar wangen en mond, en schoof er ten slotte haar lippen weer overheen. Toen hij zich deze keer naast haar liet neervallen, sliep hij in.

Ze vond een sprei aan het voeteneinde en trok die over zich heen. Ze lag te staren naar een oude plafondlamp, een matglashorreur uit de jaren vijftig, en ging na hoe het haar te moede was. Ze had niet beseft dat ze wakker was toen hij wat later iets tegen haar zei.

'Het klopt wat er in de bijbel staat.'

'De bijbel? Is dat waar je aan denkt, Arthur?'

'Ja.'

Ze deed haar ogen dicht. Het zou verschrikkelijk zijn als dit ogenblik werd bedorven door gefemel.

'Ja. Ik denk na over die uitdrukking: "Hij bekende haar." '

'Dat is uit het Grieks.'

'O ja? Het klopt. Ja toch? Ik ken je nu.'

'Ken je me, Arthur?'

'Ja, ik weet nu iets. Iets essentieels.'

Ze dacht erover na en vond het belachelijk. Niemand kende haar. Ze kende zichzelf niet eens.

'Wat weet je dan van me?' vroeg ze.

'Ik weet dat je je hele leven hebt geleden, net als ik. Ik weet dat je er genoeg van hebt om alleen te zijn. Is dat zo?'

'Ik heb geen idee,' zei ze.

'Je wilt het respect waarop je recht hebt,' zei hij. 'Dat heb je nodig.'

Ze ging rechtop zitten. Het gesprek gaf haar een onbehaaglijk gevoel.

'Niet nadenken.' Ze kuste hem. 'Kun je dit nog eens doen?'

'Ik heb geweldige reserves,' antwoordde hij. 'De reserves van een heel leven.'

'Ik wil dit nog eens doen.'

Toen ze uitgewoed waren, ging ze naar Arthurs kleine badkamer. Deze keer was voor haar veel prettiger geweest. Bij elk van zijn bewegingen voelde ze golven door zich heen slaan. Ze had geluiden gemaakt, geroepen, en een spectaculaire golf van gevoel had haar ten slotte overweldigd in een sidderend serieel orgasme dat op de schaal van Richter thuishoorde. Ze wiegde op het hoogtepunt, als een nest hoog in een boom, zonder adem of tijd, niet bereid om los te laten. Ze liet pas los toen ze besefte dat ze bewusteloos zou raken als ze het niet deed.

De echo's van het genot hadden haar benen zo doen sidderen dat ze niet wist hoe lang ze overeind kon blijven. Hij was zo'n eenvoudige man, dacht ze terwijl ze om zich heen keek. Zijn auto hoorde in Beverly Hills, maar deze badkamer in een woonkazerne. De wastafel steunde op verchroomde poten. Lang geleden had iemand een geplooide hoes over de stortbak getrokken en een mohair hoes over de wc-bril en daar ging ze op zitten om aan haar genot terug te denken. Deze keer maakte de herinnering haar aan het huilen. Ze was geschokt door de heftigheid van haar emotie en de woorden die naar haar lippen stegen.

Ze brulde het uit. Ze sloeg haar handen voor haar mond, maar kon niet ophouden. Arthur hoorde haar aan, klopte een paar keer en kwam ten slotte binnen. Naakt zat ze naar hem op te kijken.

'Ik wilde het zo graag,' zei ze, zoals ze tegen zichzelf had gezegd. Ze had geen idee wat 'het' precies was, maar zeker niet de voortplantingsdaad. De opluchting van kortstondig genot in een miserabele wereld? Respect, zoals hij had gezegd? Of gewoon een verbintenis, een liefdesverbintenis? De furie van dit niet benoemde verlangen, dat als een archeologische schat diep in haar tussen het puin had gelegen, verbijsterde haar. Wat had ze het graag gewild!

Ze huilde en huilde en zei telkens weer dat ze het zo graag had gewild. Arthur knielde naast haar op de koude badkamertegels, legde zijn armen om haar heen en zei: 'Je hebt het nu, je hebt het.'

26

28 juni 2001
Slim

'O mijn god!' Zodra de messing liftdeuren waren dichtgeschoven, zodat het Jugendstilmotief weer één geheel vormde en Arthur Raven veilig was buitengesloten, sloeg Muriel haar hand voor haar borst, zakte tegen Larry aan en liet haar smalle schouder tegen zijn arm rusten. 'Wanneer wist jij het?'

'Eerder dan Arthur.' Larry schudde niet zonder mededogen zijn hoofd. Hij mocht Arthur wel, vooral nu hij hem in het stof had doen bijten. Boven, op de gang in het kantoor van de Sterns, waar de lucht tussen hen in zo broos als glas was geweest, had het geleken of Arthur zou flauwvallen, alsof zijn zwarte aktetas hem naar de vloer trok. 'Die zat er helemaal doorheen. Ik overwoog al de ambulance te bellen. Waar gaat hij nu naartoe?'

'Waarschijnlijk naar Rudyard om zijn cliënt op de hoogte te brengen – of naar Erno in het ziekenhuis, als die nog leeft. Ik heb gehoord dat hij een terugval heeft gehad.'

Larry maakte een sarcastische opmerking over Erno's welzijn en stelde toen de vraag die hij al eerder had willen stellen: of Arthur echt zijn juridische mogelijkheden had uitgeput. Muriel haalde haar schouders op. Ze leek veel liever te willen horen hoe hij had geweten dat het Rommy was die Luisa had bedreigd.

'Ik bleef me maar afvragen: hoe zit het met die vrouw?' zei Larry. 'Genevieve is een braaf mens. Meestal heeft zo iemand een brave reden om de waarheid te verzwijgen. Volgens mij ziet ze het zo: Luisa is dood, daar veranderen we niets aan, laten we dus ons best doen voor haar dochters. En dat betekent dat het echte verhaal in de doofpot moet, niet alleen omdat TN Air anders de bloedhonden loslaat, maar ook omdat mama's nagedachtenis dan door het slijk wordt gehaald. Als je vertelt dat Rommy degene is die Luisa heeft bedreigd, moet je ook vertellen waarom. Dan hoort de hele wereld hoe het zat met die tickets, ook de meisjes.'

Ze liepen de hal in. Muriel was zomers bruin, maar Larry zag dat ze ook straalde door haar overwinning. In haar gelukkige ogenblikken, als ze ontspannen was, was geen meid zo grappig als Muriel. En ze was nu gelukkig, vooral in zijn gezelschap.

'Vlijmscherp, Larry.' Ze keek hem stralend aan, zodat het spleetje tussen haar voortanden te zien was. Hij zou willen dat haar bewondering hem niet opwond, maar dat was wel het geval. Als hij en Muriel tien jaar eerder wel een span waren geworden, zouden ze nu waarschijnlijk net zulke harmonieuze kibbelaars zijn als andere stellen die lang bij elkaar waren. Maar je wilde altijd hebben wat je niet kon krijgen en sinds zijn uitbarsting in Atlanta had hij de feiten onder ogen gezien: hij zou zijn hele leven verliefd blijven op Muriel.

Zijn gedachten aan haar waren altijd verbonden met het idee van een lotsbestemming. Ze was er volstrekt van overtuigd dat er een Plan was, waarin ze een rol wilde spelen, en in haar gezelschap ging hij daar onvermijdelijk ook in geloven. Wat hij het meest had verloren toen hij haar verloor was de overtuiging dat hij iets groots zou verrichten.

Het stortregende, maar Muriel slaagde erin een taxi aan te houden. Larry had zijn paperassen in haar kantoor laten liggen en schoof haastig naast haar. Onderweg vroeg Muriel hoe ze het volgens hem aan de pers moest doorgeven. Ze had nog tijd voor het tv-nieuws. Met haar mobieltje belde ze Stanley Rosenberg bij Channel 5. Daarna belde ze Dubinsky op de *Tribune*. 'Stew? Ik heb je kop voor morgen. "Getuige: Gandolph bedreigde slachtoffer van 4 juli".'

Larry was minder geneigd tot juichen. Waarschijnlijk had Muriel zijn stemming gedrukt. Maar hij had tijdens de getuigenverklaring allerlei vragen opzij geschoven die nu weer bij hem opkwamen. Ten eerste moest hij stommer zijn dan een stoeptegel om niet te hebben gedacht aan de mogelijkheid dat een grondstewardess met tickets rommelde. Maar hij herinnerde zich ook hoe hij was misleid.

'Weet je,' zei hij toen Muriel klaar was met bellen, 'ik heb mijn aantekeningen van mijn gesprek met Erno in oktober '91 wel honderd keer overgelezen. Tweehonderd keer. En toen ik vroeg hoe Luisa aan geld kwam, begon híj over gestolen tickets en zei dat ze in jaren geen problemen hadden gehad.'

'Misschien wist hij niet wat ze deed. Wat Genevieve van Eekhoorn hoorde – ik heb Farao gezien en ik maak haar dood – dat zou Erno kunnen opvatten als een aanwijzing dat Luisa hem had bedonderd.'

'Met Rommy? En bovendien: waarom zou Erno Luisa laten fouilleren, als hij geen weet had van de tickets?'

Muriel was te high om zich daar druk over te maken, maar hij hield aan.

'En er is nog iets. Ik heb in mijn aantekeningen staan dat Erno tegen mij heeft gezegd dat we Genevieve voor de grand jury moesten slepen.'

'Met het idee dat ze Rommy zou beschuldigen?'

'Kennelijk. Maar waarom zo'n omtrekkende beweging? Waarom zou hij niet gewoon zeggen dat Genevieve kon vertellen dat Eekhoorn had gedreigd Luisa te vermoorden, in plaats van zijn mond te houden?'

Het stortregende nog steeds toen ze uit de taxi stapten. Muriel hield haar aktetas boven haar hoofd en haar hakken deden water opspatten op het granieten bordes. Het Kindle County-gebouw was opgetrokken uit rode baksteen, honderd jaar oud en in dezelfde stijl als de sombere fabrieken uit die tijd. Zelfs bij goed weer deed het licht in het gebouw aan oude schellak denken. In dit gebouw werd Muriel als een prinses bejegend. De bodes bij de detectorpoortjes spraken haar aan met 'Chef' en in de hal werd ze om de paar meter door iemand aangeklampt. Twee aankomende aanklagers, in gesprek met een kind van negen over de moord op een ander kind, wilden haar spreken over toestemming voor strafvermindering in ruil voor een getuigenverklaring. Ze zei dat het nog te vroeg was, liep door en begroette wel tien mensen met naam en toenaam. Dit soort politieke gedrag ging haar veel beter af dan hij tien jaar terug zou hebben gedacht; ze leek oprecht belang te stellen in het herstel van een oma die een nieuwe heup had gekregen of het dochtertje dat naar een andere school was overgegaan. Alleen wie Muriel heel goed kende, zou merken dat het eenrichtingsverkeer was, dat ze zelden iets van zichzelf prijsgaf.

Larry liep voor haar uit naar de lift, nog piekerend over Erno.

'Wat denk je hiervan,' zei hij zonder inleiding tegen Muriel toen ze met hun tweeën in de lift stonden. 'Erno hoort van Genevieve over Eekhoorn en Luisa. Eekhoorn is een dief en zoals Erno al zei zijn tickets de beste dingen om te stelen, en Luisa kan over tickets beschikken. Dus laat hij haar met een smoes fouilleren.'

'Oké.'

'Maar hij vindt geen tickets. Dus kiest hij de andere mogelijkheid: gewoon een verliefd warhoofd dat maar wat bazelt. En vervolgens wordt ze zes weken later uit de weg geruimd. Dus nu kan hij niet zijn vinger opsteken om te zeggen dat hij weet hoe het zit.'

'Waarom niet?'

'Omdat hij een stomme klootzak is geweest. Omdat hij dan moet toegeven dat hij haar tegen de vakbondsvoorschriften in met een smoes heeft laten fouilleren. En niet de moeite heeft genomen de politie in te lichten over Eekhoorn. Een goeie specialist in civiel recht met weesjes als eisers kan Erno en de luchtvaartmaatschappij op een fortuin komen te staan en de leiding zal Erno eruit schoppen wegens plichtsverzuim.

Maar dan wordt zijn knappe neefje gepakt en Erno begint weer te denken, omdat hij Collins echt uit handen van justitie wil krijgen. Ik weet niet wie te weten is gekomen dat Eekhoorn de camee had, of Collins daarmee is gekomen of dat Erno voor detective heeft gespeeld en de informatie aan Collins heeft doorgegeven, maar in elk geval krijg ik het in hapklare brokken van Erno zodat hijzelf buiten schot blijft. "Ga met Collins praten. En dagvaard Genevieve." Dat klopt toch wel zo'n beetje?'

Ze hadden het secretariaat bereikt waarop de kantoren van de hoofdaanklager en de assistent-hoofdaanklager uitkwamen. Muriel liep langs een van de bureaus om berichten en een arm vol post op te halen. In haar kantoor deed ze de deur dicht en liet hem zijn verhaal nogmaals doen.

'Het was de waarheid,' besloot Larry. 'Wat Erno ons indertijd vertelde. Het was steeds de waarheid. En nu is hij giftig omdat hij ons heeft geholpen en desondanks in de gevangenis op sterven ligt.'

Hij keek naar haar terwijl ze er met getuite lippen over nadacht.

'Goed,' zei ze. 'Ontbied de herauten maar. En diverse getuigen.'

'Want?'

'Ik ga het vertellen.' Ze legde haar hand op zijn hoge schouder. 'Je had gelijk. In elk geval zat je er dichtbij. Je hebt gelijk.' Haar donkere ogen schitterden als diamanten. 'Je hebt altijd gelijk, Larry.' Ze moest even slikken en liet haar hand zakken. 'Tevreden?'

Nu ze die vraag stelde, toch niet helemaal.

'Er zit me iets dwars met die heler. Toetankamon of wat was het. Die Farao.'

'Wat is daar dan mee?' vroeg ze.

'Dat weet ik niet. Maar ik wil de eerste van de collega's zijn die met hem over vroeger gaat praten. Als Farao een hele dikke vriend van Eekhoorn is, zal hij misschien alles ontkennen wat Genevieve ons heeft verteld, zeker als Arthur eerder bij hem is dan ik en hem de weg wijst.'

'Laten we hem dan zien te vinden.'

'Farao zal wel de bijnaam zijn van een bendelid, toch?'

Dat dacht Muriel ook.

'Ik ga eens babbelen met de collega's van de afdeling georganiseerde misdaad,' zei Larry. 'Ze hebben me ook geholpen met hoe het zit tussen de Gangster Outlaws en Erno.'

Tegen haar bureau geleund dacht Muriel na. Verwonderd schudde ze haar hoofd.

'Kennelijk heb je je breinpillen geslikt.'

'Als ik zo slim ben,' zei hij, 'waarom ben ik dan niet op het idee gekomen van wieltjes onder je bagage? Elke keer als ik op een vliegveld kom, vraag ik me dat af.'

Muriel lachte. Ze droeg een jasje over een mouwloze japon en trok dat nu uit. In de zomer werd het hier zelden koeler dan zesentwintig graden, ondanks de airco. Haar schouders vervelden. Toen ze weer naar Larry keek, was ze ernstig.

'Nee, Larry, je bent echt slim,' zei ze ingetogen en wachtte weer even. 'Je hebt me aan het denken gezet in Atlanta.'

Ze hadden niet meer over Atlanta gepraat, ook niet in het vliegtuig terug, en Larry wilde er nu evenmin over praten. Als het moest zou hij het op de drank gooien. Het was een opluchting voor hem dat ze een ander ogenblik bedoelde.

'Dat isgelijkteken dat je tussen Rod en Talmadge hebt gezet? Dat heeft dagenlang door mijn hoofd gespookt.'

'Dat was buiten de orde.'

'Ja,' zei ze, 'dat was zeker buiten de orde. Maar wat ik me heb afgevraagd is waarom je dat tegen me hebt gezegd. Je zegt als het ware tegen me: "Beroerd leven heb je." Wat wil je daarmee zeggen, Larry?'

'Ik weet het niet, Muriel. Ik dacht waarschijnlijk dat ik gelijk had.'

'En wat schiet je daarmee op? Wat schiet ik daarmee op?'

Hij voelde zich nederig worden. 'Het spijt me, Muriel. Eerlijk waar. Ik had mijn bek moeten houden.'

Maar dat was kennelijk niet het antwoord dat ze wilde horen. Ze keek lange tijd naar hem, tot haar blik iets kreeg dat zeldzaam was bij Muriel: iets dat op melancholie leek.

'Ik bedoel: jezus, Larry,' zei ze zacht. 'Hoe kom je zo slim?'

'Ik ken je gewoon, Muriel. Ik weet niet veel. Maar jou ken ik.'

'Dat geloof ik ook,' zei ze. Er was in Atlanta een ogenblik geweest dat hij dacht dat zij het net zo te pakken had als hij, en nu ze zo naar hem keek, kreeg hij dat gevoel weer. Wat had dat te betekenen? Niets goeds, besloot hij. Uit een archiefkast in de hoek haalde hij de spullen die hij had achtergelaten, zijn dossier en – daaruit bleek wat een goede kijk hij had op het weer – zijn opvouwbare paraplu. Hij liet hem haar zien.

'Minder slim dan je denkt,' zei hij.

Ze ging aan haar bureau zitten om te werken, maar schudde heftig haar hoofd om aan te geven dat ze het niet met hem eens was.

27

29 JUNI 2001

De vijand

'Hij gaat het uitleggen,' zei Pamela tegen Arthur toen hij haar 's morgens om zes uur afhaalde voor een nieuwe odyssee naar Rudyard. Ze had het zichzelf in de tussentijd wijsgemaakt, maar Arthur vermoedde dat zelfs Pamela het niet echt geloofde. Na negen maanden op een advocatenkantoor in de grote stad begon ze al sceptisch te worden. Tegenstanders hadden haar voorgelogen. Rechters hadden onrechtvaardige beslissingen genomen. Ze had zich zelfs bitter uitgelaten over mannen.

Maar vanmorgen wilde hij niemand tegenspreken over wat mogelijk was. Hij zat achter het stuur, maar zijn hart danste. Op ditzelfde ogenblik lag een prachtige vrouw met rossig haar in zijn bed te slapen, een vrouw met slanke schouders en een netwerk van gouden sproeten op haar rug. Hij, Arthur Raven, had uitputtend de liefde bedreven met een vrouw die hij begeerde, een vrouw die hij zo lang had begeerd dat ze het toonbeeld van zijn verlangen was. Hij praatte met Pamela over de zaak, maar zijn gedachten gingen onherroepelijk terug naar Gillian, en hij moest zijn best doen om de lach te bedwingen die opborrelde in zijn borst.

Ze was natuurlijk een bajesklant. Zijn ziel danste op een berggraat met diepe afgronden aan weerszijden. Maandenlang had hij wanhopig hard gewerkt en nu bleek Rommy schuldig te zijn. En af en toe moest hij denken aan de nevel van schande die boven Gillian zweefde. In die ogenblikken herinnerde hij zich haar waarschuwing dat ze hem zou teleurstellen. Maar dan liet hij zich, haast tegen zijn karakter in, weer meevoeren op golven van sentimentele verrukking.

Bij de gevangenis moesten ze als altijd wachten. Arthur belde met kantoor en een assistente las hem het verzoekschrift voor dat Muriel diezelfde ochtend had ingediend bij het hof van appèl om te vragen Gandolphs verzoek om herziening van zijn zaak af te wijzen. Ze had transcripties van beide getuigenverklaringen bijgevoegd, zowel die van Erno als die van Genevieve, en aangevoerd wat Arthur in haar functie zou hebben verklaard: dat het niet om Erdai maar om Rommy ging. Op de aanklager rustte niet de plicht vast te stellen of Erno een misleide braverik was, of een verbitterde mafkees die er een grimmig genoegen aan beleefde om zoveel mogelijk herrie te schoppen voordat hij deze planeet verliet. Het enige dat het hof moest bepalen was of er voldoende grond was om aan te nemen dat Rommy Gandolph in eerdere instantie geen eerlijke kans had gehad om de beschuldigingen die tegen hem waren ingebracht te weerleggen. Door Genevieves getuigenverklaring, die kennelijk met tegenzin was afgelegd, was het totaal van de bewijzen van Gandolphs schuld alleen vergroot. In dat licht had de procesvoering lang genoeg geduurd. Nu Muriel zich met haar stuk tot het hof van appèl richtte, in plaats van tot Harlow, had ze het ook 'Verzoekschrift om toekomstige uitspraken niet over te laten aan een sentimentele rechter' kunnen noemen, maar het hof van appèl was waarschijnlijk de juiste instantie, en de rechters zouden in elk geval hun jurisdictie verdedigen in hun permanente krachtmeting met rechter Harlow. Arthur en Pamela zouden zo snel mogelijk hun duit in het zakje moeten doen. Het zou een lang weekend worden, met een uitdagende taak.

Omdat Rommy's zaak aandacht had gekregen in de pers, waren er twee voor de hand liggende reacties bij het personeel van de penitentiaire inrichting op de frequente bezoeken van Arthur en Pamela. De meeste inrichtingswerkers, die zich vereenzelvigden met het politieapparaat, begroetten de advocaten koel. De directeur had het bezoek vandaag aanvankelijk verboden onder het mom van personeelsgebrek; hij had zich pas laten vermurwen nadat Arthur de raad voor het gevangeniswezen had ingeschakeld. Anderen in de gevangenishiërarchie gaven blijk van meer sympathie. Zij hadden allang geaccepteerd dat een deel van de gevangenisbevolking wel meeviel en dat enkelen zelfs onschuldig waren. Na tien jaar dagelijks contact met Rommy waren diverse bewaarders op hem gesteld geraakt en enkelen hadden zelfs tegen Arthur laten doorschemeren dat het belachelijk was om te denken dat Rommy ooit een moordenaar had kunnen zijn. In het poortgebouw werd Arthur nu met scheve ogen bekeken door een vrouwelijke portier die wekenlang heel hartelijk was geweest en zich na het zien van de krantenkoppen in de afgelopen vierentwintig uur kennelijk misleid voelde. Arthur bleef zichzelf; hij voelde een blos van schaamte omdat hij haar en vele anderen op onjuiste gedachten had gebracht.

Rommy moest weten waarom zijn advocaten abrupt waren verschenen. De gedetineerden waren verslaafd aan de tv en de bajestelegraaf, het belangrijkste communicatiemiddel voor nieuws van buitenaf, was net zo snel als internet. Toch leek Rommy, toen hij aan handen en voeten geboeid naar zijn kant van de glazen afscheiding in de spreekkamer wandelde, wel mager en onzeker, maar niet mismoedig.

'Hé, hé, hoe gaat-ie d'rmee?' Hij vroeg Pamela, zoals hij elke keer deed, of ze haar trouwjurk had meegebracht. Het was misschien hun tiende bezoek en het was geen van beiden duidelijk of Rommy's aanzoeken gemeend waren. 'Hoe gaat het nou met jullie?' vroeg hij. Voor Rommy was het een gezelligheidsbezoek. Hij was gewend geraakt aan bezoekers. Dominee Blythe en diens medewerkers kwamen hier vaak, wat Arthur kon afleiden uit de regelmaat waarmee diens onverzoenlijke retoriek in verhaspelde vorm uit de mond van zijn cliënt klonk.

'We hebben een tegenvaller,' zei Arthur en besefte dat dat woord waarschijnlijk te moeilijk was voor Rommy, die grote moeite had met genuanceerd taalgebruik. Hij legde het niet uit, maar vroeg hem of hij zich Genevieve Carriere van het vliegveld kon herinneren.

'Is die zwart?'

'Blank.'

'En dik?'

'Ja.'

'En ze heeft altijd een gouden kruisje met een saffiertje om?'

Arthur kon zich het sieraad herinneren nu Rommy er melding van maakte. Het oog van een dief was scherper dan dat van anderen. Hij kreeg een brok in zijn keel voor de volgende vraag.

'Heb je ooit tegen haar gezegd dat je Luisa Remardi dood wilde maken?'

'Zegt ze dat?'

'Ja.'

Rommy vertrok zijn gezicht terwijl hij zich concentreerde, alsof dit niet al uren in het cellenblok het onderwerp van de dag was geweest.

'Ik denk niet dat ik dat heb gezegd. Nee.' Met toenemend zelfvertrouwen schudde hij zijn hoofd. Toen Arthur even naar Pamela keek, die de telefoonhoorn tussen hen in hield, leek haar lange gezicht weer wat opgewekter. 'Nee,' zei Rommy. 'Volgens mij heb ik dat alleen tegen die andere gast gezegd. En die is al jaren niet meer gezien.'

'Wat heb je dan gezegd?'

'Dat weten jullie toch. Doodmaken en zo. Haar. Die vrouw.'

'Heb je dat gezegd?'

'Maar ik zeg toch: tegen die andere gast. Die is opgepakt nog voor de politie mij kwam halen. Moet iets ergs hebben gedaan. De gasten waar hij mee omging waren zo van: die komt er nooit meer uit. Die zit in de federale lik of hij is dood, denk ik.'

'Over welke gast hebben we het?'

'Die vliegtickets van die vrouw kreeg.'

Arthur keek naar zijn gele stenoblok. Hij had de gewoonte over de paar overgebleven plukken haar op zijn hoofd te wrijven alsof hij ongeduldig was, en nu betrapte hij zichzelf daarop. Pamela en hij hadden talloze keren met Rommy gepraat en nooit een woord over vliegtickets gehoord. Toen Arthur pas voor het kantoor werkte, had Raymond Horgan hem voorgehouden: 'Onthoud goed dat je cliënt zijn eigen ergste vijand is, maar ook de jouwe.'

'Heb je het over Farao?' vroeg Arthur.

Rommy glimlachte zelfs. 'Die is het. Zo noemde hij zich. Wist amper meer hoe hij zichzelf noemde.'

Pamela informeerde of Rommy zich de achternaam van Farao wel kon herinneren.

'Misschien weleens gehoord, maar ik kon hem alleen als Farao.' Hij spelde de naam: F, a, r, o. Pamela glimlachte even.

'En hoe heb je hem leren kennen?' vroeg Arthur.

'Weet ik niet goed. Ik kon hem al heel lang. Misschien dat hij mijn dealer was. Maar ik had hem al heel lang niet meer gezien. Toen kwam ik hem tegen in een club. Ik had wat handel en daar staat hij opeens, ik weet niet hoe hij heet maar hij kent mij. We praten wat. Hij is in een andere brans gegaan. Hoe heet dat nou?'

'Stelen,' zei Arthur. Naast hem kromp Pamela in elkaar en keek benauwd naar hem, maar het kon hem niet schelen. Het werd met de minuut erger. Wat zijn cliënt betrof, Rommy had al heel lang geleden geleerd dat hij tegenstanders beter te vriend kon houden dan agressief bejegenen. Hij grinnikte naar zijn advocaat.

'Nee, dat woord kan ik wel,' zei hij. 'Hij had voor elkaar dat hij gestolen vliegtickets kon verkopen en nooit kon worden gepakt. Dat ging met een bedrijf of zo. Dus hij dacht dat als ik iemand kon met tickets voor hem, dan hadden we allebei wat. Vandaar die dame.'

'Luisa? Vertel eens hoe je Luisa kende,' zei Arthur. Uit zijn ooghoeken keek hij waarschuwend naar Pamela. Hij wilde niet dat ze zou proberen Rommy met zijn eerdere leugens te confronteren.

'Die nam weleens wat van me af.'

'Wat bedoel je? Gestolen goederen?'

'Gestolen?' herhaalde Rommy. 'Ik vraag nooit waar iemand zijn handel vandaan heeft. Ik wou alleen wat verdienen.'

'Maar Luisa kocht bij je?'

'Stelde niks voor. D'r was iemand bij de verladers van T&L, met die trucks? Hij en ik deden die handel. Ze kocht een radio, dat weet ik nog. Daar ken ik haar van. Ze wou altijd kletsen. Midden in de nacht had ze niks te doen. Die had tegen de muren gekletst als ik er niet was geweest. Die andere, hoe heet ze nou...'

'Genevieve?'

'Die zat een boek te lezen als er geen vliegtuigen waren. Met haar heb ik niet veel gepraat. Die weet mijn naam geeneens, denk ik. Dat zegt ze zeker omdat die gast van de politie haar te grazen heb genomen, zoals hij met mij heb gedaan. Ja toch?' Rommy tuurde onder zijn hand door om te zien welke indruk dat verweer maakte, dat ongetwijfeld in de afgelopen uren door zijn medegedetineerden voor hem was bedacht. Arthur vroeg hem door te gaan.

'Nou, dat is alles. Ik zeg tegen die andere vrouw, Luisa, dat ik iemand ken die wel extra tickets wil kopen. Eerst wou ze niet, maar ik vraag het nog een paar keer – Farao zegt dat het echt wat opbrengt – en het draait erop uit dat ze die gast wel een keer wil zien. Dat was daar bij Gus en ik kom langs het raam en ik kan niet naar binnen, omdat Gus er is. Ze zit daar maar haar hoofd te schudden maar Farao, die moet goed tegen haar hebben gepraat want een week later geeft ze me een smak geld, voor dat ik de link heb gelegd en alles.

Daarna hoor ik niks meer. Op een dag ben ik op straat en daar is Farao en wat blijkt nou: hij en die Luisa, die doen elke maand wat samen. Terwijl ik niks krijg. En Farao zegt: ja, maar ik denk dat zij voor jou zorgt, ze vangt er verdomme genoeg voor. Dus ik zeg dat ik haar dood ga maken als ik haar weer zie, want ze heeft me belazerd. Dat hoort niet, dat kan niet. En dat weet zij ook, maar ze wil het niet toegeven. We staan wat te schreeuwen en zo, maar het draait erop uit dat ze me die ketting geeft om me stil te houden.'

'De camee?'

'Pursies. Ze geeft me dat ding omdat ze niet wil dat ik haar zwart ga maken op het vliegveld, dat ik het doorlul aan iemand, want dan is ze haar baan kwijt. Zegt dat die ketting haar kostbaarste bezit is met foto's van haar kindjes erin, en daarom weet ik dat ik mijn geld wel zal krijgen. Alleen: dat is nooit gebeurd.'

'En dus heb je haar vermoord,' zei Arthur.

Rommy ging rechtop zitten. Hij fronste op een manier die Arthur, ondanks zijn scepsis, oprecht spontaan leek.

'Denk jij dat nou ook al? Sta jij nou ook aan de kant van de politie?'

'Je hebt me geen antwoord gegeven, Rommy. Ik vraag je of je Luisa hebt vermoord.'

'Nee, verdomme. Ik ben geen man die mensen vermoordt. Ik schreeuw maar wat, omdat ze me voor lul zet bij Farao en alles.'

Rommy probeerde alle onhandige trucjes uit die hij in zijn verrotte leven had aangewend om zijn geloofwaardigheid te vergroten. Hij lachte een beetje en gebaarde met zijn smalle hand, maar terwijl Arthur hem bleef bestuderen, viel hij terug op zijn angstige, schichtige blik. Terwijl hij zo strak naar zijn cliënt bleef kijken dat het een code had kunnen zijn, moest Arthur opeens aan Gillian denken – niet zozeer haar smeekbede om te blijven hopen, maar de verrukking van zijn liefde voor haar. Op een of andere manier had hij het gevoel dat het beschermen van de Rommy's in deze wereld tegen het harde lot dat hen trof daar een onderdeel van was. Dit waren zijn mensen omdat hij, als zijn vader er niet was geweest, heel goed een Rommy had kunnen worden. Susan was Rommy. De planeet was vol behoeftige mensen die zich niet echt konden verweren, en de wet was op zijn best als die garandeerde dat ze een waardige behandeling kregen. Dat had hij in zijn leven allemaal nodig: liefde en een doel. Hij wist niet of hij, nu hij die elementen eenmaal had omhelsd, ooit nog zonder zou kunnen.

Met de wanhoop waarmee hij naar liefde verlangde, wilde hij Rommy geloven. Maar dat kon hij niet. Rommy had een motief om Luisa te doden. Hij had gezegd dat hij het zou doen. En toen hij met haar camee in zijn zak was betrapt, had hij bekend dat hij het had gedaan. Het kon niet allemaal toeval zijn.

Terwijl Arthur peinsde, zat Pamela naar hem te kijken alsof ze zijn toestemming nodig had om zelf te mogen hopen. Hij bewoog zijn kin op en neer om haar te laten weten hoe hij erover dacht. Haar blik terug was ontgoocheld maar gelaten. Zij was degene die hun cliënt de juiste vraag stelde.

'Waarom heb je ons dit niet verteld, Rommy? Het hele verhaal? We hebben ik weet niet hoe vaak de zaak met je doorgesproken.'

Er was bij Rommy altijd een punt waarop het geloof in zijn totale onschuld verdampte, of liever gezegd opnieuw een masker bleek. Hij mocht dan een IQ van onder de 75 hebben, hij was zeker tot misleiding in staat. Van meet af aan had hij beseft welke indruk de waarheid omtrent Luisa op Arthur en Pamela en hun enthousiasme voor zijn zaak zou hebben. Dat wist hij omdat hij wist wat er eerder was gebeurd, toen hij zijn vorige advocaten over de heling van Luisa's tickets had verteld, dat hij geen geld meer had gekregen en had gezworen dat hij haar dood zou maken. In het begin had Arthur besloten Rommy's vertrouwelijke overleg met zijn vroegere advocaten ongemoeid te laten, onder het motto dat hij Pamela de dag van hun eerste ontmoeting met Rommy had voorgehouden: nieuwe advocaat, nieuw verhaal. Maar het was nu geen mysterie meer waarom Rommy's eerste verdediger had geprobeerd hem ontoerekeningsvatbaar te laten verklaren of waarom zijn opvolgers nooit hadden geprobeerd te weerleggen dat Rommy schuldig was. Door zijn eerdere lessen kostte het Rommy geen moeite de gezichten van zijn advocaten te lezen.

'Ik heb niemand vermoord,' herhaalde hij. 'Zo ben ik niet.' Toen leek ook hij de zinloosheid van zijn protest in te zien. Zijn schouders zakten en hij wendde zijn blik af. 'Maar dat wil niet zeggen dat hun me niet dood gaan maken, of wel?'

Arthur zou zijn plicht doen en strijden. Hij zou het hof van beroep Erno's bekentenis voorhouden en erop wijzen dat Genevieve wel heel lang had gewacht met haar verklaring over Rommy's dreigement. Maar er was geen onderbouwing voor Erno, terwijl Genevieves verklaring strookte met alle feiten die bekend waren. De oprechtheid ervan werd versterkt door haar tegenzin. Het ergste was nog, zoals Arthur nu wist, dat wat ze had verteld waar was.

'Nee,' zei Arthur. 'Dat wil het niet zeggen.'

'Ja,' zei Rommy. 'Dat dacht ik al, want ik heb vannacht de droom weer gehad.'

'Wat voor droom?' vroeg Pamela.

'Hoe ze me komen halen. Dat het tijd is. Toen ik pas in de dodencel zat, had ik de droom zo vaak. Word je wakker, zweet je zo erg dat je zelf vindt dat je stinkt, eerlijk waar. Wij Gele Mannen hebben het er allemaal vaak over. Hoor je 's nachts iemand huilen, weet je dat hij de droom heb gehad. Het hoort niet dat ze dat doen met een mens, dat ze hem dat laten horen. Als ze me vrijlaten,' zei Rommy, 'word ik nooit meer goed.'

Noch Arthur, noch Pamela wist daarop iets terug te zeggen.

'Weet je, man, ik heb meegemaakt dat ze een gast kwamen halen.

Paar dagen van tevoren word je naar het dodenhuis gebracht. Dat doen ze, denk ik, omdat je dan nog wat hoop heb, dat je je niet gaat verzetten en zo. Man, de laatste die ze hebben gedaan, Rufus Tryon, die zat in de cel naast mij. Hij wou niet mee. Zei dat hij eerst iemand zou pakken. Die is in elkaar geslagen. Maar ze zeggen dat hij het aan het einde weer heeft gedaan. Zijn laatste maaltijd over zijn eigen uitgekotst, had waarschijnlijk wat gebroken toen ze hem vastbonden, maar ja, dat maakt dan niet meer uit, hè? Kan je beter hebben dat ze je moeten trekken of kan je beter meelopen, laten doen wat ze willen?'

Pamela was bijna zo rood als een stoplicht. Uiteindelijk stamelde ze een woord van troost en zei tegen de cliënt dat het het beste was om daar helemaal niet heen te hoeven gaan. Rommy, die wist wanneer iemand een grapje maakte, toonde zijn manische glimlach.

'Ja, dat is natuurlijk beter, maar je moet er toch over denken. Het houdt je bezig. Hoe laat ik met me doen? Meestal denk ik: open, met je kop rechtop. Ik heb niks gedaan waarvoor ik dood moet worden gemaakt. Ik heb wel wat gestolen, maar daar kan je toch niet de doodstraf voor krijgen? En toch gaat het gebeuren.'

Pamela kon er niet professioneel onder blijven en gaf toe aan beloften die ze niet kon nakomen.

'Nee, dat gebeurt niet.'

'Jawel, ik ben er nou wel aan gewend. Ik bedoel: het moet toch gebeuren, denk je niet, als je weet dat iemand je dood gaat maken? Bij jezelf nadenken dat je over die gang moet en dat iemand je dood gaat maken, dat het de laatste wandeling is, het laatste wat ik zie en ik kan er niks tegen doen. Dat moet een keer gebeuren. Man, als ik dat doe, in mijn hoofd en alles, dan krijg ik de beverd.' Rommy trok zijn schouders op en dacht, terwijl zijn advocaten hem konden zien, aan die verschrikking. 'Man, jullie doen wat jullie allemaal doen, maar ik ben nog altijd hier. Voor mij verandert er niks.'

Rommy's wrok was gewoonlijk ook voor hemzelf een schim, maar opeens verzamelde hij al zijn rancune, ongetwijfeld onder invloed van de brave dominee Blythe. Maar in elk geval vond Rommy de zeldzame kracht om met zijn sepia ogen Arthur achter het glas recht in de ogen te kijken.

'Ik ben onschuldig, man,' zei hij toen. 'Ik heb niemand doodgemaakt.'

28

5 JULI 2001

Geheimen van de Farao

Avond op kantoor. Aan haar enorme bureau werkte Muriel de papieren door die de hele dag op haar hadden liggen wachten. Op de zeldzame avonden dat zij en Talmadge allebei thuis waren, placht ze conceptversies van eisen, post en memo's mee naar huis te nemen en na het eten alles in bed door te nemen, waarbij ze soms haar man om advies vroeg terwijl de tv tetterde, de herdershond en de kat streden om ruimte op het dekbed en Talmadge, altijd al gewend op luide toon te spreken, met stemverheffing oreerde tegen iemand overzee, er nog steeds niet van overtuigd dat hij de oceaan niet hoefde te overschreeuwen.

Maar ze gaf de voorkeur aan de eenzame stilte op kantoor na zessen. Wanneer ze vanavond klaar was zou ze, zoals op de meeste avonden, nog even verschijnen op een fondswervingsbijeenkomst voor een politicus of een goed doel, om goodwill te verzamelen voor haar eigen campagne. Waar ze dan heen moest bedacht Muriel pas als ze het dossier oppakte dat haar assistente voor haar had klaargelegd aan de andere kant van de deur.

Voorlopig verdiepte ze zich nog in een reeks reacties op een memorandum dat ze een week eerder had rondgestuurd, een voorstel voor een pilotprogramma ten behoeve van mensen die een eerste veroordeling wegens drugs achter de rug hadden. De president van de rechtbank had een voorzichtig commentaar bijgedragen, waarmee hij geen last kon krijgen als het een fiasco werd. De hoogste adviseur van het politiekorps was natuurlijk tegen – de politie wilde iedereen achter de tralies hebben. Ned had maar één woord opgeschreven: 'Timing?' Meer wilde hij niet op schrift zetten, maar hij maakte zich zorgen over de politieke gevolgen in een verkiezingsjaar van een voorstel om dealers, zij het kleine dealers, weer op straat te zetten. Toch wilde Muriel het erop wagen. Begeleiding en scholing waren veel goedkoper dan detentie en berechting, en ze zou rechts ontwapenen door te hameren op de kostenbesparing; tegelijkertijd zou dit initiatief ertoe bijdragen om Blythe en zijn volgelingen onder de minderheden de wapens uit handen te slaan. Bovendien had het zin. Jonge mensen met het lef en de energie om drugs te verkopen konden, als ze snel genoeg werden aangepakt, nog een plaats in de bovenwereld veroveren.

'Ik heb er meer dan genoeg van om justitie te gebruiken voor het opruimen van de puinhopen van anderen,' schreef ze Ned terug. De anderen op wie ze doelde waren de mensen in de scholen, het maatschappelijk werk en de economische instellingen, maar dat hoefde ze Ned niet te vertellen. Niettemin herkende ze de toon van haar aantekening: het was de stem van haar vader. Tom Wynn was al twaalf jaar dood, maar ze hoorde zichzelf tegenwoordig vaak zijn populistische wijsheden debiteren, en met meer genoegen dan ze tien jaar terug zou hebben gedacht. De dramatiek van de rechtszaal begon, al had ze er nog zo van genoten, op de achtergrond te raken – Erno Erdai zou weleens de laatste kunnen zijn die ze een kruisverhoor had afgenomen. Ze wilde meer beïnvloeden dan één leven per keer. En de harde waarheid voor een aanklager was dat je zelden veel verbetering in iemands bestaan kon brengen. Je stelpte de wond. Je voorkwam meer pijn. Maar wanneer je 's avonds het gebouw verliet, verwachtte je niet bomen te zien die je had geplant.

De binnenlijn meldde zich. Haar eerste gedachte was Talmadge, maar op het schermpje was te zien dat het Larry op zijn mobieltje was.

'Je bent nog laat aan het werk,' zei ze.

'Nee, jij. Ik zit thuis. Maar ik heb net iets bedacht. En ik dacht wel dat ik je daar zou vinden. Ik bel om mezelf te verraden.'

'Ben je stout geweest, Larry?'

'Ik ben stom geweest. Was jij het niet die me laatst wilde wijsmaken dat ik slim ben?'

'Volgens mij wel.'

'Misschien moet je nog eens goed kijken,' zei Larry.

Muriel vroeg zich af of dit een voortzetting was van hun eerdere gesprek. Ze had zichzelf nooit als introspectief beschouwd. Haar hele leven had ze zich zo op de buitenwereld gericht, op aanpakken, dat ze geneigd was achter zichzelf aan te hollen en te vergeten dat ze honger had of naar de wc moest. Maar in de weken sinds ze naar Atlanta was geweest leek ze veel tijd door te brengen met een vinger aan de eigen pols. En een van de grote vragen die een paar keer per dag uit het struikgewas van haar gedachten te voorschijn sprong was wat er precies gaande was tussen Larry en haarzelf. Het was geen nieuws voor haar toen Larry haar op weg naar Atlanta had voorgehouden dat ze in haar huwelijk met minder genoegen had genomen. Dat besefte ze wel, al dacht ze niet zo diep na. Wat ze gemist had was het zich herhalende effect van haar vergissingen. Ze was met idolen getrouwd ofschoon ze wist dat ze daarmee 's nachts een reus met lemen voeten in bed kreeg. Het zou haar enige tijd kosten, zeg een eeuw of twee, om erachter te komen wat dat over haar zei.

Voorlopig was Larry de puzzel. Ze was blij dat ze hem laatst na de verklaring van Genevieve voor het blok had gezet door te vragen waarom hij er zo bij haar op had aangedrongen dat ze tot zelfinzicht moest komen. Was dat uit wraak of omdat hij een alternatief had? Het was duidelijk dat Larry geen flauw idee had, wat maar goed was, omdat ze niet wist of ze er blij mee zou zijn geweest.

Terwijl hij verder praatte, besefte ze dat hij niet voor een persoonlijk gesprek had gebeld.

'Ik ben vanmorgen op bezoek geweest bij Rocky Madhafi van de afdeling georganiseerde misdaad,' zei hij, 'en ik zit hem te vertellen dat ik een bendelid wil vinden dat zich de Farao noemt en opeens gaat er een lampje branden. Weet je nog dat ik van jou die gast moest opdiepen waar Erno vier jaar geleden bij Ike op heeft geschoten?'

'Ja.'

'Weet je nog hoe die heette?'

Uiteindelijk zei ze: 'Cole.'

'En zijn voornaam?'

Die kon ze niet bedenken.

'F, a, r, o,' zei Larry.

Het duurde even voordat ze het begreep en haar eerste reactie was sceptisch. Om een of andere reden had ze aangenomen dat 'Faro' werd uitgesproken als 'Fargo'.

'Nou, er is een goede manier om erachter te komen of het dezelfde gast is,' zei Larry. 'Ik bedoel: misschien is die er. Dat is wat ik net heb bedacht.'

Voor de hoorzitting die Harlow zou voorzitten hadden Larry en zij een verhuisdoos vol documenten verzameld, die nu in de erker achter Muriels bureau stond. Tussen het bewijsmateriaal lagen fotokopieën van het adresboekje dat de technische recherche tien jaar eerder in Luisa's tas in het restaurant had gevonden. Oorspronkelijk had Muriel Erdai in het kruisverhoor willen voorleggen dat zijn naam er niet in stond, maar ze had besloten dat toch maar niet te doen, omdat Arthur zou aanvoeren dat een vrouw die een verhouding met iemand had haar getrouwde minnaar niet thuis zou bellen. Muriel nam de telefoonhoorn mee naar het kleed op de grond en praatte met Larry terwijl ze de papieren doorbladerde tot ze de kopieën had gevonden.

'Geen Faro Cole,' meldde Muriel.

Het geluid van zijn mobieltje knetterde op de lijn. 'Kijk eens bij de F?' vroeg Larry ten slotte.

Daar had ze niet aan gedacht. 'Faro' stond er in inkt, in Luisa's keurige handschrift dat wel langs een liniaal geschreven leek. Met potlood was er enige tijd later 'Cole' bij gezet.

'Godverdomme,' zei Larry.

'Pauze,' zei Muriel. Ze moest het voor zichzelf reconstrueren. 'Erno schiet zes jaar later Luisa's heler dood? Is dat toeval? Of weten we iets van een verband tussen Erdai en die man?'

'Toen Erno bij Ike werd gearresteerd,' zei Larry, 'direct na de schietpartij, beweerde Erno dat Cole kwaad op hem was omdat Erdai hem een hele tijd terug had gecheckt in verband met ticketfraude. Dat moet toch het handeltje zijn dat Faro met Luisa en Eekhoorn had?'

Larry had er de hele dag over nagedacht en liep ver op haar voor. Ze vroeg hoe hij daarbij kwam.

'Vorige week hebben we uitgevogeld dat Erdai moet hebben begrepen wat die drie uitvraten. Daarom liet hij Luisa fouilleren. En Genevieve zei dat ze tegen Erno Faro's naam had genoemd. Hij moet hem hebben gevonden.'

'En waarom is Faro zes jaar later zo kwaad op Erdai dat hij met een pistool achter hem aan gaat?'

'Dat weet ik niet, maar in de rapportjes over de schietpartij zeiden alle collega's dat Faro brulde dat Erdai bij hem in de schuld stond omdat die zijn leven had verziekt. Hij moet Faro's handel onmogelijk hebben gemaakt. Dat was toch echt iets voor Erno? Of Luisa nu dood was of niet, hij was nog altijd de sheriff daar. Het is precies zoals ik laatst heb bedacht. Erdai wilde boeven vangen. Maar hij kon het zich niet permitteren dat bekend werd dat hij Luisa het leven had kunnen redden.'

'Is dat nu goed nieuws of slecht nieuws?'

'Jezus,' zei Larry. 'Het moet goed nieuws zijn. Het moet geweldig goed nieuws zijn. Weet je nog hoe Erno een meter in de lucht sprong toen je hem op de zitting naar die schietpartij vroeg? Daar wou hij niets over kwijt. Dikke kans dat dat is omdat hij wist dat Faro jou zou kunnen vertellen dat Erdai als getuige uit zijn nek lulde. Volgens mij krijg jij van die Faro de filmversie van de sensaties waarop Genevieve ons vorige week heeft getrakteerd: *Eekhoorn de achterlijke moordenaar*, in technicolor.'

Ze dacht erover na, maar er zat iets in wat Larry zei.

'De enige hobbel,' zei hij, 'is dat ik een dikke week voor de kat zijn viool naar die Faro heb gezocht. Die lijkt achter de horizon verdwenen.' Larry had vernomen dat Faro Cole in 1990 op het toneel was verschenen; in dat jaar had hij een rijbewijs aangevraagd. Hij had een adres en een telefoonnummer, maar een jaar later was hij weg; in 1996 was hij in een andere flat weer opgedoken. Na zijn ontslag uit het ziekenhuis in 1997, na de schietpartij, was hij opnieuw ondergedoken.

Larry had tientallen mensen gebeld en beide voormalige adressen met Dan Lipranzer bezocht, maar daarbij waren ze weinig meer te weten gekomen, behalve dat Faro een meter negentig was, honderd kilo woog en in 1965 geboren was. Alle papieren sporen, zoals kredietgegevens of de gegevens van het telefoonbedrijf of zijn huisbazen, waren allang vernietigd en de staat had alleen de schriftelijke gegevens van zijn rijbewijs bewaard. Faro Cole had in deze staat geen strafblad; en volgens de FBI elders evenmin. Dat was opmerkelijk voor een heler, maar Larry had bij verscheidene wijken navraag gedaan, waar niemand Faro bleek te kennen. In zijn wanhoop had Larry zelfs een informant bij de sociale dienst gebeld die hem influisterde wanneer ergens in het land loonbelasting op een nummer was betaald. Tegenwoordig leek Faro Cole werkloos of dood of hij was ergens onder een andere naam begonnen.

'Een man die zwaaiend met een pistool een kroeg binnenkomt,' zei Larry, 'daar zou je van denken dat ze die inrekenen, maar toen Faro op Ikes vloer lag te bloeden, lijkt niemand daaraan te hebben gedacht. De doodgraver leek eerder van toepassing dan de ziekenwagen. Maar er zijn dus geen politiefoto's of vingerafdrukken. Van die zaak heb ik niet meer teruggevonden dan Faro's vuurwapen en het overhemd dat ze op de eerste hulp hebben opengeknipt – dat was kennelijk nog bewijsmateriaal. Als ik het pistool naar Mo Dickerman stuur, is het mogelijk dat hij er nog een vingerafdruk op kan vinden. Misschien kunnen we daarmee Faro onder een andere naam vinden.'

Dickerman was het hoofd dactyloscopie en een van de besten in zijn vak. Muriel voelde er wel voor.

'En als je het budget kunt oprekken,' zei Larry, 'kunnen we ook het DNA laten testen van het bloed in het overhemd. Kijken of hij in CODIS zit.' CODIS stond voor het combineerde DNA-indexsysteem, maar dat was een schot in het duister dat vijfduizend dollar zou kosten. Larry wilde alles uit de kast halen en ze verzette zich niet.

'Tevreden?' vroeg ze, zoals ze de week daarvoor had gevraagd. Weer aarzelde Larry.

'Er ontbreekt nog steeds iets,' zei hij.

'Misschien mis je mij, Larry.' Ze vond het erg grappig, maar bleef niet luisteren of hij er ook om lachte.

29

JULI 2001

Samen

Ze waren altijd samen als ze niet aan het werk waren. Voor Gillian, die op de middelbare school al de neiging had onderdrukt zich aan een ander vast te klampen, was het een onwereldse ervaring. Arthur bleef op kantoor tot ze klaar was in de winkel en haalde haar af voor het avondeten om acht of negen uur. Meestal had ze inkopen gedaan op de delicatesseafdeling bij Morton en wachtte ze met een zware tas boodschappen op de stoep wanneer Arthur kwam voorrijden. In zijn flat bedreven ze de liefde, aten en bedreven weer de liefde. De meeste nachten bleef ze slapen en ging dan nog voor een paar uur naar haar kamer bij Duffy als Arthur was vertrokken naar zijn werk.

Een verterende fysieke hartstocht was nooit een onderdeel geweest van haar eerdere relaties. Nu waren Arthur en de stimulans van seks de hele dag door op de achtergrond in haar gedachten. Het overkwam haar vaak dat ze door een associatie die ze niet eens kon benoemen een aangenaam gevoel in haar borsten en bekken kreeg. Arthur en zij leken permanent te vertoeven in de warme vallei van de sensualiteit. Arthurs sterke geslacht leek een geheime persoonlijkheid. Hier begon het echte leven. Dit was de vochtige bodem van het bestaan, het donkere geheimzinnige fundament. Als zij – of Arthur – eerder de afdaling had aangedurfd hadden ze misschien geweten hoe ze af en toe weer boven moesten komen, maar nu leken ze versmolten in de kern van het genot.

'Ik ben verslaafd,' zei ze op een avond en was meteen met stomheid geslagen door haar achteloze opmerking. Er waren duizend gedachten die ze niet wilde uitdiepen.

Hun languissante instelling was deels een gevolg van Gillians tegenzin om hun verhouding verder te laten komen dan Arthurs slaapkamer. Het leek haar onmogelijk dat hun relatie zou overleven als ze eenmaal de omgang met buitenstaanders zochten, als ze terugkeerden in de context van geschiedenis en verwachtingen en oordeel en geroddel moesten verduren. Als een betovering zou wat tussen hen bestond in het daglicht verdwijnen.

Arthur daarentegen zou net zo lief advertenties op de voorpagina's hebben gezet om zijn liefde voor haar te verkondigen, en hij had vaak moeite met haar tegenzin om samen naar buiten te treden, zelfs voor een bezoek aan zijn vrienden van school of de universiteit die haar, verzekerde hij, discreet zouden accepteren. In plaats daarvan was er het regelmatige gezelschap van Arthurs zuster Susan. Elke dinsdag reden ze naar het Franz Center voor Susans injectie en daarna volgde het bezoek aan de flat. Op de terugweg vertelde Arthur wat hij die dag had beleefd en deed alsof Susan het kon volgen. Bij elk stoplicht keek ze om naar de achterbank, haast alsof ze wilde controleren dat Gillian er nog zat.

In de flat was de agenda identiek aan hun eerste gezamenlijke avond. Gillian hield zich afzijdig terwijl Susan en Arthur het eten klaarmaakten; dan trok Susan zich met haar bord terug voor de tv. Ze zei niet vaak iets tegen Gillian. Maar als ze het deed was de behouden Susan, de coherente persoonlijkheid die ze in zich borg, de asteroïde in een gordel van ruimtestof en puin, aan het woord. Ze confronteerde Gillian nooit met haar waanzin.

Op een avond moest Arthur naar de kelder om een stop te vervangen. Susan wilde een sigaret en benaderde Gillian op haar keukenkruk. Ze vertrouwde Gillian nu toe de aansteker voor haar te bedienen en ze nam de eerste trek alsof ze de hele sigaret in één haal in as wilde veranderen.

'Ik begrijp je niet,' zei Susan. Beschermd door het blauwe waas dat ze tussen hen in had doen ontstaan, richtte Susan haar mooie groene ogen op Gillian.

'O nee?'

'Ik hink op twee gedachten. Ben je anticontrair of normaal?'

Gillian was verbaasd, niet over Susans vraag maar over de indeling die Susan had gemaakt en die dezelfde was die Gillian had gebruikt toen ze in Alderson naar de reizigers keek die langs de gevangenis denderden. Gillian beoordeelde de reizigers als normaal, niet omdat ze superieur waren, maar omdat ze vrij waren van het stigma van detentie. Dat was ongetwijfeld hoe Susan mensen beoordeelde die niet aan waanzin leden.

'Ik probeer me normaal te gedragen,' zei Gillian. 'Soms voelt het of ik normaal ben. Vooral met Arthur erbij. Maar ik weet het nog steeds niet zeker.'

Daarmee was het gesprek afgelopen, maar een paar avonden later riep Arthur opgewonden naar Gillian. Hij bevond zich in de andere slaapkamer van de flat en het enige licht was de koele gloed van zijn laptop, die hij elke avond mee naar huis nam.

'Susan heeft je een e-mail gestuurd!'

Gillian benaderde het scherm voorzichtig. Onder het lezen liet ze zich langzaam op Arthurs knie zakken.

Arthur geef dit aan Gillian. NIET ZELF LEZEN. Het is niet voor jou.

Hallo Gillian,
Verheug je hier niet te veel over. Ik heb drie dagen aan deze e-mail gewerkt en Valerie heeft me geholpen. Meestal kan ik niet meer dan twee regels schrijven. Er is elke dag maar een beperkt aantal ogenblikken dat ik woorden lang genoeg kan vasthouden om ze op te schrijven, zeker als het over mezelf gaat. Of ik kan het juiste woord voor het gevoel niet bedenken, of het gevoel verdwijnt zodra ik het woord weet.
Meestal zijn mijn gedachten fragmentarisch.
Normalen schijnen dat niet te begrijpen, maar de toestand in mijn hoofd is meestal beelden die opschieten en verdwijnen als de vlammen boven een brandend haardblok.

Maar ik heb goede dagen en ik had wat dingen die ik je nooit in je gezicht zou kunnen zeggen. Een gesprek voeren is erg moeilijk voor me. Ik kan niet alles tegelijk. De blik in iemands ogen kan al afleiden. Laat staan lachen of grappen maken. Vragen. Een nieuwe uitdrukking is voldoende om me een paar minuten af te leiden in een of andere richting. Voor mij is dit beter. Wat wilde ik zeggen?

```
Ik vind je aardig. Ik denk dat je dat weet. Je kijkt
niet op me neer. Je hebt nare dingen meegemaakt – dat
voel ik. Maar hoe vaker ik je zie, des te meer besef ik
dat we niet hetzelfde zijn, al zou ik dat wel willen. Ik
zou graag willen denken dat ik terug kan komen zoals jij
hebt gedaan. Ik wil je laten weten hoezeer ik mijn best
doe. Ik denk dat het voor Normalen lijkt of ik gewoon
wil toegeven. Maar het kost veel kracht om vol te
houden. Ik ben bang als ik een radio zie of er een hoor.
Op straat denk ik voortdurend Niet luisteren, Niet
luisteren. Als ik mensen in de bus zie met een
koptelefoon op kan het al misgaan met me. Ik hoor alleen
de stemmen die ik niet wil horen als ik die kussentjes
over iemands oren zie. Terwijl ik deze woorden tik kan
ik letterlijk de elektriciteit uit het toetsenbord
voelen komen, en het is niet mogelijk de zekerheid uit
te schakelen dat iemand zoals de Grote Oz in het hart
van het Net zit te loeren op de kans om me over te
nemen. Het verzet kost me al mijn kracht. Ik ben zoals
die mensen in films die ik als kind heb gezien, met een
schipbreuk en enorme golven en de overlevenden die
wanhopig in het water liggen te worstelen en zich aan
een reddingsboei of een stuk drijfhout vastklampen om
niet kopje-onder te gaan.

Ik zie dat jij ook elke dag je best doet. Blijf het
proberen. Blijf het proberen. Het zou moeilijker voor
mij zijn als ik ooit iemand zoals jij het zag opgeven.
Je maakt Arthur gelukkig. Het is gemakkelijker voor mij
als hij gelukkig is. Dan hoef ik niet het gevoel te
hebben dat ik zijn leven heb verpest. Doe alsjeblieft je
best om te zorgen dat hij gelukkig blijft. Niet alleen
voor mij. Voor hem. Hij verdient het om gelukkig te
zijn. Het zou afschuwelijk zijn als je niet bij hem was.
Drie mensen is beter.
Je vriendin Susan
```

Gillian was er kapot van. Het was of ze een brief had gekregen van iemand die voor losgeld werd vastgehouden, iemand van wie je wist dat de kans op bevrijding nihil was. Toen ze Arthur toestond het scherm te lezen, moest hij huilen, zoals te voorspellen was. De boodschappen die hij kreeg telden zelden meer dan tien of twintig woorden, geproduceerd in de schaarse ogenblikken van samenhang die Susan elke dag beleefde. Maar hij was niet jaloers, hij was ontroerd dat zijn zus bezorgd om hem was – en in Gillians ogen was hij opeens ook bang.

'Waar maakt ze zich zorgen over?' vroeg Arthur. Gillian wilde er niet op ingaan. Maar ze voelde een naderende dreiging. Zelfs zo'n onverbeterlijke optimist als Arthur moest een gevaar erkennen dat een waanzinnige vrouw kristalhelder zag.

Toen ze die avond de liefde bedreven had het iets afwezigs – nog wel teder, maar aardser. Na afloop tastte Gillian op het nachtkastje naar een sigaret en Arthur stelde de vraag die ze geen van beiden hadden aangedurfd.

'Wat zal er met ons gebeuren, denk je?'

Bij het begin had ze zich aan een voorspelling gewaagd en al zou ze het anders willen, haar visie was niet veranderd.

'Ik denk dat je over een tijdje zonder mij verder zult gaan, Arthur. Misschien zul je bouwen op wat je bij mij over jezelf hebt geleerd en iemand van je eigen leeftijd vinden. Trouwen. Kinderen krijgen. Je leven leiden.' Het verbaasde haar dat het beeld zo compleet was. Arthur was natuurlijk geschokt en keek haar, steunend op een elleboog, dreigend aan.

'Doe maar niet of je het niet begrijpt, Arthur. Dit zou in een ander stadium veel beter voor je zijn geweest.'

'Welk stadium?'

'Als je vijfentwintig was of vijfenvijftig zou het leeftijdsverschil tussen ons misschien minder belangrijk zijn. Maar je zou kinderen moeten krijgen, Arthur. Wil je geen kinderen? De meeste mensen wel.'

'Jij niet?'

'Het is te laat, Arthur.' Dat was de ultieme ramp van haar detentie: haar laatste vruchtbare jaren waren haar afgenomen. Maar die gedachte lag ergens in een afgrond bij de brokstukken van talloze dingen die ze betreurde.

'Waarom is het te laat?' wilde hij weten. 'Biologisch, bedoel je? De wereld is vol kinderen die iemand nodig hebben die van ze houdt.' In haar gezelschap was Arthur vaak impulsief. Jaren terug, toen ze hem alleen uit de verte kende, had ze die kant van hem niet gezien. Maar de Arthur Raven van nu had vaak invallen. Was er een groter verschil denkbaar dan tussen de moedeloze fatalist die door het leven was geknakt en degenen die hun leven naar een groot idee wilden vormen? En zij was zijn idee. Ze wilde dat afwijzen, haar polsen voor haar gezicht kruisen en zijn verrukking in haar gezelschap verbieden, zoals haar vader vloeken had verboden. Maar het was te heerlijk, te zeer wat ze nooit meer had verwacht. Hij zag haar nog niet. En wanneer ze ontluisterend scherp in beeld kwam, zou hij weggaan. Maar ze wilde absoluut van het ogenblik genieten. Ze nam hem in een ongehaaste omhelzing voordat ze de langzame mars naar de waarheid hervatte.

'Begrijp je dan niet, Arthur, dat je al probeert een manier te vinden om met mij alles te vinden wat je in het leven wilt? Voor jou is het een avontuur, de hele episode. Maar wanneer die afgelopen is, zul je geen afstand kunnen doen van wat je je altijd voor jezelf hebt voorgesteld.'

'Wil je zeggen dat je geen ouder wilt zijn?'

Het was onvoorstelbaar. Haar eigen overleven eiste nog haar volle aandacht op.

'Het zou een enorme verandering zijn, Arthur.'

'Maar daar gaat het in het leven toch om? Gelukkiger worden, volmaakter? Kijk maar hoe jij bent veranderd. Jij denkt toch dat je in je voordeel bent veranderd?'

Zo had ze het nooit gezien.

'Ik weet het eigenlijk niet,' zei ze. 'Ik wil wel graag geloven dat het zo is. Ik wil graag geloven dat ik niet meer dezelfde puinhoop van mijn leven zou maken. Maar ik ben er niet van overtuigd.'

'Ik wel. Je bent nuchter.'

'Ja.'

'En dat heeft je geen moeite gekost.'

Ze voelde een bijgelovige tegenzin om dat te beamen. Maar Arthur had gelijk. Formeel hield ze zich vast aan de mantra van één dag tegelijk. Maar behalve in haar ergste ogenblikken van paniek had ze er niet naar geleefd. Helderheid leek veel meer haar streven. Dat ze geen enkele last van afkickverschijnselen had baarde haar soms zorgen, omdat het zo in tegenspraak leek met de uitlatingen van andere mensen die zich van een verslaving hadden losgemaakt. Ze had Duffy een keer gevraagd of ze zichzelf voor de gek hield. Hij had een poosje naar haar gekeken. 'Nee, Gil,' had hij ten slotte gezegd. 'Ik denk dat je alles al hebt bereikt wat je wilde bereiken.'

Ze vertelde Arthur nu wat Duffy had gezegd, maar hij had het te druk met zijn eigen gedachten om er veel acht op te slaan.

'Dus je bent vrij,' zei Arthur.

Nee. Dat was het verkeerde woord. Ze was anders geworden. Niet vrij.

'Ben jij veranderd, Arthur?'

'Wat dacht je? Ik ben nog nooit zo gelukkig geweest. Het lijkt er niet op.’

‘Maar zou je echt niet gelukkiger zijn met iemand van je eigen leeftijd, Arthur?’

‘Nee. Absoluut niet. Ik bedoel: ik ben ouderwets. Ik houd van onwaarschijnlijke dingen. Liefde als lotsbestemming. Ik kan nog huilen om films uit de jaren dertig.’

‘Zo oud ben ik niet, Arthur.’

Hij gaf haar een por. ‘Ik ben gelukkig,’ benadrukte hij. ‘Het kan niet beter dan zo, Gillian. Ik zou graag een lied aanheffen.’

Ze kreunde bij de gedachte. Arthur ging op de uitdaging in, ging – rond en klein als hij was – naakt midden op het bed staan en zong:

Een vrouw zoals jij is een droom, een festijn.
Je lijkt te geweldig om waar te zijn.

De tweede regel sneed haar door de ziel. Maar hij zong verder. Het was typerend voor Arthurs vermogen om te verrassen dat hij een mooie stem had, en het was duidelijk dat hij vele uren had doorgebracht met het luisteren naar sentimentele liedjes. Uit volle borst zong hij alle coupletten tot Gillian, voor het eerst in jaren, schaterde tot ze niet meer kon.

30

24 JULI 2001

Slecht voor me

Voor Erno Erdai was het sterven begonnen. Ook als gevangene had Erno in het academisch ziekenhuis een behandeling naar de nieuwste inzichten gekregen, niet alleen operaties, maar ook alfa-interferon en experimentele vormen van chemotherapie. Maar een oude vijand had hem in een zwakke stee getroffen. Midden in een chemoserie had Erno longontsteking gekregen en ondanks enorme intraveneuze doses antibiotica leken zijn longen, aangetast door kanker, te zwak voor herstel. De artsen met wie Pamela en Arthur hadden gesproken werden steeds pessimistischer.

Erno lag opnieuw op de gesloten afdeling van het ziekenhuis. Officieel had Arthur zowel toestemming van de gevangenisdirectie als van Erno's familie nodig voor een bezoek en de ene of de andere partij had hem wekenlang aan het lijntje gehouden. Uiteindelijk had Arthur gedreigd naar rechter Harlow te gaan. Harlow zou Erno niet verplichten te spreken, maar wel de obstructie verbieden die hetzij op verzoek van Muriel werd gepleegd, hetzij door degenen die haar belangen lieten prevaleren. Arthur had tweemaal uitstel gekregen in reactie op Muriels verzoek aan het hof van appèl om Rommy's verzoek om herziening af te wijzen, door te stellen dat er meer tijd nodig was voor onderzoek, dat in feite neerkwam op een gesprek met Erno. Het hof had hem tot aanstaande vrijdag gegeven, zodat ook daarom de tijd drong dat hij Erdai te spreken kreeg.

Na ruim een uur wachten op de gang werd Arthur eindelijk toegelaten. Hij werd vluchtig gefouilleerd en meegevoerd over het linoleum van de gangen die krachtig werden belicht door lampen die hem aan klaslokalen deden denken.

De assistent-sheriff die Erno moest bewaken, legde uit dat de familie kwaad was omdat hun bezoek was onderbroken om plaats te maken voor Arthur. Bij de kamer zag hij twee vrouwen op de gang. De ene was kleiner dan de andere en wat minder goed gekleed. Het bleek mevrouw Erdai te zijn. Ze had een rode neus en een verfrommelde Kleenex in haar vuist. De andere vrouw, die een rechte rok droeg die misschien te kort was voor een vrouw van haar leeftijd, was Erno's zuster Ilona, de moeder van Collins, de man die Erno had willen redden. Ze was lang en stevig, met lange handen en blond haar dat dof begon te worden, al met al een knappere versie van Erno: hetzelfde smalle gezicht dat soms iets hards kreeg. Zonder dat er veel werd gezegd maakten de beide vrouwen duidelijk dat alles aan Arthur hun stoorde: zijn komst en, wat erger was, de vernedering van Erno, die na zijn overlijden nog zou voortduren, hoewel hij er niets mee had bereikt. Ilona, die net zulke felle, lichte ogen had als haar broer, bekeek hem met een hooghartig dédain. Arthur beloofde dat hij zo kort mogelijk zou blijven.

Aan de telefoon had de verpleegkundige gezegd dat Erno lichte koorts had, maar meestal helder was. Zijn toestand werd gecompliceerd door het feit dat de kanker zijn botten had bereikt en erg pijnlijk was. Het voornaamste probleem bij het verplegen was nu de dosering van de opiaten bij een ademhalingssysteem dat dreigde te bezwijken.

Toen Arthur binnenkwam, lag Erno te slapen en hij zag eruit als een stervende. Sinds de zitting was hij afgevallen. Bij de laatste trits chemobehandelingen was hij ongeveer de helft van zijn haar kwijtgeraakt; hij had nu nog hier en daar plukjes. Hij had diverse infusen in zijn armen en het zuurstofklemmetje in zijn neus was vervangen door een plastic zuurstofmaskertje dat bij elke oppervlakkige ademteug besloeg. Erno had ook een leveraandoening. Zijn huid had bijna dezelfde kleur als de notitieblokken die juristen gebruikten. Ook een Gele Man, dacht Arthur.

Hij trok een stoel bij en wachtte af tot Erno wakker zou worden. In zijn gedachten had Arthur honderd scenario's uitgeprobeerd in de hoop dat Erno zijn geloofwaardigheid zou kunnen bewijzen, maar Arthur had nog niet kunnen bedenken hoe Genevieve en Erno allebei de waarheid konden spreken. Muriel, die Arthur de dag daarvoor had opgebeld om hem eraan te herinneren dat ze zich tegen verder uitstel zou verzetten, had een nieuwe theorie over Erno's motief om te liegen.

'Hij is inmiddels tegen de doodstraf,' had ze gezegd. 'Door hem heeft Rommy de doodstraf gekregen en nu voelt hij zich weer reuze katholiek, zodat hij niet wil sterven met een doodzonde op zijn geweten, dus probeert hij dat te voorkomen op de enige manier die voor hem mogelijk is.' Het was niet erg overtuigend, maar Arthur beschouwde het als een verbetering in verhouding tot Muriels eerdere benadering omdat ze Erno niet meer als een monster aftekende. Terwijl Arthur aan het bed zat, voelde hij tederheid jegens Erdai. Eerst begreep hij niet goed waarom, maar terwijl de minuten verstreken met de stemmen van de verpleegkundigen en de zoemers en piepgeluidjes op de gang besefte hij dat Erno veel leek op Harvey Raven in zijn laatste dagen. Bij de gedachte aan zijn vader en de waarde van diens zogenaamd gewone leventje sloeg bij Arthur als altijd de sentimentaliteit toe, maar de afgrond leek minder diep nu Gillian in zijn leven was gekomen.

Terugkerend naar het heden besefte hij dat Erno naar hem staarde tussen de horizontale stangen van het bed door. Er was Arthur gevraagd een papieren maskertje te dragen en dat trok hij nu omlaag zodat Erdai hem kon herkennen. Het was duidelijk dat Erno teleurgesteld was.

'Had gehoopt dat je. Mijn neef was,' zei Erno. Zijn stem was hees geworden en hij was erg kortademig. Niettemin moest Erno glimlachen bij de gedachte aan Collins. 'Komt vanavond,' zei hij. 'Brave jongen. Prima gegaan. Moeilijk gehad. Maar nu prima. Prachtige kinderen.' Erno deed zijn ogen dicht, tevreden bij die gedachte.

Arthur gunde hem een ogenblik en vroeg toen of Erno het had gehoord van Genevieve. Hij knikte. Plotseling, na weken wachten op dit gesprek, kon Arthur geen volgende vraag bedenken.

'Maar shit,' zei hij toen. 'Is het waar?'

'Tuurlijk,' fluisterde Erno. 'Daarom heb ik. Eekhoorn beschuldigd.'

'Omdat je wist dat hij had gedreigd Luisa te vermoorden?'

'Ja.' Elke poging tot communiceren leek een inspanning van Erno's hele lichaam te vergen, maar hij scheen het gesprek goed te kunnen volgen. Erno zei dat hij Eekhoorn de moord op Luisa had aangewreven omdat hij op de hoogte was geweest van het dreigement. Erno had zijn eigen redenen gehad om Luisa te doden, maar Eekhoorn was al eerder door eigen toedoen de zondebok geworden.

'Tegen Larry gezegd. Genevieve dagvaarden.' Erno bewoog zijn kin heen en weer uit frustratie over Larry's domheid. 'Tien jaar geleden al. Had hij moeten bedenken hoe het zat.'

'De tickets, bedoel je?'

'Niet de tickets. Niet goed voor mij.'

'Omdat jij het hoofd van de beveiliging was?'

Erno knikte en maakte een gebaar met zijn hand. Het was kennelijk een ingewikkeld verhaal, maar Arthur zat er zo dicht bij dat ook een man zonder adem het kon uitleggen.

'Genevieve.' Hij hoestte krachteloos, slikte en deed zijn ogen dicht om de pijn te kunnen verdragen die ergens vandaan was gekomen. Toen hij verder kon, leek hij niet meer te weten waar hij was gebleven.

'Genevieve,' zei Arthur.

'Dacht niet dat ze het wist. Van de tickets.'

'Waarom?'

'Had ze me niet over Eekhoorn verteld. Slecht voor haar vriendin.' Slecht omdat Luisa zou worden gepakt omdat ze tickets achterover had gedrukt. Arthur besefte dat Erno het bijna juist had gehad. Genevieve had geen weet gehad van het verduisteren van tickets toen ze Rommy's dreigement meldde. Daar had ze naderhand pas over gehoord toen Luisa haar had verweten dat ze Erdai op de hoogte had gebracht.

'Juist,' zei Arthur. 'Dus wat had Larry moeten bedenken?'

'Luisa. Eekhoorn. Dreigement.' Erno verstrengelde zijn tien vingers. 'De rest...' Hij bewoog weer zijn hoofd om aan te geven dat het niet uitmaakte. De waarschijnlijkste conclusie, als Genevieve alleen Rommy's dreigement aan Larry had gemeld, was dat de geschifte Eekhoorn teleurgesteld was in de liefde. Dat kon een plausibel motief zijn.

'Jezus, Erno. Waarom heb je me dat niet eerder verteld?'

'Ingewikkeld.' Erno wachtte af tot een spiertrekking voorbij zou zijn. 'Slecht voor Eekhoorn.' Daar had hij ook gelijk in. Een verhaal dat begon met Eekhoorn die dreigde Luisa te doden zou nooit veel verder zijn gekomen. Maar al accepteerde Arthur de goede bedoelingen, toch voelde hij zich ontgoocheld, omdat duidelijk was hoe doortrapt Erno met de waarheid was omgesprongen.

Van pijn of dromerigheid waren Erno's ogen stil. Daar was zijn ziekte in zijn volle omvang te zien: een web van adertjes, gele vlekken, een glazige verdikking. Hij had geen wimpers meer en de oogleden leken ontstoken.

'Ik ook,' zei hij opeens.

'Wat bedoel je?' vroeg Arthur. 'Jij zou er ook slecht af zijn gekomen?'

Erno richtte zich op om te hoesten en knikte daarbij.
'Waarom?' vroeg Arthur.
'Tickets,' zei Erno. 'Ook tickets gestolen.'
'Jíj?'
Erno knikte weer.
'Verdomme, waarom zou je dat doen, Erno?'
Hij maakte een werwerpgebaar en keek naar het plafond.
'Stom,' zei hij. 'Geld nodig. Gezinsproblemen. Was twee jaar eerder.'
'Voordat Luisa het deed?'
'Ja. Gestopt. Maar bang.'
'Jij was bang?'
'Zij gepakt, ik gepakt.' Erno zweeg om adem te halen. 'Daarom ging ik naar restaurant. Haar tegenhouden. Gus kwam met pistool.' Erno deed zijn ogen dicht. De rest hoefde niet te worden herhaald.
'Dus er is nooit een verhouding geweest?'
Erno glimlachte flauwtjes om het idee.
'Jezus christus,' zei Arthur. Zijn stem was te luid, maar hij was opeens wanhopig. Hij had het gevoel dat hem vaak overviel als de dingen rampzalig misgingen, dat het ten diepste zijn schuld was, en dat hij daarom het liefste uit zijn huid wilde ontsnappen. 'Jezus, Erno. Waarom heb je dat niet gezegd?'
'Pensioen,' zei hij. 'Drieëntwintig jaar. Nu voor mijn vrouw. Beter zo. Voor iedereen.'
Beter voor Rommy, beter voor hemzelf: dat was wat Erno bedoelde. Maar zoals elke leugen kon hij desintegreren langs de breuklijnen van de waarheid. Arthur ging na wat hem te doen stond. Zijn eerste opwelling was een rechtbankstenograaf laten komen om dit vast te leggen. Maar hij ging de stappen na. Muriels bewering dat Erno zijn verhaal ten eigen bate had aangepast zou hiermee worden aangetoond. Erno had roekeloos meineed gepleegd tegenover rechter Harlow. In de ogen van de wet was hij daardoor totaal ongeloofwaardig geworden. Daar kwam nog bij dat hij een dief was, die het vertrouwen van zijn werkgever ruim twintig jaar had beschaamd.
'Is dat alles, Erno?'
Erdai verzamelde zijn krachten voor een resolute knik.
'En die man, die Farao?' vroeg Arthur. 'Kunnen we die vinden?'
'Stelt niks voor. Kleine scharrelaar. Al jaren weg.'
'Had die iets met de moorden te maken?'
Erno maakte een hoestgeluid dat een lach moest voorstellen bij de gedachte aan nog een verdachte. Langzaam bewoog hij zijn hoofd heen

en weer, wat hij kennelijk vaak deed. Er was een kale veegplek op zijn achterhoofd ontstaan.

'Ik. Alleen ik.' Hij stak zijn hand tussen de bedspijlen door en pakte Arthurs hand met koortsige vingers. 'Jouw man. Niets. Er niet bij. Volkomen onschuldig.' Erno hoestte weer en voelde de pijn opkomen en wegebben. Maar hij had niet vergeten waar hij was. 'Volkomen.' Hoewel het enorm veel moeite kostte, draaide Erno naar Arthur toe om zijn gezicht dichterbij te kunnen brengen. De kleur van zijn ogen leek dieper geworden, maar dat kwam waarschijnlijk door zijn geel geworden huidskleur. 'Larry zal me niet geloven,' fluisterde hij. 'Te trots.'

'Waarschijnlijk.'

'Ik heb ze allemaal doodgemaakt.' De inspanning van die verklaring en de beweging hadden hem uitgeput. Hij liet zich op zijn rug vallen, zonder Arthurs hand los te laten. Daarna staarde hij zo strak naar het plafond dat Arthur even bang was dat Erno onder zijn ogen was overleden, maar hij voelde nog een beweging in Erno's hand. 'Denk eraan,' zei Erno. 'Voortdurend. Alles wat ik zie. Alles wat ik zie. Wou het anders. Uiteindelijk.'

In de loop van het gesprek voelde Arthur dat zich in hem een vacuüm vormde. De wereld die Erno had geschetst – Luisa op het parkeerterrein, de daaropvolgende ruzie tussen geliefden – de beelden die Arthur zich als filmscènes had voorgesteld, waren weggevaagd. Wanneer hij het ziekenhuis verliet zou alleen het kille feit overblijven dat Erno een leugenaar was, wiens motieven misschien niet beter waren dan het grandioze genoegen iedereen voor de gek te houden. De laatste versie aan scherven? Lijm ze weer aan elkaar tot een volgende versie. Toch kon Arthur in Erno's aanwezigheid niet aan hem twijfelen. Misschien bewees dat alleen dat Erno een bekwame misleider was. Maar tegen alle redelijkheid in geloofde hij Erdai, net zo goed als hij hem voor een leugenaar had gehouden toen Erno zijn ogen nog dicht had.

Er verstreek een lang ogenblik.

'Altijd geweten,' zei Erno toen.

'Wat geweten?'

Erno verzamelde weer zijn krachten om op zijn zij te gaan liggen en Arthur hielp hem. Erno's schouder was alleen bot.

'Ik,' zei Erno met vertrokken gezicht.

'Jij?'

'Slecht,' zei hij. 'Slecht leven. Waarom?'

Arthur dacht dat het een filosofische of religieuze vraag was, maar

Erno had het als retorische vraag bedoeld waarop hij het antwoord had.

'Altijd geweten,' zei hij. 'Te moeilijk.'

'Wat?'

Erno's ogen, rood omrand en zonder wimpers, bleven stil.

'Te moeilijk,' zei hij, 'om goed te zijn.'

31

2 AUGUSTUS 2001

Het hof beslist

'We hebben gewonnen.' Tommy Molto, met zijn gezicht van vanillepudding, greep Muriels arm toen ze na het ochtendoverleg uit Ned Halseys kamer kwam. Het hof van appèl had uitspraak gedaan: Gandolphs verzoek om herziening was afgewezen en het uitstel van zijn executie opgeheven. 'We hebben gewonnen,' zei Tommy weer.

Tommy was een raar geval. Hij zag zelden het bos, maar als je een boom wilde omhakken, moest je hem hebben. Tien jaar terug, toen Eekhoorn werd berecht, was Tommy de grootmeester en Muriel de leerling. Bij het verstrijken van de jaren had hij nooit geklaagd toen ze naar dezelfde status als hij was opgeklommen en ten slotte plaatsvervangend hoofdaanklager was geworden, een ambt dat hij zelf altijd had geambieerd. Tommy was Tommy: humorloos, vlijtig en bereid al zijn energie te spenderen aan slachtoffers, de politie, de overheid en het feit dat de wereld beter af was zonder het gezelschap van de mensen die hij vervolgde en veroordeelde. Muriel sloeg haar armen om hem heen.

'Nooit getwijfeld,' zei Tommy. Hij liep lachend weg en beloofde dat ze een afschrift van de uitspraak zou krijgen zodra Carol terug was van het hof.

Ned bracht een bezoek aan senator Malvoin en dus legde ze een briefje voor hem neer. Aan de andere kant van de grote openbare ruimte die Halseys kantoor van het hare scheidde, haalde Muriel haar boodschappen op – er hadden al vier verslaggevers gebeld – en trok haar deur achter zich dicht. Achter haar grote bureau in de erker deed ze haar ogen dicht, verbaasd dat ze zo opgelucht was. In een baan als deze bevoer je hoge golven. Vaak genoeg kon je prettig passagieren, en ook tijdens de reis waren er spannende ogenblikken, maar je wist altijd als het erom spande wat je laatste gedachten zouden zijn wanneer de golven je naar de eeuwige diepten lieten verdwijnen: ik ben stom geweest, zo stom, hoe kon ik alles op het spel zetten? Het was niet alleen de verkiezing die aan een zijden draadje had gehangen door de zaak-Rommy Gandolph. Het had ook kunnen gebeuren dat ze werd afgeschreven als iemand met een carrière die op een vals fundament berustte.

Maar de ervaring, met de hoogte- en dieptepunten, was de moeite waard geweest. Voor het eerst had ze de vaste overtuiging dat ze de volgende hoofdaanklager van Kindle County wilde worden. Pas toen ze dreigde haar aanspraak te verliezen had ze beseft hoe belangrijk die voor haar was, zowel vanwege het prestige van het ambt als het gewicht ervan. Maar ze was er ook van overtuigd dat ze, als de zaak-Gandolph was misgelopen, als haar oordeel publiekelijk zou worden gehoond en de dominees Blythe van deze wereld haar opmars naar boven zouden dwarsbomen, er niet aan onderdoor zou zijn gegaan. Ze geloofde niet in een God die daarboven seintjes gaf of schaakstukken verzette. Maar als ze geen hoofdaanklager kon worden, was dat misschien maar beter zo. De afgelopen paar maanden was ze twee keer wakker geworden met de gedachte om godgeleerdheid te gaan studeren. Overdag had het eerst een belachelijk idee geleken, maar in haar gedachten was het een serieus alternatief geworden. Misschien kon ze zich op de kansel nuttiger maken.

Er werd geklopt en Carol Keeney, een tengere blondine die vaak een rood neuspuntje had, bracht haar de uitspraak. Muriel keek de tekst door, voornamelijk om Carol een genoegen te doen. Muriel had nooit veel opgehad met de duistere redeneringen die werden afgescheiden door de hoven van appèl. De conflicten die haar in het recht interesseerden waren duidelijk: schuld of onschuld, de rechten van individuen versus de rechten van de gemeenschap, het juiste gebruik van macht. De sierlijkheid van de woorden waarmee besluiten werden omschreven was in haar opvatting grotendeels franje.

'Goed werk,' zei Muriel tegen haar. Na Genevieves getuigenverklaring had Carol de hele nacht gewerkt aan de tekst die de overwinning had opgeleverd. Toch wisten ze allebei dat het feit dat Carol niet had beseft wat Arthur in zijn schild voerde toen hij Erno had laten getuigen, fataal zou zijn voor Carols kansen om zelf ooit aanklager te worden. Voor haar werk moest Muriel vaak slecht nieuws vertellen, niet alleen aan strafpleiters en hun cliënten, maar ook op haar kantoor, waar maar enkelen konden doorstromen naar de functies, titels en salarissen die ze ambieerden. Omdat er zo weinig prijzen te behalen waren, werden er door strijdende ego's vinnige gevechten geleverd om vierkante meters kantoorruimte. En met de koelheid van een Salomo besliste Muriel wie had gewonnen. Carol, die geen instinct had voor proceswerk, had verloren.

'Het volk mort,' zei Yolanda, een van Muriels assistentes, die naar binnen keek toen Carol de kamer uit liep. Yolanda wapperde met een stapeltje telefonische boodschappen van verslaggevers. Muriel belde Dontel Bennett, de voorlichter, die haar feliciteerde.

'Zeg tegen de pers dat ik om twaalf uur graag hun nederige excuses zal aanvaarden,' was Muriels reactie.

Hij lachte en vroeg wie ze naast zich wilde hebben op het podium. Molto en Carol aan de ene kant, zei ze. Harold Greer was nu hoofdcommissaris en verdiende om allerlei redenen erbij te zijn.

'Starczek?'

'Absoluut,' zei Muriel. 'Die bel ik zelf wel.'

Voordat ze ophing, zei Dontel nog: 'Niet triomfantelijk doen, meid. Denk eraan: de media zijn verplicht zich sceptisch op te stellen.'

'Is dat belangrijker of minder belangrijk dan reclame verkopen?'

Ze belde verschillende nummers voordat ze Larry aantrof aan het bureau waaraan hij zelden zat in North End Twee.

'Gefeliciteerd, rechercheur. Het hof van appèl denkt dat je de juiste man hebt gepakt.'

'Je meent het.'

Ze las hem de mooiste passages uit het vonnis voor. Hij lachte als een gretig kind na elke zin.

'Persconferentie,' zei ze toen. 'Kun je met gekamde haren rond twaalf uur present zijn?'

'Ik zal kijken of ik ergens een kam kan lenen. Betekent dit dat ik mijn verzoek aan Interpol om inlichtingen over Faro kan intrekken?'

'Het ziet er wel naar uit.' Het onderzoek dat door Erno's getuigenverklaring was hervat was voorbij. De zaak zou zich waarschijnlijk nog een jaar voortslepen omdat Arthur of een andere advocaat barricades opwierp tegen de executie. Maar Larry's werk zat erop en zijn contact met haar was afgelopen.

Toen Muriel de hoorn neerlegde, besefte ze duidelijker dan ooit dat ze absoluut niet van plan was hem los te laten.

Om negen uur 's ochtends werd Arthur door de griffie van het hof van appèl gebeld met de mededeling dat het oordeel over het *Verzoekschrift van belanghebbende Gandolph verblijfhoudende in de Penitentiaire Inrichting Rudyard* over een uur bekend zou worden gemaakt. Toen Arthur Pamela het nieuws vertelde, bood ze aan het stuk te gaan halen zodat Arthur zich kon prepareren voor de confrontatie met de pers. Op weg naar de griffie ging ze bij hem langs.

'We gaan verliezen,' zei hij.

Voordat Pamela Towns Rommy Gandolph had ontmoet, zou ze hem waarschijnlijk hebben tegengesproken. Nu kreeg haar lange gezicht een moedeloze uitdrukking en ze zei niet meer dan: 'Weet ik.' Twintig minuten later belde ze Arthur vanaf de griffie. Terwijl ze hallo zei hoorde hij al hoe verslagen ze was.

'We zijn dood,' zei Pamela in haar mobieltje. 'Hij is letterlijk dood. Wij zijn juridisch dood.' Ze las Arthur de beslissende passages voor.

'"In verband met zijn werk aan een tweede verzoek tot herziening is de heer Gandolph een korte tijd vergund om bewijzen aan te voeren voor zijn onschuld die niet op een eerder tijdstip aan het licht konden zijn gebracht. Hoewel de toegevoegde raadsman van de heer Gandolph..." Dat zijn wij dus,' zei Pamela, alsof Arthur dat na dertien jaar in het recht niet zou weten. '"Hoewel de toegevoegde raadsman van de heer Gandolph erin is geslaagd een nieuwe en belangrijke getuige te vinden voor Gandolphs onschuld, wordt de getuigenverklaring van Erno Erdai niet door enig forensisch bewijs ondersteund..." Gek dat ze geen forensische onderbouwing nodig vinden als het om Rommy's zaak gaat.'

'Lees nu maar door,' zei Arthur.

'"Bovendien is de heer Erdai een veroordeelde misdadiger met een kennelijk motief om dezelfde justitiële autoriteiten te straffen die hem hebben gestraft. Ook erkent hij tien jaar geleden verklaringen te hebben afgelegd die volstrekt tegenovergesteld zijn aan zijn huidige voorstelling van zaken. Overweging verdient voorts dat de aanklager een andere getuige tegen de heer Gandolph heeft gevonden, Genevieve Carriere, die een zeer belastende verklaring tegen de rekestrant Gandolph heeft afgelegd, en belangrijk nieuw bewijs heeft aangevoerd voor het motief van de heer Gandolph om een van de slachtoffers van het leven te beroven. Anders dan de verklaring van de nieuwe getuige van rekestrant is de verklaring van mevrouw Carriere in overeenstemming met andere bewijzen in de zaak. Wij zijn ons ervan bewust dat een gerespecteerde rechter..." Het verbaast me dat "gerespecteerde" niet tussen aanhalingstekens staat,' merkte Pamela op, die wist dat de rechters van het hof van appèl op Harlow neerkeken. Arthur maakte geen geheim van zijn ongeduld toen hij haar nogmaals vroeg door te lezen.

'Goed,' zei Pamela. '"... een gerespecteerde rechter van oordeel is dat geloof moet worden gehecht aan de verklaring van de heer Erdai, maar dat oordeel is geveld voordat de getuigenverklaring van mevrouw Carriere bekend was, waardoor zijn geloofwaardigheid ernstig wordt aangetast.

De heer Gandolph heeft bijna tien jaar gewacht met verklaren dat hij onschuldig is. Hoewel dat natuurlijk twijfel oproept aan de waarheidsgetrouwheid van zijn nieuwe bewering, is het voor de wet belangrijker dat rekestrant de gelegenheid heeft gehad deze bewering tijdens zijn proces ter zitting uit te spreken, en daarna in volgende instanties. Een verzoek om herziening, zeker een herhaald verzoek, dient beperkt te blijven tot herstel van een schending van de grondwettelijke rechten van een verdachte die zo ernstig is dat er een gerechtelijke dwaling uit voortvloeit. Er is geen grond om aan te nemen dat de heer Gandolph aan die norm zal voldoen. Wij zijn met de aanklager van mening dat het directe bewijs van de schuld van de heer Gandolph, waarop het proces voor de feitelijke rechter destijds berustte, niet is aangetast; het bewijsmateriaal tegen rekestrant is juist toegenomen. Wij concluderen dan ook dat er geen rechtsgrond aanwezig is voor het indienen van een tweede verzoek om herziening. Voor zover onze eerdere uitspraak, waarbij een korte onderzoeksperiode werd vastgesteld, als toestemming voor het indienen van dat verzoek kan worden opgevat, bepalen wij dat die toestemming ten onrechte zou zijn verleend. Aan de toevoeging van een raadsman aan de heer Gandolph in dit proces komt bijgevolg een einde, onder dankzegging door het hof. Ons eerdere uitstel wordt hierbij opgeheven en vormt geen belemmering meer voor het hooggerechtshof van Kindle County om de datum van executie vast te stellen." '

Nadat Arthur had opgehangen keek hij naar de rivier met het gevoel in het donkere water te verdrinken. Executie. Zijn gedachten gingen naar de gevolgen voor Rommy, maar zijn hart voelde smart om hemzelf. De media zouden de ondertoon niet herkennen, maar hij besefte wat het hof had gemeend. Ze dachten dat hij Erno's verhaal voor zoete koek had geslikt of op zijn minst niet de passende scepsis in acht had genomen. Als toegevoegd raadsman had hij opdracht zich te gedragen met een terughoudendheid die hij, leken ze te denken, had laten varen. En hij besefte dat het waar was. Het was geen nieuws voor Arthur Raven dat hij een gepassioneerde man was. Wat Rommy hem had helpen ontdekken was dat er voor zijn hartstocht plaats was in het recht. Het licht was opgegaan en nu zou het, door de uitspraak van het hof, weer worden afgeschermd.

Larry haatte de journalistiek. Er waren diverse verslaggevers met wie hij het goed kon vinden, maar hun vak vond hij niets. De vlammen zagen ze nauwelijks en de hitte voelden ze nooit en toch probeerden ze iedereen te vertellen over de brand. Daarom vond hij het zo aardig mee te maken hoe Muriel het robbertje uitvocht.

Het perszaaltje was een voormalig grand jury-vertrek. De achterwand was felblauw geschilderd, de favoriete decorkleur, en er was een podium aangebracht met het districtswapen vlak onder de microfoon uitgevoerd in plastic, in plaats van messing, om te voorkomen dat het afleidend zou blikkeren in de studiolampen die aan het plafond waren gemonteerd. In het helwitte licht was Muriel beheerst en vriendelijk, maar ze had wel de touwtjes stevig in handen. Ze stelde de mensen links en rechts van haar op het podium voor, met een extra vermelding voor Larry, prees toen sereen het oordeel van het hof van appèl en roemde het moeizame, maar accurate functioneren van de rechtspleging. Zoals ze nu al maanden deed stelde ze dat het tijd was dat de executie van de heer Gandolph doorgang zou vinden. Verschillende verslaggevers wilden dat ze opnieuw commentaar zou geven op Erno's verhaal, waarop ze verwees naar de uitspraak van het hof. Het ging om Gandolph, niet om Erno. De schuld van Eekhoorn was aangetoond en het hof had ondubbelzinnig uitgesproken dat het proces behoorlijk was gevoerd. Drie rechters zonder gezicht een paar straten verderop waren nu onvermoeibare strijders voor Muriels belang geworden.

Zodra de lampen waren gedoofd, trok Larry zijn das los. De hoofdcommissaris drukte hem de hand en toen dolde Larry nog wat met Molto en Carol. Muriel stond te wachten om met hem weg te gaan en samen liepen ze door de marmeren hal, waar het vanwege de lunchpauze druk was. Tussen al die mensen leek het onschuldig dat ze zijn arm pakte.

'Je hebt geweldig werk geleverd, Larry. Het spijt me dat we er van de zomer zo'n ellende mee hebben gehad, maar nu is het afgelopen.'

Hij vroeg haar wat er nu verder zou gebeuren en ze beschreef de diverse juridische handgranaten die Arthur of zijn opvolger onderhands konden gooien. Allemaal blindgangers, verzekerde ze hem.

'Is Arthur echt van de zaak af?' vroeg Larry.

'Dat maakt Arthur uit. Het hof stelt hem in staat zijn handen ervan af te trekken.'

'Volgens mij is Arthur het Duracellkonijn. Die trommelt door.'
'Misschien niet.'
'Dus,' zei hij. Hij keek haar aan en was aangedaan terwijl ze tot stilstand kwamen tussen de advocaten en griffiemedewerkers die haastig langs hen heen liepen, burgers die hier zaken moesten regelen of hadden geregeld en ambtenaren die lunchpauze hadden. 'We moesten elkaar maar gedag zeggen.'
Ze lachte vriendelijk. 'Welnee, Larry.'
'Nee?'
'Je zult moeten vechten om nog weer uit mijn leven te kunnen verdwijnen, makker. Bel me op. We moeten een borrel drinken om het te vieren. Ik meen het.' Ze ging op haar tenen staan om hem te omhelzen. Zich volkomen bewust van haar verschijning, zoals de meeste goede zittingsjuristen, slaagde Muriel erin een wat steriele beheersing te bewaren. Voor de stroom voorbijgangers leek het niet meer dan een hartelijk afscheid van gerespecteerde collega's. Maar heel even drukte ze haar lichaam tegen het zijne. 'Ik verwacht dat telefoontje,' zei ze terwijl ze hem losliet. Ze liep weg en wuifde charmant over haar schouder, het eerste en enige ogenblik dat een waarnemer haar flirterig had kunnen vinden. Haar bedoeling was hem allang duidelijk, maar pas nu had hij de zekerheid dat hij zich niet had vergist.
Verblind liep hij tussen de hoge Dorische zuilen door naar buiten. Automatisch pakte hij zijn zonnebril, maar hij zag dat het bewolkt was. De lucht geurde naar regen.
Een keer eerder had hij gedacht dat deze zaak erop zat, hoewel het hem indertijd weinig genoegen had gedaan. Hij had net twee weken naast Muriel gezeten, tijdens het proces in '92 waarbij Eekhoorn was veroordeeld. Tussen Muriel en hem was het inmiddels uit en zij bereidde zich erop voor om met Talmadge te trouwen. Tijdens de lange voorbereiding van het proces had Larry nog een romantische film in zijn hoofd gehad, waarin zijn nabijheid Muriel zou doen inzien dat ze op de verkeerde weg was. Toen dat niet was gebeurd, was hij zo down geweest dat hij niet zeker wist wie de jury ter dood had veroordeeld.
Frivool of flirtend had Muriel een paar weken terug beweerd dat hij haar had gemist en als hij aan de lijn was gebleven, had hij waarschijnlijk iets stoms gezegd als 'Inderdaad'. Maar hij wilde het niet nog eens meemaken; het was of hij zich als vrijwilliger moest melden voor een val van veertig verdiepingen. Het was ironisch, meer niet. Van begin tot eind waren de twee dingen synoniem geweest: het einde van Rommy en het einde met Muriel.

Op de stoep keek hij om naar het logge gebouw van rode baksteen waarin het districtsbestuur zetelde en zag de woorden in de kalksteen boven de zuilen gebeiteld: *Veritas. Justitia. Ministerium.* Als hij zijn Latijn van de parochieschool goed had onthouden, betekende dat zoiets als waarheid, recht, dienst. Hij voelde een rilling door zijn lichaam gaan. Het waren nog steeds de juiste woorden, nog steeds wat hem inspireerde om aan deze zaak te werken, ondanks het persoonlijke gedonder en Rommy's wisselende verweer. Maar terwijl hij daar stond wist hij maar één ding zeker.

Hij was nog altijd niet gelukkig.

Gillian hoorde de uitspraak pas halverwege de middag. Ze was in het filiaal in Center City en Argentina Rojas, die aan haar late dienst begon, vertelde haar wat ze op de radio had gehoord. Het was voor het eerst dat Argentina liet merken dat ze iets van Gillians verleden wist en ze had kennelijk haar eigen taboe verbroken in de verwachting dat ze een welkom bericht doorgaf, na wat er in de dagen na Erdais verklaring over Gillian in de krant had gestaan. Gillian deed haar best om Argentina te bedanken en ging toen zodra dat kon naar de personeelskamer om Arthur te bellen.

'Ik leef nog,' zei hij toen ze vroeg hoe het met hem was. 'Zo'n beetje.' Hij beschreef het oordeel. 'Ik had niet gedacht dat ik beknord zou worden.'

'Zal ik je mee uit eten nemen, Arthur?' Ze had hier van tevoren geen rekening mee gehouden, maar haar behoefte hem te troosten was groot en ze wist hoe graag hij zich met haar in het openbaar wilde vertonen. Al had de teleurstelling hem merkbaar aangegrepen, hij nam het voorstel verheugd aan. Ze zei dat ze naar hem toe zou komen in de Matchbook, een restaurantje in Center City waar Arthur de biefstuk met aardappelen kon bestellen die hij het liefst at. Toen ze om acht uur binnenkwam, zat hij al onderuitgezakt in een hoek.

'Neem een borrel,' zei ze. Als ze samen waren, dronk hij ter wille van haar geen alcohol, maar als er ooit iemand een stevige bel whisky nodig had gehad, was het Arthur.

Hij had een afschrift van de uitspraak voor haar meegebracht, maar hij gaf haar nauwelijks de kans tot lezen voordat hij zijn ellende over haar begon uit te storten. Hij had een paar keer tegen haar gezegd dat ze zouden verliezen, maar de realiteit was erger dan hij kon verdragen. Hoe konden de rechters dit doen?

'Arthur, als rechter heb ik iets geleerd. Advocaten zijn veel vergevensgezinder tegenover elkaar dan rechters. En hoe vaak heb je over een aanklager, zeg Muriel, niet gezegd dat ze gewoon haar werk deed? Maar rechters kunnen advocaten hels maken. Rechters doen ook gewoon hun werk. Ze doen hun best. Iemand moet de knoop doorhakken en dus hak jíj de knoop door. Je neemt een beslissing, ook al ben je er in het geheim van overtuigd dat diverse mensen die je op weg naar je werk op straat tegenkomt bepaalde kwesties beter zouden kunnen oplossen. Je neemt een besluit. Aanvankelijk ben je doodsbang dat je een fout zult maken. Uiteindelijk weet je dat je dat vaak zult doen, dat het wordt verwacht, want er zouden geen beroepsinstanties zijn als rechters onfeilbaar waren. Je neemt je besluit. Nederig. Menselijk. Je doet je werk. Ze hebben een besluit genomen, Arthur. Maar dat wil niet zeggen dat ze gelijk hebben.'

'Dat is een troost. Want het is in feite het laatste woord.' Juridisch waren er nog schermutselingen mogelijk. Maar wat Arthur betrof had alleen een tekst op de muur van Rommy's cel een zekerder ondergang kunnen aankondigen. 'En ik kan niet geloven dat ze het lef hebben me te ontslaan,' voegde hij eraan toe.

'Onder dankzegging, Arthur.'

'Het enthousiasme spettert er niet bepaald van af. En het was zo slijmerig. Ze willen gewoon niet iemand die over de middelen beschikt om de zaak uit te diepen.'

'Arthur, ze hebben geprobeerd jou en je kantoorgenoten van een verplichting te ontheffen. Niets belet je om Rommy pro Deo verder te verdedigen. Hij kan je de opdracht geven, in plaats van het hof.'

'Ja. Daar zitten mijn kantoorgenoten op te wachten. Dat ik een wedstrijd verpissen ga houden met het hof van appèl.'

Ze aanvaardde het feit dat er geen woorden waren waarmee ze hem kon troosten en verviel in een vertrouwde somberheid. Ze was ervan overtuigd dat wat tussen haar en Arthur bestond fragiel was. Er waren duizend redenen – maar nu zag ze er nog een. Een verslagen Arthur zou de relatie niet kunnen voortzetten. In zijn ellende zou hij minder in zichzelf zien en al spoedig bijgevolg veel minder in haar.

In de paar uur die ze elke dag in Duffy's huis doorbracht stelde Gillian zichzelf vaak de vraag die Arthur niet had durven stellen. Hield ze van hem? Hij was ongetwijfeld de minnaar van haar leven. Maar liefde? Het had haar verbaasd dat ze zo vlot had geconcludeerd dat het antwoord ja was. Bij hem vond ze iets van vernieuwing, iets eeuwigs, iets essentieels. Ze wilde bij Arthur zijn. En het was met verschrikkelijk veel verdriet dat ze keer op keer had beseft dat ze dat op den duur niet meer zou zijn. Ze had zich wekenlang afgevraagd of ze zich zou verzetten wanneer de onvermijdelijke ontrafeling begon, of dat ze zich bij haar lot zou neerleggen. Nee, ze zou zich niet gedwee nogmaals laten vernederen. Arthur op zijn best had haar sterker gemaakt. Voor hen allebei was het noodzakelijk dat ze veerkracht toonde.

'Arthur, mag ik je een vraag stellen?'

'Ja, ik wil nog wel vanavond met je naar bed.'

Ze gaf hem een tik op zijn hand. Maar ze was blij dat zijn libido niet zou lijden onder zijn teleurstelling.

'Nee, Arthur. Heeft het hof gelijk?'

'Juridisch?'

'Is je cliënt onschuldig, Arthur? Wat denk je, als je heel eerlijk bent?'

Arthurs whisky was gebracht en hij keek tobberig naar het glas, maar raakte het niet aan.

'Wat denk jij, Gil?'

Het was een toepasselijke reactie, maar een die ze niet had voorzien. Ze had zichzelf die vraag in weken niet gesteld. In de tussentijd waren de redenen om niet te geloven in Erno, die ze van meet af aan had gewantrouwd, talrijker geworden. En toch bleven de feiten in de zaak voor haar een moeras – de archieven die suggereerden dat Gandolph in de cel kon hebben gezeten, Erno's versie, Luisa's diefstallen, de vraag of Gandolph tot geweld in staat was. Ondanks haar poging koele rede toe te passen bleven er twijfels, gerede twijfel, en dus zou ze op basis van het nu beschikbare materiaal Rommy Gandolph niet ter dood kunnen veroordelen of naar de gevangenis sturen. Daarvan had Arthur haar weten te overtuigen, hoewel ze aarzelde met stelligheid te beweren dat Gandolph onschuldig was, of haar beslissing van tien jaar terug af te keuren, in het licht van het bewijs dat ze destijds had gehad.

'Maar ik doe er nu niet toe, Arthur,' zei ze, nadat ze haar visie uiteen had gezet. 'Wat is jouw mening?'

'Ik geloof Genevieve. Zelfs Erno heeft toegegeven dat zij hem heeft verteld dat Rommy had gedreigd Luisa te vermoorden. En elke keer als ik me erin verdiep, heb ik het gevoel dat Erno over iets anders loog. Maar ik moet geloven dat Rommy onschuldig is. En dat doe ik dus.' Hij boog mismoedig het hoofd om de absurditeit van wat hij had gezegd.

'Dan moet je doorgaan. Ja toch? Als advocaat? Kun je jezelf nog onder ogen komen als je in dit stadium een onschuldige cliënt in de steek laat? Doe wat je kunt, Arthur. Doe in elk geval een poging,' zei ze.

'Maar hoe dan? Ik heb feiten nodig. Nieuwe feiten.'

Als Arthur over de zaak praatte, zoals hij voortdurend deed, luisterde ze met belangstelling, alleen beperkte ze haar commentaar tot aanmoediging. Maar ze had zelf ook haar afwegingen en het leek nu niet langer nodig dat ze die voor zich hield.

'Je weet dat ik aarzel om suggesties te doen,' zei ze.

Met een gebaar nodigde hij haar uit door te gaan.

'Je hebt Muriel niet verteld dat Erno ook tickets achteroverdrukte, toch?'

'God, nee,' zei Arthur. 'Dat ondergraaft zijn reputatie nog meer. Hoezo?'

'Erno heeft gezegd dat hij daar in het Paradise Luisa mee heeft geconfronteerd – omdat hij bang was dat haar activiteiten ertoe zouden leiden dat de zijne werden ontdekt. Nietwaar?'

'En dus?'

'Maar Erno had Luisa laten fouilleren en er was niets gevonden. Dus waarom bleef hij er zo zeker van dat ze dat deed? En als hij geen verhouding met haar had, waarom kwam hij dan op middernacht in een vrij weekend naar het Paradise om de confrontatie met haar aan te gaan?'

'Dat bedoel ik nou met Erno,' zei Arthur. 'Zelfs ik kan geen wijs meer uit zijn leugens.'

'Nou ja, misschien kijk ik er frisser tegenaan, Arthur. Maar ik denk, ik vermoed dat Erno Luisa in de gaten hield – in zijn eentje, omdat hij zijn ondergeschikten niets kon vertellen over zijn vermoedens, uit angst dat hij daardoor zijn eigen diefstallen aan het licht zou brengen. En omdat hij haar in het oog hield, moet hij haar erop hebben betrapt dat ze stal.'

'Kan kloppen. Hij zei dat hij naar het Paradise was gekomen om haar tegen te houden.'

'Maar waarom heeft Erno haar niet op het vliegveld aangesproken?'

'Waarschijnlijk wilde hij zien aan wie ze de tickets doorspeelde. Dat is toch gebruikelijk bij surveillance?'

'Wat je terugbrengt op haar koper. Farao?'

'Farao. Ga verder?'

'Hij moet erbij geweest zijn, Arthur. In het restaurant. Op een gegeven ogenblik.'

Ze zag dat Arthur bijna tegen zijn wil opleefde. Hij ging rechter overeind zitten en zijn gezicht klaarde op, maar even later schudde hij weer zijn hoofd.

'We kunnen hem niet vinden. Rommy zegt dat Farao een zware douw heeft gehad, maar Pamela heeft in de registers gezocht en niets gevonden. Zelfs Erno zei dat hij verdwenen was.'

'Dat weet ik, maar er is iets dat mijn aandacht heeft getrokken. Genevieve zei dat ze niet wist hoe Luisa en Farao dat konden doen zonder tegen de lamp te lopen. Zo is het toch?'
'Dat heeft ze gezegd.'
'Dus Farao had een veel geraffineerder manier om de tickets te slijten dan ze op straat verkopen.'
'Rommy zei dat hij ze via een of ander bedrijf verkocht.' Arthur had even nodig om haar te kunnen volgen. 'Waar denk je aan? De reisafdeling van een groot bedrijf?'
'Iets in die richting.'
Samen begonnen ze een mogelijke benadering te bespreken en Arthur werd weer meer zichzelf, bemoedigd door de hoop van het onwaarschijnlijke. Toen keerde zijn somberheid opeens terug en keek hij haar met zijn kleine, zachte ogen aan.
'Wat is er?' vroeg ze, met de gedachte dat hij een nieuw hiaat in hun redenering had ontdekt.
In plaats daarvan pakte hij haar hand.
'Je was hier zo goed in,' zei hij.

32

7-8 AUGUSTUS 2001

Voor de hand

Vrijdag overleed Erno Erdai, kort na middernacht. Arthur hoorde het zaterdagochtend vroeg toen Stew Dubinsky hem opbelde voor zijn commentaar. Arthur sprak zijn deelneming uit, bedacht toen wat zijn plicht was als advocaat en prees Erno als een man die de moed had gehad in zijn laatste ogenblikken fouten uit het verleden recht te zetten. Zelden was Arthur bij het uitspreken van woorden er minder zeker van geweest of ze waar waren.

Niettemin vereiste zijn rol als Rommy's belangenbehartiger dat hij dinsdagochtend de uitvaartmis voor Erno in de Mariakathedraal bijwoonde. Zeker dit jaar leverde de zomer weinig nieuws op en Erno's overlijden werd breed uitgemeten in de plaatselijke pers, ondanks Genevieves onthullingen en de uitspraak van het hof. In dat licht was het niet verbazingwekkend dat dominee dr. Carnelian Blythe was verzocht de lofrede te houden. Het aartsbisdom had ook uitgepakt voor Erno en monseigneur Wojcik droeg de mis op. Maar de ster was Blythe, die alle aandacht naar zich toe zoog in de preekrol die hem bijna veertig jaar eerder vermaard had gemaakt.

Dominee Blythe was in vele opzichten geniaal. De meeste blanken in Kindle County hadden vroeg of laat om Blythe moeten lachen, geamuseerd door zijn gezwollen retoriek en permanente staat van verontwaardiging. Arthur was geen uitzondering. Toch had hij ook oog voor wat Blythe allemaal had bereikt, niet alleen de legendarische prestaties, zoals meelopen in demonstraties met dr. King en de gedwongen integratie van de scholen, maar ook minder opvallende initiatieven zoals een gratis ontbijtvoorziening voor arme kinderen en diverse effectieve wijkprojecten. Wat Arthur misschien het meest bewonderde was dat Blythe zo lang de stem van hoop en identiteit was geweest. Arthur kon zich nog herinneren dat hij als jongen van elf of twaalf op zondag op de uitzendingen van dominee Blythe had afgestemd om hem tegen een gemeente van duizenden op sonore toon te horen verklaren:

IK BEN
Een Man.
IK BEN
Iemand.

Terwijl de stem van Carnelian Blythe uit de diepte opsteeg, had Arthur zich net zo geïnspireerd gevoeld als de gemeenteleden van de dominee.

Maar de manier waarop Blythe de pers bespeelde was misschien wel zijn grootste gave. Waar Blythe was, waren ook camera's; elke keer als hij zijn mond opendeed, was hij goed voor vijftien seconden in het avondnieuws. Arthur kon daar moeilijk bezwaar tegen hebben. De dominee had gezorgd dat Rommy's verhaal voorpaginanieuws bleef, terwijl de aandacht van de media vrijwel zeker zou zijn verflauwd als hij een andere voorvechter had gehad. Toch meende Arthur dat zijn cliënt beter af was geweest als hij zich verre had gehouden van de fulminerende Blythe.

Na het slotkoraal liep Blythe achter monsigneur Wojcik en de familie de kathedraal uit en boog het hoofd toen Erno's kist, bedekt met een wit boeket en de Stars and Stripes, naar de lijkwagen werd overgebracht. De fotografen, geen toonbeelden van piëteit, drongen op. Collins, de neef die Arthur herkende van zijn politiefoto, was de voorste van de zes dragers. In zijn pak met das leek hij echt de keurige burger die hij scheen te zijn geworden. Hij bracht een grijze handschoen aan zijn ogen toen de kist in de wagen verdween en probeerde toen zijn tante en moeder te troosten, beiden gekleed in streng zwart. Samen liepen de drie naar de limousine die achter Erno's stoffelijk overschot aan naar de begraafplaats zou rijden.

Zodra de familie was weggereden, begon Blythe een aanzienlijk deel van zijn lofrede letterlijk te herhalen voor de camera's om hem heen op het bordes van de kathedraal. Arthur sloop weg, maar werd tegengehouden door iemand die hem kende: Mira Amir van de *Bugle*, die bij vrijwel elk verhaal Stew Dubinsky een stap voor was. In reactie op haar vragen verzekerde Arthur haar dat Gandolph een verzoek om heroverweging zou indienen tegen de afwijzing van de herziening door het hof van appèl. Arthur voorspelde succes, maar had weinig te zeggen toen Mira erop aandrong dat hij zou vertellen welke specifieke gronden hij zou aanvoeren.

Op kantoor was hij somber, moedeloos over Gandolphs zaak en natuurlijk verdrietig omdat de plechtigheid zijn gevoelens voor zijn vader had opgerakeld. Op zijn bureau had Pamela een stapel documenten neergelegd van minstens twintig centimeter hoog, met een begeleidend briefje. De afgelopen twee dagen had Pamela na de suggestie van Gillian geprobeerd iemand in de reisbranche in Kindle County te vinden die Farao werd genoemd of zo'n soort naam had. Ze had een dag vruchteloos aan de telefoon gezeten en was op voorstel van Arthur naar het handelsregister geweest om de gegevens van reisagenten in de staat op te halen.

Ze had de vergaarde gegevens zorgvuldig gesorteerd, de personeelslijsten van reisafdelingen van grote bedrijven en microfichekopieën van de registratieformuleren van vier reisagenten. Anders dan in de meeste staten hadden reisagenten hier een officiële vergunning nodig die pas werd verstrekt na het behalen van een handelsdiploma, een voldoende voor een staatsexamen en een bewijs van goed gedrag, wat in het algemeen een blanco strafblad vereiste. In een levendig briefje dat Pamela met de hand had geschreven legde ze uit dat ze, om reisagenten te vinden die in 1991 hun vergunning hadden gekregen, in het souterrain van het handelsregister naar het predigitale tijdperk had moeten afdalen, waar ze bijna was gestikt in de schimmels en de microfilmlezer haar zware hoofdpijn had bezorgd.

Arthur pakte de grijze kopieën van de registratieformulieren die ze had gemaakt. Ferd O'Fallon ('Ferd O?' stond er op Pamela's plakkertje). Pia Ferro. Nick Pharos.

Faro Cole.

Het duurde even voordat hij de naam kon plaatsen; toen holde hij de trap op naar Pamela's kamer. Ze zat te telefoneren en hij wachtte trappelend van ongeduld tot ze had opgehangen.

'Dit is de man die Erno heeft neergeschoten!'

Ter verificatie liet hij Pamela de politierapporten over de schietpartij uit de archiefkasten op de gang opdiepen. Toen dat was gelukt, gingen ze in haar sober ingerichte kamer zitten, een smalle ruimte met een beige laminaatvloer, waar overal onregelmatige stapels dossiers en verklaringen en concepten lagen. In een hoek had ze een Shaker-schommelstoel neergezet, versierd met een lichtrode deken waarop de das van de universiteit van Wisconsin was geappliqueerd. Ze gebruikte de stoel om haar jas over te hangen en om boeken in te leggen die ze nog niet naar de kantoorbibliotheek had teruggebracht. Arthur ontruimde de stoel en hing de deken met de tedere omzichtigheid die Pamela vereist achtte over de thermostaatknop van de verwarming. Hij ging zitten en Pamela legde haar voeten op een la. Samen begonnen ze, zoals ze al honderden uren hadden gedaan, de kwestie uit te spitten. Het was Faro, niet Farao. Een reisagent. Het leek nu zo logisch. Pamela was nijdig op zichzelf.

'Rommy zei dat het F, a, r, o was,' zei ze, 'en ik lachte hem uit.'

'Als je als advocaat geen ergere fouten maakt dan je niet door Rommy Gandolph te laten voorhouden hoe je moet spellen, komt het best in orde met je carrière,' zei Arthur. Er was een belangrijker vraag dan die waarom ze zo onnozel waren geweest. 'Waar kunnen we hem vinden?' vroeg Arthur.

Pamela had zo'n afkeer van muffe souterrains gekregen dat ze er sterk op aandrong om een zoekbedrijfje op internet te betalen om een databank te mogen raadplegen met gegevens uit alle vijftig staten. Arthurs maten hadden al bezwaar gemaakt tegen de stijgende kosten voor een verloren zaak, maar Arthur was nog ongeduldiger dan Pamela. De resultaten voor hun honderdvijftig dollar, het invoeren van de naam Faro Cole en diverse gedetailleerde zoekpogingen waren schamel. Er was een kredietttoets uit 1990 die nauwelijks meer opleverde dan een adres uit 1990, en er waren in 1996 bijgewerkte gegevens van Faro's rijbewijs. Wat de talloze andere archieven betrof die QuikTrak zou hebben geraadpleegd, die hadden geen enkele hit in de vijftig staten opgeleverd. Faro had hier geen vergunning meer als reisagent en evenmin in de andere dertien jurisdicties waar zo'n vergunning wettelijk verplicht was. Faro Cole was niet in aanraking geweest met justitie – niet vervolgd, niet bankroet gegaan, niet gescheiden, niet veroordeeld. Hij had nooit een hypotheek genomen of onroerend goed bezeten; hij was nooit getrouwd. Als QuikTrak gelijk had, was hij zelfs niet geboren en evenmin gestorven in Amerika.

'Hoe kan dat nou?' vroeg Pamela, nadat ze tot slot naar geboortegegevens hadden gezocht.

Arthur keek naar het scherm. Een weer leek het voor de hand te liggen zodra je het antwoord zag.

'Het is een alias,' zei Arthur. 'Faro Cole is een alias. We zoeken iemand anders.' En daarmee werd nog iets duidelijk.

Ze waren nergens.

Woensdag had Larry vrij, zoals de meeste dagen na de uitspraak van het hof, omdat hij zoveel overwerk had gedaan toen hij aan de zaak-Gandolph werkte. Hij en zijn mensen werkten aan een nieuw huis vlak onder de top van Fort Hill en die dag was Larry's stukadoor niet komen opdagen. Hij moest zelf een maskertje opzetten en de hele dag zandstralen, vuil en geestdodend werk waarbij een fijn steenstof diep in de poriën drong.

Omstreeks twaalf uur voelde hij zijn pieper trillen. Het was het nummer van McGrath Hall. Een van de chefs bij het korps. Als hij iets zinnigs had gedaan, zou hij het telefoontje hebben genegeerd, maar nu was de onderbreking welkom. 'Kantoor van commissaris Amos,' zei een secretaresse. Wilma Amos, lang geleden Larry's maat bij het team dat het bloedbad van de vierde juli had onderzocht, was nu adjunct-personeelschef. Wat Larry betrof waren Wilma en die functie aan elkaar gewaagd, maar ze was geïnteresseerd gebleven in de zaak-Gandolph en had Larry nadat Erno was opgedoken een paar keer gebeld om hem uit te horen. Larry dacht dat ze triomf wou kraaien over de uitspraak van het hof van appèl, maar toen ze aan de lijn kwam, zei ze dat ze een nieuwtje had dat hem zou kunnen interesseren.

'Mijn zuster Rose werkt bij het handelsregister,' zei Wilma. 'Gisteren kwam daar een meisje binnenwandelen dat zei dat ze advocaat was op het kantoor van Arthur Raven. Wilde inlichtingen over reisagenten in 1991.'

'Dat jaartal betekent Gandolph, toch?'

'Daarom bel ik je, Larry.'

'En weet je zus ook wat voor informatie die collega van Arthur heeft opgevist?'

'Rose heeft haar geholpen de inschrijvingsformulieren te kopiëren. Ze heeft kopieën gemaakt. Ik wilde ze je toesturen, maar ze zeiden dat je vrij bent, daarom bel ik even.'

'Bedankt, Wilma.'

Ze wilde hem de namen op de formulieren voorlezen. Larry kreeg een potlood van Paco, zijn timmerman, maar hij hield op met schrijven zodra hij de naam Faro Cole hoorde.

'Verdomme,' zei Larry. Hij legde uit wie Faro was.

'Wat betekent het dat hij reisagent is?' vroeg ze.

'Dat ik iets over het hoofd heb gezien,' antwoordde Larry.

Geïrriteerd ging hij weer aan het werk. Eerst dacht hij dat hij uit zijn humeur was omdat hij geen aandacht had geschonken aan het voor de hand liggende gegeven dat Faro reisagent was. Maar er was meer. Terwijl hij doorging met schuren bleef hij er de hele middag over nadenken. Hij hield er een idee aan over dat hem niet erg zinde.

Rond vier uur nokten Paco en zijn twee jongens af, en Larry besloot te voet naar Ike te gaan, de dienderskroeg waar Erno destijds Faro Cole had neergeschoten. Als de kroeg verder weg was geweest dan een paar zijstraten, had hij het er misschien bij laten zitten. Maar er waren slechtere ideeën dan een koud glas op een warme dag en een praatje.

Larry deed zijn best om zich wat op te knappen, maar hij had wit stof in zijn haar en aan zijn overal toen hij de heuvel af liep. De buurt veryupte in hoog tempo. Veel bewoners kwamen vroeg thuis om van het daglicht te profiteren en de mannen en vrouwen met aktetassen zagen eruit alsof ze op de golfbaan waren geweest in plaats van op kantoor. Larry had bedrijfskunde gestudeerd. Als hij dacht aan het geld dat hij had kunnen verdienen, was het in de loop van de jaren een troost geweest dat hij zich niet elke ochtend half hoefde te wurgen met een stropdas. Wat een wereld. Je kon nergens op rekenen.

Ike was gewoon een kale kroeg. Geen varens of hardhout te zien. Het was een lange, schemerige ruimte met een slechte akoestiek en de pregnante gistgeur van gemorst bier. Er was een oude spiegelbar van kersenhout, de zitjes langs de muur waren met rood plastic overtrokken en er stonden picknickbanken in het midden. Ike Minoque, de eigenaar, was een oud-politieman die begin jaren zestig in het hoofd was geschoten en een uitkering ineens wegens arbeidsongeschiktheid had gekregen. Dienders van bureau 6 hielpen hem door hier hun biertje te drinken. Nu kwamen alle collega's in Kindle County bij Ike. Door de week kwamen er twee groepen: politiemensen en dames met een voorliefde voor politiemensen. Toen Larry in 1975 werd aangesteld, had een van de veteranen tegen hem gezegd: 'In dit beroep krijg je twee dingen die je bij de meeste andere beroepen niet krijgt: een dienstwapen en dames. Voor beide geef ik je dezelfde raad. Hou 'm in je foedraal.' Larry had niet geluisterd. Hij had twee mensen doodgeschoten, niet zonder rechtvaardiging. Op dat andere punt voerde hij niets tot zijn verdediging aan.

De code schreef voor dat niemand doorvertelde wat er bij Ike gebeurde, de verhalen die je ophing of waarmee je vertrok. Het gevolg was dat je er dingen leerde die ze je op de opleiding niet konden bijbrengen. Er werd veel gelogen; ze overlaadden zichzelf met valse glorie. Maar er waren ook veel door drank geïnspireerde bekentenissen: wanneer je je maat geen dekking had gegeven, wanneer je zo bang was geweest dat je lichaam je niet wilde gehoorzamen. Je kon huilen over zware blunders en lachen om de wereld van idioten die zaten te wachten om opgepakt te worden.

Toen Larry binnenkwam, klonken er diverse stemmen. Hij schudde handen, incasseerde beledigingen en kaatste ze terug, en liep naar de bar waar Ike bier stond te tappen. Op de twee grote videoschermen waren oude afleveringen van *Cops* te zien.

Zoals allerlei andere mannen en vrouwen al hadden gedaan, feliciteerde Ike Larry met de afloop van de zaak-Gandolph. Die geschiedenis met Erno had veel mensen dwarsgezeten; dat gebeurde altijd als iemand die zich tot de broederschap rekende in de fout ging.

'Ja,' zei Larry, 'ik heb er geen traan om gelaten toen Erno over de snelweg naar de hel vertrok.' De ochtendkrant lag naast hem op de bar. Onder de vouw stond een foto van Collins en de anderen die de kist naar de lijkwagen brachten. Larry was het liefst naar de kathedraal gegaan met een bord met 'Opgeruimd staat netjes' erop.

'Ik moest ook niet veel van hem hebben,' zei Ike. 'Hoe hij aankeek tegen zijn gemiste kans. Je weet wel, of zijn moeder hem thuis had gehouden toen de andere jongens buiten mochten spelen. Ik vond dat hij het verkeerd zag. Kan ik nu makkelijk zeggen. Maar,' zei Ike met een grijns, 'Erno had ook een goeie kant. Hij heeft hier heel wat bier besteld.'

Ike leek een beatnik op leeftijd. Op zijn hoofd was hij kaal, maar de sneeuwwitte lokken aan de zijkanten vielen over zijn boord en hij had een sik. Zijn lange voorschoot was misschien in een maand niet gewassen en het oog dat bij de schietpartij was geraakt was melkwit en bewoog soms zelfstandig.

'Was je erbij, die avond dat hij die gast omlegde?' vroeg Larry.

'Of ik erbij was? Zeker. Maar ik deed hetzelfde als nu. Ik heb pas wat gezien toen ik het kruit rook. Beroerd, hè?' zei Ike. 'Die .38 heeft waarschijnlijk de muren doen trillen, maar wat ik me herinner is vooral die geur.' Ike keek de bar in. 'Gage daar stond er een meter vandaan. Die heeft alles gezien.'

Larry nam een glas bier mee. Mike Gage werkte op 6 op de afdeling diefstal. Bij zijn foto in het boekje mocht 'goeie diender' staan. Hij was een zwarte man met een scheiding in zijn haar die met een vijl leek aangebracht. Een rustige kerel, zondags naar de kerk, zes kinderen. Larry had de theorie dat de rustige collega's de besten waren. Larry zelf was zeker in het begin te veel een driftkikker geweest. Mike liet zich niet gek maken. Veel collega's raakten verbitterd. Over het algemeen bleek het werk zelden zo avontuurlijk als je had gehoopt. Zelfs je kinderen werden oud genoeg om te beseffen dat je niet de held was die je wilde zijn. Het was verbaaltjes en verveling, gepasseerd worden ten gunste van iemand die connecties had en veel minder verdienen dan de helft van de rotzakken die je aanhield. En tegen de tijd dat je dat allemaal wist, kon je eigenlijk geen kant meer op. Maar Mike was net als Larry, elk ochtend weer blij met zijn insigne. Gage vond het nog steeds heel bevredigend om mensen te helpen goed te zijn in plaats van slecht.

Mike zat tussen de collega's van bureau 6, maar maakte naast zich plaats op de bank. Een collega van Gage, Mal Rodrigues, hield hem zijn vuist voor boven de picknicktafel en Larry sloeg er met de vlakke hand tegenaan, zoals basketballers deden, om nogmaals zijn triomf te vieren. Het was lawaaiig in de kroeg – uit de luidsprekers klonk Creed – en Larry kon zich alleen verstaanbaar maken door zijn mond intiem dicht bij Mikes oor te brengen. Ze praatten even over de zaak, over die merkwaardige Erno.

'Volgens Ike was je erbij toen Erno die gast lekschoot. Faro Cole?'

'Larry, ik zit net zo lang bij deze baas als jij en eerlijk gezegd ben ik nog nooit zo dicht bij een kogel geweest.' Mike glimlachte naar zijn bier. 'Die idioot die Erno neerschoot – Faro? – had staan jammeren als een Irakese vrouw en Erno griste het wapen uit zijn hand en duwde hem naar buiten, en opeens waren ze weer hier en boem. Eén meter van me af.' Mike wees naar de zijdeur waar hij had gezeten.

Larry stelde een van de vragen die hem al langer bezighielden: waarom was er nooit een klacht tegen Faro ingediend wegens bedreiging van Erno?'

'We dachten allemaal dat Faro verleden tijd was. En Erno wilde het niet. Toen we het wapen hadden afgepakt, zat Erno bij die gast te janken.'

'Ik dacht dat Erno zelfverdediging had gezegd.'

'Jawel. Maar tegen ons zei hij dat we van die gast af moesten blijven.'

'Niet echt logisch.'

'Jij zit op ernstige delicten, jij kan het weten, maar volgens mij moet je bij schutters geen logica verwachten.'

Larry aarzelde. Zijn verstand zei hem dat hij het hierbij moest laten, maar op zijn vierenvijftigste was hij nog altijd niet verstandig geworden.

'Weet je wat het is, Mike. Ik heb er nachtmerries van. Ik zoek troost op één punt. Denk je dat je die gast kan vinden? Faro?'

'Het is vier jaar geleden, Larry. Misschien Mal. Hij heeft de kop van die gast een kwartier op schoot gehad terwijl we op de ziekenwagen wachtten.'

'Ga mee naar de bar, dan krijgen jullie allebei een biertje.'

Ike had de *Trib* al opgeborgen en het duurde even voor hij hem had gevonden.

'Deze vogel,' zei Larry en liet Gage en Rodrigues de voorpagina zien. 'Kijk effe of dit niet de gast is die Erno heeft neergeschoten.'

Rodrigues keek eerder op dan Mike Gage, maar op beide gezichten was hetzelfde te zien. Larry had Collins aangewezen op de foto van Erno's kist.

'Jezus,' zei Larry. Maar het klopte allemaal. Faro was reisagent en Collins ook. Postuur, leeftijd en huidskleur klopten. Net als Collins had Faro Jackson Aires als advocaat gehad. 'Faro Cole' leek wel wat op 'Collins Farwell', zo'n omkering was vaste prik bij aliassen om de onnozele gebruiker in geval van nood een hint te geven hoe hij zich ook weer had genoemd. En het was niet ongebruikelijk dat een delinquent die net uit de bak kwam, zoals met Collins in 1997 het geval was, valse papieren gebruikte om een voorsprong te hebben op de dienders en de reclassering voor het geval het tegenzat. Maar wat Larry het meest trof was wat hij onder het zandstralen had bedacht: dat Collins had gezegd dat Jezus in zijn leven was gekomen door een kogel in zijn rug.

Rodrigues probeerde hem te troosten. 'Een waarneming na vier jaar hoef je niet te vertrouwen, ook niet van een collega.'

Larry liep naar buiten om mobiel te bellen. De hoge wolken werden donkerder en leken op een steigerende hengst. Het zou wel gaan hozen. Hij dacht weer aan het nu en kon zich wel voor zijn hoofd slaan.

Godverdomme, wat een zaak.

33

8 AUGUSTUS 2001

Zoeken

'Heb je tijd om ergens naartoe te gaan?'

Na de werkdag had Muriel haar telefoon gepakt. Larry, die niet eens zijn naam noemde of hallo zei, klonk prettig vertrouwd. Ze had dagen op zijn telefoontje gewacht en ze was direct teleurgesteld toen hij eraan toevoegde: 'Er zijn hier mensen met wie je moet praten.' Ze kon niet helemaal voorkomen dat de teleurstelling in haar stem doorklonk toen ze vroeg waar hij eigenlijk uithing. Een kroeg, zo te horen.

'Problemen?' vroeg ze.

'Pot met pieren. Nee,' zei Larry. 'Slangen. Ratelslangen. Adders.'

Problemen dus.

'En doe me een lol,' zei Larry, 'neem het oude dossier over Collins mee dat we hebben gemaakt toen we in de gevangenis bij hem op bezoek gingen.' Hij vertelde haar waar ze de map bij het recente materiaal op haar kantoor kon vinden.

Toen Muriel een halfuur later de eikenhouten deur van Ikes kroeg openduwde, voelde ze iets veranderen in de ruimte. In het algemeen waren er twee stromingen bij het politiekorps van Kindle County: sommigen mochten haar graag, anderen konden haar bloed wel drinken. De mensen in de tweede categorie hielden zich in zolang ze aan het werk waren, maar wanneer ze zich ontspanden, brachten ze die beleefdheid niet op. Ze herinnerden zich zaken die door haar waren stukgelopen, de scherpe grenzen die ze had getrokken en het machtswoord dat ze over bepaalde zaken had uitgesproken. Hun wereld was zo macho dat ze grote moeite hadden met door een vrouw afgedwongen discipline of met de ambitie van een vrouw. Ze wilde wel toegeven dat ze vaak streng was en zelfs bits, maar in haar hart wist ze dat de belangrijkste reden voor hun starende blikken haar verschijning was.

Larry stond achteraan bij de bar. Hij droeg een overal en leek in een bak meel te zijn gevallen. Zijn kleren en haar zagen wit.

'Laat me raden. Met Halloween ga je als donut met suiker de deuren langs.'

Hij leek het pas te snappen toen hij in de schuine spiegel achter de bar keek en toen vond hij het niet leuk. Hij legde uit dat hij de hele dag had gezandstraald, maar hij had kennelijk iets anders aan zijn hoofd dan zijn uiterlijk.

'Tisser?' vroeg ze.

Hij vertelde het haar zonder haast, stukje bij beetje. Ze kwam naast hem staan toen hij klaar was om te voorkomen dat hij zijn stem zou verheffen.

'Wil je zeggen dat Erno Erdai zijn eigen neef heeft neergeschoten?'

'Ik beweer dat het mogelijk is. Heb je het dossier meegenomen?'

Larry haalde er eerst Mike Gage bij om naar Collins' politiefoto uit 1991 te kijken. Mike keek hem alleen aan. Rodrigues zei: 'Ik neem aan dat "Geheid" niet het antwoord is dat je wilt horen.'

'Zeg maar wat je denkt.'

'De ogen, man.' Rodrigues tikte op de kleurenfoto. 'Bijna oranje. Griezelfilm of zo.'

'Juist,' zei Larry.

'Ga mee,' zei Muriel. Dit was geen geschikte omgeving voor een bespreking. Zelfs de dienders die haar aardig vonden waren twijfelachtige bondgenoten; velen waren eerder loyaal aan bevriende verslaggevers dan aan haar. Buiten bood ze Larry een lift aan. Hij aarzelde omdat hij haar auto niet stoffig wilde maken. Ze had haar Civic al sinds 1990 en zelfs toen hij nieuw was, was hij niet schoon geweest.

'Larry,' zei ze, 'de stoelen zijn al met alles in contact geweest.' Ze moest een lachje verbijten bij een verre herinnering. Hij vertelde haar hoe ze moest rijden.

'Nou goed,' zei ze. 'Leg maar uit.'

'Ik geloof niet dat het iets uitmaakt.'

'Dat is stap twee,' zei Muriel. 'Eerst moeten we verdomme te weten zien te komen hoe het zat. Begrijp ik het goed? Als mijn moeder zich met haar zus wil verzoenen, moet ze haar vooral eens in de rug schieten?'

Larry lachte voor het eerst die avond. 'Drieduizend werkloze grapjassen en jij maakt een kwinkslag.'

'Serieus,' zei ze. 'Is dat de volgorde? Daarna zijn Erno en Collins de beste vrienden.'

'Godverdomme,' zei Larry. 'Ik heb geen flauw idee. En het kan me ook niet schelen. Erno's familie is net zo verknipt als alle andere. En wat dan nog? Wat mij betreft is dat informatie waar je niets mee kan.'

Larry wees naar een lange oprit. Het huis was Victoriaans, de periode die hij eens zijn specialisme had genoemd. De kozijnen waren in felle kleuren geschilderd om de veerstructuur en ruitvormige versieringen in het hout te accentueren. Muriel boog zich over het stuur om door de voorruit te kijken.

'Allejezus, Larry. Wat een beeldschoon huis.'

'Ja hè? Vooral als ik hierin rondloop vind ik het jammer dat ik me zoiets niet kon veroorloven toen de jongens nog klein waren. Maar zo gaat het altijd, hè? Je krijgt nooit wat je hebben wilt wanneer je het nodig hebt.' Hij leek zichzelf pas te horen nadat hij het had gezegd. Ze zag dat hij verstrakte en haar blik vermeed. Ze vroeg hem haastig om haar rond te leiden.

Hij begon met de tuin. Het schemerde al en de insecten zetten de aanval in, maar Larry liet zich niet ontmoedigen en stapte voorzichtig tussen de pas beplante borders door. De erfenis aan kleur en schoonheid die hij de koper naliet, was in zijn hoofd al volgroeid en hij legde uit hoe de verschillende vaste planten – alles van krokussen tot pioenen en hortensia's – zich elk jaar mooier en groter zouden ontwikkelen. Het was bijna donker toen hij toegaf en dat was alleen omdat ze klaagde dat ze levend werd opgegeten.

Binnen ging hij minder diep op de zaken in. Tegen het hinderlijke stof was er plastic gespannen in de kamers die werden gezandstraald. De uitdaging van een huis als dit, zei Larry, was weten welke details je moest behouden om het karakter geen geweld aan te doen, en welke voor de markt moesten worden opgeofferd. Verlichting was een voorbeeld. Toen dit huis werd gebouwd, waren de kamers erg donker; voor 's avonds was er gasverlichting. De tegenwoordige huiseigenaars smeten met energie. Plafonniers die veel licht gaven en overal schakelaars, dat waren dingen die door gegadigden werden gewaardeerd, wist Larry.

Het was aardig om Larry in zijn andere rol te zien. Hij amuseerde haar zoals hij altijd deed, maar ze kon zich hem heel goed als ondernemer voorstellen. Zelfs zijn sensitiviteit in de tuin was iets dat ze geleidelijk tot zich had laten doordringen. Dit was de man die als student had gedaan of het woord 'sensitief' uitsluitend op een condoomverpakking thuishoorde. Ze had altijd geweten dat er meer was en ze bewonderde Larry omdat hij dat nu naar buiten liet komen.

'Doet de riolering het al?' vroeg ze. Larry wees haar waar ze moest zijn. Er was een raampje tegenover de wastafel en tussen de lichtjes in de diepte kon ze de buurt zien waar ze was opgegroeid, vierhonderd meter van Fort Hill, een rij bungalows tussen spooremplacementen en opslagloodsen. Nu nog was het een omgeving vol kale plekken, fel verlichte terreinen waar aanhangers of nieuwe Fords of goederenwagons wachtten op verlading met treinen. Het was een prettige buurt. De mensen werkten hard, waren vriendelijk en fatsoenlijk en wilden dat hun kinderen het beter zouden krijgen. Maar zoals altijd bij arbeiders voelden ze ook de hardheid van het noodlot waardoor ze minder telden dan de mensen die de baas over hen speelden. Dat zal mij niet gebeuren, had ze zich plechtig voorgenomen.

Ze had geen illusies meer. Ze zou het heel erg hebben gevonden om een leven zonder macht te moeten leiden. Maar nu ze van de heuveltop omlaag keek, voelde ze grote waardering voor het beste van die buurt, het zelfbewustzijn, het gevoel dat je je leven moest gebruiken om een halve stap vooruit te komen, meer goed dan kwaad te doen en van iemand te houden. De behoefte zich weer te verbinden met dat alles was een onderdeel van haar inspiratie in het uur dat ze elke week doorbracht in de kerk, waar haar hart bijna uit haar lichaam naar God opsteeg. De kinderen die ze nooit hadden gekregen waren in de kerk, vreemden die ze niet had ontmoet, als de minnaar die je je op je dertiende voorstelde, die ergens ter wereld op je wachtte. De toekomst. Het leven van haar geest. In gebed omhelsde ze hen zo innig als ze jarenlang in dromen had gedaan. Terwijl haar lichaam tintelde door de aanwezigheid van Larry in het stille huis, kreeg ze opeens een besef van de voleinding die mogelijk zou zijn geweest door de liefde van een man.

Hij wachtte op haar in een aangebouwde kamer aan de achterkant van het huis. Oorspronkelijk was die verbouwing op een koopje gedaan, en Larry zei dat hij er wat meer allure aan had willen geven met mooie vloerbedekking. Bijna alsof ze haar gevoelens van zoëven wilde verdrijven, sloeg ze een zakelijke toon aan.

'Larry, de tijd is rijp om alles over Erno en Collins op tafel te gooien. Morgen schrijf ik Arthur een brief.'

Hij stelde de vraag die ze verwachtte. 'Waarom?'

'Omdat ze Faro kennelijk dolgraag willen vinden. En het is een doodstrafzaak, Larry, waarin ik geen gegevens mag achterhouden die voor de andere partij van belang zijn.'

'Van belang?'

'Larry, ik weet echt niet wat dit allemaal betekent en dat weet jij ook niet. Maar het komt er toch op neer dat Collins met Luisa tickets verpatste? Denk je niet dat dat iets te maken heeft met waarom hij genoeg wist om Gandolph erbij te lappen?'

'Muriel, zo waar als je daar staat zal Arthur proberen de hele zaak weer open te gooien. Dat weet je. Hij zal brullen dat je Collins immuniteit moet verlenen.'

'Dat is zijn werk, Larry. Het betekent niet dat hij zijn zin krijgt. Het hof van appèl zal me niet dwingen om immuniteit te verlenen. Maar ik wil het Arthur voorleggen – dat Collins Faro is, en de schietpartij. En ook wat Collins ons in Atlanta heeft verteld. Dat had ik al veel eerder moeten doen, maar ik kan spelen dat het nu pas bij me is opgekomen.'

Larry stond stil met zijn ogen dicht te simmen om de stompzinnigheid van de wet.

'We weten niet eens honderd procent zeker dat Collins Faro is,' zei hij ten slotte.

'Och kom, Larry.'

'Serieus. Laat me aan Dickerman vragen of hij een prent op het wapen kan vinden. Misschien krijgen we dan zekerheid of het Collins is.'

'Goed, bel Dickerman. Zeg dat de zaak weer draait en dat er haast bij is. Maar ik kan niet wachten met Arthur inlichten. Hoe langer we aarzelen, des te harder zal hij klagen dat we ontlastend bewijs hebben achtergehouden. Arthur heeft nog maar een paar dagen om een laatste verzoek tot heroverweging bij het hof van appèl in te dienen, en ik wil kunnen zeggen dat we hem deze informatie met bekwame spoed hebben verstrekt, zodra we de link konden leggen met de gebeurtenissen rond de moorden. Op deze manier kan hij nog een laatste fatsoenlijke poging doen en het hof kan dan verklaren dat ze alles in overweging hebben genomen en dat het voorbij is.'

'Jezus, Muriel.'

'Het is niet meer dan de laatste horde, Larry.'

'O,' zei hij. 'Hoe vaak moeten we godverdomme deze zaak winnen? Soms zou ik zelf naar Rudyard willen gaan om Rommy dood te schieten, gewoon om van het gekloot af te zijn.'

'Misschien is dat onze schuld. Misschien is er iets dat ons ervan weerhoudt er een streep onder te zetten.' Ze wist natuurlijk wat dat 'iets' was en hij ook, maar dat was schijnbaar een onderdeel van het gekloot waar hij af wilde. Ze kwam dichterbij en legde haar hand op zijn schouder. 'Larry, vertrouw me maar. Het komt goed.'

Maar daar ging het hem nu juist om. Het draaide in een zaak nooit om het slachtoffer, of de verdachte, of zelfs om wat er was gebeurd. Niet echt. Want de politieman en de aanklager en de rechter konden nooit voorkomen dat het om jezelf ging. Bij deze zaak om hen beiden. Larry wendde zich van haar af; hij stond letterlijk stijf van frustratie.

'Maar Larry toch,' zei ze. 'Als je er niets mee wilde, waarom ben je dan naar Ike gegaan? Waarom heb je mij gebeld?'

Hij liet zijn blik over haar heen glijden, maar hief ten slotte zijn hand om die over de hare te leggen als blijk van instemming. Zelfs een zo kort contact sleurde haar mee met de tijstroom tussen hen beiden. Ze keek met vochtige ogen naar hem op, een blik die erkenning inhield van schade en tijdsverloop. Toen kneep ze weer even in zijn schouder en liet hem met tegenzin los. Een ogenblik later giechelde ze toen ze naar haar hand keek.

'Wat is er?' vroeg Larry.

Ze liet hem haar handpalm zien, die wit zag van het stof.

'Je hebt er je stempel op gezet, Larry.'

'Ja?'

'Zoutpilaar,' zei ze.

Zijn blauwe ogen schoten even heen en weer terwijl hij bedacht waar dat op sloeg.

'Wat deed die dame ook weer verkeerd?'

'Omkijken,' zei Muriel met een rimpelige glimlach.

'O ja.'

Zoals ze zichzelf in Atlanta had verboden degene te zijn die de eerste stap zette, zo wist ze nu dat ze zich niet zou inhouden. Het maakte niet uit of het de oude vriendschap was of verblinding of libido – ze wilde Larry. Wat hij in haar aansprak was nooit door een ander aangesproken. Tien jaar terug had ze het niet beseft, maar hun relatie was als een altaar voor haar, een erkenning van haar invloed en macht. In dat opzicht was hij uniek. Larry kende haar sterkste kant en in tegenstelling tot Rod of Talmadge gebruikte hij die niet ten eigen bate. Hij vroeg niet meer dan vrede op hun eigen voorwaarden, zowel seks als vriendschap, stoer maar niet hard, samen tegen de wereld. Jaren terug had ze een enorme kans laten schieten en in dat besef moest ze weten of er vandaag echt geen kans meer was. Ze stak verzoenend haar hand op.

'Is dit Gods manier om te zeggen dat ik mijn handen thuis moet houden, Larry?'

'Dat zou ik niet weten, Muriel. Ik heb geen lijntje met boven.'

'Maar is dat wat je wilt? Het verleden laten rusten?'

Hij nam heel lang de tijd.

'Ik weet niet wat ik wil, Muriel, eerlijk gezegd. Ik weet maar één ding. Ik heb geen zin om weer over zelfmoord te moeten denken.'

'Waar kom je dan op uit? Zeg je nee?'

Hij glimlachte flauwtjes. 'Dat wordt nooit van een man verwacht, dat hij nee zegt.'

'Het is maar een woord, Larry.' Ze keek weer naar haar hand. Het lichte stof kleefde aan de verhevenheden, zodat de voren goed zichtbaar waren. De liefdeslijn en de levenslijn, waar handlezers naar keken, tekenden zich zo duidelijk af als rivieren op een kaart. Ze bewoog haar onderarm om haar hand precies op dezelfde plaats op zijn schouder te leggen waar haar hand een vage positieve afdruk had achtergelaten.

De gedachte dat hij geen weerstand kon bieden, ging Larry door het hoofd als niet meer dan een afleiding. De kern was dat Muriel haar zin doordreef. Zoals altijd was ze hem een stap voor. Waarom had hij haar gebeld, had ze gevraagd, als hij niet wilde dat ze iets deed? Hij had haar mee hierheen genomen. En nu maakte ze het hem zo gemakkelijk mogelijk. Klein en onbevreesd ging ze op haar tenen staan, legde haar ene hand op zijn schouder, legde de andere teder tegen zijn wang en trok hem naar zich toe.

Daarna had het de wanhoop en snelheid van een kooivogel die hoopte te kunnen ontsnappen. Al dat zinloze klapwieken en tegen de spijlen smakken. In de warmte smaakte haar lichaam zout en uiteindelijk was er de geur van bloed die hij pas laat herkende. Zijn hart bonsde in een angstig ritme en daardoor duurde het veel korter dan hij prettig zou hebben gevonden. En onverwachts was er een smeerboel. Ze was net aan het begin of einde van haar ongesteldheid en had hem snel naar binnen gevoerd, alsof ze vermoedde dat hij zich zou kunnen bedenken.

Ze was op hem geëindigd en klampte zich aan hem vast alsof hij een rots was. Het voelen van haar gewicht was veel bevredigender dan wat eraan vooraf was gegaan. Met beide handen verkende hij haar lichaam en voelde een knauw van wanhoop omdat hij het zo goed had onthouden: de voelbare knobbeltjes op haar rug, de ribben die uitstaken als zwarte pianotoetsen, de rijpe ronding van haar achterste, die hij altijd het fraaist had gevonden aan haar anatomie. In de tijd dat ze uit elkaar waren had hij maar één keer gehuild, toen zijn grootvader, de geïmmigreerde wagenmaker, op bijna honderdjarige leeftijd was gestorven. Het had diepe indruk op Larry gemaakt dat het leven veel moeilijker zou zijn geweest voor de drieëntwintig kinderen en kleinkinderen als hij niet zo dapper was geweest de overtocht naar hier te maken. Het voorbeeld van een heldendom dat zoveel levens had beïnvloed had Larry te sterk gemaakt om te janken om zijn eigen lot. Maar de veiligste toevlucht was humor.

'Hoe moet ik mijn jongens uitleggen dat we een splinternieuw kleed moeten schoonmaken?'

'Toe maar,' zei ze, 'klaag maar.' Haar kleine gezicht keek hem verrukt aan. Aan haar kraag had ze een broche gedragen die in hun haast niet was losgemaakt, zodat haar jurk, verder losgeknoopt, als een cape om haar heen viel. Haar schouders waren bedekt met dunne noppenstof, terwijl ze haar blote armen onder haar keel gekruist hield.

'Heb je er spijt van?' vroeg ze.

'Weet ik nog niet. Misschien.'

'Geen spijt hebben.'

'Je bent sterker dan ik, Muriel.'

'Niet meer.'

'Wel waar. In elk geval weet jij telkens weer een stap vooruit te zetten. Als het om jou gaat, Muriel, geloof ik dat ik dat niet kan.'

'Larry. Denk je dat ik je niet heb gemist?'

'Bewust?'

'Kom nou, Larry.'

'Ik meen het. Je staat jezelf niet toe om terug te kijken. Het valt je nu pas in.'

'Wat bedoel je?'

'Dat je met mij had moeten trouwen.'

Haar bijna zwarte ogen bleven stil; haar neusje met de sproeten verwijdde zich door haar diepe ademhalingen. Ze staarden elkaar aan, met hun gezichten dicht bij elkaar, tot hij voelde dat de kracht van zijn overtuiging haar overtuiging aantastte. Op dat moment kon hij zien dat ze het al wist. Maar hoe kon je in alle vertrouwelijkheid terug, nadat je het al hardop had gezegd? Toch voelde hij een subtiele erkenning, een blik in haar ogen, voordat ze haar gezicht weer op zijn borst liet rusten.

'Je was getrouwd, Larry. Je bent nog steeds getrouwd.'

'En ik was maar een diender,' zei hij terug.

Hij had het nooit aangedurfd zo hard naar haar uit te halen, van zo dichtbij. En ze zou het ook nooit hebben geaccepteerd. Hij voelde dat ze worstelde met het nieuwe perspectief.

'En maar een diender,' zei ze ten slotte.

Hij kon haar niet echt zien, maar voelde met zijn hand op haar huid haar emotie. Ze voelde broos, smal en klein, even teruggeworpen op de elementairste waarheid, terwijl Larry haar in zijn volle omvang omvatte. Liggend op het lichte kleed bleef hij haar een tijdje wiegen, alsof ze op een groot schip heen en weer werden geworpen op de gruwelijke levenszee.

34

9 AUGUSTUS 2001

Oude bekende

Om acht uur wachtte Gillian op Arthur aan een tafeltje in het Matchbook en nam een slokje mineraalwater. Hij was vrijwel zeker bij Pamela. De heroverweging van het hof van appèl kon niet lang meer op zich laten wachten.

In de afgelopen week waren Gillian en Arthur, afgezien van de dinsdagavond met Susan, elke avond uit geweest: naar de schouwburg, een klassiek concert, drie keer naar de film. Arthur gedroeg zich bevrijd. Zodra ze de flat uit waren, hoefde Arthur niet meer te tobben over Gandolph; geen van beiden konden ze in die zaak nog veel bemoedigends vinden. Als Arthur met haar over straat liep, was hij zo zelfverzekerd dat het bijna macho was. Het gaf niet; er was weinig aan Arthur dat ze niet vertederend vond.

In een andere hoek van het restaurant keek iemand naar haar. Dat overkwam Gillian vaker – ze was immers de beruchte Gillian Sullivan – maar toen ze terugkeek, zag ze dat een knappe, donkere vrouw, een paar jaar jonger dan zijzelf, even vaag naar haar lachte. Een advocaat kon het niet zijn, dat wist Gillian direct. Aan haar bloesje te zien, een chic zijden model met opstaande kraag dat ze in de winkel voor niet minder dan driehonderd dollar verkochten, had ze een klant kunnen zijn, maar Gillian had het gevoel dat ze aan een veel stoffiger herinnering moest denken. Met horten en stoten kwam het besef. Tina. Gillian deed haar best om niet weg te kruipen, maar het was dat Arthur aanstonds zou komen, anders was ze onmiddellijk gevlucht.

Ze hadden nooit achternamen gebruikt. De vrouw was alleen maar Tina, een arm rijk meisje in een wolkenkrabber aan de West Bank, dat haar gebruik financierde door te dealen. Als Gillian langskwam om te scoren, werd er opengedaan door een huishoudster. Ze was in een uniek milieu terechtgekomen: junkies met een carrière. De omgangsvormen waren van een ander niveau en het gevaar was minder, maar voor het overige was alles hier even onzeker als op straat. Mensen verdwenen uit het zicht of zakten af naar peilloze diepten en Tina was plotseling verdwenen. Ze was opgepakt. Doodsbang dat haar naam zou worden genoemd of dat ze al was betrapt in de periode dat Tina onder observatie was geweest, had Gillian zichzelf bezworen dat ze ermee zou kappen. Maar het middel maakte inmiddels de dienst uit in haar lichaam. Uit concurrentieoverwegingen had Tina haar nooit met een andere dealer in contact gebracht. Er was een acteur van een plaatselijk gezelschap die Gillian een paar keer in en uit had zien gaan. Maar het zou waanzin zijn geweest om hem te benaderen. Zesendertig uur na haar laatste gebruik had ze een sjaal om haar hoofd gewikkeld en was van het gerechtsgebouw in het North End naar het westen gelopen, waar ze op een straathoek had gescoord. Als ze werd betrapt, zou ze zeggen dat ze onderzoek deed voor een zaak of zich bezighield met mogelijke wijzigingen in de aanpak van drugszaken. Ze was zo verstandig geweest een meisje te benaderen, een werkende vrouw in een minirokje met luipaardprint en bijpassende laarzen. 'Ga maar naar Leon,' had het meisje gezegd en had hoofdschuddend naar Gillian gekeken, weifelend tussen medelijden en verwijt.

Tina dus. Ze staarden naar elkaar over een afstand van twaalf meter en probeerden de rare wendingen van het leven en de last van het verleden te begrijpen; toen verbrak Gillian het oogcontact; ze moest bijna lachen om de wijsheid van haar tegenzin om zich in het openbaar te vertonen.

Arthur kwam binnen en vroeg onmiddellijk wat er met haar was. Ze wilde hem eerlijk antwoord geven, maar zag een oprechte glimlach op zijn gezicht verdwijnen door haar aanblik. Niet vanavond, dacht ze. Vanavond wilde ze geen domper op zijn stemming zetten of hem van streek maken. Misschien zou ze het hem wel nooit vertellen. Ze had te vaak op het punt gestaan het te doen en het dan toch niet gedaan. Ze bleef het geheimhouden.

'Je ziet eruit alsof er iets gunstigs is gebeurd,' zei ze.

'Gunstig? Misschien is het gunstig. Ze hebben Faro gevonden.'

'Dat meen je niet!'

'Dat is nog maar de helft. Ik heb een brief van Muriel gekregen.'

'Mag ik hem zien?' Ze had haar hand al uitgestoken voordat Arthur de envelop uit zijn zak had gehaald. De brief was op officieel briefpapier van Muriel D. Wynn, aanklager in Kindle County. Het onderwerp was *De staat tegen Gandolph* en het nummer van de oude strafzaak stond erbij vermeld. Zelfs in dit late stadium wilde Muriel niet benadrukken dat ze terecht was gekomen op vreemd terrein, het federale hof.

Geachte heer Raven,
In de afgelopen twee maanden heeft ons bij de voortgezette behandeling van deze zaak allerlei informatie bereikt betreffende Collins Farwell. Zoals u weet heeft de heer Farwell geweigerd te getuigen, zich beroepend op het vijfde amendement. Bovendien lijkt de ontvangen informatie niet direct relevant voor uw cliënt. Niettemin willen wij u ten behoeve van volledige openheid het volgende laten weten...

Er volgde een opsomming van acht punten. Muriel had de brief opzettelijk in versluierende termen geformuleerd, niet voor Arthur, die er wel doorheen kon kijken, maar ten behoeve van het hof van appèl, dat de brief binnenkort ook onder ogen zou krijgen, zoals ze heel goed wist. Maar verstopt tussen de bijzonderheden over verschillende archiefgegevens omtrent Faro Cole, die Arthur die week grotendeels al aan Gillian had laten zien, waren twee belangrijke punten: een samenvatting van uitspraken die Collins Farwell, de neef van Erno, in juni had gedaan toen hij in Atlanta was gedagvaard. En de mededeling dat twee rechercheurs recente foto's van Collins hadden herkend als zijnde Faro.

'Mijn hemel!' riep Gillian toen ze dat las. Haar hart bonsde. Na een ogenblik was ze getroffen door haar eigen reacties, het feit dat ze niet langer deed alsof ze afstand bewaarde. Ze vroeg Arthur wat hij dacht.

'Ik weet niet zeker of wat er in mijn hoofd gebeurt wel denken kan worden genoemd,' zei hij. 'Pamela en ik waren ten einde raad. Maar ik kan je één ding wel vertellen: ik ga geen campagne voeren voor Muriel. Ze heeft zich nogal achterbaks gedragen.' Arthur vermoedde dat Muriel of Larry Pamela had geschaduwd bij haar bezoek aan het handelsregister. En hij was kwaad dat hij niet eerder te horen had gekregen wat Collins in Atlanta had gezegd. 'Ik heb een verzoek ingediend om Collins immuniteit te verlenen. In haar reactie beweerde Muriel dat niet was gebleken dat Collins iets ten gunste van Rommy zou zeggen.'

Maar zijn voornaamste teleurstelling leek Erno te gelden, die tegen Arthur had gezegd dat Faro een kleine scharrelaar was die allang van het toneel was verdwenen.

'Er komt maar geen eind aan de leugens die Erno heeft verteld,' zei Arthur. 'Het is drijfzand. We zakken er steeds dieper in weg.'

'Is dat zo?' zei Gillian. Haar gedachten waren ook bij Erno gebleven. 'Erno zei dat hij Collins wilde beschermen toen hij in 1991 met Larry sprak. Ik vraag me af of hij hem niet al die tijd is blijven beschermen.'

'Door hem in zijn rug te schieten? Mooie beschermer. Liever een cadeaubon dan zo'n oom.'

Gillian lachte. Hij had gelijk. Maar niet helemaal.

'Maar zelfs bij Ike heeft Erno niet bekendgemaakt dat Faro zijn neef was. Heb je je afgevraagd waarom?'

'Ik kan het wel raden. Collins kwam zwaaiend met een vuurwapen bij Ike binnen. Daar staat minimaal twee jaar op.'

'Dus beschermde Erno zijn neef,' zei Gillian.

Arthur trok zijn ene schouder op om aan te geven dat er iets in zat.

'Ik vraag me alleen af, Arthur, of Erno uiteindelijk niet op zijn eigen manier consequent tegenover jou is gebleven. Instinctief had jij het gevoel dat Erno je op één punt altijd de waarheid heeft verteld.'

'Wat dan?'

'Dat Rommy onschuldig is.'

'O,' zei Arthur. 'Dat.'

'Laten we aannemen dat hij twee gewichtige motieven had: Rommy ontlasten. En Collins beschermen.'

Arthur pakte Muriels envelop en tikte ermee tegen zijn hand. Even later knikte hij.

'Dat zou verklaren waarom Erno niets over de tickets heeft gezegd voordat Genevieve had getuigd,' zei hij. 'Hij wilde eerder Collins beschermen dan zijn pensioen. Als de luchtvaartmaatschappij erachter kwam dat Collins met Luisa en Rommy tickets had gestolen, zelfs als het in het stenen tijdperk was gebeurd, zouden ze ervoor zorgen dat hij als reisagent werd geroyeerd – en hem waarschijnlijk een stevig proces aandoen.'

'Dat kan. Maar volgens mij zou er nog meer kunnen zijn. Rommy was kwaad op Luisa omdat ze hem niet meer had betaald. Is het mogelijk dat Collins ook kwaad op haar was? Omdat ze hun onderneming in gevaar bracht? Of misschien had hij ook te weinig gekregen.

We hebben immers vastgesteld dat Faro waarschijnlijk die avond ook in het Paradise was.'

Arthur staarde haar aan. De restaurantgeluiden klonken om hen heen: zachte vioolmuziek, bestekgerinkel, opgewekte conversatie.

'Je denkt dat Collins de dader is?'

'Ik weet het niet, Arthur. We wisselen ideeën uit. Maar het is duidelijk dat Erno Rommy vrij wilde hebben zonder bekend te maken wat Collins uitvoerde.'

Arthur kauwde op die gedachte en zei toen: 'Onze volgende stap moet een hernieuwd verzoek zijn om Collins immuniteit te verlenen. Ja toch?'

'Je wilt in elk geval met hem praten.'

'Hoe groot acht je de kans dat het hof van appèl een verzoek om heroverweging inwilligt zodat we kunnen kijken of we Collins kunnen laten getuigen?'

'Niet groot. Het lijkt een zoveelste chicane om uitstel. En ze zullen aan hun eerdere conclusies willen vasthouden, dat is gewoon menselijk.'

Arthur knikte fronsend. Hij dacht er net zo over.

'Wat je nodig hebt is een welwillender forum, Arthur, als je dat kunt vinden. Iemand die geneigd was Erno te geloven, dunkt me.'

'Harlow?'

'Waarom niet?'

'Hij heeft er niets over te zeggen. De zaak berust bij het hof van appèl.'

Maar daar wist ze ook wel iets op. Net als Muriel had Gillian uitsluitend bij de instanties van de staat gewerkt. Haar kennis van de federale instanties en procedures was minimaal geweest toen ze naar Alderson werd gestuurd, maar door jaren medegevangenen te helpen bij het opstellen van verzoekschriften aan de federale autoriteiten, die over het algemeen niets uithaalden, had ze heel wat kennis vergaard.

Arthur haalde pen en papier uit zijn aktetas om aantekeningen te maken. Samen begonnen ze een verzoekschrift op te stellen. Allebei stelden ze passages voor en Arthur las de zinnen voor. Hij schoof de tafelkaars naast zijn blokje. In het gedempte licht keek ze naar hem: gretig en gelukkig met haar en met zichzelf. Het was haar evenzeer om Arthur als om Gandolph te doen, maar ze was net als hij benieuwd of er voor Gandolph nog hoop was in het recht. De macht van het recht, in de grauwe realiteit niet meer dan woorden op een pagina, trof haar diep, niet alleen in de bepalende rol in het leven van andere burgers, maar ook in het hare. Het recht was haar carrière geweest, het terrein van haar triomfen en van haar val, en nu, door Arthur, een middel tot herstel. De woorden, zo lang verplicht niet uitgesproken, bleven de taal van haar volwassen bestaan. Terwijl Arthur en zij vriendelijk kibbelden over de tekst, wist ze niet goed of ze dat besef met verrukking of verdriet moest aanvaarden.

35

10 AUGUSTUS 2001

De god van de vingerafdrukken

Vrijdag kreeg Larry om twaalf uur een briefje van Maurice Dickerman, chef dactyloscopie van het politiekorps in Kindle County, waarin hij Larry verzocht naar zijn kantoor in McGrath Hall te komen. Na het briefje te hebben bekeken, vouwde hij het tot een propje zo groot als een erwt en mikte het weg. Als hij bij Dickerman langs was geweest zou hij Muriel moeten bellen, wat Larry al twee dagen uit de weg ging. Die ochtend had ze een voicemail ingesproken over Arthurs nieuwste verzoek aan het hof van appèl; ze had opgewekt en lief geklonken, kennelijk blij met een excuus om hem te benaderen. Hij had het bericht direct gewist.

Vroeger was hij na elke ontmoeting bij haar vandaan gevlucht, maar dat was alleen omdat hij zichzelf niet wilde bekennen dat hij stapelgek op haar was, dat de lucht schoner en frisser rook als zij er was en dat hij iemand nodig had die hem partij kon geven. Nu hield hij zich stil omdat hij niet goed wist wat hij wilde zeggen.

En terwijl hij Muriel uit de weg ging, meed hij ook zijn vrouw. Hij had gedacht dat hij dat soort dingen niet meer zou doen – aan zijn kleren ruiken voordat hij ze in de wasmand deed om te controleren of Nancy niet het poeder of parfum van een andere vrouw zou ruiken. Tien jaar terug was hij zo kapot en verslagen geweest toen Muriel er een eind aan had gemaakt dat hij tegen Nancy geen toneel kon spelen. Op een avond had hij zich in een ligstoel laten vallen na een paar biertjes te veel, en Nancy was bij hem komen staan.

'Weer bezopen? Laat me raden. Een van je schatjes heeft gezegd dat je kan barsten.'

Hij voelde zich te beroerd om te liegen, maar de waarheid verbaasde haar.

'Moet ik medelijden met jóú hebben?'

'Je vraagt het zelf.'

'En ik mag jou niet op je huid zitten?'

Maar ze deed wat hij had gevraagd, omdat ze Nancy was en te aardig om het niet te doen. Stilzwijgend kwamen ze overeen dat ze terug zouden gaan naar de advocaat met wie ze een bloedeloze boedelscheiding hadden besproken als Larry wat weerbaarder was. Een halfjaar later waren ze het nog steeds van plan. Larry dacht dat ze allebei op iets beters wachtten. Maar Nancy had bepaalde troeven in handen. Ze zou nooit afstand doen van zijn jongens. En mettertijd werden zijn dankbaarheid daarvoor en voor haar engelachtige karakter mateloos groot. Andere vrouwen zeiden hem weinig meer; bij Muriel vergeleken legden ze het af en nog belangrijker was dat hij Nancy respect verschuldigd was, nadat ze de mogelijkheid had laten schieten om hem het huis uit te gooien. Als Larry nadacht over hun meestal vreedzame omgang, vroeg hij zich af of dat gewoon was hoe een huwelijk verondersteld werd te zijn: kalm en respectvol. Maar nee. Nee. Er moest toch ook een melodielijn zijn die je pakte, niet alleen harmonie en welluidendheid.

Die conclusie bracht hem terug bij Muriel. Hier kan niets goeds van komen, dacht hij. Zijn moeder mocht dat graag zeggen en zij zou het in dit geval ook zeggen. Als hij na woensdag twee uur had geslapen, was het veel. Zijn maagwand voelde gezandstraald aan en zijn ogen leken wel kraters. En hij zou waarachtig niet weten wat hij nu eigenlijk wilde. Hij wist alleen, toen hij bij Dickerman voor de deur stond, dat zijn leven te moeilijk voor hem was geworden.

Maurice Dickerman, een hoekige New Yorker, werd door politiemensen, aanklagers en zelfs de meeste strafpleiters aangeduid als de god van de vingerafdrukken. Mo doceerde regelmatig aan universiteiten, gaf lezingen voor vakgenoten in het hele land en was de man die de belangrijkste wetenschappelijke artikelen over zijn onderwerp had gepubliceerd. Met zijn reputatie was het waarschijnlijker dat hij als getuige-deskundige in Alaska of New Delhi optrad dan dat hij supervisie hield over het forensisch lab, maar in een politiekorps waar nogal eens een schandaal voorkwam – in het afgelopen jaar waren twee afzonderlijke politiebendes ontmaskerd, een die in de drugshandel zat en een die juweliers beroofde – was Mo een figuur van onschatbare waarde, een unieke bron van geloofwaardigheid en prestige. Halverwege de jaren negentig had hij door te dreigen met zijn vertrek eindelijk overheidsfondsen weten los te krijgen om een geautomatiseerd systeem voor de herkenning van vingerafdrukken te kunnen aanschaffen, een innovatie waarover andere korpsen van vergelijkbare omvang allang hadden kunnen beschikken.

In 1991, toen Gus Leonidis, Paul Judson en Luisa Remardi waren vermoord, kon een onbekende vingerafdruk in het algemeen niet worden geïdentificeerd zonder uit te gaan van een specifieke verdachte. Tenzij de dader alle tien de vingerafdrukken had achtergelaten die op zijn stempelkaart stonden die bij een eerdere aanhouding was vervaardigd, viel niet te zeggen van welke vinger een prent afkomstig was, en dus was het onmogelijk de onbekende afdruk te vergelijken met de gigantische catalogus van het korps of de landelijke van de FBI. Computerherkenning bracht daar verandering in. AFIS, het geautomatiseerde systeem voor de herkenning van vingerafdrukken, stelde de computer in staat een vingerafdruk te vergelijken met opgeslagen afbeeldingen van alle bekende vingerafdrukken in het land. AFIS had Muriel bijvoorbeeld in staat gesteld in een dag te bepalen dat geen van de vingerafdrukken die in juli 1991 in het Paradise was achtergelaten van Erno afkomstig was.

Het grootste nadeel van AFIS was de tijd die het kostte. Al werden computers elke maand sneller, voor elke vergelijking had een apparaat ongeveer een uur nodig. In een zaak als die van Gandolph, met zeven- of achthonderd afdrukken die in het restaurant waren gefixeerd, was het ondoenlijk die allemaal te identificeren, gezien de andere taken van het korps. Maar als Mo een vingerafdruk kon vinden op het wapen waarmee Faro Cole bij Ike had lopen zwaaien, hoefde het maar een paar minuten te kosten om die te vergelijken met de gegevens in hun eigen databank, die natuurlijk de prenten bevatte van iemand die meermalen was gearresteerd, zoals Collins Farwell.

Mo was net terug van tweeëneenhalve week in Parijs, waar hij de gendarmes van de nieuwste ontwikkelingen op de hoogte had gebracht; daarom had hij nog niet gereageerd op Larry's oorspronkelijke verzoek om Faro's wapen te bekijken. Nu wilde hij eerst de Parijse plaatjes laten zien die hij op zijn pc had opgeslagen. Het was lastig om Mo in de rede te vallen. Hij werd niet alleen uit eerbied de god van de vingerafdrukken genoemd. Hij sprak in onstuitbare volzinnen en terwijl hij met zijn muis klikte, vertelde hij Larry meer dan hij wilde weten over de beelden in de Tuilerieën en het antiekdistrict in het zesde arrondissement. Op de harde stoel aan de andere kant van Mo's bureau wachtte Larry zijn kans af om Mo te vragen of hij iets aan het wapen had kunnen ontdekken. Toen de vraag hem ten slotte werd voorgelegd, wendde Mo zich langzaam af van de computer en duwde zijn tong tegen zijn wang.

'Moet ik aannemen, Larry, dat het met de zaak-Gandolph te maken heeft? De zaak waarover ik in de krant heb gelezen?'

Uit vrees slapende honden wakker te maken had Larry in zijn verzoek geen zaak gespecificeerd en dus verraste Mo's vraag hem. Dickerman leek soms dingen te kunnen ruiken. McGrath Hall was een geschikte omgeving om te doen alsof je dingen niet opmerkte en er werd gedacht dat Mo maar twee onderwerpen had: vingerafdrukken, natuurlijk, en honkbal, waarover hij alles leek te weten, van de seizoentotalen van 'Home Run' Baker tot de huidige statistische waarschijnlijkheid dat de Trappers tegen het einde van de negende inning drie runs zouden scoren, een kans die altijd tot nul naderde.

'Dat is heel goed geraden, Mo.'

'Ik zou het geen raden willen noemen, Larry.' Van zijn kant van het bureau, waarop nog een verkreukeld boterhamzakje lag, bleef Mo Larry lange tijd aankijken.

'Wat wil je daarmee zeggen, Mo?'

'Nou ja, ik laat je wel zien wat ik heb gedaan. Dan kun je zelf je conclusies trekken.'

Uit een metalen la achter hem pakte Mo het vuurwapen en de doorslagen van diverse formulieren die het wapen van de afdeling bewijsmateriaal naar hier hadden begeleid. Het was opnieuw geseald in het dikke plastic, nu bros en bruin in de kreukels, waarin het opgeslagen had gelegen sinds Erno Faro in 1997 had neergeschoten. Larry had het wapen niet eerder gezien. Het was een revolver, een .38 zo te zien. Gezien de procedures die waren ingesteld om te voorkomen dat vuurwapens en narcotica van de afdeling bewijsmateriaal verdwenen, wat berucht vaak was gebeurd, had Larry zonder last een betere kans de Britse kroonjuwelen te zien te krijgen. Nadat hij had uitgezocht dat het wapen nooit was vrijgegeven, had hij eenvoudig opdracht gegeven het wapen naar het lab te sturen. Wanneer een proces was afgerond, kon de wettige eigenaar van een vuurwapen dat was gebruikt om een misdaad mee te plegen een aanvraag indienen voor teruggave. De afdeling bewijsmateriaal controleerde dan of het wapen gestolen was. Bleek dat niet het geval, dan kon de eigenaar het terugkrijgen. Maar Faro Cole had het nooit teruggevraagd, wat Larry niet verbaasde, omdat Faro na het schietincident was verdwenen.

Op zijn langdradige manier zette Mo uiteen hoe moeilijk het was vingerafdrukken te isoleren lang nadat de verdachte een object in handen had gehad. Omdat vingerafdrukken meestal bestonden uit een olieachtig residu vermengd met zweet, verdampten ze in de loop van de jaren. Dat wist Larry allemaal al; daarom juist had hij, toen hij Faro zocht, de god van de vingerafdrukken persoonlijk verzocht het onderzoek te doen. Ondanks de stichtelijke betogen was het een verstandige gedachte geweest, want Mo leek iets te hebben gevonden.

'In dit geval bevond de enige met standaardtechnieken ontwikkelde prent zich hier.' Mo schoof zijn zwarte bril omhoog en wees met een gummetje op het plastic naar een paar vlekjes op de loop. 'Ze zijn heel erg incompleet. AFIS spuwde vijf of zes stempelkaartjes uit. Na visueel onderzoek zou ik zeggen dat ze van de rechter middelvinger en duim van de man zijn. Maar dat is geen opvatting die ik ter zitting staande zou willen houden. Een goede verdediger zou gehakt van me maken omdat ik op zo weinig gegevens was afgegaan.'

Hij legde de stempelkaart neer. Het was een archiefkaartje met de vertrouwde zwarte reliëfs van vingerafdrukken, in twee rijtjes van vier voor de vingers, en daaronder, in twee grotere kaders, de duimen en daaronder de volledige afdruk van de linker- en rechterhand. De betrouwbaarheid van de identificatie werd gegarandeerd door een foto van de donor van de afdrukken, die in de linkerbovenhoek van het kaartje was gelamineerd. De knappe jongeman met de lege blik in het flitslicht was Collins. Larry had geweten dat dit kwam, maar kennelijk had hij nog hoop gekoesterd, want hij zuchtte diep. Het leven had gemakkelijker kunnen zijn.

'Zo te zien heeft hij het wapen bij de loop vastgehouden,' zei Mo.

'Dat stond in de rapporten,' zei Larry. 'Maar ik moet honderd procent zekerheid hebben dat het deze man is.' Hij tikte op de stempelkaart. Zonder absolute zekerheid zou het voor Arthur moeilijker zijn het bewijsmateriaal te gebruiken.

'Dat begrijp ik. En ik wilde bevestiging van mijn opinie. Ik heb een tweedelaagsonderzoek gedaan. Hier onderaan op de kolf heb ik iets ontdekt. Wat is dat, denk je?' Hij wees een kleurpartikel aan, bijna in dezelfde tint als de okerkleurige kolf van het wapen.

'Bloed?'

'Volgens mij zou deze man rechercheur bij de afdeling ernstige delicten kunnen zijn. Waar geschoten wordt, is meestal bloed. En bloed is een interessant medium voor vingerafdrukken. Het droogt snel. En de afdruk is meestal duurzamer dan een vingerolieprent. Maar wanneer je afdrukken in bloed identificeert, zijn de chemicaliën waarmee de technische recherche normaal werkt, die een verbinding met zweetresten aangaan, niet effectief. Deze vingerafdruk is letterlijk geëtst in het bloed, en vaak is hij dan zo vaag dat hij niet zichtbaar is. Jij ziet toch geen vingerafdrukken in bloed op dat wapen?'

Die zag hij niet.

'Tien jaar geleden,' zei Mo, 'was daarmee het verhaal uit. Tegenwoordig maken we een infrarode digitale foto waarop het bloed oplicht en het onderliggende medium wordt weggefilterd, in dit geval de bruine kolf. Daarna heb ik die opname verder gefilterd om naar lussen en spiralen te zoeken. En toen ik dat deed, heb ik vier afdrukken in bloed gevonden: drie vingers en een heel duidelijke duimafdruk. Twee vingers en de duim op de kolf. En een vinger aan de trekker.'

Mo schoof zijn stoel achteruit zodat Larry de beelden op een grote monitor kon zien. Larry knikte braaf, maar hij had haast.

'Heb je hier in AFIS naar gezocht?'

'Natuurlijk,' zei Mo.

Dickerman sloeg een dossier open en legde twee stempelkaarten voor Larry neer. De ene was bijna vijfentwintig jaar oud, gemaakt toen Erno Erdai tot de politieopleiding werd toegelaten; de andere dateerde van zijn aanhouding na het neerschieten van de man die, zoals Larry nu zeker wist, Collins was geweest.

'Dus daaruit maakte je op dat het om de zaak-Gandolph ging,' zei Larry.

Mo knikte.

'Het zit zo,' zei Larry. 'Erno heeft het wapen afgepakt van de man die het aan de loop vasthield – laten we aannemen dat het Collins is – en hem neergeschoten. Daarvoor zat Erdai in de bak. En daarom staat zijn prent op de trekker.'

'Die informatie zou nuttig zijn geweest,' zei Mo droog. 'Omdat ik er niet over beschikte, heb ik het wapen nogmaals onderzocht, in de hoop bevestiging te vinden van de identificatie van de heer Farwell. Eigenlijk pas achteraf deed ik wat ik vooraf had moeten doen: kijken of de cilinder munitie bevatte. Tot mijn grote vreugde bleek de afdeling bewijsmateriaal een geladen vuurwapen te hebben verstuurd; en ik was zo dom geweest de trekker te onderzoeken zonder dat eerst na te gaan.'

'Sorry,' zei Larry, 'maar dat klopt wel. Erno's advocaat had gezegd dat hij schuld zou bekennen zodra hij op het bureau was. Dus naar het wapen heeft daarna eigenlijk niemand meer omgekeken.'

'Het zal wel,' zei Mo, hoofdschuddend om de domheid van alle mensen, ook die van hemzelf. 'Mijn vrouw denkt dat ik een keurige kantoorbaan heb. Denk je dat iemand zou hebben gedacht aan zelfmoord?'

'Niet tijdens het honkbalseizoen, Mo.'

Mo trok een pruilmondje en knikte. Daar had hij niet aan gedacht.

'Hoeveel patronen zaten erin?' vroeg Larry.

'Eén maar. Maar er zaten ook vier hulzen in de andere kamers met slagpenafdrukken.'

Mo bedoelde dat er vier keer met het wapen was geschoten. De rapporten waren eensluidend: Erno had maar één keer op Collins geschoten. Met toestemming van Mo haalde Larry het plastic naar zich toe om het wapen beter te kunnen bekijken. Het was een vijfschots revolver, beslist een .38.

'Nu ja,' zei Mo. 'Nadat mijn hart weer was gaan kloppen, bleek het alleszins de moeite waard. Heel duidelijke afdrukken op elke huls. Die kamers hielden alles vochtig, denk ik.' Mo klikte nieuwe foto's aan en wees daarna op de kogels en de vier hulzen in een aparte plastic envelop in de plastic verpakking van het wapen.

'En kreeg je voor die afdrukken een hit bij de databank?'

'Ja. De man is in 1955 aangehouden, toen hij tweeëntwintig was, wegens openbare geweldpleging.' Dat betekende meestal vechten in een kroeg, zaken die bijna altijd werden geseponeerd. Ook die kaart speelde Mo uit. Na tien jaar moest Larry zich inspannen om het gezicht te kunnen plaatsen, omdat de man op de foto veel jonger was dan de man die Larry had gekend. Maar het daagde hem. De man met het mismoedige gezicht op de zwart-witfoto was Gus Leonidis.

Eén ogenblik was Larry verheugd omdat hij het zich had herinnerd. Toen de volle betekenis tot hem doordrong, schoot de schrik hem door het lijf.

McGrath Hall was in de Eerste Wereldoorlog gebouwd als wapenopslagplaats. De politie had het gebouw in gebruik sinds 1921 en er werd voor de grap gezegd dat sommige mensen er al sinds dat jaar werkten. Het was een donkere, tijdloze tombe. Aan zijn status dankte Mo een kantoor aan de noordkant. De grote dubbele ramen boden uitzicht op de in verval geraakte buurt Kewahnee, een armetierig grasperkje, een ijzeren hek en een paar bomen. Larry zag een frietzak dansen in de wind als een huppelend kind en hij keek hem na tot hij uit beeld was verdwenen. Wat een zaak, dacht hij. Wat een zaak.

Larry boog zich weer over het wapen. Het was een Smith & Wesson; ongetwijfeld het wapen van Gus. Op het wapen van Gus stond een vingerafdruk van Erno op de trekker en in de cilinder zat een ongebruikte patroon. Een kogel was in de operatiekamer bij Collins Farwell verwijderd. Dan bleven er drie kogels over. Nee, dacht Larry, nee. Toen zette hij de gedachtegang tot het einde voort.

'Denk je dat dit het moordwapen in mijn zaak is, Mo?'

'Ik denk dat ballistiek je op dat punt zekerheid kan geven. En ik vermoed dat de hogepriesters van het DNA je kunnen vertellen wiens bloed Erdai aan zijn hand had. Ik moet het wapen terugsturen naar de afdeling bewijsmateriaal om de bewijsketen veilig te stellen. Maar ik zal er verdomd goed voor zorgen dat iemand hier een handtekening voor zet. Ik wilde je alleen opvrolijken.'

Mo gaf hem een envelop met zijn rapport erin. Piekerend borg Larry hem op. Het enige houvast dat Larry nu had was hetzelfde halfbewuste instinct waardoor hij zich zo vaak had laten leiden. Maar zijn kille rechercheursverstand gaf hem in dat het bloed aan Erno's hand niet van Collins was. Nu hij tijd had gehad om na te denken, besefte Larry dat de rapporten over het schietincident bij Ike allemaal duidelijk maakten dat tien of twaalf collega's Erno hadden besprongen zodra hij had geschoten. Het wapen was hem ontnomen voordat Erno bij zijn bloedende neef had kunnen knielen. Dus het bloed op de kolf van het wapen van Gus Leonidis moest van iemand anders zijn. Als een traag malende molen nam Larry de mogelijkheden door, voornamelijk vechtend tegen zichzelf. Luisa Remardi was van dichtbij doodgeschoten. En als Erno's vingerafdruk zich in Luisa's bloed op de trekker had geëtst, was Erno op 4 juni 1991 de schutter geweest.

Erno was de schutter. Dit was het moordwapen. En op een of andere manier had Collins dat wapen zes jaar later in handen gekregen. Collins had er ook zijn prenten op achtergelaten. De enige wiens vingerafdrukken er niet op stonden was Eekhoorn. En hij had bekend.

'Dus Erno en/of Collins hebben dit samen met Eekhoorn gedaan,' zei Larry. 'Eekhoorn heeft ze niet verlinkt en toen Erno wist dat hij stervende was, heeft hij hem teruggematst.'

Mo schudde zijn hoofd. 'Larry, het enige dat ik je kan vertellen is wiens vingerafdrukken erop staan.'

Dat wist Larry. Hij legde het alleen zichzelf uit. Eekhoorn had bekend. Eekhoorn had weet gehad van dit wapen. Eekhoorn had Luisa's camee in zijn zak. En Eekhoorn had tegen Genevieve gezegd dat hij Luisa zou vermoorden. Er was niets veranderd. Wat Eekhoorn betrof.

Verdomme, hoe zat het met Collins?

Als Arthur dit hoorde, brak de pleuris uit. De zaak waar maar geen einde aan kwam zou weer op volle toeren gaan draaien. Terwijl Larry opstond, wees Mo naar het jasje dat Larry over zijn stoel had gehangen.

'Jij mag voor koerier spelen.'

'Eeuwig dankbaar,' zei hij. Hij keek naar Mo en voegde eraan toe: 'Godverdomme.'

Buiten stonden splinterige parkbanken waarop het civiele personeel in de zomermaanden graag lunchte. De eekhoorns, gewend aan kruimels krijgen, kwamen uit hun schuilplaatsen en sprongen om Larry heen zodra hij was gaan zitten om na te denken.

Er was niet eens een woord voor zijn stemming. 'Uit zijn doen'? Maar hij leerde altijd dingen op dit soort onthullende ogenblikken. En wat hij nu leerde was dat het hem van Erno niet echt verbaasde. Hij had altijd rekening gehouden met de mogelijkheid dat Erdai op gespannen voet met de waarheid leefde. Erno was de schutter. Hij zei het nog een paar keer bij zichzelf. Het gevolg greep hem aan, niet het feit zelf.

Wat hem meer dwarszat, terwijl de minuten verstreken en de vochtigheidsgraad tot vermoeiende hoogte steeg, was Muriel. Nu moest hij wel naar haar toe. Geen ontsnappen aan. Hij zat op de bank na te denken over alles wat hij de afgelopen twee dagen had doorgemaakt: zijn opgekropte gevoelens, zijn hart dat sneller klopte als hij met haar in een kamer was. En op dat onthullende ogenblik werd nog iets anders duidelijk: Muriel zou nooit bij Talmadge weggaan. Ze zou echt geen afstand doen van Talmadges invloed, zestien maanden voor de verkiezingen. Wat er ook was gebeurd, zo sterk was ze niet veranderd. En nog afgezien van de verkiezingen, ze zou een schandaal uitlokken door te erkennen dat ze sliep met een getuige in een lopende – en omstreden – zaak. De onverzettelijke, scherpzinnige Muriel die Larry altijd had aangetrokken, zou als het erop aankwam nooit haar carrière voor hem opofferen. Het enige dat hun overbleef was scharrelen, motelkamers, bedelen om tijd. En Nancy zou, omdat ze een vrouw was en haar ogen niet in haar zak had, weten wat er gaande was. Wat hij zichzelf het meest kwalijk nam was het leven dat hij zonder Muriel had opgebouwd. Het feit dat hij zelfs maar overwoog dat eraan te geven voor iets ongrijpbaars vervulde hem met bitterheid.

Hij voelde het rapport in zijn borstzak. Hij kon het allemaal niet aan. Ook Muriel niet. En dan in de pers lezen over de zoveelste klotedoorbraak in een moordzaak die al tien jaar terug was opgelost. Hij wilde Rommy Gandolph uit de weg hebben en zijn eigen leven in alle rust hervatten.

Was dat wat hij werkelijk wilde? Dit soort kansen deed zich niet vaak voor: heroveren wat verloren was gegaan en nog werd betreurd. De fouten herstellen die je had gemaakt toen je dommer en onwetender was. Kon hij die gelegenheid aan zich voorbij laten gaan? Het duizelde hem van de twijfel en hij had het wel uit kunnen schreeuwen. Toen scheurde hij het rapport in stukken en liet het in de afvalbak vallen. De eekhoorns schoten toe, maar voor hen en anderen was er alleen teleurstelling.

36

17 AUGUSTUS 2001

Lincolnland

In de rechtszaal van rechter Harlow werd geen dramatiek meer verwacht. De grote publieke tribune was vrijwel leeg en van de pers waren er alleen de vaste bezoekers: Stew Dubinsky, Mira Amir en een meisje van een plaatselijk persbureau, zo van de school voor journalistiek, dat zelfs in Arthurs ogen niet wist hoe ze zich moest kleden. Tegenover de media was Arthur bescheiden geweest over zijn beweringen in de verzoekschriften die hij had ingediend. Het zou zijn kansen bij Harlow niet vergroten als de rechter het gevoel kreeg dat Muriel al in de pers was gestraft voor haar tekortkomingen.

Arthur had niet goed geslapen. Hij wist echt niet meer welke kant het op zou gaan met Rommy's zaak. Met Muriels brief over Collins kon hij de lijkkist nog wel even openhouden, en hij fantaseerde zelfs dat Collins op een of andere manier Rommy's onschuld zou kunnen onderbouwen. Maar de laatste tijd maakte Arthur zich zorgen over zijn toekomst. Vroeg of laat zou er een eind aan komen. Zoals Gillian weken terug al had opgemerkt, zou het leven weer het leven worden, in plaats van een avontuur. Altijd had hij een plan voor de lange termijn gehad, maar opeens zag hij niets meer duidelijk voor zich. En die onzekerheid was doorgedrongen tot in zijn dromen, die onrustig waren geworden. Tegen vijf uur was hij naar de keuken geslopen, naar het raam op het oosten, om de vurige zonneschijf een plaats aan de hemel te zien branden. Het komt wel goed, hield hij zichzelf voor. Dat geloofde hij ook wel, maar pas echt twintig minuten later, toen Gillian, in een dunne witte peignoir, naar hem toe kwam, haar stoel naast de zijne schoof en zonder iets te zeggen zijn hand vasthield terwijl de zon zich van een roze vermomming ontdeed en in verblindende schoonheid opsteeg.

Met Carol Keeney naast zich en met vastberaden tred kwam Muriel de rechtszaal binnen. Ze droeg een nauwsluitend broekpak en leek als altijd op een slanke, strijdvaardige katachtige. Ze legde haar dossiers op een van de tafels neer, wandelde naar de overkant en ging naast Arthur zitten op de bank waar hij, met enkele andere advocaten die verzoeken hadden ingediend, wachtte op de opening van de zitting.

'En,' zei ze, 'hoe groot is die hoge hoed van je eigenlijk? Zitten er nog konijnen in?'

'Ik hoop dat deze voldoende zal zijn.'

'Dit is echt geraffineerd, Arthur, dat geef ik toe.'

Arthur had nog een termijnverlenging van het hof van appèl gedaan gekregen, ditmaal voor zijn verzoek om de uitspraak te heroverwegen dat Rommy's zaak gesloten was, opdat hij in de gelegenheid zou zijn de zaken omtrent Collins te onderzoeken waarvan Muriel in haar brief melding had gemaakt. De volgende stap, met Gillian beraamd, was veel onorthodoxer. Ingevolge bepaling 11 van de federale voorschriften voor civiele procedures had Arthur rechter Harlow verzocht de aanklager voor Kindle County te veroordelen vanwege het verzuim te onthullen wat Collins in Atlanta aan Larry had verteld. Het kwam erop neer dat Arthur beweerde dat Muriels reactie op Arthurs verzoek om immuniteit voor Collins ambtsverzuim betekende. Als straf wilde hij dat rechter Harlow Muriel zou gelasten Collins immuniteit te verlenen en Arthur toestemming te geven hem als getuige te horen. In theorie had rechter Harlow over deze zaak niets meer te zeggen. Maar de oorspronkelijke rechter verkeerde in de beste positie om te bepalen of hij was voorgelogen en dus werden zulke verzoeken eerst aan hem voorgelegd. En de wet zou de strafmaatregelen die hij oplegde sanctioneren als hij bepaalde dat een partij te kwader trouw had gehandeld.

'Daar kijkt het hof van appèl dwars doorheen, Arthur. Het is wel leuk bedacht, maar op termijn is het hopeloos.'

'Volgens mij niet, Muriel. Volgens mij kan rechter Harlow heel goed het gevoel krijgen dat je informatie met betrekking tot de zaak hebt achtergehouden.'

'Ik heb niets achtergehouden, Arthur. Erno heeft dingen achtergehouden – en gelogen.'

'Hij beschermde zijn neef.'

'Door hem neer te schieten? Bovendien geloof ik niet dat je munt kunt slaan uit meineed. Erno's woord is waardeloos, Arthur. En dat is het altijd geweest.'

'Zeker als jij geen inzage geeft in iets dat zijn geloofwaardigheid staaft.'

'Er is niets dat zijn geloofwaardigheid staaft, Arthur.'

'En Collins die zegt dat hij elke avond God bidt om hem vergiffenis te schenken voor wat Erno en hij Rommy hebben aangedaan? Hoe kon je dat met een goed geweten achterhouden?'

'Het is flauwekul, Arthur, Collins pakt op een goedkope manier zijn oom terug en trekt achter Larry's rug een rookgordijn op zonder meineed te riskeren. En jij hebt de informatie gekregen, Arthur, zodra die ook maar in de verste verte relevant begon te lijken.'

'Wat heb je nog meer, Muriel, dat volgens jou niet relevant is?'

'Arthur, ik heb jou en de rechter in mijn reactie geantwoord dat je over alles beschikt wat in de verste verte gunstig voor je cliënt kan zijn.'

'Behalve een getuigenverklaring van Collins. Denk je echt dat je Collins onder tafel zult mogen houden terwijl jij Rommy executeert?'

'Collins is bijzaak, Arthur. Er is geen enkel verband tussen hem en de moorden. Je bent heel goed in het presenteren van bijzaken. Dat is je werk en daar prijs ik je om. Ik zal je vertellen welke bijzaak me nog meer interesseert.'

'Zeg maar op.'

'Ik heb van een klein vogeltje gehoord dat hij Gillian Sullivan vaak op je kantoor ziet. En handjes vasthouden in de Matchbook. Wat zit daarachter? Daar zijn mensen nieuwsgierig naar.' Muriel grijnsde belust.

Daar was hij even door uit het veld geslagen, zoals Muriels bedoeling ook was geweest. Zoals Gillian allang had voorspeld vond Arthur het onaangenaam dat er tegenwoordig kwaadaardig werd gegniffeld over het sensationele nieuws van hun relatie.

'Wat heeft dat met wat ook te maken, Muriel?'

'Ik weet het niet, Arthur. Het is ongewoon, vind je niet?'

'Er is geen conflict van belangen, Muriel. Je hebt zelf maandenlang in functie gezegd dat Gillian geen rol heeft in dit proces.'

'Je klinkt een beetje lichtgeraakt, Art. Ik heb Gillian altijd graag gemogen. Iedereen verdient een tweede kans.'

Volgens Gillian had Muriel nooit veel met Gillian opgehad. Beiden hadden een hekel gehad aan de vergelijkingen die in hun kringen vaak werden gemaakt. En Muriel geloofde niet in tweede kansen. Haar motto als aanklager was alle fouten afstraffen – behalve natuurlijk die van haarzelf. Toch had ze bereikt wat ze wilde bereiken. Arthur was uitgepraat. Muriel zag het aan zijn gezicht en stond op.

Een paar weken eerder had Arthur uit voorzorg Rommy op schrift laten weten dat Gillian en hij 'zeer goede vrienden' waren geworden. Maar het was Muriel minder om correctheid te doen als wel om kwetsbaarheid. Ze was naar hem toe gekomen om hem te waarschuwen. Als hij met modder ging gooien, met een geruchtmakende aanval op haar professionele functioneren omdat ze de informatie over Collins had achtergehouden, had ze zelf ook modder achter de hand.

Hij was nooit de ideale figuur geweest voor zijn beroep, besefte Arthur. Ondanks alle jaren aan het front en alles wat hij over Muriel wist had hij, toen ze naast hem kwam zitten, gehoopt dat ze een praatje met hem wilde maken omdat ze hem aardig vond.

'Allemaal opstaan.' Harlow liep al energiek naar zijn verhoging, met allerlei paperassen onder de arm. Hij werkte snel een paar andere zaken af die eerder op de rol stonden. Toen hij aan het verzoekschrift van *Rekestrant Gandolph, verblijfhoudende in Rudyard* toekwam, glimlachte de rechter naar Arthur en Muriel. 'Ik dacht dat ik jullie niet terug zou zien. Welkom.' Hij verzocht Muriel in te gaan op Arthurs verzoeken. Haar reactie was bits.

'Ten eerste,' zei Muriel, 'heeft het hof van appèl bepaald dat er geen zaak meer hangt. Ten tweede is de heer Raven niet meer de advocaat van meneer Gandolph. Ten derde is de beperkte onderzoekstermijn die het hof had toegestaan al ruim een maand verstreken. En ten vierde is er geen sprake geweest van een verkeerde voorstelling van zaken van onze kant voor dit hof of welke andere rechtsinstantie ook, edelachtbare.'

Harlow glimlachte, nog altijd geamuseerd door Muriels stijl. Ze was anderhalve meter lang en woog vijfenveertig kilo, maar ze haalde uit als een zwaargewicht. Op zijn hoge zetel schoof de rechter naar achteren om na te denken en haalde zijn hand door zijn lange witte haar.

'Met alle respect voor mijn vrienden achterin die de ogen en oren van het publiek zijn,' verklaarde hij, 'kunnen bepaalde zaken volgens mij beter in camera worden besproken. Willen de betrokkenen zich daar bij mij voegen?'

De rechter loodste hen via het secretariaat naar Lincolnland, zoals zijn kamer achter zijn rug vaak werd genoemd. Er waren zeker vijftig portretten en beeldjes van Lincoln te zien, uit alle stadia van zijn leven, aan de muren en in de kasten, ook de foto's van Brady. Er hingen ingelijste documenten met de handtekening van Lincoln. De rechter had zelfs een verzameling gave penny's in een cassette.

Harlows griffiers, een blanke man en een zwarte vrouw, waren met hun gele notitieblokken in de hand meegelopen. Terwijl de rechter naar zijn bureau liep en zijn toga aan de kapstok ernaast hing, moest hij lachen.

'Beste mensen,' zei hij. 'Ik behandel al ruim veertig jaar rechtszaken en ik moet zeggen, deze zaak zal me bijblijven. Hij doet me denken aan die football-wedstrijden van studenten waarin iedereen scoort in de extra tijd. Als je even een biertje gaat halen, weet je niet meer wie er vóór staat.' Hij wees met een lange hand naar de notenhouten vergadertafel en Arthur en Muriel, Carol Keeney en de griffiers gingen zitten.

In de rechtszaal was de rechter verplicht eerst de aanklager en de verdediger aan te horen, maar in zijn heiligdom was Harlow veel minder terughoudend. Zonder rechtbankstenograaf erbij zei hij gewoon wat hij op het hart had.

'Ik vind het niet prettig om me voor de pers te verstoppen, zeker niet bij een zaak die zoveel aandacht heeft gekregen, maar in dit stadium moeten we allemaal openhartig zijn om vorderingen te kunnen maken.'

Er kwam een seintje uit de rechtszaal. Pamela, die bij een andere zaak aanwezig was geweest, was gearriveerd. De rechter liet de bode weten dat hij haar moest doorlaten.

'Zo, en laten we er nu niet omheen draaien met die verzoekschriften,' zei de rechter zodra Pamela ook aan de lange tafel zat. 'Ten eerste: mevrouw Wynn, u kent me niet zo goed en ik ken u niet zo goed, maar ik denk, onder ons gezegd, dat we het erover eens kunnen worden dat u uw verklaringen voor dit hof na uw gesprek met de heer Farwell had moeten bijstellen.'

'Had ik dat maar gedaan, edelachtbare.'

'Mooi. En meneer Raven, we weten allebei dat als mevrouw Wynn u echt zand in de ogen had willen strooien, ze erover zou hebben gezwegen.'

'Dat geef ik toe, edelachtbare. Maar ze heeft ermee gewacht tot na de uitspraak van het hof van appèl. Nu moet mijn cliënt proberen iets te weerleggen dat zogoed als een fait accompli is.'

'Timing, dat is het sterkste punt van je grief, Arthur. Ja toch?'

Arthur maakte een gebaar waaruit moest blijken dat hij het daar maar half mee eens was.

'Ik wijs het niet af, Arthur. We weten allemaal dat het forum verschil kan maken. Eerlijk gezegd, mevrouw Wynn, als ik had gehoord dat de neef van de heer Erdai God elke avond bad om hem vergiffenis te schenken voor wat ze Gandolph hadden aangedaan, dan had ik verdomd graag willen weten wat Collins Farwell te zeggen had.'

'Met alle respect, edelachtbare,' zei Muriel, 'wij verlenen nooit immuniteit op verzoek van verdediger of civiele partijen, of zelfs een rechter die toegang tot een getuigenverklaring willen. Als de wetgever zou vinden dat die personen het recht zouden moeten hebben om immuniteit te verlenen, zouden ze dat recht hebben gekregen. En dat is niet gebeurd. We wilden en willen meneer Farwell geen immuniteit verlenen.'

De rechter tuurde even naar Muriel.

'Ik geloof niet dat het natellen van de raketten in onze arsenalen hier de juiste benadering is, mevrouw Wynn. Wij beschikken allemaal over verschillende middelen. U hebt de macht om geen immuniteit te verlenen. En ik heb de macht om bepaalde beslissingen te nemen die u al dan niet aanstaan. En meneer Raven heeft de macht om te zorgen dat die wijd en zijd worden gehoord. Ik wil liever praten over wat redelijk is en niet over macht. Het is ons allemaal vrij duidelijk dat Collins Farwell iets weet over de omstandigheden die tot dit misdrijf hebben geleid, en dat hij daarover tien jaar geleden geen opening van zaken heeft gegeven. Meneer Raven vindt dat we alles moeten weten wat we kunnen weten voordat we zijn cliënt executeren, en dat lijkt me een vrij sterk punt. In het licht van wat Genevieve Carriere u heeft verteld over wat de heer Gandolph in juli 1991 in zijn schild voerde, kan het niemand van ons verbazen als blijkt dat het de heer Raven spijt dat hij heeft verzocht meneer Farwell te kunnen ondervragen. Maar het zal goed zijn voor zijn gemoedsrust terwijl hij en zijn cliënt wachten op wat er gaat komen. En ook voor u. En ook voor mij. Dus ik wil graag dat we een dag of twee gaan nadenken over wat redelijk is, in plaats van over macht, omdat dat voor ons allemaal de weg der smarten zou kunnen zijn.'

Onder zijn borstelige wenkbrauwen met witte haren tuurde de rechter weer naar Muriel. Ze zei niets, maar liet kennelijk op zich inwerken hoe sterk de tegenstand was. Het kwam neer op wat Arthur in de rechtszaal tegen haar had gezegd. Kenton Harlow zou niet toestaan dat Rommy Gandolph werd geëxecuteerd zonder dat het verhaal van Collins was gehoord. Het feit dat uit Farwells getuigenis zou kunnen blijken dat het hof van appèl de zaal voortijdig had afgesloten, was ongetwijfeld een voorname overweging voor Harlow. Maar hij gunde Muriel weinig keus. Terwijl de pers gretig toekeek kon ze grootmoedig Collins immuniteit verlenen, haar liefde voor de waarheid uitdragen, of met zwakkere wapens de strijd aangaan met een federale rechter die haar officieel als leugenaar kon brandmerken, nog voordat haar verkiezingscampagne begonnen was.

'Waarom denken we er niet over na?' zei Harlow. Hij liet de griffier komen, dicteerde een kort vonnis waarin Arthurs verzoekschrift werd aangehouden en stuurde hen weg. Muriel verwijderde zich haastig, met een kil verontwaardigd gezicht. Zodra ze weg was, kon Pamela zich niet meer inhouden: ze sloeg haar arm om Arthur heen, omhelsde hem stevig en lachte hem stralend toe.

'Dat was briljant,' zei ze. Op dit ogenblik was Arthur haar held.

Hij vond het te veel eer en stuurde haar terug naar kantoor om een kort rapport voor het hof van appèl op te stellen over de gebeurtenissen van vandaag.

37

17 AUGUSTUS 2001

Ze weten het

Zodra Muriel terug was op kantoor, belde ze Larry's pieper om hem met haast te ontbieden; bovendien belde ze de recherchechef om ervoor te zorgen dat haar bericht niet zou worden genegeerd. Immuniteit voor Collins was de bevoegdheid van de aanklager, maar de rechercheur die het onderzoek had gedaan, had het recht te worden geraadpleegd. En het sprak vanzelf dat Larry allang zijn gezicht had moeten laten zien. Ze was machteloos kwaad op Harlow en had geen geduld meer met Larry's kinderachtige fratsen.

Maar toen hij een uur later binnenkwam, was ze bekoeld. Hij zag er slecht uit en ze voelde zich min of meer zoals ze zich de laatste paar dagen had gevoeld. In het verleden was Larry vaak bij haar weggelopen. Ze had gehoopt dat ze nu allebei anders zouden zijn, maar als het erop aankwam, bleek dat niet het geval. De hele zaak – de onjuiste waarnemingen en de complicaties – stemde haar treurig en er waren ogenblikken waarop ze zich vernederd voelde. Maar zondag had ze bij het verlaten van de kerk het gevoel gehad dat het misschien maar beter was als het niet meer goed kwam tussen Larry en haar.

Nu was Ned Halsey, de vedergewichtaanklager met zijn kromme beentjes en witte haren, aan het oreren. Ned stond bekend om zijn beminnelijkheid, maar ditmaal was hij des duivels. Halsey gebaarde dat Larry de deur dicht moest doen en richtte zich weer tot Muriel, die achter haar grote bureau zat.

'Vijfenveertig jaar geleden, toen ik rechten met hem studeerde, was Kenny Harlow al een klootzak,' zei Ned. 'Toen hij een toga kreeg, is hij een nog grotere klootzak geworden. En nu is hij zo'n gigantische klootzak dat hij zijn eigen zonnestelsel verdient. Dus als je me vraagt of hij zich als een klootzak zal gedragen, is het antwoord ja.'

'Ik geloof nog steeds niet dat het hof van appèl zal toestaan dat hij ons een immuniteit door de strot douwt, Ned,' zei Muriel. Zoals haar hele leven al het geval was, leidde het pad van de verontwaardiging naar de beslistheid. Opstaan. Terugvechten. Dat was het motto van haar vader in de confrontatie met de arrogantie van de macht.

'Daarvoor verscheurt hij je al met huid en haar, Muriel,' zei Ned. '"Plaatsvervangend hoofdaanklager loog, verklaart rechter". Nog afgezien van jouzelf en de permanente schade die hij bij jou zal aanrichten: wil je nou echt dat wij dat over ons heen krijgen? Ik niet, dat weet ik wel.'

'Wat?' vroeg Larry.

Ze legde in een paar woorden uit wat er was gebeurd. Larry reageerde gepikeerd.

'Jezus, Ned, je kunt toch geen immuniteit verlenen. God weet wat Collins zal zeggen. In dit late stadium kan hij het gaandeweg verzinnen. Zo komt deze zaak nooit rond.'

'Larry,' zei Ned, 'we kunnen praten tot we blauw zien over ons beleid in dit soort zaken. Maar het effect is dat we de waarheid lijken te verbergen. De man heeft je zogoed als verteld dat hij heeft geholpen Gandolph erin te luizen.'

'En als hij bij de moorden betrokken was?' vroeg Larry.

Zelfs Muriel wilde daar niet aan. 'Larry, er is geen bewijsmateriaal waaruit blijkt dat Collins iets met de moorden te maken heeft. Geen forensisch materiaal, geen verklaringen. Bovendien, hoe kunnen wij aanvoeren dat iemand anders de moorden kan hebben gepleegd terwijl we proberen Gandolph te executeren omdat hij ze heeft gepleegd? Jezus, als we dat aanvoeren kunnen we beter meteen een kist kopen en erin kruipen.'

Ned bleef Ned en gaf Larry een geruststellend schouderklopje. Bij de deur wees hij naar zijn plaatsvervangend hoofdaanklager.

'Het is jouw zaak, Muriel. Ik steun je hoe dan ook. Maar ik stel voor een deal met Arthur te maken. Dat je immuniteit aanbiedt in ruil voor een einde aan verdere appèls, als blijkt dat ze niets aan Collins hebben.'

Ze dacht niet dat Arthur daarin zou trappen.

'Nou,' zei Ned, 'in elk geval krijg je wat publiciteit als je besluit een robbertje met Kenny te vechten.'

Ned was een goede, wijze man. Zijn oplossing beviel haar. Larry en hij keken naar de deur die hij achter zich sloot.

'Zeg het maar,' zei Muriel. 'Heb ik iets verkeerds gezegd of gedaan? Geen kaartjes. Geen telefoontjes. Geen bloemen?' Een ogenblik eerder nog had ze gedacht dat ze het achteloos kon laten klinken. Maar het zuur siste na. Ze zette beide handen op haar bureau en haalde diep adem. 'Maak je geen zorgen, Larry. Daar belde ik niet voor.'

'Dat dacht ik al.'

'Ik wil je uithoren over Collins.'

'Je kunt hem geen immuniteit verlenen, Muriel. Dickerman heeft eindelijk contact met me opgenomen over dat wapen.'

'Wanneer?'

'Vorige week?'

'Vorige week! God nog aan toe, Larry, staat er niet ergens in het handboek politieman dat de aanklager op de hoogte moet worden gehouden van alles wat betrekking heeft op bewijsmateriaal? Ik heb dinsdag de rechter laten weten dat we inzage hebben gegeven in alles wat we over Collins weten. Wanneer had je gedacht me dit te vertellen?'

'Zodra ik wist wat ik over de rest moest zeggen.'

'"De rest". Is dat persoonlijk bedoeld?'

'Ik denk dat jij het zo zou noemen.'

Hier op kantoor hadden ze het voordeel van een koelere, abstractere toon. Achter haar bureau kruiste ze haar armen en vroeg of hij vond dat wat er een week eerder was gebeurd in het huis dat hij renoveerde verkeerd was.

'Als ik wist wat ik vind, was ik het je komen vertellen, Muriel. Dat is de waarheid. Wat denk jij?'

Ze dompelde zich even onder in het moeras van haar gevoelens en dempte toen haar stem.

'Ik vond het geweldig om bij je te zijn. Ik ben er een paar dagen dolgelukkig van geweest. Tot ik doorkreeg dat je niets van je zou laten horen. Hoe zit dat?'

'Ik kan hier niet goed meer tegen.'

Ze vroeg wat hij met 'dit' bedoelde.

'Neuken,' zei hij. 'Jij en ik. Of we maken er werk van, of we kappen ermee. Ik ben te oud voor een tussenweg.'

'Ik wil geen tussenweg, Larry. Ik wil jou in mijn leven.'

'Als wat?'

'Als iemand met wie ik verbonden ben. Innig verbonden ben.'

'Parttime of fulltime?'

'Allemachtig, Larry. Ik heb het over een behoefte, geen plan de campagne.'

'Ik ga niet meer scharrelen, Muriel. We pakken het aan of we kappen ermee.'

'Wat bedoel je met aanpakken en met kappen?'

'Ik bedoel dat jij bij Talmadge weggaat en ik bij Nancy. Ik bedoel eens en voorgoed zeggen dat we ons hebben vergist, zwaar vergist, toen we nog een stuk jonger waren, en dat we willen proberen te redden wat er te redden valt.'

'Tjonge,' zei Muriel. Ze raakte haar borst aan ter hoogte van haar bonzende hart. 'Tjonge.' Haar gedachten waren niet veel verder gegaan dan de volgende gelegenheid voor een rendez-vous; tot voor enkele seconden had ze geaccepteerd dat dat er waarschijnlijk nooit zou komen.

'Ik meen het.'

'Dat zie ik.'

'En ik weet niet honderd procent zeker dat ik dat wil. Maar ik weet wel zeker dat als ik het je zo voorleg, ik nergens op hoef te rekenen.'

'Je draait er niet omheen, Lar.'

'Ik doe mijn best.'

Hij was verontwaardigd, zoals zo vaak, nu al pijnlijk getroffen door de afwijzing die hij had verondersteld. Zij had de week daarvoor bezorgd afscheid van hem genomen, verdrietig om allerlei dingen en kwetsbaar door haar schuldgevoel. Maar desondanks was er een blij geluk opgeborreld. Het was een vorm van bevrijding geweest voor haar. Ondanks het gevaar en de domheid en het egoïsme van wat ze had gedaan, had ze het gevoel gehad dat ze contact had gezocht. Toen ze niets van hem hoorde, had ze het het ergst gevonden dat gevoel te verliezen.

'Ik ben blij dat je dit hebt gezegd,' zei ze. 'Ik meen het.' Het klonk kalm, maar de paniek sloeg toe. Zoveel dingen werden ineens op elkaar gestapeld, in wankel evenwicht. Haar huwelijk. Haar werk. Haar toekomst. Wie ze was. Shit.

Was de liefde waard dat je niet het leven leidde dat je wilde? Dat was de vraag die uit de achtergrond van haar gedachten naar voren schoot. Was liefde – echte, onstuimige liefde op de rijpe leeftijd van vierenveertig jaar – voldoende compensatie voor al het andere dat ze had geambieerd? In gedichten en romans werd beweerd dat het enige antwoord ja was. Maar ze wist niet goed wat volwassen mensen zeiden. Athans zo volwassen als ze waren.

'Ik moet hierover nadenken, Larry. Diep nadenken.' Ze zag dat het haar eerste opmerking was waar hij blij mee was.

'Ja,' zei hij. 'Denk maar eens heel diep na.' Hij bleef naar haar kijken. 'Maar waarschijnlijk zul je niet met me willen praten.'

'Waarom niet?'

Zijn woede was op slag verdwenen. Hij liet zich in de eikenhouten stoel naast haar bureau vallen.

'Omdat,' antwoordde hij, 'ik je nog niet heb verteld wat Mo over dat wapen heeft gezegd.'

Larry had de meeste tijd van zijn ruim twintig jaar bij de politie doorgebracht met jacht maken op de gevaarlijkste zogenaamde mensen in de stad. Hij had hen achtervolgd in duistere stegen en om donkere hoeken en zelfs in volle wapenrusting de inval geleid bij El-Kan, de leider van de Night Saints, die zich had opgesloten met een voorraad wapens die hij op een of andere manier van het Libische leger had gekocht. Larry voelde zich altijd op zijn best bij zulke gelegenheden, dansend op zijn zenuwtoppen, een gevoel dat hem herinnerde aan wedstrijden met het footballteam op de middelbare school. Hij had nooit de vrees gekend of het omhoogkomen van maagzuur achter in zijn keel zoals nu. Degene die hem de meeste angst aanjoeg in de hele wereld zat nu voor hem, besefte hij. Het was opeens onvoorstelbaar dat hij haar niet eerder over het wapen had verteld. De waarheid, voor zover hij kon nagaan, was dat hij er genoeg van had gehad dat Muriel de regels stelde.

Terwijl hij vertelde, week ze achteruit en werd zo hard en koel als steen.

'En wat heb je met Dickermans rapport gedaan?' vroeg ze toen hij klaar was.

'Laten we maar zeggen dat ik het ben kwijtgeraakt.'

'Kwijtgeraakt.' Ze steunde haar voorhoofd op haar handen.

'Het maakt niet uit, Muriel. Eekhoorn heeft het gedaan. Je weet dat hij het heeft gedaan. Als hij het met Erno en Collins heeft gedaan, heeft hij het nog altijd gedaan.'

'Dat is een theorie, Larry. Dat is jouw theorie. Misschien is het onze theorie. Maar hun theorie is dat Erno het in zijn eentje heeft gedaan. En hun theorie is misschien een tikkeltje overtuigender als je eraan toevoegt dat zijn vingerafdrukken in bloed op de trekker van het moordwapen staan.'

'Misschien het moordwapen.'

'Honderd dollar dat het zo is, Larry. Zet jij er honderd tegenover dat het niet zo is? Of misschien tien?' Haar starende blik brandde in hem. 'Vijftig cent?'

'Zo is het wel genoeg, Muriel.'

'Jezus,' zei ze en draaide haar hoofd opzij. 'Wat bezíélde je, Larry?'

'Weet ik niet,' zei hij.

'En nu is het uit, Larry. Die revolver moet vanmiddag nog naar ballistiek. En naar serologie zodra ballistiek ermee klaar is. En laat de afdeling vuurwapens het serienummer natrekken.'

'Ja, mevrouw.'

'Je mag blij zijn dat het zo is gegaan. Als Arthur dit had ontdekt, was je als gedetineerde in Rudyard terechtgekomen. Besef je dat wel?'

'Spaar me de melodramatische effecten, Muriel.'

'Ik meen het.'

'Gelul, Muriel. Ik vertel het je nu. Het is een paar dagen later. De aanklager weet nooit alles. Je wilt ook niet alles weten.'

'Hoe bedoel je?'

'Och kom, Muriel. Je weet toch hoe het werkt. Je gaat de slager niet vragen om het recept van zijn worst. Het is worst en je weet dat het worst is. Er zit niets in waar je dood van gaat.'

'Wat weet ik nog meer niet, Larry?'

'Laat maar zitten.'

'*No más*, Larry. Hierna wil ik niet meer blindvaren.'

'Daag je me uit?'

'Noem het zoals je wilt.'

Het was inderdaad een wedstrijd, zoals hij altijd had geweten, en hij zou verliezen.

'Best. Denk je dat die camee echt in Eekhoorns zak zat?'

Ze was even stil. Zelfs Muriel de Menseneter toonde een angstreflex.

'Ja, dat dacht ik.'

'Dat was ook zo.'

'Val dood,' zei ze opgelucht.

'Maar niet op de dag dat ik hem aanhield. Het ding was er de avond daarvoor en een politieman met lange vingers had het ingepikt. Ik heb het alleen teruggegeven, zeg maar. Dat bedoel ik. Vertel me nou niet dat je geschokt bent.'

Ze was niet geschokt. Dat kon hij zien.

'Larry, vingerafdrukken op een moordwapen onder de tafel houden is niet hetzelfde als een onderdeel van een zaak straktrekken. Dat weet je.' Ze keek naar het voorste paneel van het erkerraam achter haar. 'Wat een puinhoop,' zei ze.

Larry zag dat ze haar duimnagel tegen het spleetje tussen haar voortanden zette terwijl ze over de consequenties nadacht. Een ogenblik later zag hij dat haar scherpe verstand haar als een reddingsboei terugbracht aan de oppervlakte.

'Ik ga Collins immuniteit verlenen,' zei ze toen.

'Wat?'

'Als Arthur krijgt wat hij wil, zal hij niet vragen waarom. Misschien hebben we geluk; misschien zal Jackson ons eerst onder vier ogen naar Collins' verhaal laten luisteren.'

'Je kunt hem geen immuniteit verlenen. Die gast liep te zwaaien met het moordwapen.'

'Ik heb geen keus, Larry. Je laat me geen keus. Ik kan hier niet tegenop. Ik kan niet zeggen dat Collins misschien wel de moordenaar is en vervolgens Gandolph ter dood laten brengen. Verdomme, Larry, met Erno's vingerafdrukken op die trekker zijn we terug bij af. En Collins is misschien wel onze beste kans. Harlow heeft gelijk. Collins zou Rommy er definitief bij kunnen halen.'

'Nee,' zei Larry. Het was een algemeen protest. Hij was woedend om alles. 'Het komt door de verkiezingen, hè? Je hebt besloten Collins in elk geval immuniteit te verlenen. Ned had je al overgehaald. Ik ben alleen het excuus. Je wilt niet de confrontatie zoeken met Harlow.'

'Ach, val dood, Larry!' Ze pakte een potlood van het bureau en gooide het tegen het raam. 'Godverdomme, begrijp je het dan niet? De verkiezingen zijn nog het minste. De wet, daar gaat het om. Er zijn bepalingen. En het gaat om wat rechtvaardig is. Jezus, Larry, het is tien jaar later en als ik je nu zo hoor, vraag ik me af wat er toen eigenlijk is gebeurd. Begrijp je dat?' Ze boog zich over haar bureau en zag eruit alsof ze klaarstond om hem te komen wurgen.

'Ja, ik begrijp het.' Hij liep naar de deur. 'Ik ben maar een diender.'

In de vroege zomeravond stond Gillian bij de stoeprand voor Morton op Arthur te wachten. De meeste late kantoormensen waren weg en er was minder verkeer. Een eindje verderop zaten twee vermoeide vrouwen met gebogen rug naast hun grote boodschappentassen in een bushokje.

Gillian kon de duur van haar verhouding met Arthur afmeten aan het licht; het werd nu eerder donker. De zon, die ze die ochtend samen hadden zien opkomen, dook nu in de rivier en de hete gloed spreidde zich als een havikstaart over de lichte wolken aan de horizon. In de wisselvallige wind kondigde zich subtiel het najaar aan. Hoewel haar meermalen was verteld dat het een kenmerk van een depressieve aard was, had ze nooit helemaal de neiging kunnen onderdrukken natuurverschijnselen – het invallen van de duisternis, het afzwakken van de zomer – met bijgelovige bezorgdheid gade te slaan. Het leven was goed. Het zou niet duren.

Arthur was laat, maar toen hij voorreed, werd snel duidelijk dat hij opgewonden was.

'Alweer een spoedbericht van Muriel,' zei hij terwijl Gillian ging zitten. Hij had kopietjes meegebracht van twee korte verzoekschriften die de aanklager de afgelopen middag had ingediend bij het federale hof en het hof van appèl. Naar aanleiding van het ontvangen van 'nieuwe en belangrijke informatie met betrekking tot aard en omstandigheden van het misdrijf' verzocht Muriel veertien dagen uitstel van alle procedures om de aanklager in staat te stellen onderzoek te verrichten.

'Wat krijgen we nou?' vroeg Gillian. 'Heb je haar gebeld?'

'Natuurlijk. Ik eiste de nieuwe informatie op, maar ze gaf geen duimbreed toe. Na wat gesteggel konden we het erop afmaken dat ik haar twee weken gun en dat zij zich niet zal verzetten tegen een nieuw verzoek om de beslissing van het hof van appèl nietig te verklaren en de zaak te heropenen. Het komt erop neer dat ze de score weer op nul-nul zet.'

'Mijn god!' Hoewel Arthur stuurde, schoof ze dichter tegen hem aan om hem te omhelzen. 'Maar wat zit erachter? Gaat ze Collins immuniteit verlenen?'

'Ik kan niet geloven dat ze vooraf zou toegeven dat hij geloofwaardig genoeg is om de zaak te heropenen. Als het haar niet bevalt wat Collins zegt, zal ze hem voor leugenaar uitmaken. Er moet meer zijn. Er moet iets groots achter zitten.'

Al maanden had Arthur een onwaarschijnlijk visioen van Muriel voor ogen die het licht zou zien wat Rommy betrof. Gillian sloeg Muriel veel lager aan, maar Arthur weigerde al zijn oude collega's in iets anders dan een gunstig licht te zien. In elk geval was ze het eens met zijn vermoeden dat er een dramatische ontwikkeling moest hebben plaatsgevonden.

'Dus je hebt een heerlijke dag gehad,' zei ze.

'Het kon minder,' antwoordde hij.

'Iets negatiefs gebeurd?'

'Niet in deze zaak. En niet echt negatief. Muriel had commentaar over ons. Ze weten het.'

'O. En hoe voel je je nu?'

Hij haalde zijn schouders op. 'Ik vond het niet leuk.'

Gillians harpij van een moeder had in zo'n geval een vernietigend 'zie je wel' laten horen. Gillians reserve was er geheel en al op gericht om die stem binnen de perken te houden, al zou ze hem nooit helemaal uit haar hoofd kunnen verbannen. Maar die arme Arthur wilde altijd dat mensen hem aardig zouden vinden. Dat hij werd gekleineerd en bespot om zijn partnerkeuze vrat aan hem, zoals ze vooraf altijd had geweten. Om zes uur in de ochtend had ze hem peinzend aangetroffen, terwijl hij naar de zonsopgang keek.

'Probeer je niet te zeggen dat je me hebt gewaarschuwd?' vroeg hij.

'Is het zo duidelijk?'

'We komen er wel,' zei hij.

Glimlachend pakte ze zijn hand.

'Serieus,' zei hij. 'Waar ik vanmorgen aan dacht was samen weglopen.'

'O ja?'

'Ik meen het. Alles opgeven en een andere plek zoeken. Helemaal overnieuw beginnen. Samen. Ik heb hier en daar gebeld, Gil. Er zijn staten waar je over een paar jaar, gesteld dat alles stabiel blijft, een goede kans maakt als je een aanvraag indient om opnieuw te worden toegelaten.'

'Tot de balie?'

Hij waagde het naar haar te kijken en knikte onverstoorbaar alvorens zijn aandacht weer op het verkeer te richten. Het was een adembenemende gedachte. Ze had er zelfs nooit maar overwogen dat het mogelijk zou zijn uit haar ballingschap terug te keren.

'En jouw positie dan, Arthur?'

'Nou en?'

'Na al die jaren die je hebt geïnvesteerd om maat te worden?'

'Dat is allemaal angst om te worden afgewezen. Ik wilde dat bereiken omdat ik anders mezelf niet onder ogen had kunnen komen. Bovendien: als dit is wat ik denk dat het is met Rommy, word ik rijk. Als we hem eronderuit kunnen krijgen, zal Rommy een sensationele civiele vordering kunnen indienen. Ik kan ontslag nemen en zijn zaak behartigen. Die zal hem miljoenen opleveren. En daar krijg ik dan mijn aandeel van. Ik heb erover nagedacht.'

'Kennelijk.'

'Nee, anders dan het klinkt. Ik ben gewoon niet zo geschikt voor een kantoor. Ik ben een werkbij. Ik ben geen snelle jongen die grote cliënten binnenhaalt. Ik wil alleen maar een goede zaak en daar dan keihard aan werken. Liefst iets waar ik in kan geloven.'

Jaren terug had Gillian Arthur uit de verte gezien als iemand die bij zijn geboorte al van middelbare leeftijd was. Maar dat kwam door zijn uiterlijk en de fatalistische uitstraling die hij van zijn vader had geërfd. Het belangrijkste aan hem was dat hij adolescent was gebleven. Hij had nooit echt geleerd de wereld met een volwassen blik te zien, met alle complicaties en dubbelzinnigheden van dien. In Rommy's zaak had hij zichzelf leren kennen als iemand die het gelukkigst was bij het nastreven van idealen, ook als ze onhaalbaar waren.

'En je zuster dan?' vroeg Gillian.

Ook nu was hij weer helemaal zichzelf. Op Arthurs gezicht was voor haar zo duidelijk te zien wat er in hem omging alsof haar een film werd vertoond, en ze keek toe terwijl zijn hart kromp en de realiteit hem weer met beide benen op de grond zette.

'Misschien kunnen we in het Midden-Westen blijven. Ik kan trouwens toch niet ver weg als ik me met Rommy's civiele zaak ga bezighouden, omdat ik dan een paar keer per week weer hier moet zijn. Zal ik eens tegen mijn moeder zeggen dat zij het mag overnemen? Ze heeft al dertig jaar geen vinger uitgestoken. Ik ben de ouder geweest en zij het kind. Zal ik tegen haar zeggen dat ze maar eens volwassen moet worden?'

Gillian glimlachte, terwijl Arthur serieus over die suggestie leek na te denken. Ze had nooit Arthurs onbeperkte vermogen gehad om te blijven hopen, hoe onwaarschijnlijk iets ook was; ook dat was een reden dat ze haar toevlucht in drugs had gevonden. Maar ze vond het heerlijk om hem zo'n onbelemmerde vlucht te zien nemen. En de laatste tijd had ze af en toe gemerkt dat ze met hem mee vloog. Het duurde niet langer dan zo'n onstabiele in een reactor opgewekte isotoop die voornamelijk in theorie bestond, maar ze lachte in het donker en deed haar ogen dicht en geloofde in die fractie van tijd met Arthur in een ideale toekomst.

38

22 AUGUSTUS 2001

Collins vertelt

Jackson Aires ontleende er een niet gering genoegen aan dwars te liggen. Aanvankelijk stemde hij erin toe dat met Collins zou worden gesproken voordat hij zijn getuigenverklaring aflegde, zolang de ontmoeting in Atlanta zou plaatsvinden en de aanklager Aires' ticket daarheen zou bekostigen. Toen bleek dat Collins weer in de stad was om zich met de afwikkeling van Erno's nalatenschap bezig te houden. Maar, zei Jackson, zijn cliënt had nu besloten dat hij pas wilde spreken nadat hij de eed aan God had afgelegd om de waarheid te spreken. Muriel had de mogelijkheid opnieuw een grand jury bijeen te brengen om het onderzoek naar het bloedbad van de vierde juli voort te zetten omdat moord niet verjaarde, en daaraan gaf ze de voorkeur boven een getuigenverklaring. Zo kon ze namelijk Collins ondervragen zonder dat Arthur over haar schouder meekeek of gedeelten van de verklaring die hem gunstig leken te lekken naar de pers. Bovendien hoefde ze dan niet in te gaan tegen het beleid van justitie om in een civiele zaak geen immuniteit te verlenen. Zelfs Jackson had liever een grand jury, omdat Collins' verklaringen dan geheim zouden blijven.

Op 22 augustus arriveerde Collins in de wachtkamer voor het zaaltje van de grand jury. Hij droeg hetzelfde modieuze donkere pak dat hij bij de uitvaart van zijn oom had gedragen. Hij had een bijbel in de hand, omwikkeld met een ketting met houten kralen en een groot kruis. Het boek was zo vaak ter hand genomen dat het zacht was geworden als een pocket. Behalve Aires liep ook Collins' grote, blonde vrouw mee.

Muriel overhandigde de immuniteitsverklaring, die Jackson woord voor woord doorlas, alsof hij niet talloze keren zo'n verklaring had gezien; vervolgens opende Muriel de deur van de grand jury-zaal. Jackson probeerde mee naar binnen te gaan, hoewel hij heel goed wist dat zijn aanwezigheid verboden was. Alleen de getuige, de aanklager, de rechtbankstenograaf en de leden van de grand jury mochten aanwezig zijn.

'Ik moet erbij zijn,' zei Aires. 'Ik heb geen keus.'

Na nog eens een halfuur onderhandelen kwamen ze overeen dat Collins de eed zou afleggen, waarna de zitting zou worden geschorst. In de middag zou dan in Jacksons kantoor in de stad een onderhoud op de band worden vastgelegd; deze opname zou later aan de grand jury worden voorgelegd. Muriel vond het best de zaak af te werken buiten het gerechtsgebouw, waar ze altijd het risico liep dat een verslaggever er lucht van kreeg.

Jackson beschikte over diverse kantoren: een in Center City en nog een in Kewahnee, maar zijn belangrijkste vestiging was in het North End, niet ver van het vliegveld DuSable. Net als Gus Leonidis was Jackson de buurt waar hij was opgegroeid trouw gebleven. Jacksons kantoor bevond zich in een klein winkelcentrum waarvan hij de eigenaar was. De voornaamste huurder op de hoek was een nationale drogisterij- en levensmiddelenketen die hij jaren terug had overgehaald hier een filiaal te vestigen. Aan het andere uiteinde van het winkelcentrum had Jackson een kantoor achter een glazen ontvangsthal.

Muriel was er zonder Larry of Tommy Molto naar toe gereden. De week had drukkende warmte gebracht, vlagerige zuidenwind en een zon die een gesel was. Muriel wachtte voor de ingang op de andere twee, maar vluchtte na een minuut of wat naar binnen vanwege de airco.

Uiteindelijk waren ze er allemaal in Aires' ruime kamer. Omdat Jackson zo'n ijdeltuit was, had Muriel verwacht dat hij, als zoveel anderen, aan zijn wanden een monument voor zichzelf had opgericht; maar hij had voornamelijk foto's van zijn gezinsleden opgehangen: drie kinderen, alle drie advocaat in een andere stad, en negen kleinkinderen, als Muriel goed had geteld. Zijn vrouw was al een paar jaar terug overleden. Terwijl ze om zich heen keek in het kantoor, waar nog twee advocaten werkten, vroeg Muriel zich af of hij zou verkondigen dat Amerika een geweldig land was, of dat hij onrechtvaardig hard had moeten ploeteren voor wat hem toekwam. Het was allebei waar.

'Muriel, ga jij maar hier zitten.' Onverwachts galant bood Jackson haar de grote stoel achter zijn bureau aan. Het meubilair was vierkant en functioneel, Deens modern van een discountzaak in kantoorbenodigdheden. Aires koos een fauteuil die schuin voor het bureau stond, naast zijn cliënt. Als leden van een koor namen Collins' vrouw, Larry en Molto achter hem plaats. Jackson bleef Jackson: hij haalde een kleine taperecorder te voorschijn en zette die op het bureau naast de recorder die Muriel al had neergezet.

Zodra beide apparaten waren ingeschakeld en getest, keek Collins naar Aires en vroeg: 'Kan ik beginnen?'

'Wacht maar even tot de dame je een vraag heeft gesteld,' zei Jackson. 'Het is de toneelschool niet. Je hoeft geen monoloog te houden.'

'Er hoeft maar één ding te worden gezegd,' zei Collins.

'Wat dan?' vroeg Muriel.

'Mijn oom Erno heeft die mensen vermoord en Gandolph had er niets mee te maken.'

Ze vroeg hoe Collins dat zo zeker wist. Hij keek naar Aires, die hem met een gebaar aanmoedigde door te gaan.

'Je bent begonnen, dan moet je het ook afmaken,' zei Jackson.

Collins sloot even zijn opvallende omberkleurige ogen en zei toen: 'Omdat ik, Jezus schenke me vergiffenis, erbij was en het hem heb zien doen.'

Aires' stoel was te hoog voor Muriel. Haar hoge hakken hingen af en ze moest een paar keer tegen het tapijt schoppen voor ze haar stoel kon draaien om Collins beter te kunnen zien. Hij was licht kalend en hij was wat breder geworden, maar Collins bleef een van Gods mooiste creaties. Zijn gezicht stond strak, alsof hij probeerde moedig de waarheid onder ogen te zien.

'Ik wil dit verhaal nooit meer vertellen,' zei Collins. 'Daarom moet Anne-Marie het nu horen, zodat het over en uit kan zijn. Mijn Heer en Verlosser, Hij weet dat ik in zonde geboren ben, maar het is bedroevend wat ik voor man zou zijn zonder Hem.'

Toen Muriel even naar Larry keek, zat hij onderuitgezakt in zijn stoel naast het bedieningspaneel van de airco. Vanwege de warmte had hij zijn jasje uitgetrokken en netjes over zijn knie gelegd; geconcentreerd observeerde hij zijn eigen voet, die een ritme op het tapijt tikte. Ze waren pas begonnen, maar ze wist dat Larry nu al genoeg over Jezus had gehoord. Door de jaren heen had hij natuurlijk vaak dit soort dingen moeten aanhoren, mannen die het logo van een bende in iemands buik hadden gekerfd en een halve minuut voor hun vonnis God vonden. Muriel had er geen moeite mee. Dat moest God maar uitzoeken. Daar was Zij nu eenmaal God voor. Muriels taak was hier op aarde bepalen wie verantwoordelijk was.

Muriel ging even terug, sprak datum en tijd in, gaf aan wat de aard van de bijeenkomst was en vroeg ieder van de aanwezigen iets te zeggen zodat er een specimen van elke stem op de band kwam te staan.

'Laten we met uw naam beginnen,' zei Muriel tegen Collins. Nadat hij die had genoemd, vroeg ze hem of hij als volwassene ook wel een alias had gebruikt. Hij somde er vijf of zes op.

'En Faro Cole? Hebt u die naam ook gebruikt?'

'Ja.'

'Als alias?'

'Meer een nieuw leven,' zei hij en glimlachte wrang. 'Ik ben zoals veel mensen,' zei Collins. 'Ik heb keer op keer geprobeerd een nieuw leven te beginnen tot het uiteindelijk is gelukt.' Hij keek naar zijn advocaat. 'Kan ik dit vertellen zoals ik wil?' Aires wees naar Muriel. 'Ik heb dit op een bepaalde manier in mijn hoofd,' zei Collins tegen haar. 'U mag vragen wat u wil, maar eerst wil ik het graag vertellen zoals ik het in mijn hoofd heb.'

Dat zou hij hoe dan ook doen. Dat wist Muriel. Collins kon het inkleden zoals hij wilde: als berouwvolle zondaar, als een van de verworpenen der aarde. Na afloop zou ze het wel onderbrengen in de rigide kaders van de wet. Ze zei dat hij zijn gang kon gaan.

Collins trok zijn jasje recht. Hij droeg een wit overhemd met das. Hij zag er verzorgd uit.

'Eigenlijk,' zei hij, 'is dit een verhaal over mijn oom en mij. Natuurlijk zijn er heel wat andere mensen die ertoe hadden moeten doen. Maar dat deden ze niet. Dat is het eerste wat u moet begrijpen.

Ik en mijn oom Erno hebben elkaar heel lang gekend. God geve dat er op het aangezicht van de aarde nooit twee mannen zijn geweest die elkaar meer haatten dan wij, bij tijden. Ik denk dat het kwam omdat we het beste waren wat de ander had. Ik was alles wat hij had bij wijze van kind en hij was een soort vader voor mij, maar we waren er geen van beiden blij mee. Ik ben een zwarte voor iedereen die me kan zien en die bleekscheet met zijn lange neus wou eigenlijk dat ik net zo zou doen als hem, maar dat kon natuurlijk niet.'

Collins keek naar het kruis en de bijbel op zijn knie.

'Ik was misschien dertien, veertien, toen had ik het wel gezien in de oude buurt. Ik was zwart, of ze dat nou zeiden of niet, en ik was de grootste brother die er ooit zou zijn. Alleen was het zoals ik zei: oom Erno liet me niet los. Ik leefde op straat en deed de stomme dingen die je dan doet, crack verkopen en roken, en mijn oom deed of hij de politie was – dat deed hij graag – en sleepte me voor de poorten van de hel weg en zei dat ik niks van mijn leven maakte. Het is wel mijn leven, zei ik dan, en ging door. Maar als de politie me te pakken had, belde ik natuurlijk Erno, die zorgde dan dat ik vrijkwam en zei dat ik het nooit meer moest doen.

In '87 werd ik voor het eerst als volwassene berecht. Erno zorgde dat ik naar een strafkamp kon. En toen ik eruit kwam, had ik echt de beste voornemens. Als je het goed doet, krijg je je strafblad kwijtgescholden. Erno en mijn moeder stuurden me naar Hongarije, weg van de verkeerde vrienden, en ik ben uit mezelf naar Afrika gegaan. Toen ik thuiskwam, vroeg ik mijn oom me te helpen om in de reisbranche te gaan.

In 1988 was dat en Erno was nog nooit zo blij met me geweest. Ik deed alles wat hij altijd tegen me had gezegd. Ik ging leren, ik deed mijn best en ik haalde mijn examen voor reisagent en kreeg een baan bij Time to Travel. Elke ochtend naar het werk. Ik liep de brothers die ik kende op straat voorbij of ik nooit bevriend met ze was geweest. En man, wat was het zwaar. Het was zwaar. Erno, weet u, hij en mijn moeder hadden het er altijd over hoe zwaar ze het in Hongarije hadden gehad – ze aten eekhoorns en mussen die ze in het park hadden gevangen, van die dingen – maar ik werkte en werkte en ik had nooit geld. Tweeëntwintig was ik en ik woonde weer bij mijn moeder. Toen ik promotie maakte en reisagent werd, kreeg ik commissie van Time to Travel, maar er was geen enkel groot bedrijf dat zaken wou doen met een zwarte jongeman. En uiteindelijk zeg ik tegen hem: "Oom Erno, het lukt me niet, man, ik heb het geprobeerd, echt waar, maar het lukt niet." '

Collins keek op om te zien hoe het viel. Molto maakte van de onderbreking gebruik om te controleren of hun taperecorder op Aires' bureau wel liep. Aires deed natuurlijk hetzelfde.

'Erno merkte dat ik dreigde af te glijden en hij was ten einde raad. Op een gegeven moment wilde hij me de klandizie toeschuiven van een luchtvaartmaatschappij. Allemaal wilde ideeën. En zo is het begonnen met de tickets. Eerst deed hij of het tickets waren die zeg maar waren kwijtgeraakt. Nou ja, dat is toch stom? Dat had ik gauw door.'

Larry schraapte zijn keel. 'Mag ik een paar dingen vragen?' Het klonk niet vriendelijk. Collins ging zo op in zijn verhaal dat het even duurde voordat hij opkeek.

'Starczek,' zei Collins toen.

Larry's eerste vraag was eenvoudig. Waar kwamen de tickets vandaan?

'In die tijd,' zei Collins, 'kwamen de tickets net uit de computer. Er was altijd gedonder met de printers – het papier liep vast of de letters kwamen op de verkeerde plaats terecht. Vaak genoeg vulden agenten tickets nog met de hand in en haalden ze dan door de machine om ze met hun plaatje geldig te maken. Als je een fout maakte bij het invullen van een ticket, maakte je het ongeldig en noteerde het nummer op een foutenlijst. De tickets die ik van Erno kreeg waren blanco geldig gemaakte handtickets, die op de foutenlijst stonden zodat niemand ernaar omkeek.'

'Van de maatschappijen hoor ik,' zei Larry, 'dat vroeg of laat iemand die met zo'n ticket vliegt wordt gesnapt.'

'Waarschijnlijk wel,' zei Collins. 'Maar op die tickets heeft nooit iemand gevlogen. Ik ruilde die tickets in om de kosten van andere tickets te dekken.'

Muriel keek naar Larry of haar iets was ontgaan, maar hij leek ook bevreemd.

'Stel dat ik een klant had,' zei Collins, 'die contant betaalde voor een reis naar New York. Dan pakte ik een ticket van Erno en maakte er een ticket naar New York op een eerdere datum van. Door het geldig maken leek het of het ticket met de hand was afgegeven aan de balie van TN Air. Dan leverde ik Erno's ticket in om de kosten van het ticket van mijn klant te dekken – alsof het een gelijkwaardige ruil was. Het geld van mijn klant stopte ik in mijn zak, in plaats van het aan Time to Travel af te dragen. In plaats van een muizenkeutel commissie pakte ik de volle mep voor het ticket. En mijn commissie ook nog. Bij de maatschappij werd de vluchtcoupon vergeleken met een geldig gemaakt ticket en verder keken ze niet.'

'Slim,' zei Muriel.

'Heb ik niet verzonnen,' zei Collins. 'Mijn oom Erno had dat bedacht. Die wist alles van rommelen met tickets. Denk dat hij uiteindelijk wat had verzonnen waar het mee kon. Was waarschijnlijk een uitdaging voor hem. Zo was Erno.'

'Ja,' zei Larry, 'dat vraag ik me af. Waarom deed Erno niet wat ieder half normaal mens zou doen: waarom gaf hij je geen geld?'

Collins legde even zijn hoofd in zijn nek terwijl hij naar een antwoord zocht.

'Ja maar Erno, dat was een rare.'

'Je meent het,' zei Larry. Collins' mondhoeken wezen omlaag. Hij vond het niet prettig dat iemand honend deed over zijn overleden oom. Muriel keek even naar hem. Het was waarschijnlijk haar eerste oogcontact met Larry sinds hij was binnengekomen. Gezien de wijze waarop hun laatste ontmoeting was verlopen, had ze opstandigheid kunnen verwachten, maar hij knikte vriendelijk.

'Ten eerste was Erno gierig,' zei zijn neef. 'Dat is gewoon zo. Als hij een halve dollar had, wou hij die niet graag kwijt. En hij kon erg zuur doen over de maatschappij die hem beter had moeten behandelen. En ja, de wet overtreden kan spannend zijn, dat kan je aan iedereen vragen die het weet. Erno mekkerde altijd over wat hij was misgelopen doordat hij van de opleiding was gegooid. Maar weet u, als ik mijn kleintjes in mijn armen heb, dan zeg ik altijd: "Voor jullie doe ik alles." En ik heb erover nagedacht en dat is wat Erno tegen mij zei: als je probeert er wat van te maken, doe ik alles om je te helpen.'

Collins boog zich naar voren om te kijken of Starczek tevreden was. Larry keek neutraal: boeven blijven boeven. Collins hervatte zijn verhaal.

'Toch had ik zo'n beetje het gevoel dat ik bij Erno aan een touwtje zat. Ging met vakantie naar Europa, scoorde in Amsterdam en begon weer met drugs. Toen ik deze keer werd gepakt, liet Erno me barsten. Nou had hij alles voor me gedaan en nou maakte ik er weer niks van. Dat was zijn verhaal. Ik zat in de beveiligde inrichting in Jacksonville en hij kwam niet één keer op bezoek.

Pas toen ik in 1990 vrijkwam, begreep ik hoe beroerd ik ervoor stond. Ik kon maar twee dingen: dealen en reisagenten. Zwart en wit, in mijn hoofd, eerlijk gezegd. En ik kon geen van beide dingen doen. Als ik nog een keer voor drugs werd veroordeeld, had ik drie-slag en levenslang te pakken. En ik had mijn vergunning als reisagent verloren toen ik in '89 was veroordeeld. Ik had gewoon moeten verhuizen, maar hoe is het als je jong bent, je denkt dat je er wel doorheen kan rollen. Noemde me Faro Cole, vervalste de diplomagegevens en legde nog een keer het examen af.'

'Aha,' zei Muriel. Collins reageerde met een grimmig lachje.

'Aangenomen bij Mensa Travel, alleen commissie, en het was weer net als eerst: hard werken en nooit geld. Nou ja, dat ding met de handgeschreven tickets was de eerste keer goed gegaan. Ik moest alleen iemand hebben om ze uit de boeken te houden. Nou kon ik niet zelf naar TN Air – dan zou Erno me eruit laten gooien – maar ik kwam nog weleens ergens en op een avond komt Gandolph binnen, die net als altijd wat wil verkopen wat hij heeft gestolen. Ik wist wie het was. Ik had na de middelbare school een paar maanden op het vliegveld gewerkt. Hij kocht wiet bij me. Mijn naam zou hij niet meer weten, maar omdat hij het altijd wist als iets een andere eigenaar had gekregen, dacht ik dat hij misschien iemand wist bij de ticketverkoop op

DuSable die iets wilde regelen. We zouden voor hem zorgen als het lukte, beloofde ik. Zo kwam ik aan Luisa.

Eerst wou ze niet. Maar ik kon haar overhalen door te zeggen dat Erno het ook had gedaan. Dat ging er bij haar wel in. Ze wou niet onderdoen voor Erno of wie dan ook.'

Muriel vroeg wanneer dat was geweest.

'O, dat we begonnen moet in januari '91 zijn geweest. Toen zijn ze toch allemaal vermoord, in '91? Dan zou ik zeggen dat het januari was. En het ging ook prima tot ik Gandolph tegen het lijf liep in diezelfde kroeg, de Lamplight, en toen bleek dat zij van haar kant hem niks gaf. Misschien was het niet echt tot haar doorgedrongen dat ze dat moest doen. Man, ik weet dat ik het tegen haar heb gezegd, maar ze had het niet gedaan, en hij ging naar het vliegveld om een scheur open te trekken, tot ze hem uiteindelijk die camee gaf, om hem af te kopen tot ze bij elkaar had gescharreld wat hij nog van haar kreeg.'

'Bedoel je dat Luisa de camee als onderpand aan hem gaf?' vroeg Muriel.

'Precies,' zei Collins. 'Zei dat het een erfstuk was. Tuurlijk was het te laat, want door het geschreeuw van Eekhoorn had Erno meteen door wat er speelde en hij was razend. Zodra hij mijn naam hoorde, wist hij genoeg en barstte los. Hij kon niet hebben dat ik zijn bedrijf bestal, vlak onder zijn neus, en al helemaal niet omdat hij degene was die me had geleerd hoe het moest. Hij zei dat ik moest kappen, anders maakte hij er een eind aan, en meteen daarna hoorde ik dat hij Luisa met een smoes had laten fouilleren...'

'Drugs,' merkte Larry op.

'Precies,' zei Collins. 'Drugs. Zei dat ze drugs op haar lichaam had. Misschien dacht Erno dat ze wat met mij had, dat we dat ook deden. Maar daar was ze niet vrij mee. Daarna was het bal, natuurlijk. Ze wilde geld voor Gandolph om haar camee terug te kopen.

Begin juli kreeg ik bericht van haar. Ze was heel voorzichtig geweest, maar ze had een voorraadje tickets. Ze maakte zich geen zorgen over Erno. Zei dat ze die tickets zo zou verstoppen dat niemand ze zou vinden, geen probleem. De vierde juli, niemand in de buurt, dat leek haar een geschikte tijd.

Dus op 3 juli, eigenlijk al 4 juli, na middernacht, kwamen we bij elkaar in het Paradise. Ze was nog geen twee seconden binnen toen Erno kwam binnenstormen. Hij had haar foutenlijsten nagekeken en haar bespioneerd. "Het is uit, tante," zegt hij tegen haar, "je hebt je kans gehad." Kijkt naar mij en zegt: "Opgedonderd. En jij," zegt hij tegen Luisa, "geef me de tickets die je in je ondergoed hebt verstopt en schrijf je ontslagbrief, anders haal ik er de politie bij."

Luisa – man, dat was een harde. Die liet zich door niemand wat zeggen. "Barst," zegt ze, nou ja, zoiets. "Jij gaat echt niet de politie bellen. Als jij de politie belt, zeg ik dat je het zelf ook heb gedaan." '

Collins stak zijn hand op en ging verzitten. De zon scheen recht in zijn ogen. Jackson stond op om de zonwering te verstellen. Collins bleef even stil; misschien was hij de draad kwijt, of misschien greep de herinnering aan het gebeurde hem aan.

'Kijk, toen ze dat tegen hem zei, dat kan je het keerpunt noemen. Want Erno, het kwam niet bij hem op dat ik hem had verlinkt. Hij dacht dat ik alleen Luisa erbij had gehaald. Maar het kwam niet bij hem op dat ik over zo'n soort geheim zou praten. Niet met iemand die geen familie was.

Erno was driftig. Dan werd hij helemaal rood, met ogen als schoteltjes. En je kon zien op dat moment dat hij in staat was iemand te vermoorden. Echt vermoorden. Maar het was niet Luisa die hij uit de weg wou ruimen. Hij was blind op mij. Als hij een pistool in zijn hand had gehad, had hij me doodgeschoten. Zeker weten. Maar dat had hij niet. Nog niet. Hij begon ons allebei uit te vloeken en te schreeuwen en te doen, en Gus kwam erbij en wilde hem eruit gooien, maar Erno hoorde hem geeneens. Dat ging nog even door en toen kwam Gus terug met zijn revolver.

Daarna ging het zoals mijn oom in de rechtszaal heeft verteld. Erno zei tegen Gus dat hij niemand zou doodschieten, en Luisa griste het wapen uit Gus' hand en Erno probeerde het te pakken te krijgen. Ik denk niet dat het echt een ongeluk was, wat Erno zei, dat hij op haar schoot. Volgens mij had hij dat wapen vol in zijn hand. Maar het ging allemaal zo verdraaid snel. Beng! Dat geluid, man, het leek wel of het restaurant er vijf minuten later nog van trilde. En Luisa kijkt naar dat gat dat midden in haar zit en er komt rook uit, róók die opstijgt als van een sigaret. We wisten allemaal eerst niet wat we moesten doen, het zag er zo vreemd uit.

Toen wist Gus wat hij wilde en liep naar de telefoon. Erno zei dat hij het niet moest doen en Gus deed het toch en Erno legde hem neer alsof hij een paard doodschoot.'

'En jij?' vroeg Larry aan Collins.

'Ik?'

'Wat deed jij?'

'Man, ik had heel wat toestanden meegemaakt, maar eerlijk gezegd had ik nog nooit iemand zien doodschieten. Het was gruwelijk. Echt gruwelijk. Eerst kon ik alleen maar denken: hoe moet hij dit terugdraaien? Het was zo krankzinnig dat ik niet kon geloven dat het zo zou blijven. Alsof alles weer gewoon moest worden. Dan dringt het tot je door dat dat niet zal gebeuren.

Nadat Erno Gus had neergeschoten, stond ik te huilen en mijn oom begon te schelden. "Wie zijn schuld is dit allemaal, Collins? Wie zijn schuld?" Ik dacht meteen dat ik de volgende zou zijn en ik keek door het raam, want er was nou twee keer geschoten en iemand moest dat toch horen en de politie bellen. Alleen was het 4 juli en dan denkt iedereen aan vuurwerk.

Toen zag Erno de laatste. Die had zich verstopt. Arme gast zat onder de tafel. Erno wees met zijn wapen en stuurde hem naar de koelcel. Toen hoorde ik het schot. Klonk anders dan de eerste twee, ik weet niet waarom. Erger. Voor Erno ook. Hij kwam weer naar boven en hij keek naar me en zijn woede was helemaal weg. Hij zat er verslagen bij en begon me te commanderen. Het moest op een overval lijken. "Wegbrengen." "Afvegen." Ik deed alles wat hij vroeg.'

'Werd u door hem bedreigd?' vroeg Muriel.

'Dat wapen had hij nog, als u dat bedoelt. Maar als je naar hem keek, dacht ik niet dat hij op me zou schieten. Waarschijnlijk kwam het niet bij hem op dat ik niet zou doen wat hij zei, want bij mij kwam dat ook niet op. Het was familie,' zei Collins. Hij zweeg en zuchtte diep bij die gedachte.

'En jij bent degene die de lijken naar beneden heeft gesleept?' vroeg Larry.

'Ja. Huilend en wel.' Collins draaide zijn hoofd naar Larry toe. 'Die voetsporen, zeker?'

'Inderdaad.' De technische recherche had Paul Judsons schoenen vergeleken met de voetsporen in de uit bloed bestaande sleepsporen van de lijken.

'Toen ik de laatste keer bovenkwam, zag Erno dat mijn laarsjes onder het bloed zaten. "Daarmee kan je niet de straat op," zei hij. "Ga beneden kijken of de dooien schoenen hebben die je passen." Dat was de eerste keer dat ik nee tegen hem zei. "Ik ga echt geen schoenen van een dooie aantrekken." Onvoorstelbaar. Daar kregen we nog ruzie over. Maar uiteindelijk deed ik toch wat hij zei.'

Collins wees naar Larry. 'Jullie moeten naar de schoenen van de derde man kijken, die zakenman. Mooie parelgrijze laklaarsjes, Italiaanse. Het merk was Faccione, denk ik. Ze waren hem te groot. Niet te geloven dat die schoenen niemand zijn opgevallen. Welke zakenman loopt er nou op parelgrijze laklaarsjes?'

Muriel zag iets verschuiven achter Larry's harde masker: de schoenen overtuigden hem. Hij leek te kunnen geloven dat Collins voor een aanzienlijk deel de waarheid sprak. Zijzelf twijfelde daar al enige tijd niet meer aan.

'We wilden weggaan, we stonden bij de voordeur en Erno knipte met zijn vingers. "Hou vast," zegt hij. Hij had alles, portefeuilles en sieraden, kasgeld, het wapen, alles in een schort van Gus gewikkeld. Hij sluipt de trap af en komt terug met een kapotje in zijn hand.'

'Een condoom, bedoelt u?' vroeg Muriel.

'Ja. Gebruikt. Na alles...' Collins schudde zijn hoofd. 'Nou goed. Erno zegt: "Had die tickets in haar achterste. Had ze met een mijnlamp nog niet kunnen vinden, als ik het randje niet had gezien." Er zaten zo'n vijftien tickets stijf opgerold in dat condoom.'

Voor het eerst keek Collins om naar Anne-Marie. Achter hem zat zijn vrouw met haar hand tegen haar mond gedrukt; het scheen Muriel toe dat ze probeerde geen reacties te tonen. Maar toen Collins naar haar keek, reageerde ze direct. Ze stak haar hand uit en even hielden ze elkaars hand vast.

'Gaat het?' vroeg Aires aan zijn cliënt.

Collins wilde water. Ze pauzeerden. Iedereen had er behoefte aan. Muriel keek naar Larry, maar hij leek gefrustreerd en in gedachten verzonken. Op de gang vroeg Muriel bij het wachten voor de wc aan Tommy Molto hoe het bij hem overkwam. Molto pulkte aan de tomatenvlekken op zijn overhemd en das en zei dat hij niet wist wat hij ervan moest denken. Muriel wist het ook niet goed.

Toen ze terugkwamen, had Anne-Marie haar stoel naast die van Collins geschoven en hield ze zijn ene hand vast. Met de andere omklemde hij nog altijd zijn bijbel. Nadat Muriel de taperecorders weer had ingeschakeld en ter controle datum en tijd had ingesproken, vroeg ze aan Collins wat er was gebeurd nadat ze het restaurant hadden verlaten.

'Ik volgde Erno naar huis en ging bij hem in zijn auto zitten. Hij had die nacht heel wat meegemaakt. Wij allebei. In het Paradise was hij buiten zichzelf geweest van woede, en daarna leeg en somber. Nu was hij doodsbang en hij probeerde van alles te bedenken om maar niet gepakt te worden. En hij had allerlei wijze lessen voor mij. Dat ik tegen de mensen moest zeggen dat we samen een glaasje fris waren gaan drinken. Niet dronken worden en dan opscheppen tegen mijn brothers of een dame die ik wou versieren. Maar zijn grootste probleem was dat schort met spullen in zijn achterbak: het wapen, de portefeuilles, de sieraden, alles zat erin. Het was inmiddels drie uur geweest en we waren te beroerd en te moe om wat te verzinnen. En Erno was totaal paranoia. Hij wist het zeker: we worden overlopen als we dat schort in de rivier gooien, of een groot vuur maken om alles te verbranden, of een kuil graven in het stadsbos. We hadden maar tot vijf uur, dan was het licht. Maar hij had een schuurtje in zijn achtertuin met een lemen vloer; als we daar gingen graven, kon niemand ons zien. En dus groeven we een kuil tot halverwege China en mikten daar het schort in. Hij zei dat hij nog wel een beter plan ging bedenken als hij wat rustiger was, maar ik wist dat we geen van beiden die rotzooi ooit meer wouen zien. Hij bracht me naar mijn auto en midden op straat sloeg hij zijn armen om me heen en drukte me tegen zich aan. Dat was me na mijn tiende niet meer gebeurd en midden in die waanzin was het waanzinnigste misschien wel dat dat zo'n goed gevoel gaf. Drie mensen vermoord en míj omhelsd. Ik moest janken als een kind toen ik wegreed.

Na die avond kon ik het niet meer vinden met mezelf. Ik wou geen Faro meer zijn, voor het geval dat de politie erachter kwam van de tickets. Nog geen week later was ik weer gaan gebruiken. Erno probeerde me tegen te houden, maar ik had nagedacht en moest niks meer van hem hebben. Op een dag ben ik in de Lamplight en daar is Gandolph. Het zal twee maanden zijn geweest na die toestand. En met twintig man eromheen stopt hij zijn hand in zijn zak en in een vies stukje papier blijkt Luisa's camee te zitten. Die herkende ik gelijk. Die had ik haar zien dragen.

"Faro," zegt hij tegen mij, want hij weet niet beter, "Faro, man, wat moet ik nou met dit ding? Want voor een ander is het niks waard."

Dus ik zeg: "Kop dicht, nikker, of je ben gezien. Lozen dat ding. Als de politie je daarmee ziet, denken ze dat jij haar lek heb geschoten."

En hij zegt: "Hoe kan dat nou, ik heb toch niks gedaan. Ik wil kijken of ik de familie kan vinden. Die betalen er vast dik voor, nu ze dood is. En dat moet ook, want ik kreeg nog geld van haar."

Dus ik zeg: "Doe wat je moet doen, brother, maar misschien kan je beter wachten tot ze een ander hebben gepakt voor die moord. En ik wil never nooit horen over die tickets."

Hij zegt: "Zeker weten."

Oom Erno was laaiend toen ik het vertelde. Daarna keek hij uit naar Gandolph, hij wou hem in elkaar slaan en die camee hebben voor hij ons kon verlinken, maar ik denk dat Erno hem niet kon vinden. Het was nog geen winter, dus Gandolph kwam niet op het vliegveld.'

Muriel maakte een geluidje. Winter. Hoe zorgvuldig Erdai ook de rol van Collins uit het script had geschreven, dat detail had hij fout gehad toen hij zijn eigen ontmoeting met Gandolph en de camee had verzonnen, en in de rechtszaal had ze hem daarop betrapt. Het was het eerste ogenblik dat ze zeker had geweten dat hij loog.

'Na een tijdje was het helemaal mis met me,' zei Collins. 'Tweede oktober ben ik erin geluisd met een pseudo-koop. Video en alles. De kit wist het al toen ze me in de wagen douwden. "Derde keer, jongen. Kijk nog maar eens goed naar buiten, want die straat zie je van je leven niet meer terug." Zo gemeen. Maar ik moest ze iets geven. Ik was op weg naar het bureau al gaan praten, als ik niet had geweten dat de Gangster Outlaws die ik verlinkte me mijn eerste nacht in de gevangenis zouden vermoorden.

Nou ja, na een paar uur zitten had ik me in mijn hoofd gehaald dat het allemaal de schuld van oom Erno was. Als hij die mensen niet had doodgeschoten, zat ik nou niet hier. En als ik mijn oom verlinkte, kreeg ik geen last met de jongens van de gang. Maar Erno was slim. Die wist verdomd goed wat ik wou doen. Hij kwam gelijk langs.

Hij zegt: "Heb je gepraat?" Ik doe of ik het niet begrijp, maar dat pikt hij niet van me. "Geen geouwehoer, ik weet waar je aan denkt. En ik zeg niet dat je het voor mij niet moet doen. Maar je moet wel aan jezelf denken. Als je de waarheid vertelt, zit je er middenin. Wie z'n schoenen had die dooie aan? Wie stal tickets met dat meisje? Straks krijg je levenslang vanwege de drugs. Komen ze met vijftig, zestig jaar voor moord, moet je dat pakken. Wou je dat soms?" Tuurlijk niet. En ik pak liever niet mijn oom, zeker niet als ik naar hem kijk. Hij had trouwens gelijk. Erno wist hoe politiemensen denken.

Hij had een beter idee, zei hij. Schuif de hele zaak op die arme Gandolph. Die had immers van tevoren al gebruld dat hij Luisa ging vermoorden. Dat maakte hem de voornaamste verdachte. Maar dan moest ik de politie wel een handje helpen. Ik wist niet of Eekhoorn stom genoeg was om die camee op zak te houden nadat ik hem had gewaarschuwd, maar Erno zei dat ik me geen zorgen hoefde te maken, hij had nog al die spullen onder het schuurtje, in het ergste geval vond hij wel een manier om Gandolph daarmee op te zadelen, zeg dat Gandolph die spullen op het vliegveld had verborgen. Is natuurlijk nooit nodig geweest, omdat die arme sukkel de camee nog had toen jullie hem vonden. Wou nog steeds achter dat geld aan waar hij recht op had. Een gast die zo stom is, als die iets in zijn kop heeft, krijg je het er nooit meer uit.' Collins schudde in grimmige verbazing zijn hoofd.

'Alleen dacht ik niet dat iemand dat kleine magere Eekhoorntje voor een moordenaar zou aanzien. "Een hond doet het met elke teef die hij kan vinden," zei Erno, "als hij ruikt dat ze loops is." Mijn oom kende de politie door en door.'

Muriel keek even naar Larry om te zien hoe hij die opmerking verwerkte, maar hij zat weer strak voor zich uit te kijken naar het parkeerterrein achter de zonwering. De waarheid, voor zover Muriel het had begrepen, was dat Erno de zaak vrij goed had uitgekiend. Het grootste risico was dat Eekhoorn na zijn arrestatie over de tickets zou beginnen om uit te leggen hoe hij aan de camee kwam. Maar kennelijk had zelfs Gandolph beseft dat hij zich daarmee nog dieper in de nesten zou werken. Luisa bedreigen kwam te dicht bij haar vermoorden. En zelfs als Eekhoorn het hele verhaal had verteld, wisten Erno en Collins allebei dat het de politie moeite zou kosten om Faro te vinden.

'Daarom zei je in '91 in de gevangenis dat je nooit zou getuigen?' vroeg ze aan Collins. 'Toen je ons over de camee vertelde?'

'Ja,' zei Collins. 'Dat kon ik niet doen. Rommy had me gelijk herkend als Faro. Dan was het hele verhaal onherroepelijk naar buiten gekomen. Maar het lukte. Ik kreeg tien jaar en oom Erno reed gewoon door, als na een ongeluk op de snelweg.

Mijn oom was heel goed voor me toen ik zat, kwam op bezoek, stuurde pakjes en zo en zei keer op keer dat ik er het beste van moest maken als ik vrijkwam. Dat was eind '96. De oude Faro, niemand had door dat ik dat was, dus ik werd weer Faro en wilde opnieuw gaan reisagenten, maar na achtenveertig uur op straat had ik weer een pijpje in mijn hand. Alles bij het oude. Ik gebruikte en Erno wilde me geeneens meer kennen. Alleen durfde ik niet weer te gaan dealen. Ik wist dat ik levenslang zou krijgen als ik met een partij werd gepakt. Deze keer kon ik niet mijn oom verraden vanwege de moorden, want daarvoor had ik Gandolph al laten opdraaien en een ander verhaal geloofde toch niemand.

Op een avond had ik het heel slecht. Ik moest wat hebben en ik had geeneens die motten die je in tekenfilms uit broekzakken ziet komen. En ik bedacht dat Erno had gezegd dat al die spullen die we die avond uit het Paradise hadden meegenomen nog onder het schuurtje lagen. Ik ging erheen met een schop en begon te graven. En ik vond dat schort. Stof zat vol met gaten, maar alles zat er nog in. Ik wou er alleen wat van verkopen, de horloges en de ringen, om een paar flessen te kunnen kopen, maar toen zag ik het vuurwapen en opeens bedacht ik dat ik daarmee bij mijn oom kon aankomen voor serieus geld. Misschien stonden zijn vingerafdrukken er nog op, dan had hij geen keus, dan moest hij wel betalen waar ik recht op had. Dat idee had ik weer. Dat hij me wat schuldig was.

Mijn tante kwam thuis en zei dat hij bij Ike was. Ik kwam daar binnen met dat ding bij de loop om geen vingerafdrukken eraf te vegen die Erno op de kolf had gemaakt. Ik schreeuwde dat hij me had belazerd en dat hij schuld bij me had. Ik kon natuurlijk niet goed nadenken. Het stikte daar van de kit en ze hadden allemaal wapens, en tien seconden na mijn eerste woord hielden ze me allemaal onder schot.

"Geef hier," zegt Erno en pakt me het wapen af, duwt me naar buiten en probeert op me in te praten, dat ze me kunnen doodschieten als ik met dat ding rondloop, en dat ik die moorden niet op hem kan schuiven omdat Gandolph daar al voor zit. Ik zeg: "Godverdomme, dat ding zit waarschijnlijk onder de vingerafdrukken van jou." "Nou en?" zegt hij. "Twintig dienders hebben net gezien dat ik het van je afpakte." Daar had hij ook weer gelijk in, maar het was hetzelfde ge-oha als altijd, hij blank en braaf, ik zwart en boef. "Ja," zeg ik, "ik heb de rest van waar dat ding vandaan komt achter je huis en een kuil in de schuur waar het in heb gelegen en deze keer kom je d'r niet onderuit, ik ga naar binnen om al die gasten te vertellen wat een laffe moordenaar je bent."

Erno hield niet van verrassingen, dat zei ik al. Absoluut niet. Ik wandel weer naar binnen en hij komt tierend achter me aan. Niet doen, niet doen. Als ik er beter aan toe was geweest, had ik aan Gus gedacht. Maar dat deed ik niet. Nou ja, het laatste wat ik me kan herinneren is dat ik naar binnen ging. De klap kan ik me niet herinneren. Wel het licht. Die avond heb ik het gezicht van Jezus gezien. Zeker weten. Ik hoorde Zijn stem. Ik lag daar op de vloer dood te gaan, denk ik, maar ik wist dat het goed zou komen.

En dat was ook zo. Na het ziekenhuis ben ik naar Atlanta gegaan. Daar ben ik gebleven. Eindelijk mijn leven op orde.

Nu was het natuurlijk andersom. Erno zat in de bak en ik was vrij. Ik was degene die op bezoek ging en hem vertelde dat Jezus ook voor hem kon zorgen. Misschien heeft hij me gehoord, dat weet ik niet zeker. Maar toen hij wist dat hij ziek was, is er wel iets met hem gebeurd. Hij kon niet doodgaan met al die zonden op zijn ziel. Niet lang na oudejaar ging ik naar hem toe, toen had hij gehoord hoe ver de kanker was. Ik probeerde hem te troosten en hij kijkt me opeens aan en zegt: "Binnenkort gaan ze die arme sukkel executeren." Ik wist wat hij bedoelde. Was niet de eerste keer dat we het erover hadden. "Dat kunnen we niet laten gebeuren," zei Erno.

"Doe maar wat je moet doen," zeg ik.

"Nee," zegt hij, 'ik wil jou niet in je rug hebben geschoten om je leven te redden en het mijne en je dan hiermee opzadelen. Het is zoals ik altijd heb gezegd: de politie zal niet geloven dat je niet bij de schietpartij betrokken was. Ik zal vertellen wat verteld moet worden. Weet niet of er iemand naar me wil luisteren. Maar ik ga het proberen. Jij moet je kop houden. Bel meester Aires. Vijfde amendement en volhouden." ' Collins keek op en zijn lichte ogen vonden weer die van Muriel, met dezelfde directheid waarmee hij was begonnen.

'Zo is het gebeurd,' zei hij.

Het was zo'n dag dat het alleen nog warmer zou worden tot de zon onderging. Zelfs om vier uur, toen ze met Molto en Larry op het parkeerterrein voor Aires' kantoor stond, voelde ze het asfalt onder haar voeten zacht worden. Ze had haar zonnebril in de auto laten liggen en keek met toegeknepen ogen naar de beide mannen. Als je in de tirannieke zon keek, hoefde je je niet af te vragen waarom mensen die als god hadden vereerd.

'En?' vroeg ze.

Ze waren allebei uit hun humeur.

'Ik moet erover nadenken,' zei Molto. 'Ik wil in het dossier duiken. Geef me vierentwintig uur. Kunnen we vrijdag de zaak bespreken.'

Larry en Molto ontvluchtten de hitte in hun auto. Muriel liep mee naar Larry's Concorde. Ze voelde een stroompje gekoelde lucht toen hij het raampje opendeed.

'Dat gesprek is er niet van gekomen,' zei ze.

'Nee.' Hij had zijn spiegelbril opgezet en ze kon zijn ogen niet zien, wat waarschijnlijk maar het beste was. 'Heeft dat nog zin?'

'Ik wil een paar dingen zeggen.'

Hij haalde zijn schouders op. 'Morgenavond ben ik in het huis bezig,' zei hij. 'Werklijst maken voor de jongens. Kom maar een biertje halen als je wilt.'

'Reken maar,' zei ze.

Hij reed weg zonder nog naar haar te kijken.

Ze deed haar portier open en liet de warmte ontsnappen toen Jackson zich door de glazen deur naar zijn Cadillac repte, met zijn tas onder zijn arm. Hij had haast.

'Heb je een afspraakje?' vroeg Muriel.

De kwieke, wakkere Jackson kreeg glanzende ogen. 'Inderdaad. Neem een mooie dame mee naar het klassieke concert in het park.' Hij was nu twee of drie jaar weduwnaar.

Muriel vroeg hoe het met Collins was. Hij werd omarmd door zijn vrouw toen ze vertrokken.

'Die is binnen aan het bidden, zoals het hoort. Het zal nog wat tijd in beslag nemen, maar het komt wel goed met hem. Het was Gods waarheid die je zojuist hebt gehoord, Muriel. Ik hoop dat je slim genoeg bent om dat te weten.'

'Als God de baan wil, Jackson, doe ik er niet eens een gooi naar. Maar anders moet ik er zelf zien uit te komen.'

'Niet spotten, Muriel. Er was geen woord van die jongeman dat niet waar klonk. Ik ga me niet eens zorgen maken over de mogelijkheid dat jij er anders over denkt.' Jackson boog zich over de stuurkolom om zijn auto te starten en de raampjes open te zetten. Zodra hij het stuur aanraakte, vervloekte hij de hitte en likte aan zijn duim, maar dat weerhield hem er niet van Muriel een vinger te laten zien toen hij haar kant op reed.

'Eén ding moet je weten, Muriel. Ik ben al de advocaat van die jongen sinds hij jeugddelinquent was. Net zo'n boef als de rest, maar Erno, hij ruste in vrede, zei altijd: "Het komt wel goed, het komt wel goed, het is een goede jongen." Je weet het nooit, Muriel, wie er verstandig wordt. Jullie doen tegenwoordig niet eens je best om ze te vinden... Zo lang mogelijk opsluiten, zoveel mogelijk opsluiten en jullie maken ze zelfs af als jullie de kans krijgen.'

'Heb ik je net nog het woord "boef" horen gebruiken, Jackson?'

'Boef of niet, je mag nooit een mens afschrijven,' zei Jackson. 'Weet je waarom? Omdat we dan wel kunnen ophouden. Het kan niet zinvol zijn wat we hier doen als we mensen afschrijven.'

Als Jackson Aires tot aanklager werd gebombardeerd, zou hij de helft van zijn cliënten sneller veroordelen dan hij vliegen mepte. Maar hij had geen oog voor een kant waaraan hij niet wilde staan, zolang hij een aanklager tegenover zich vond.

'Prettige avond, Jackson.'

'Reken maar.' Hij liet een valse lach horen, zat toen stijf op het rode leer van de voorbank in de Cadillac en gebruikte zijn handen om zijn benen onder het stuur te trekken. Kennelijk had hij last van zijn rug, maar ondanks zijn handicaps was Jackson niet te oud voor de liefde. Dat was niemand. Enthousiast liet hij de automotor toeren maken. Zo kort na Larry's vertrek voelde Muriel weer een golf van spijt. Een paar dagen eerder had ze zich afgevraagd of ze bereid zou zijn alles op te geven voor de liefde. De bizarre ironische aspecten van de ontwikkeling in deze zaak sneden haar door de ziel. Het zag ernaar uit dat het toch weer alles of niets werd. Jackson en Arthur zouden hun cliënten vrij krijgen en liefde kennen. Muriel kreeg niets.

'Heb je het nieuwste over deze zaak al gehoord?' vroeg ze Jackson voordat hij het raampje kon dichtdoen.

'Wat dan?'

'Arthur Raven en Gillian Sullivan. Tot over hun oren.'
'Nee,' zei Jackson. Hij liet hetzelfde kakellachje horen van enkele ogenblikken eerder. 'Hoe lang is dat al aan de gang?'
Muriel haalde haar schouders op.
'Is dat niet het toppunt?' vroeg Jackson. 'Arthur Raven en de Edelachtbare Junk.'
'De wat?'
'O, zo noemde ik haar indertijd. De Edelachtbare Junk. Gillian de Edelachtbare Junk. Ik heb diverse cliënten gehad die haar op straat hebben zien scoren toen ze nog rechter was.'
'Crack?'
'Heroïne. Zeiden ze.'
'Weet je het zeker, Jackson?'
'Het was tuig van de richel, maar er waren er wel veel die het zeiden. Doen ze waarschijnlijk vandaag de dag nog als je er wat aan hebt. Ze waren er behoorlijk nijdig om toen ze voor haar moesten verschijnen, dat kan ik je wel vertellen. Zelfs een boef weet wat eerlijk is, Muriel.'
Ze wist niet of ze meer verbijsterd dan geamuseerd was. Ze lachte om het idee.
'Een junk,' zei Muriel.
'Dat was ze. Maar dat is ze niet meer. Nu is ze tot over haar oren.' Jackson schakelde en glimlachte voldaan naar haar. 'Zie je wel,' zei hij, 'het is zoals ik al zei.'
'Wat bedoel je?'
'Schrijf nooit iemand af.'

39

23 AUGUSTUS 2001

Eerst

Eerst neukten ze. Hij had haar 'gesprek' horen zeggen op de parkeerplaats van Aires, maar hij wist wat er zou komen. Ze was dertig seconden binnen toen ze elkaar omhelsden en hij kon niet zeggen wie het initiatief had genomen. Verzet was niet logisch. Niets zou er beter of slechter door worden.

Maar ze waren minder ontdaan over zichzelf en dus meer ontspannen. Ze gingen samen naar de kern, naar die tijdloze wezenlijke plek waar genot ons hele doel op aarde wordt. Tegen het einde was er een ogenblik dat ze van houding ruilden, haar hand was op hem en zijn hand was in haar, ze hadden elkaar bij het knopje en toen haar ogen even opengingen, gunde ze hem een lach van volmaakte hemelse verrukking.

Na afloop bleven ze op hetzelfde kleed liggen dat nog steeds niet was schoongemaakt, naakt en stil.

'Wow,' zei Muriel na een poosje. 'Home run. Groot slem.'

Hij herhaalde haar woorden en liep naar de keuken om bier te halen. Toen hij terugkwam, ging hij op een ladder zitten die een van de schilders had gebruikt.

'Nou,' zei hij, 'ik neem aan dat het au revoir is.'

'Denk je dat ik daarvoor ben gekomen?'

'Niet dan?'

'Niet precies.'

Naakt ging ze zitten met haar handen achter zich. Hij vroeg zich af waar haar tieten eigenlijk waren gebleven. Ze had nooit veel gehad, maar nu waren het twee erwtjes op een bord. Niet dat hij er wat van kon zeggen, met zijn buik die zijn erectie in de weg zat. Het leven was wreed, welbeschouwd.

'Larry, ik heb veel nagedacht. Ik wil dingen die met elkaar in conflict zijn.'

'Zoals?'

'Ben ik verkiesbaar als hoofdaanklager?'

'Dat ben je. En het volgende op je lijstje?'

Ze keek hem bestraffend aan. 'Denk je dat het net zo kristalhelder zou zijn als het jouw leven was?'

'Het is mijn leven.'

'Larry, hoe kun je zo de liefde met me bedrijven als je me tien minuten later zo haat?'

'Omdat ik niet meer zo de liefde met je zal bedrijven. Toch?'

'Als je nou eens niet zo koppig doet en naast me komt zitten en iets onnozels doet zoals mijn hand vasthouden, en met me praten alsof we twee mensen zijn die veel om elkaar geven, in plaats van de Palestijnen en de Israëli's?'

Ze waren geen types om elkaars handje vast te houden. Hij en Muriel hadden nooit een tussenvorm gevonden. Of ze waren totaal verstrengeld, of er was afstand tussen hen beiden. Maar hij kwam naast haar op het kleed zitten en ze legde haar arm om zijn bovenarm.

'Je hebt gelijk, Larry, ik wil die campagne graag voeren. Maar ik weet niet of de afloop van de zaak geen streep door de rekening zal zijn. In elk geval ga ik niet vandaag bij Talmadge weg – waar ik goede en slechte redenen voor heb. Zonder hem kan ik niet winnen – dat is de harde waarheid. Maar het is ook zo, Larry, dat hij beter verdient. Ik moet hem in de ogen kunnen kijken als ik tegen hem zeg dat dit huwelijk niet zo goed is verlopen. Dat heb ik nog nooit gedaan.'

'En jij denkt dat daarmee de zaak geregeld zal zijn?'

'Mijn redenen om met Talmadge te trouwen waren dubieus. Ik bedoel niet omdat we allebei ambitieus zijn – eigenlijk is dat nu juist wat er altijd goed aan is en altijd goed zal blijven. Ik bedoel de manier waarop ik mezelf zie en hem zie. Jij bent degene die me dat duidelijk heeft gemaakt. Maar dat ga ik met mijn man uitspitten, niet met jou. Wat er ook van komt. Als ik mag raden, kom ik waarschijnlijk op de keien te staan.'

'En wat moet ik intussen doen? Achter de horizon kijken? Ik heb je toch uitgelegd dat ik geen onzekerheid wil.'

'Dat heb ik gehoord. En ik stel ook geen leven van geheime hartstocht voor. Het is voor ons allebei beter om hiermee op te houden. Ik laat je alleen weten hoe ik erover denk. Maar ik kan ook niet in de toekomst kijken. Wie zal zeggen wat er gebeurt? Tien jaar geleden zei je dat je ging scheiden, maar je woont nog altijd op hetzelfde adres.'

'Andere situatie.'

'Je begrijpt me best.'

Dat was zo. Hij keek strak naar het kleed. Zijn geslacht, dat hem altijd zo veel problemen had opgeleverd, lag opgekruld als een baby. Maar daar had hij geen pijn aan. Hij wilde niets liever dan kwaad blijven, omdat hij daardoor de rest op afstand kon houden. Ze greep zijn arm steviger vast.

'Eén ding moet ik nog zeggen. Wat er met deze zaak is gebeurd, Gandolph, het tijdstip waarop opening van zaken is gegeven en wanneer niet, daar heb ik schuld aan. Dat zie ik nu wel in. Je hebt gezegd dat je niet was zoals ik en ik heb daar niet naar geluisterd. Er is een reden dat mensen zeggen dat je niet moet poepen waar je eet en niet moet neuken waar je werkt. En dat heb ik toch gedaan. Omdat ik moest kunnen voelen hoe het buiten mijn huwelijk kon zijn. Ik wou weten hoe het voelde.'

'En?'

Ze bleef hem lange tijd aankijken.

'Verdomd goed,' zei ze. Ze draalde nog even. 'Maar het was ook stom en egoïstisch. En niet professioneel. Dus als het om schuld gaat, neem ik die op me. Wat de invloed op mijn plannen ook mag zijn.'

Dat beviel hem. Wat ze zojuist had gezegd beviel hem heel goed. Het was eerlijk. Meestal was Muriel scherp over iedereen, maar niet over zichzelf.

'Overigens,' zei ze, 'over de zaak gesproken, hou je vast voor de mop van de dag.'

'Doe maar iets leuks, daar ben ik wel aan toe.'

Ze vertelde hem wat Aires had gezegd over Gillian die op straat had gescoord.

'Uitgesloten,' zei Larry.

'Ik heb het vandaag verder nagetrokken. Gloria Mingham van de DEA gebeld. Technisch gesproken heeft het niet veel om de hakken, maar Gloria wilde er liever niet over praten. Ze mompelde iets over Chinese puzzels.'

'Chinese puzzels?'

'En schuiven.'

Larry schoot in de lach toen hij het begreep. 'Gillian chineesde? Rookte bruin?'

'Kennelijk.'

'Duidelijke zaak. In een ijsberg krijg je geen naald naar binnen.'

'Volgens Gloria beschikten ze wel over verklaringen, maar daar konden ze weinig mee. Die kwamen allemaal van mensen die zelf gebruikten.'

'God, wat een stel hypocrieten,' zei Larry.

'De FBI?'

'Arthur.'

'Misschien heeft Gillian het hem nooit verteld.'

'Geweldig. Is dit ook iets waarover we opening van zaken moeten geven?'

'Ik denk het niet.' Muriel lachte. 'Ik denk dat een rechter zou vinden dat Arthur voldoende mogelijkheden had gehad om zich die informatie eigen te maken.' Ze lachte ondeugend en pakte toen opeens haar kin vast. Hij zag dat haar gedachten zich op iets anders concentreerden.

'Nieuw idee?' vroeg hij.

'Misschien. Een overweging bij deze zaak. Laat me even nadenken.'

'En waar gaat het heen met deze zaak? Hoe is het uitzicht vanuit den hoge?'

Ze wachtte even en vroeg toen wat hij van Collins' getuigenverklaring vond.

'Opmerkelijke vertolking,' zei Larry. 'Net als die van zijn oom. Zeker erfelijk.'

'Denk je dat hij erbij is geweest? In het Paradise?'

'Collins? Ik weet dat hij daar was.'

'O ja?'

'Ik heb net Judsons schoenen bij de afdeling bewijsmateriaal laten opscharrelen. En ik heb de hele dag de DNA-jongens achter hun broek gezeten. Ze hadden al een profiel van Collins van Faro's bebloede hemd, en in de schoenen zat nog veel zweet. Weet je, ze zitten er het liefst een jaar of zes op te studeren voor ze zich aan een uitspraak wagen, maar waar het op neerkomt is dit: het zweet-DNA komt niet overeen met het bloed aan de schoenen, maar wel met het hemd. Het zijn de schoenen van Collins – niet dat de DNA-jongens je dat in '91 hadden kunnen vertellen.'

Ze nam een slok bier.

'Verandert daardoor iets voor jou?' vroeg hij.

'Nada.'

Ze had dus al geloofd dat Collins erbij was geweest.

'Ik zal je zeggen wat ik niet geloof,' zei hij. 'Ik geloof er niets van dat hij er toevallig in verzeild is geraakt. Dus Collins moest van zijn oompje Erno te horen krijgen dat de politie zou denken dat hij bij de moorden betrokken was? Kom nou. Je gaat toch niet met lijken slepen als je er niets mee te maken hebt?'

'Het is een raar verhaal,' zei Muriel. 'Maar in families gebeuren soms rare dingen. Je weet alleen dat Collins de lijken heeft versleept omdat hij dat heeft verteld – en daardoor weet je ook van de schoenen.'

'Dus jij denkt niet dat hij heeft meegewerkt?'

'Alleen Erno's vingerafdrukken staan op de trekker en de kolf, en die staan toch in Luisa's bloed, Larry, zo is het toch?'

'In elk geval is het haar bloedgroep. Ik heb de DNA-jongens niet te veel lastig gevallen over Luisa – je kunt je wel voorstellen hoeveel gedonder ik er al mee heb gehad en de bepaling was eigenlijk al doorslaggevend.' Het bloed aan het wapen was B-negatief. Niet meer dan twee procent van de bevolking had B-negatief en Luisa Remardi was er één van geweest. Judson, Gus en Collins hadden allemaal O. Larry had nog even gehoopt dat Erno B-negatief had, maar de ziekenboeg in de gevangenis had gezegd van niet. Maar voor Larry was Erno als de schutter niet het hele verhaal.

'Mijn grote vraag blijft staan,' zei hij. 'Ik ga er niet in mee dat Rommy hier totaal buiten stond. Misschien dat Erno en Eekhoorn Luisa en Collins samen voor het blok hebben gezet. Maar Collins maakt alleen af waar zijn oom mee is begonnen, Rommy ontlasten omdat zij hem er samen in hebben geluisd.'

'Zie je Rommy echt als grote wreker, Larry? Hij kon niet eens voor zichzelf opkomen. Bovendien is er geen bewijs om dat te onderbouwen.'

Maar Larry had een idee. Hij had voor de dag van morgen zes aspiranten van de opleiding gecharterd. Hij wilde een last om in de bodem van Erno's schuurtje te mogen graven, in de hoop alles te vinden wat er op de avond van de moorden van de slachtoffers was afgenomen. Collins had gezegd dat Erno met het idee had gespeeld om het schort te laten opgraven om zijn verklaring te staven, maar had beseft dat Collins' vingerafdrukken waarschijnlijk op diverse voorwerpen te vinden zouden zijn. Larry vermoedde dat Erno ook vingerafdrukken of DNA van Eekhoorn achterhield.

'Morgen om tien uur krijg je je bevel tot huiszoeking en mijn steun heb je, Larry. Maar als we geen spoor vinden waarmee een link met Eekhoorn kan worden aangetoond, is het weer een punt voor de tegenpartij. Al het forensische bewijs is nu onderbouwing voor Erno en

Collins. Als die spullen daar liggen, zoals Collins heeft gezegd, en als er alleen vingerafdrukken van Erno en hem op staan, kunnen we het schudden. Dan komt er een nieuw proces, Larry.'

'Een nieuw proces?'

'We kunnen anderhalf jaar met Harlow in de clinch blijven liggen, als het hof van appèl de zaak terugverwijst, maar als je alles goed bekijkt – de getuigenverklaring, de vingerafdrukken, het DNA, de archiefgegevens die suggereren dat Eekhoorn ten tijde van de moorden in de cel zat...' Ze zweeg even omdat het heel wat was. 'Dan krijgt Gandolph zijn herziening.'

Juridisch had ze misschien gelijk, maar hij zag ook aan haar dat ze niet wilde dat het slechte nieuws zou uitlekken, waardoor elke dag krantenkoppen zouden verschijnen die haar tegenstander in de kaart zouden spelen.

'En dat is nog niet het ergste,' zei ze.

'Wat is er dan het ergste?'

'We kunnen deze zaak niet overdoen.'

'Vanwege Collins?'

'Collins heeft twee verschillende verhalen verteld, eentje waarin hij beschuldigt en eentje waarin hij dezelfde man ontlast. Hij is een dealer en een bedrieger, dat geeft hij zelf toe, en hij heeft een stevig strafblad. Hij mag Jezus prijzen tot hij blauw ziet, maar een jury zal de neus dichtknijpen als hij als getuige optreedt. Mijn probleem is hoe we de camee als bewijsmateriaal toegelaten moeten krijgen.'

'Waarom niet zoals de vorige keer? Ik kan getuigen.'

'Uitgesloten, Larry. In een rechtszaal kunnen heel bizarre dingen gebeuren. Ik zal niet zeggen dat ik nooit heb moeten grinniken om wat mijn eigen getuigen te berde brachten, maar ik heb nog nooit iemand laten getuigen in het besef dat hij meineed ging plegen. En daar begin ik ook nu niet aan.'

'Meineed?'

'Zo heet dat als je onder ede verzinsels vertelt, Larry.' Ze keek hem recht in de ogen, en anders dan een ogenblik eerder. Dit was Muriel de Onverschrokkene.

'Zou jij aanklager willen zijn?'

Ze bekeek zichzelf, nog steeds naakt, en zei: 'Ik denk dat ik mezelf zou moeten wraken.'

'Serieus,' zei hij. 'Zou je dat een misdaad vinden?'

'Ik vind het verkeerd, Larry. Echt verkeerd. En ik laat je niet onder ede verklaren dat je die camee in Eekhoorns zak hebt gevonden als dat niet zo is.'

Zo lang als hij haar kende had hij nooit geweten hoe principieel Muriel precies was. Ze meende wat ze zei. Maar haar berekening was nooit vrij van eigenbelang. Als ze hem liet liegen, zou hij altijd greep op haar houden.

Hij dacht na over de alternatieven. Met instemming van Arthur hadden ze in juni de camee teruggegeven aan Luisa's dochters, dus ze konden hem niet meer op vingerafdrukken laten onderzoeken om aan te tonen dat Eekhoorn hem in handen had gehad.

'En als ik toegeef dat ik de vorige keer heb gelogen?' vroeg hij.

'Dat is een ambtsmisdrijf, Larry. Daarvoor krijg je de zak. En dat kost je je pensioen. En dan heb je nog geen bewijsketen waarin de camee bij Eekhoorn vandaan komt, tenzij je de diender die de camee heeft gestolen laat getuigen dat hij dat heeft gedaan, wat niet zal gebeuren tenzij hij ook vrijwillig afstand doet van zijn pensioen. We zouden er toch mee het schip in gaan.'

'Hoezo?'

'Jij zou toegeven dat je hebt gelogen om hem veroordeeld te krijgen, toch?'

'Om een meervoudige moordenaar veroordeeld te krijgen.'

'Waarom zou je het dan niet nog eens doen? Je bent de enige getuige van veel wat er in oktober '91 op het bureau tussen jou en Rommy is gebeurd. De volgende keer zal Arthur aanvoeren dat die bekentenis onder dwang is afgelegd. Het enige dat wij hebben is een meinedige politieman die zegt van niet.'

'Dan kunnen we de bekentenis niet gebruiken?'

'Hoogstwaarschijnlijk niet. En de camee evenmin. En het kost jou de kop. Ik bedoel: in het ergste geval, Larry: als we toegeven dat je over de camee hebt gelogen, en iemand erachter komt dat je Dickermans rapport door de plee hebt gespoeld, krijg je waarschijnlijk gedonder op het hoogste niveau wegens rechtsobstructie.'

'Een federale klacht?'

'We zitten op federaal niveau, Larry.'

'Shit.' Daar namen ze dienders te grazen voor de sport, in het kader van de eeuwigdurende justitiële strijd tussen staat en natie.

'We kunnen deze zaak niet opnieuw behandelen, Larry.'

Hij haatte het gedoe met de wet – en Muriel, als ze zich opwierp als woordvoerder ervan. Hij spande zijn armen om zijn knieën en vroeg of ze het met Gandolph konden afmaken op een lange gevangenisstraf.

'Dat zou voor ons het beste zijn,' zei ze. 'Maar hoe noemde je Arthur ook weer? Het Rechtzinnige Konijn? Dat konijn denkt dat hij een onschuldige cliënt heeft. En dat konijn heeft waarschijnlijk wel het lef om het op een proces te laten aankomen.'

'Wat gebeurt er dan?'

Ze gaf geen antwoord. Larry kwam half overeind en greep haar arm.

'Ik wil niets horen over aftrek, Muriel. Ik wil die man niet op straat hebben. Ik waag het er nog liever op in de rechtszaal, al kost het me mijn pensioen, een proces wegens rechtsobstructie, wat dan ook. Knoop het in je oren, Muriel. Ik meen het. Beloof me dat je daar zult staan.'

'Larry.'

'Verdomme, je moet het me beloven. Hoe heet die Griek ook weer die een rotsblok over een helling omhoogduwt en nooit de top bereikt? Sisyphus? Ik ben geen Sisyphus. Dat was een vervloeking, Muriel. Die man was vervloekt. En dat is wat je mij zou aandoen.'

'Ik probeer je te redden, Larry.'

'Is dat hoe je het ziet?' vroeg hij en pakte haastig zijn kleren.

Maar opeens was hij haar aandacht kwijt. Ze was weer ver weg. Het duurde even voordat hij besefte dat ze dacht de manier te hebben gevonden om dat te doen.

40

24 AUGUSTUS 2001

Heroïne

De receptionisten bij O'Grady, Steinberg, Marconi & Horgan kenden Gillian inmiddels. Ze stak haar hand op bij het binnenkomen, liep door de lichte gangen van het advocatenkantoor en zag mensen die haar niet kenden of te goed kenden flauwtjes glimlachen. Zoals ze had voorspeld was Arthurs keuze niet goed gevallen bij de maten. Gillian reageerde niet, maar bleef kijken naar het nieuwe schakelkettinkje om haar enkel dat ze die ochtend had gekocht. Haar gevoelens omtrent dit accessoire waren in de loop van haar leven veranderd. Haar moeder had gezegd dat enkelkettinkjes vulgair waren, wat tot gevolg had gehad dat Gillian er als tiener lange tijd een had gedragen, maar later niet meer. Nu ze tegen het einde van de zomer acceptabel bruin was en geen kousen meer hoefde te dragen, voelde het dunne kettinkje als een sensuele belofte op haar blote huid. Het slanke bewijs ergens van. Ze wist niet waarom, maar het deed haar aan Arthur denken. Ze klopte op de metalen deurpost van zijn kamer en stak haar hoofd naar binnen.

'Ga je mee eten?'

Hij zat met zijn rug naar haar toe en had het hoofd gebogen. Ze dacht dat hij zat te lezen, maar toen hij zich omdraaide, kon ze zien dat hij had gehuild. Arthur had niets te veel gezegd. Hij huilde erg vaak. Ze was niet verontrust, tot hij dat ene woord uitsprak.

'Heroïne?'

Hij zei het nog een paar keer, maar ze kon geen woord uitbrengen.

'Vanmorgen,' zei hij, 'heeft Muriel een spoedverzoekschrift ingediend bij Harlow om de zaak te heropenen en jou als getuige op te roepen.'

'Míj?'

'Jou. In het verzoekschrift staat dat je over gegevens lijkt te beschikken die gunstig zijn voor de verdediging. Het was zo belachelijk en laag bij de grond dat ik weigerde jou ervoor te storen. Ik kwam scheldend en tierend de rechtszaal binnen. "Goedkoop." "Melodramatisch." "Onethisch." "Onder de gordel." Woorden die ik nog nooit in het openbaar over een andere jurist had gebruikt. Het idee dat je zou proberen van deze zaak iets persoonlijks te maken! En toen ik uitgeraasd was, vroeg Muriel de rechter om een korte schorsing en overhandigde me zes onder ede afgelegde verklaringen, allemaal van mensen die je heroïne hebben verkocht of je hebben zien kopen. Ik wilde niet afgaan op het woord van heroïnehoeren. Maar vanmiddag heb ik er twee ontmoet, Gillian, in persoon. Ze waren allebei afgekickt. De ene is drugsconsulent geworden. Ik bedoel: ze vonden het niet leuk om het te zeggen. Ze waren niet rancuneus tegenover jou; een van de twee is jaren geleden voor je verschenen en je hebt haar een proeftijd gegeven, en ze had een verdomd sterk vermoeden waarom. Ik bedoel: ze zeiden gewoon de waarheid. Zíj zeiden de waarheid over jou. Kun je je voorstellen hoe dat voor mij was? Ik bedoel: jezus christus godverdomme, Gillian: heroïne?'

Er was waarschijnlijk geen woord voor. Ze was in een leunstoel met tweed bekleding gaan zitten, maar ze had geen idee hoe ze daar was gekomen. Ze voelde zich of ze in een lift tientallen verdiepingen was gevallen en met een klap tot stilstand gekomen. Ze was met hoge snelheid gedaald en platgeslagen. Heel even wilde ze ontkennen wat hij had gezegd, wat haar nog wanhopiger maakte.

'Arthur,' zei ze. 'Het maakt alles zoveel erger, Arthur.'

'Dat zeker.'

'Voor mij. Het is zo'n veel grotere schande. En ik kon echt niet meer verdragen, Arthur. Dat weet je. Dat begrijp je wel.'

'Gillian, dit is toch het eerste waarnaar ik heb gevraagd. Je hebt tegen me gezegd dat je nuchter was toen Rommy werd berecht.'

'Ik heb antwoord gegeven op je vraag. Ik heb gezegd dat ik niet te veel dronk. Ik sprak als getuige, Arthur, een ervaren getuige. Ik heb antwoord op de vraag gegeven.'

'En daarna? Heb je in de afgelopen vier maanden niet gedacht... Ik bedoel, besef je wel wat dit voor een klotezooi aan juridische problemen oplevert?'

'Juridische problemen?'

'Voor Rommy. Juridische problemen. Hij is berecht door een heroïneverslaafde.'

'Hij is niet de eerste verdachte die voor een rechter met een handicap is verschenen. De zaak is in beroep gegaan, Arthur. Twee keer. Er is een eindeloze juridische nasleep gevolgd. Niemand heeft ooit iets gevonden dat op een vormfout leek.'

'En de grondwet dan?'

Ze kon hem niet volgen. 'De grondwet?'

'De grondwet, Gillian, belooft elke verdachte een eerlijk proces. Denk je dat dat een proces betekent met een rechter die elke dag een misdrijf pleegt? Niet alleen een rechter met een getroubleerde gedachtegang, maar een rechter die de straat op gaat en daarom heel sterke motieven heeft om aanklagers en politie niet tegen zich in het harnas te jagen?'

Aha. Ze leunde naar achteren. Hieraan had ze nog helemaal niet gedacht. Ze had het hele onderwerp de eerste dag dat ze met Arthur koffie had gedronken kort overdacht, met Duffy besproken en weggeduwd. Het enige recht dat haar had beziggehouden, was haar eigen recht. Maar als ze een ogenblik gedisciplineerd had nagedacht, had ze kunnen beseffen wat de implicaties voor Rommy waren, precies zoals Arthur ze nu uiteenzette. Ze was zo schuldig als Arthur meende dat ze was.

'Muriel heeft al gebeld om te vragen wat ik ga doen,' zei hij.

'En?'

'En ik heb tegen haar gezegd dat ik mijn verzoek om herziening zal aanpassen door aan te voeren dat jouw verslaving een aantasting is geweest van Rommy's recht op een eerlijk proces.'

'Wil je mij laten getuigen?'

'Als het moet.'

Ze wilde zeggen dat hij dramatisch of impulsief reageerde. Hoe kon hij de vrouw ondervragen met wie hij sliep? Maar ook daarop was het antwoord duidelijk. Ze was niet meer zo snel met dit soort dingen als vroeger, bedacht ze treurig. Kennelijk was ze niet meer de vrouw met wie hij sliep.

'Mijn god, Gillian, het is een onverdraaglijke gedachte. Jij in portieken, scoren bij hoeren – en dan weer terug om over andere mensen een oordeel te vellen? Ik kan het me niet voorstellen. En jij? Wie ben jij in godsnaam?'

Tja. Ze had geweten dat hij vroeg of laat zo verstandig zou zijn die vraag te stellen.

'Denk je succes te kunnen behalen, Arthur, met deze nieuwe koers?' Ze was bang dat het zou klinken alsof ze om mededogen vroeg. Maar ze besefte dat dat waarschijnlijk ook zo was.

'Bedoel je of ik dit zou doen om me op je te wreken, Gillian? Nee. Nee. Pamela is met het onderzoek begonnen. Een nieuw proces is een uitgemaakte zaak. Maar ik stel me op het standpunt dat voor mijn cliënt het *ne bis in idem*-beginsel geldt. De staat is haar fundamentele plicht niet nagekomen om voor een competente rechter te zorgen. Muriel leek bereid naar dat argument te luisteren.'

Heel even stelde Gillian zich voor hoe Muriel dit zou opvatten. Zelfs als ze verloor, kon ze in haar vuistje lachen. Dat kwam in het recht zelden voor. Je was niet vaak bij machte het hart van je tegenstander te breken.

'Begrijp ik het goed?' vroeg Gillian. 'Ik ben de zondebok. Een drievoudige moordenaar gaat vrijuit omdat ik verslaafd was aan heroïne. Zal het zo in de pers worden uitgelegd?'

Arthur verkoos geen antwoord te geven, maar alleen omdat het geen zin had om te ontkennen. In de ogen van de beroepsgroep had ze gefaald en teleurgesteld. Maar nu zou ze als een monster worden beschouwd. Arthur zag haar al zo, besefte ze. De starende blik in zijn roodomrande ogen was angstaanjagend objectief.

'Het is mijn schuld, Gillian. Je hebt me gewaarschuwd. Je hebt me verteld wat je met de mannen in je leven hebt gedaan. Je hebt me zelfs een hele casus verteld. En ik ben er toch aan begonnen.'

In haar chaos van gevoelens ervoer ze een nieuwe pijn, alsof spierweefsel was losgesneden van bot dicht bij haar hart. Hij had nog nooit iets wreeds tegen haar gezegd.

Ze strompelde de kamer uit, de lichte gangen door, naar de lift. Beneden bleef ze op straat staan. 'Heroïne.' Hoe kon ze zichzelf dat ooit hebben aangedaan? Dat moest ze zich echt zien te herinneren en daardoor ervoer ze, voor het eerst in jaren, een helder besef van de geheugenmaskerende uitwerking van het verdovende middel.

41

27 AUGUSTUS 2001

De Midway

Onder de lange groene handen van de eiken en iepen aan de Midway liepen Muriel en Larry, op zoek naar een bank. Ze hadden allebei een broodje gehaald en droegen een felrode beker limonade in de hand. Het smalle plantsoen, mijlen lang, was niet lang na de Burgeroorlog aangelegd en beplant, een stadstuin in het midden van een weg waarover klepperende paarden rijtuigen hadden getrokken. Nu raasde over vier rijbanen, twee aan de oostkant en twee aan de westkant, verkeer voorbij dat elke poging tot praten ontmoedigde tot ze voor een bank stonden met splinterige planken op een cementen voet.

'Hier?' vroeg Muriel.

'Best.' Hij bleef knorrig over deze wandeling.

'Ik dacht gewoon aan ons, Larry, en ik besefte dat onze ontmoetingen altijd binnenshuis zijn geweest. Begrijp je? Je praat vaak over tuinen, maar wij zijn altijd binnen gebleven. Rechtszalen. Kantoren, Hotelkamers.'

Er kwam een bus voorbij die ronkend vaart meerderde en giftige uitlaatdampen braakte.

'Echt landelijk,' zei Larry. 'Waarom had ik onder het lopen het gevoel dat het een opmars naar de galg was, Muriel?'

Ze kon geen lachje opbrengen. Ze had haar broodje uit het zakje gehaald, maar begon er nog niet aan. Voor haar volgende zin had ze beide handen nodig.

'Ik heb besloten onze zaak tegen Rommy Gandolph niet voort te zetten,' zei ze. De analyse was niet moeilijk. Larry's schatgraverij onder Erno's schuurtje had nog zes voorwerpen opgeleverd met vingerafdrukken van Erdai of Collins erop, en geen snippertje bewijs tegen Eekhoorn. Toch vond ze het vreselijk om het hardop te zeggen.

Larry had een grote hap van zijn broodje genomen en bleef kauwen, maar verder zat hij er roerloos en gespannen bij. Zijn das, vijftien centimeter omlaag getrokken, woei op en bleef enige tijd horizontaal hangen.

'Je bent de eerste die ik het vertel,' zei Muriel. 'Na Ned, bedoel ik.'

Hij slikte en zei toen: 'En hier buiten kan niemand me horen krijsen. Zo is het toch?'

Het was niet bij haar opgekomen. Maar zoals altijd had haar instinct haar waarschijnlijk met reden hierheen gevoerd.

'Je kunt het niet menen, Muriel. Je staat er ideaal voor. Volgens jou wilde Arthur geen schikking, maar nu zal hij wel moeten, als hij niet in de rechtszaal zijn vriendin wil afbranden.'

Na al die tijd had ze nog altijd niet echt beseft hoe verschillend hun werelden waren. Larry was een van de slimste mensen die ze kende. Hij las boeken. Hij kon abstract denken. Maar de wet was voor hem louter tactiek. Anders dan juristen had hij zichzelf nooit wijsgemaakt dat hij zich beter kon verzoenen met de banale grenzen van juridische oorzaken en gevolgen. Hij zag alleen een algemeen beeld, terwijl juristen logische redenen verzonnen om te handelen zoals ze wilden handelen.

'Dat betwijfel ik,' zei Muriel. 'Dan zou hij zijn cliënt verraden om Gillian te redden.'

'Het is te proberen.'

'Het is onethisch voor ons allebei, Larry. Voor hem – en voor mij als ik het voorstel.'

'Tegen wie heb je het, Muriel?'

'Larry, ik ben niet beter dan een ander, ik laat me meeslepen, maar ik doe mijn best. Ik geloof echt dat je de wet niet kunt toepassen als je je er zelf niet aan houdt. Bovendien,' zei ze en ze voelde een huivering, 'geloof ik niet meer dat Eekhoorn schuldig is.'

Nog voordat ze het zei, wist ze wat ze deed, maar het bleef hartverscheurend om hem te zien ineenkrimpen. Zijn rug en borst werden zo hard als beton. Hij was de enige man op aarde die van haar had gehouden zoals ze het liefst wilde en hij zou voortaan haar vijand zijn.

'Hij heeft bekend,' zei Larry ingehouden. Dat was de kern. Uiteindelijk kon ze zeggen dat Larry haar had misleid. Maar Larry, al ruim twintig jaar rechercheur, zou moeten verklaren dat hij zichzelf een rad voor ogen had gedraaid. Het kon een gebrek aan integriteit zijn of een uitglijder. Of van allebei een beetje. Maar in dit stadium zou het voor hem nog erger zijn om zijn fout toe te schrijven aan zijn hartstocht om haar te behagen.

Pas nog had ze hem melodramatisch gevonden toen hij zei dat ze hem dit niet kon aandoen. Maar vaker dan wie ook bereikte Larry eerder dan zij de finish, en dat was toen gebeurd. Als hij haar oordeel onderschreef, moest hij zichzelf in zijn eigen ogen te gronde richten. Daartoe zou niemand in staat zijn.

'Larry, zoals het ernaar uitziet draait alles om Gillian. Niet om Dickerman. Of Collins. Aan het onderzoek wordt niet getwijfeld. Informeel stellen wij dat we niet het risico willen lopen van een uitspraak over *ne bis in idem*, als het betekent dat de celdeur opengaat voor iedereen die in de loop van de jaren voor Gillian is verschenen. Als we die strijd moeten voeren, dan niet in een doodstrafzaak waarbij zulke hoge eisen aan de procedure worden gesteld.'

Terwijl ze het uitlegde, bleven Larry's blauwe ogen strak op haar gericht. Ten slotte stond hij op, liep naar een afvalbak even verderop en mikte zijn broodje erin. Daarna liep hij terug over de bodem waarop amper gras wilde groeien, zodat er grote modderplekken lagen tussen het platgeslagen gras met paardenbloemen.

'Je beseft toch wel hoe hypocriet je bent. Gillian ervoor op laten draaien – daardoor ben jij veel beter beschermd dan ik.'

'Ik begrijp dat we er allebei mee geholpen zijn.'

'Zodra je Rommy vrijlaat, is het eerste dat Arthur doet een civiele zaak beginnen met een gigantische vordering; en al die verklaringen van Dickerman en Collins zullen daarbij naar buiten komen.'

'Dat komt niet naar buiten, Larry. Ze zullen niet het risico nemen Eekhoorn te laten getuigen, omdat ze geen staat kunnen maken op wat hij zal zeggen. Die zaak wordt snel en grof geschikt.'

'Zodra de verkiezingen geweest zijn.'

Naar zijn idee was ze volstrekt eendimensionaal geworden. Ze calculeerde alleen, ze voelde niets meer. Maar ze knikte. Ze was wie ze was. En het beeld was niet altijd fraai. Ze vroeg zich af of het zin had hem te vertellen hoe groot haar verdriet om hem zou zijn. De nachten zouden vreselijk zijn. Maar ze zou zich op haar werk storten. Over een paar jaar zou het pas echt erg worden.

De dag daarvoor had ze vurig gebeden in de kerk. Ze had God bedankt voor haar zegeningen. Een zinvol leven. Talmadges kleinkind.

Niemand kreeg alles. Ze kreeg geen liefde, maar dat was waarschijnlijk omdat ze er minder aan hechtte dan sommige andere mensen. Toch duizelde het haar opnieuw toen ze opstond. Op dat ogenblik was ze vreselijk graag tegen hem aan gekropen. Maar ze had gekozen voor eenzaamheid. Larry zat gebogen met zijn knokkels tegen zijn mond, rood van woede. Als hij aan haar dacht, wist ze, zou hij haar altijd zien als de vrouw die zijn leven had verwoest.

'Ik moet naar John Leonidis toe,' zei ze. 'Ik heb een afspraak met hem in het Paradise.'

'Terug naar de plaats delict,' zei Larry.

'Jawel.'

'Vraag me niet je te steunen. Tegenover hem. Of het korps. Dat doe ik niet, Muriel. Iedereen die ernaar vraagt zal ik de waarheid over jou vertellen.'

Haar vijand. Zijn waarheid. Ze keek nog een laatste keer naar hem en wendde zich af om een taxi aan te houden.

De halve rit naar het restaurant huilde ze geluidloos. De laatste kilometers bedacht ze wat ze tegen John zou zeggen. Ze zou hem alles vertellen, alle bijzonderheden. Hij was geen flapuit, dacht ze, en als ze zich daarin vergiste, dan moest dat maar. Ze probeerde iets te bedenken om hem te troosten. John Leonidis had tien jaar gewacht op een sterfgeval als vergelding van het misdrijf tegen zijn vader. Zelfs als ze hem ervan kon doen geloven dat Erno in zijn eentje zijn vader had vermoord, waar ze zelf van overtuigd was, dan nog zou John het een ellendige gedachte vinden dat Erdai op zijn eigen manier was gestorven. Na tien jaar werk aan moordzaken en omgang met de familieleden van de slachtoffers was Muriel tot de overtuiging gekomen dat de meeste nabestaanden in een verre uithoek van hun bewustzijn – het oerwezen dat bang was voor het donker en harde knallen – aannamen dat als de juiste persoon stierf, degene die het verdiende om van de planeet te worden verwijderd, dat hun geliefde dan weer tot leven zou komen. Dat was de deerniswekkende logica van de wraak, in de box geleerd, en van het offeraltaar, waar we probeerden een leven voor een leven te ruilen.

Ze had nu drie executies gezien, als toezichthouder. Bij de eerste had de vader van het slachtoffer, een moeder van twee kinderen die bij een Stop-N-Go tankstationwinkel was doodgeschoten, verbitterd gereageerd, woedend omdat hij zich door wat als troost was bedoeld alleen nog beroerder was gaan voelen. Maar de beide latere groepen verwanten hadden beweerd dat ze er iets aan hadden gehad – een afronding, een gevoel van ontzagwekkend evenwicht dat in de wereld was hersteld, de gemoedsrust omdat niemand anders zo zou hoeven lijden onder die dode schoft als zijzelf. Maar ze had op dat ogenblik zoveel pijn dat ze niet goed meer wist waarom meer schade toebrengen het leven op aarde voor iemand aangenamer kon maken.

Muriel werd afgezet voor de dikke glazen deur van het Paradise en ze herinnerde zich nog precies hoe ze zich in de felle zomerhitte had gevoeld toen ze hier tien jaar eerder met Larry naar binnen was gegaan, hoe de koele lucht aan haar blote benen had gevoeld, die nog tintelden van haar activiteiten met Larry een uur eerder. Dat was voorbij. Hij was weg. Ze zag dat opnieuw onder ogen. Misschien kwam het door de gedachte aan Larry, die zich vastklampte aan wat ze nu als een fictie beschouwde, maar ze moest even aan Rommy Gandolph denken. In een dromerig ogenblik zag ze Eekhoorn als in een tekenfilm, onder een bleek licht in een lekkende kerker. Ze wilde lachen, maar het licht dat ze fantaseerde, als een kleine deurlamp, was werkelijk het eerste lichtpuntje in haar groter wordende verdriet. Het zou haar tientallen jaren kosten, de rest van haar leven, om te verwerken wat zij hem hadden aangedaan en waarom.

Zoals altijd ontving John haar hartelijk. Hij omhelsde haar en nam haar mee naar het kantoortje dat van zijn vader was geweest. De foto's van Gus hingen nog op dezelfde plaatsen.

'Je hebt zeker goed nieuws?' vroeg hij. Hij had in de weekendkranten over Gillian gelezen. De bijnaam die Aires had vermeld, 'de Edelachtbare Junk', was erg populair gebleken bij koppenmakers.

'Ik weet het niet, John, ik weet niet hoe ik het moet noemen.'

Terwijl hij naar haar luisterde, beet hij zo verwoed op zijn duimnagel dat Muriel vreesde bloed te zullen zien. Ze kon zich maar net bedwingen een poging te doen om hem tegen te houden. Maar ze kon hem niet vertellen hoe hij het moest verwerken. Hij was loyaal als altijd. Dat de vingerafdrukken en bloedsporen doorslaggevend waren, begreep hij heel goed, en hoewel ze het eigenlijk niet had verwacht, bleek hij bereid haar oordeel te accepteren dat Gandolph part noch deel had gehad aan de moorden. Of ze het verdiende of niet, als zovelen had John vertrouwen in haar juridische kwaliteiten. De enige troost die hij wilde had ze voorzien.

'Zou je voor de doodstraf zijn gegaan voor die man? Die Erdai? Als hij het had verteld en alles, maar door een wondermiddel was genezen en niet gestorven?'

'We zouden het hebben geprobeerd, John.'

'Het zou je niet zijn gelukt?'

'Waarschijnlijk niet.'

'Omdat hij blank is?'

Zelfs nu nog wilde ze eerst nee zeggen. Juryleden maten de ernst van misdaden af aan de waarde van de levens die waren beëindigd. Bij die afweging, en vele andere, speelden huidskleur en maatschappelijke status geen waarneembare rol meer. Ze zouden het heel erg hebben gevonden dat Erno's slachtoffers hardwerkende mensen met kinderen waren. Maar het tegenwicht was hun oordeel over de dader, en huidskleur maakte daarbij weinig uit.

'Uiteindelijk geven jury's alleen de doodstraf aan mensen van wie ze denken dat ze gevaarlijk en totaal waardeloos zijn,' zei ze tegen John. 'Het zou wel uitmaken dat Erno iets goeds heeft gedaan. Hij wilde niet dat een onschuldige in zijn plaats zou sterven. Misschien nog iets. Hij bekommerde zich om zijn neef.' Vlees van mijn vlees. Bloed van mijn bloed. Het kon ook belangrijk zijn geworden dat Muriel zijn hartstocht begreep.

'Waar slaat dat nou op?' vroeg John. 'Zeg eens eerlijk. Slaat het nou allemaal ergens op? Iedereen is nog even dood. Mijn vader en Luisa en Judson. Die Erno was een schijtluis, als ik het zo hoor. Een moordenaar. Een leugenaar. Een meineedpleger. Een dief. Uitschot. Twee keer zo erg als ooit van Gandolph is gedacht. En hij zou in leven zijn gebleven?'

Dat kon ze niet tegenspreken. Erno was totaal corrupt geweest.

'Zo gaat het in doodstrafzaken, John. Het is zo extreem – het misdrijf, de inzet, de gevoelens van iedereen. Je probeert regels op te stellen en om een of andere reden voldoen ze geen van alle, ze zijn zelfs niet begrijpelijk.'

Ze had een transcriptie van het onderhoud met Collins meegebracht. John sloeg een paar pagina's om en gaf het terug.

'Het is voorbij,' zei hij en slaakte een diepe zucht. 'Dat hebben we in elk geval bereikt. Het is voorbij.'

Voordat ze naar buiten ging, bood ze hem nogmaals haar excuses aan voor haar eigen aandeel in het geheel dat door haar zo lang had geduurd en zoveel wisselingen had gekend, maar daar wilde hij niet van horen.

'Geen seconde,' zei hij met dezelfde verbetenheid waarmee hij de zinloosheid van de wet had uitgekreten, 'kan iemand me wijsmaken dat je niet je best hebt gedaan. Jij en Larry. En Tommy. Jullie allemaal. Geen seconde.'

Hij omhelsde haar met dezelfde energie als toen ze binnen was gekomen en ging daarna een pleister voor zijn duim zoeken.

Buiten bleef ze staan om nog een keer te kijken naar het restaurant waar tien jaar eerder drie mensen op gruwelijke wijze de dood hadden gevonden. Muriel zou het simpele, lage gebouw van bruin gemêleerde baksteen nooit meer kunnen zien zonder te moeten denken aan de doodsangst van Luisa en Paul en Gus in hun laatste ogenblikken. Terwijl ze daar stond, verdiepte ze zich opnieuw in het onverdraaglijke ogenblik waarop elk van hen had beseft dat aan het leven dat we meer dan wat ook liefhebben een einde zou komen door de gril van een ander, een einde waarbij de positieve krachten van rede en menselijkheid waardeloos bleken.

Binnen had John iets herhaald dat hij vaak zei: dat hij tot op de dag van vandaag het bloed op de vloer zag. Toch had John Paradise niet van de hand gedaan. Het restaurant was een monument voor Gus, waar zijn geest nog steeds verwijlde. Een lichtplek in de donkere nacht. Een warme plek bij koud weer. Eten voor mensen met honger. Gezelschap voor eenzamen. Volop leven op een plek waar mensen net als Gus probeerden elkaars vriend te zijn.

Ze zou terugkomen.

42

30 AUGUSTUS 2001

Vrijlating

De kleren waarin Rommy Gandolph was berecht en toegelaten tot het gevangeniswezen waren allang weggeraakt. Misschien namen ze niet de moeite de kleding van Gele Mannen te bewaren. Even buiten de stad Rudyard reden Arthur en Pamela het parkeerterrein van een K-mart op en kochten drie broeken en een paar overhemden voor Rommy. Daarna zetten ze hun aangename reis naar het zuiden voort.

Toen ze bij de gevangenis aankwamen, had zich al een heel kampement van journaalbusjes voor de poort verzameld. Dominee dr. Blythe gaf een persconferentie. Zoals altijd had hij een veelkoppige entourage om zich heen. Arthur begreep nooit waar al die mensen rond Blythe vandaan kwamen; sommigen werkten voor zijn kerk, anderen fungeerden als bodyguard, maar de overigen bleven een mysterie. Een cohort van minstens dertig man telde een halfbroer van Rommy van wie Arthur een week eerder niet had geweten dat hij bestond, tot de kranten speculaties hadden gepubliceerd over een civiele vordering. Het hele legioen van Blythe was in een opperbeste stemming; de mensen genoten van de gelegenheid en het feit dat zij door hun aantal en de aandacht van de pers een deel van het gevangenisterrein in beslag hadden genomen.

Blythe bleek een draagbaar podium te hebben meegebracht in de achterbak van de verlengde limousine waarmee hij reisde en die een eindje verderop geparkeerd stond, uit het zicht van de camera's. Blythe had zich verwaardigd Arthur op te bellen om hem te feliciteren, nadat Muriel haar verzoek had ingediend om de zaak tegen Rommy niet-ontvankelijk te verklaren, en nadien had hij niets meer van de dominee of zijn medewerkers gehoord. Maar Arthur was natuurlijk niet verbaasd Blythe hier te zien. Met zijn glimmende hoofd en grote witte snor zag Blythe er goedmoedig uit, tot hij begon te spreken. Arthur hoorde hem klagen over de onrechtvaardigheid van een systeem waarin aan drugs verslaafde rechters onschuldige zwarte mannen ter dood veroordeelden. Hij had wel gelijk, vond Arthur, maar het had ook iets raars.

Terwijl enkele verslaggevers op Arthur afkwamen, nodigde de dominee hem uit op het podium te komen staan. Blythe schudde Arthur stevig de hand en sloeg hem op zijn rug en zei opnieuw dat hij het goed had gedaan. Het was van Blythe dat Arthur in hun laatste gesprek had vernomen dat de aanklager Erno's neef had gehoord en dat Muriel zichzelf nu dekte door Gillian de schuld te geven. Jackson Aires, die het geheim ter wille van zijn cliënt had bewaard, had Collins teruggestuurd naar Atlanta en geweigerd te bevestigen wat, vermoedde Arthur, Jackson Blythe in vertrouwen had verteld. Aires beperkte zich tot één punt. 'Je man heeft het niet gedaan. Was er niet bij. De rest doet er niet toe. Verdomd goed werk, Raven. Nooit gedacht dat je er veel van terecht zou brengen als strafpleiter, maar ik schijn me te hebben vergist. Verdomd goed werk.'

De waarheid omtrent Collins zou nog aan het licht kunnen komen in een civiele procedure, zeker als de staat moeilijk ging doen over een schikking. Op de terugweg naar de stad hoopte Arthur met Rommy te kunnen praten over het indienen van een civiele vordering. Een dag eerder had Arthur Ray Horgan laten weten dat hij van plan was Rommy's civiele zaak te behandelen en het kantoor vaarwel te zeggen.

In het poortgebouw gaven Arthur en Pamela een broek en een hemd aan de dienstdoende portier, die de kleding niet wilde aannemen.

'Die lui daarbuiten, van dominee Bliksem, die hebben een kostuum afgegeven. Vijfhonderd pop en geen dollar minder.' De portier, die blank was, wierp een steelse blik om zich heen, pas verstandig nadat hij had gesproken.

Even later kwam Blythe binnen. Hij werd vergezeld door een imposant uitziende man, tot in de puntjes gekleed, een Afrikaanse Amerikaan die Arthur ergens van kende. Niet uit de stad, dat wist Arthur wel. Een of andere held, dacht Arthur, misschien iemand uit de sport.

De portier pakte zijn telefoon en even later verscheen de directeur, Henry Marker. Als zwarte man had hij een opvallend hartelijk onthaal voor Blythe en hij nodigde het hele gezelschap uit met hem mee te gaan. Voorbij de eerste poort gingen ze een kant op die nieuw was voor Arthur en Pamela en ze gingen een vrijstaand gebouw van oranje baksteen binnen. Hier waren dezelfde sloten en bewaarders, maar de bedoeling was nu de gedetineerden buiten te sluiten, niet ze binnen te houden.

Op de bovenverdieping ging Marker hen voor naar zijn kantoor, dat ruim was maar sober ingericht. Voor het bureau van de directeur zat Romeo Gandolph in pak met das onderuitgezakt te frunniken. Hij sprong op toen de groep binnenkwam en wist natuurlijk weer niet wat er nu van hem werd verwacht. Zijn haar was door iemand verzorgd en toen hij zijn armen spreidde, viel Arthur op dat Rommy eindelijk niet meer geboeid was. Ondanks zichzelf begon Arthur, die in de afgelopen week veel had gehuild, weer te huilen, en Pamela ook. Intussen drukte Blythe Rommy aan zijn brede borst.

De directeur had diverse documenten die Rommy moest tekenen. Arthur en Pamela zagen ze in terwijl Blythe met Rommy naar een hoek van de kamer liep. Arthur hoorde hen bidden en daarna raakten ze druk in gesprek. Nadat Rommy zijn krabbel op de documenten had gezet, konden ze allemaal weg. Marker liep mee naar de ingang. De zoemer ging en de directeur hield als een butler de deur voor hen open. Terwijl hij dat deed, wrong Blythe zich langs Arthur en Pamela naar voren zodat hij naast Rommy in het daglicht verscheen.

De cameramensen gedroegen zich als altijd ongedisciplineerd; ze schreeuwden en werkten met hun ellebogen. Blythe hield Rommy bij zijn arm vast en voerde hem mee naar het podium op de parkeerplaats. Hij nodigde Arthur en Pamela ook uit en gunde hun plaatsen op de tweede rij achter Rommy en hemzelf. Pamela had een korte verklaring voor Rommy opgesteld, die hij in zijn hand had, maar Blythe pakte die af en gaf hem een ander vel papier. Rommy begon te lezen en keek toen hulpeloos om zich heen. De halfbroer, die naast hem was komen staan, las een gedeelte voor. Voor het eerst vroeg Arthur zich af hoeveel repetities er nodig waren geweest voordat Rommy tien jaar eerder zijn bekentenis voor de videocamera had kunnen voorlezen. Terwijl Arthur daar stond en niet wist wat hij kon verwachten, overviel hem een besef van de totale monsterlijkheid van wat Rommy Gandolph was overkomen – dat en de opperste voldoening omdat Pamela en hij de wet hadden gebruikt ten behoeve van Rommy, dat de wet ten goede had gekeerd wat door de wet was misgegaan. Hoezeer Arthur in zijn nadagen ook in verwarring zou geraken, op dit ogenblik geloofde hij dat hij altijd zou onthouden wat hij hier had gedaan.

Gandolph had zijn poging om de verklaring voor te lezen opgegeven. Door de bestorming van de verslaggevers en fotografen was er een bittere stofwolk opgewaaid en Rommy knipperde verwoed en wreef in zijn ogen.

'Ik kan niet veel zeggen, alleen bedankt allemaal,' zei Rommy.

Verslaggevers bleven dezelfde vragen roepen: hoe het voelde om vrij te zijn, wat hij voor plannen had. Rommy zei dat hij wel trek had in een malse biefstuk. Blythe kondigde plannen aan voor een viering in zijn kerk. De persconferentie was afgelopen.

Terwijl Gandolph van het podium sprong, probeerde Arthur bij hem te komen. Over de telefoon hadden ze afgesproken dat Rommy met hen mee terug zou rijden naar Kindle County. Arthur had navraag gedaan naar een baan voor Rommy. En er moest over de civiele zaak worden gepraat. Maar Rommy bleef staan toen Arthur hem wees waar zijn auto stond.

'Ik ga eigenlijk met hunnie mee,' zei Rommy. Als hij besefte dat hij Arthur teleurstelde, liet hij niets merken. Maar hij trok zijn gezicht in rimpels van nieuwsgierigheid. 'Wat heb je voor wagen?'

Arthur lachte even en noemde merk en model. Rommy leek te zoeken op het parkeerterrein, maar hij begon te stralen toen hij de limousine zag.

'Nee, ik ga met hunnie mee,' zei hij. Zijn blik bleef rusteloos en onzeker. Blythes bodyguards hielden verscheidene verslaggevers op afstand. 'Ik wil jullie bedanken voor wat jullie hebben gedaan, echt waar.' Hij wilde een hand geven. Arthur besefte dat hij Rommy Gandolph nog nooit had aangeraakt. Zijn hand was merkwaardig eeltig en zo smal dat hij van een kind had kunnen zijn. Gandolph draaide zich op de tast om naar Pamela, die zich over hem heen boog om hem te omhelzen.

'Toch gezegd dat je met me moest trouwen,' zei hij. 'Ik neem net zo'n mooie vrouw als jou, maar dan zwart. En ik word ook rijk. Ik ga aandelen kopen.' Op dat ogenblik kwam de knappe man die met Blythe naar binnen was gegaan Rommy opeisen. In zijn gezelschap wendde Rommy Gandolph zich af en keek niet meer naar zijn advocaten om.

Ze zaten in Arthurs auto en waren op de terugweg toen Pamela Arthur vertelde wie de man was: Miller Douglas, een prominente advocaat van civiele zaken in New York. Hij zou ongetwijfeld Rommy's zaak voor hem aanspannen. Rommy zou het contract in de limousine tekenen, als hij dat niet al in de kamer van de directeur had gedaan. Arthur zette zijn auto aan de kant om het nieuws te verwerken.

'Wat vreselijk,' zei hij. Pamela, die nog zo jong was dat de zakelijke kant van het recht ver van haar af stond, haalde haar schouders op. Ze was niet verbaasd.

'Vind je niet dat hij de juiste advocaat heeft?' vroeg ze.

Arthur was pijnlijk getroffen door de ironische aspecten. Rommy was vrij. Arthur was niet vrij. Horgan zou er wel om kunnen lachen en Arthur weer terug laten komen, maar hij zou er nog jaren last van hebben. Gelukkig had Ray hem gevraagd er nog eens over te denken. 'Het zou kunnen, Arthur,' had hij gezegd, 'dat je een tijdje moet wachten voor je weer een onschuldige cliënt treft. Zeg een jaartje of twintig.' Arthur vroeg zich af hoe hij het voor Ray moest inkleden, en gaf het op. Als teleurstelling nam Rommy's keuze voor een nieuwe advocaat nog de tweede plaats in. Ondanks de ophef over Rommy's vrijlating, de eindeloze telefoontjes van verslaggevers, de juichstemming op kantoor waar Arthur nu veel aanhangers had, was hij peilloos verdrietig, ook nu.

Gillian. Mijn Gillian, mijn Gillian, dacht hij, en begon weer te huilen. Muriel had haar vakkundig door het slijk gehaald. Na twee dagen had de *Tribune* zelfs Gillians FBI-foto opgeduikeld, gemaakt bij haar arrestatie na 1993, en op de voorpagina gezet naast een artikel van een paar duizend woorden over Gillians drugsgebruik, gebaseerd op heel verschillende bronnen: drugsagenten, strafpleiters en verslaafden van de straat. Het verhaal over de Edelachtbare Junk was zelfs tot allerlei nationale media doorgedrongen, vooral de organen die roddels over beroemdheden brachten. In maar weinig berichten werd vermeld dat Gillian clean was toen ze was veroordeeld en nog steeds clean was.

Zolang Arthur nog Rommy's advocaat was, zou het niet ethisch zijn geweest als hij Gillian had opgebeld om haar te troosten. En hij had toch te veel verdriet om dat te doen. Voor zover hij zich kon herinneren, had ze niet eens haar excuses aangeboden. Misschien, hield hij zichzelf voor, was er als ze haar spijt had uitgesproken omdat ze hem zo had misleid, een manier geweest om door de jungle van tegenstrijdige verplichtingen tegenover zijn cliënt heen te dringen. Dagenlang belde hij elk halfuur zijn voicemail en maandag ging hij tussen de middag zelfs even naar huis om zijn post te halen. Misschien waren zijn verwijten te streng geweest, zeker zijn laatste uitlating over haar 'casus' waar hij onmiddellijk spijt van had gehad. Misschien liet ze zich weerhouden door wat de juridische situatie voorschreef. Het waarschijnlijkst was dat ze de moed had opgegeven, nu haar onheilsprofetieën werkelijkheid waren geworden. Drie nachten terug was hij tussen stormachtige dromen door wakker geworden met de kille angst dat ze weer was gaan drinken. Na een ogenblik herinnerde hij zich dat drank niet het probleem was. Zijn fantasieën waren inmiddels luguber geworden, vage beelden van Gillian die op verregende straten in donkere portieken wegdook om god mocht weten wat te doen.

Toen ze de stad hadden bereikt, parkeerde Arthur bij het IBM-gebouw, maar hij aarzelde toen Pamela en hij naar binnen wilden gaan. Hij bedacht opeens dat hij niet meer Rommy Gandolphs advocaat was. Ondanks zijn teleurstelling over de civiele procedure en het mislopen van het fortuin waarin hij, als zoon van zijn vader, nooit echt had geloofd, voelde hij zich op dat ogenblik werkelijk bevrijd. Hij had een enorme last gedragen die hem soms had doen wankelen, maar hij had tot het einde toe volgehouden en mocht zich om allerlei redenen opgelucht voelen.

Voor de draaideur van het kantoorgebouw gaf Arthur Pamela een kus op haar wang en zei tegen haar dat ze een briljante advocaat was. Daarna ging hij, met een mengeling van vrees en vreugde, te voet naar Morton, ruim een halve kilometer verderop. Gillian stond niet achter de toonbank. Haar collega Argentina boog zich over de glazen vitrine, waarbij ze ervoor zorgde dat ze geen vingerafdrukken achterliet. Ze vertelde Arthur met gedempte stem dat Gillian de hele week niet was geweest, niet hier en niet in het filiaal in Nearing.

'Die ellendelingen van de pers,' fluisterde ze. 'Volgens mij heeft Gil ontslag genomen.'

'Ontslag genomen?'

'Dat zei iemand. Ze verwachten haar niet terug. Ze schijnt de stad uit te zijn.'

Terwijl hij terugliep over Grand Avenue, met de schitterende winkels en hoge gebouwen, overdacht Arthur wat hem te doen stond. Hij had absoluut geen ervaring als strateeg op liefdesgebied en hij was ook nog te gegriefd om precies te weten wat hij wilde. Maar hij was wie hij was, hield hij zichzelf voor. Arthur Raven was geen meester van subtiliteit of verfijning. Hij kon alleen maar stevig doorstappen.

Minstens één bewoner van Duffy Muldawers huis was dolblij hem te zien. Zodra hij Arthur door het raam in de zijdeur zag staan, begon Duffy te stralen, terwijl hij nog met de ketting bezig was.

'Arthur!' riep de oude man verrukt en sloeg zijn arm om hem heen zodra Arthur in de kleine vestibule stond. Hij liet Arthurs hand niet los en had kennelijk dolgraag het hele verhaal over de afgelopen week gehoord, genietend met de broederlijke vreugde van verdedigers die maar zelden iets te vieren hadden. Maar Arthurs blik was al op Gillian gevallen, die in reactie op Duffy's luide welkom de trap af was gekomen. Ze was kennelijk aan het schoonmaken en nonchalant gekleed in spullen waarvan Arthur zelfs niet had vermoed dat ze die zou bezitten. Haar dunne bleke benen staken uit een versleten short. De mouwen van haar T-shirt waren opgerold. Ze droeg huishoudhandschoenen en had – voor het eerst sinds Arthur haar kende – zich niet opgemaakt. Achter haar zag hij een koffer.

'Het is voorbij,' zei hij. 'Hij is vrij.'

Gillian zei gefeliciteerd en staarde omhoog in het schemerige trapgat; toen zette ze een voet op de onderste tree. Duffy was inmiddels zo verstandig geweest te verdwijnen.

'Mag ik je omhelzen?' vroeg ze.

Er was misschien een volle minuut verstreken toen ze elkaar loslieten en op de trap gingen zitten. Ze hield zijn hand stevig vast. Gillian, die nooit huilde, had gehuild en Arthur, die het zelden drooghield, had alleen maar genoten van het heerlijke gevoel dat haar nabijheid hem weer gaf. Toen hij zat, bleek hij een verbazingwekkende erectie te hebben. Gillian voelde ook begeerte, maar in de kern van zijn omhelzing had ze een gevoel van troost ontwaard dat zo zuiver was dat het broederlijk kon zijn. Ze hadden geen van beiden enig idee wat er nu verder zou gebeuren.

'Gaat het?' vroeg hij ten slotte.

Ze maakte een machteloos gebaar. 'Nog steeds clean, als je je daar zorgen over maakt. Dat is aan Duffy te danken.'

'Ga je weg?'

'Ik moet wel, Arthur. Patti Chong, een vrouw die ik van de studie ken, is bereid me een baan als juridisch assistent te geven op haar kantoor in Milwaukee. Onderzoek doen. Misschien dat ik, als alles goed gaat, nog eens een verzoek zal indienen om weer toegelaten te worden. Maar hier moet ik weg.' Ze schudde haar hoofd. 'Ik heb nu toch echt het gevoel dat ik genoeg over me heen heb gekregen, Arthur. Ik moest Duffy gisteren naar de apotheek sturen met een recept. Die foto!' Ze kneep haar ogen stijf dicht. De opname was gemaakt toen Gillian haar diepste dieptepunt had bereikt, niet meer kon slapen en ten prooi was aan wanhoop. Haar haar stond alle kanten op. En natuurlijk waren haar ogen leeg.

'Een telefoontje had ik wel op prijs gesteld,' zei hij. 'Het zou vreselijk zijn geweest als ik hier eindelijk langs was gekomen en dan pas had gehoord dat je was vertrokken.'

'Dat kon ik niet, Arthur. Ik kon je niet om sympathie vragen terwijl elke zweepslag die ik kreeg in Rommy's voordeel werkte. Bovendien,' zei ze, 'schaamde ik me te erg. Ik was te bang voor je reactie. En te veel in de war. Ik kan hier niet blijven, Arthur, en ik wist dat jij nooit zou weggaan.'

'Ik kan niet weg,' zei hij. 'Mijn zus.'

'Natuurlijk,' antwoordde ze.

Hij was blij dat hij het had gezegd, omdat er iets in hem openging als een poort. Wat hij had gezegd was niet waar. Hij kon wel weg. De mensen in het Franz Center zouden Susan helpen om zich te redden. Zijn moeder zou eindelijk een manier kunnen vinden om zich nuttig te maken. En als het niet anders kon, zou hij Susan meenemen. Het kantoor had zelfs een filiaal in Milwaukee. Dat kon iets worden. Het kon best iets worden. Zelfs met hen beiden. Zijn beste en weerbaarste kant, die altijd hoopvol was, had weer de leiding.

'Ik weet niet waarom ik dingen doe, Arthur,' zei ze. 'Ik probeer al jaren mezelf te begrijpen – ik geloof dat ik er beter in word, maar ik heb nog heel veel voor de boeg. Maar ik geloof echt dat ik probeerde mezelf te beschermen. Het is ook net zo erg geworden als ik dacht. Dat moet je toegeven.'

'Het zou gemakkelijker zijn geweest als je iemand naast je had gehad, Gillian.'

'Dat had jij niet kunnen zijn, Arthur. Dat was een van de problemen.'

Dat klonk hem als een uitvlucht in de oren, ze zag het aan zijn gezicht. Maar voor haar stond het vast.

'Ik weet hoe het voelt om iemand te willen kwetsen, Arthur. Dat weet ik heel goed. Ik zweer je dat ik niet de bedoeling had je pijn te doen.'

'Dat geloof ik wel.'

'Ja?'

'Ik weet zeker dat jij veel liever jezelf wilde kwetsen.'

'Nu klink je zoals Duffy.'

'Ik meen het. Je blijft jezelf ondermijnen. Het is opmerkelijk.'

'Toe, Arthur. Ik kan geen karakteranalyse meer aanhoren. Het is niet iets dat ik in mijn eentje aankan. Het is moeilijk, ontzettend moeilijk voor me geweest, deze periode. Avonden met hoogspanning. Ik had vergeten hoe het voelde om te hunkeren naar een roes.'

Arthur dacht erover na. Hij sprak verder.

'Ik wil bij je zijn, Gillian. Samen met je weggaan. Met je samenwonen. Van je houden. Maar je moet inzien hoe hard je aan je eigen ondergang hebt gewerkt. Dus doe ons dat niet meer aan. Als je me kunt beloven dat je dat inziet en er voor ons allebei mee wilt worstelen...'

'Toe, Arthur. Ik ben niet doof of blind. Ik weet precies wat voor donquichotterie ik najaag, klimmen om te kunnen afdalen. Maar het is hopeloos, Arthur.'

'Niet hopeloos,' zei hij. 'Helemaal niet. Ik kan je geven wat je nodig hebt.'

'Wat dan?' Ze had graag sceptisch gereageerd, maar omdat hij Arthur was, geloofde ze hem direct.

'Mezelf. Ik ben je man. Ik kan iets tegen je zeggen dat je volgens mij nog nooit echt goed hebt gehoord.' Hij pakte haar beide handen. 'Kijk me aan en luister. Luister.'

Hij zag dat ze haar elegante, smalle gezicht helemaal naar hem toe draaide, met de blonde wimpers en de intelligente ogen.

'Ik vergeef je,' zei hij.

Ze keek een poosje naar hem. Toen zei ze: 'Zeg het alsjeblieft nog eens.'

'Ik vergeef je,' zei Arthur terwijl hij haar handen vasthield. 'Ik vergeef je. Ik vergeef je. Ik vergeef je.' Daarna zei hij het nog een paar keer.

AANTEKENING

Zoals gewoonlijk ben ik hier en daar geholpen door vrienden. Technische adviezen van Colleen Berk en Joe Tomaino over vliegtickets, van Jeremy Margolis over vuurwapens, van Jay Reich over het Hongaars, en van dr. Michael Kaufman en dr. Carl Boyar over secties, waren onontbeerlijk. Ik heb ook geprofiteerd van scherpzinnig commentaar van diverse lezers: Annette en Rachel natuurlijk als eersten en daarna Jennifer Arra, Debby en Mark Barry, Leigh Bienen, Ellie Lucas, Jim McManus, Howard Rigsby en de verrassende Mary Zimmerman. Ik heb aan elk van deze mensen ontzettend veel te danken. Jon Galassi en Gail Hochman blijven de maan en sterren in mijn literaire leven – en Laurie Brown zal altijd een bijzondere betekenis voor me hebben. Mijn assistenten Kathy Conway, Margaret Figueroa en Ellie Lucas waren onmisbaar. Hartelijk bedankt allemaal, jongens.